Kurt Held

Die rote Zora und ihre Bande

Kurt Held

wurde am 4. 11. 1897 in Jena (Thüringen) geboren.
Er war verheiratet mit der bekannten Kinderbuchautorin Lisa Tetzner (u. a. *Die Kinder aus Nr. 67*); sie lebten nach dem Zweiten Weltkrieg in Carona bei Lugano.
Er starb am 9. 12. 1959.
Die rote Zora ist sein Hauptwerk.

Kurt Held

Die rote Zora und ihre Bande

Sonderausgabe mit dem Originaltext anlässlich der Neuverfilmung »Die rote Zora«

Regie
Peter Kahane

In den Hauptrollen
Mario Adorf
Ben Becker
Linn Reusse
Jakob Knoblauch

Sauerländer

Bibliografische Information der Deutschen Bibliothek

Die Deutsche Nationalbibliothek verzeichnet diese Publikation
in der Deutschen Nationalbibliografie; detaillierte bibliografische
Daten sind im Internet über http://dnb.d-nb.de abrufbar.

6. Auflage 2008

Fotograf: Gordon Timpen
Umschlaggestaltung: Norbert Blommel, MT-Vreden
Printed in Germany
ISBN 978-3-7941-6115-7
www.patmos.de

1

Der Knabe auf der Klippe am Meer

»Branko! Branko!«
Eine heisere Frauenstimme rief den Namen immer wieder durch die enge Gasse, die in Senj, einer kleinen kroatischen Stadt, vom Markt hinunter zum Hafen führte.
»Branko! Branko!«
Die Frau, die so laut rief, war die alte Stojana, eine hochgewachsene, zaundürre Person mit einem faltigen, ausgedörrten, aber gutmütigen Gesicht. Weiße Haare lohten wie ein wilder Kranz um den schmalen Kopf.
»Branko! Branko!« Sie rief den Namen schon wieder. Branko, dem der Ruf galt, war ein großer, zwölfjähriger Junge. Er spielte im Hinterhof eines zerfallenen Palazzo mit einigen Kameraden ein Murmelspiel.
Er hörte das Rufen, war es aber schon so gewohnt, dass er ruhig weiterspielte.
»Branko! Branko!« Die Stimme kam näher und auf einmal stand die alte Stojana vor ihm.
»Branko«, sagte sie wieder und dann mit einem weichen, beinahe wehmütigen Klang: »Es ist so weit.«
Das hatte die alte Stojana während der letzten Tage auch mehrere Male gesagt. Branko stand trotzdem auf und ging der Alten, die sich, nachdem sie ihn gesehen, schroff umdrehte, nach.
Branko war ein schöner Knabe. Er hatte schwarzes, struppiges Haar und das längliche, kühne Gesicht seines Vaters, in dem besonders die spitze, vorspringende Nase auffiel. Seine Augen waren auch schwarz, aber sie hatten einen hellen Schimmer, der seinem Gesicht etwas Fröhliches gab.
Er war für seine zwölf Jahre übermäßig groß, aber sein schlanker Körper war eher gelenkig als kräftig. Alles war braun an ihm: die Hände, die Füße, der Hals, das Gesicht und auch der Rücken, der hie und da aus den Hemdlöchern hervorsah.
Branko musste zu den ärmsten Kindern der Stadt gehören, denn

außer einem bläulichen, zerrissenen und geflickten Hemd hatte er nur noch eine zerschlissene Hose an.
Sein Vater war Geiger. Er hieß Milan und galt sogar als einer der besten Geiger an der Küste. Alle in Senj liebten ihn wegen seines Violinspiels. Meistens war er aber unterwegs und fiedelte in den großen Seebädern und den kleinen Küstenstädten. Er verdiente einen guten Batzen Geld dabei, es kam aber nie etwas davon nach Senj; er schickte auch nie eine Nachricht und niemand wusste, wann er wiederkam.
Die alte Stojana schob ihre langen Beine schneller vorwärts und Branko musste sich gleichfalls beeilen. Sie ging durch den Hof in die schmale, knapp zwei Meter breite Gasse zurück, bog in einen der noch lichtlosen Schlupfe ein, die alle zwei, drei Häuser nach rechts oder links führten, und blieb vor einer kleinen Tür, die halb angelehnt war, stehen.
Hier wartete sie, bis Branko herankam, und schob ihn mit einem leichten Stoß in die Öffnung hinein.
Die Tür mündete unmittelbar in eine Kammer, die durch ein Loch spärliches Licht bekam. Im Halbdunkel sah man zwei Bettlager, einen Tisch, einen Stuhl, eine alte Kiste, auf der ein Spirituskocher stand, und einen Kleiderrechen.
Auf dem rechten Lager, unmittelbar bei der Tür, ruhte eine Frau. Sie hatte ein weißes, spitzes Gesicht, große, offene Augen und starrte in die Höhe.
»Es ist so weit«, klagte die alte Stojana, die hinter Branko in die Kammer getreten war, zum zweiten Mal.
Branko wollte es noch immer nicht glauben. Die alte Stojana hatte ihm schon unzählige Male, wenn die Mutter einen ihrer schweren Hustenanfälle bekam und wie tot auf ihr Lager sank, das Gleiche gesagt und stets, wenn er atemlos ankeuchte, schlug die Kranke die Augen auf, sagte »Branko« und lächelte ihn an.
Er blickte in ihr Gesicht. Auch diesmal würde sie es wohl wieder sagen. Die Mutter blieb aber seltsam still. Ihre Augen starrten an die Decke und sie rührte sich auch nicht, als eine große Fliege über ihr eingefallenes Gesicht kroch.
»Mutter«, sagte er leise und scheuchte die Fliege fort, aber die Frau regte sich noch immer nicht.
Brankos Augen wurden groß und er fasste nach einer der weißen, durchsichtigen Hände, die auf der bunten Decke lagen.

Die Hand war nicht mehr heiß und feucht wie sonst, sondern kalt und steif.
»Diesmal ist es wirklich so weit.« Die Alte trat von der anderen Seite zur Toten und drückte ihr die Augen zu.
Branko spürte, wie seine Knie einsanken, sein Körper vornüberstürzte, und im gleichen Augenblick lag er neben dem Lager und weinte.
»Armer Junge, armer Junge«, murmelte die Alte, »nun hast du nur noch deinen Vater.«
Der Knabe hob sein Gesicht wieder. Die Augen der Mutter waren geschlossen. Die alte Stojana hatte ihr die dünnen Hände über der Brust gekreuzt. Um die schwarzen Haare lag ein buntes Tuch. Das Gesicht war noch weißer als vorher, aber es sah friedlicher aus, so friedlich und ruhig, als wäre es schon längst nicht mehr von dieser Welt. Branko schluchzte lauter.
Die alte Stojana hatte sich unterdessen auf der anderen Seite des Lagers auf die Knie gelassen, betete, schlug das Kreuz, dann fasste sie Branko fest bei der Hand.
»Hör auf zu weinen«, sagte sie. »Deine Mutter war tapfer bis zuletzt und du sollst es auch sein.«
Branko stand gehorsam auf und fuhr sich mit beiden Händen über das Gesicht. Die alte Stojana hatte recht, die Mutter war tapfer gewesen und er wollte es auch sein. Er sah zu der alten Frau auf. »Was machen wir nun?«
»Wir gehen zum alten Jossip, dem Mesner der Kirche des heiligen Franziskus«, antwortete die Alte. »Er soll die Glocken läuten, damit auch die anderen wissen, dass deine Mutter gestorben ist, und dann müssen wir mit ihm über das Begräbnis sprechen.«
Die hohe, alte Kirche war kaum zweihundert Meter entfernt. Sie schritten durch das große Hauptportal. Der alte Jossip hantierte am Altar. Sie gingen auf ihn zu.
»Jossip«, sagte die alte Stojana, »Brankos Mutter ist gestorben.« Der Alte, den die Jahre schon recht gebeugt hatten, sah Branko aus seinen guten, freundlichen Augen an und strich sich dabei über seinen weißen Bart. »Die schöne Anka. Ach«, krächzte er, »dass Gott immer die Jungen holt. Uns sollte er holen, Stojana, uns.« Er kicherte, dann schlurfte er hinüber zur Sakristei. »Kommt, wir wollen es dem Herrn Pfarrer sagen.«

Hochwürden Paulus Lasinovic stand vor einem Pult und las. Als er die Schritte hörte, hob er sein rundes, von Hängebacken und einem Paar freundlicher Augen verziertes Gesicht und sah auf. Hochwürden Paulus Lasinovic war trotz seines jugendlichen Aussehens uralt. Ja, es gab wohl kaum einen Menschen in der Stadt, den er nicht getauft oder verheiratet hatte und von dessen Leid, Glück, Kummer und Freuden er nicht unterrichtet war.
Branko hatte auf einmal ein schlechtes Gewissen, als die Augen des Pfarrers auf ihm ruhten. Wie lange war es her, dass er nicht in der Kirche gewesen war? Vielleicht ein Jahr, vielleicht auch zwei oder noch länger. Der Pfarrer fasste ihn aber nur unter das Kinn. »Armer Junge, du hast deine Mutter verloren. Nun weine nicht. Ich habe die meine auch mit elf Jahren verloren. Gott wird sich deiner annehmen, wie er sich meiner angenommen hat.«
Dann nahm er den alten Jossip auf die Seite und sie gingen zusammen in dem schmalen Raum, der von bunten Glasfenstern in allen Farben erhellt wurde, auf und ab und sprachen miteinander.
Nach einer Weile führte Jossip sie wieder aus der Sakristei hinaus. »Wir wollen sie übermorgen begraben, Mutter Stojana. Passt das? Um zwei.«
»Für mich schon. Für den Buben auch«, antwortete die Alte, »und sonst ist ja niemand da.«
»Wo ist der Milan?«
»Ich weiß nicht. Irgendwo in der Welt.«
»Also übermorgen. Ich gehe jetzt die Glocken läuten. Habt ihr übrigens schon mit jemandem wegen des Sarges gesprochen?«
Die Alte schüttelte den Kopf, dass die weißen Haare nach allen Seiten flogen. »Ich wüsste auch nicht, mit wem. Es ist kein Dinar im Haus. Wisst ihr vielleicht jemanden, der einen Sarg umsonst macht?«
Der alte Jossip nahm eine Prise und blinzelte sie mit kleinen, geröteten Augen an. »Ich, nein. In Senj wird es niemanden geben, der einer armen Tabakarbeiterin einen Sarg schenkt.«
Die alte Stojana nahm Branko wieder an der Hand. »Dann werden wir sie eben in ihrem Betttuch auf den Friedhof tragen.«
Als sie auf der Straße standen, hörten sie bereits die Totenglocke. »Bim, bam, bim, bam.« Jossip zog mit allen seinen Kräften an dem schweren Strang.
Es hatte sich schon herumgesprochen, dass die schöne Anka gestor-

ben war. Vor der Türe standen einige alte Frauen; der dicke Pletnic lief, breit und aufgedunsen, aufgeregt hin und her; die große Elena war da, eine Freundin Ankas, die mit ihr die kleine Kammer bewohnte, und noch ein Dutzend andere Tabakarbeiterinnen hatten sich eingefunden.
Branko stürzte gleich auf die große Elena zu.
Elena bog ihr breites Pferdegesicht zu ihm, nahm seinen Kopf in ihre derben Hände, strich ihm über das Haar und sagte: »Armer Junge«, aber gleich darauf wandte sie sich an die alte Stojana: »Wart Ihr schon beim Pfarrer?«
Die alte Stojana nickte. »Wir kommen gerade von ihm. Hört Ihr es nicht? Jossip läutet schon die Glocke.«
»Und wann ist das Begräbnis?«
»Übermorgen um zwei.«
Auch die andern Tabakarbeiterinnen umringten die alte Stojana. »Das passt gut. Da können wir alle mitkommen.«
Die Alte betrachtete die bunten, herausgeputzten Mädchen eine Weile, dann sagte sie: »Wir können sie aber nicht so auf den Friedhof tragen.«
Die Mädchen sahen die Alte erstaunt an. »Wie meint Ihr das, Mutter?«
»Es ist kein Geld für den Sarg da.«
Elena strich sich über das mächtige Kinn. »Wisst Ihr's genau?«
»Nicht ein Dinar.«
»Was machen wir da?«
Die Alte sah sich um. »Wir wollen einmal Pletnic fragen.« Der dicke Pletnic, der dem Gespräch interessiert zugehört hatte, zog seine Hände erschrocken aus den Taschen seines großen Rockes. »Mich, mich!«, rief er. »Bin ich etwa schuld, dass sie gestorben ist? Zwei Monate Miete ist sie mir auch noch schuldig.« Die alte Stojana betrachtete den unförmigen Mann, der in seinen Kleidern wie in einem Sack steckte, eine Weile. »Du hast doch immer gesagt: ›Für Anka tue ich alles.‹«
»Ja«, bestätigte Pletnic und rieb sich verlegen das Gesicht. »Solange sie mir nicht auf der Tasche lag.«
Die große Elena fuhr Pletnic über den Mund. »So, so, dann hört deine Freundschaft auf. Nun, wir werden das Geld auch ohne dich zusammenbringen.«

»Da hast du fünf Dinar«, sagte eine andere. »Lass den Geizhals auf seinem Gold sitzen.«
»Wer hat gesagt, dass ich gar nichts geben will? Etwas gebe ich gern.« Pletnic nestelte an seinem Geldbeutel.
Als sie alles Geld zusammenschütteten, hatten sie siebenundneunzig Dinar.
»Ob das für einen Sarg langt?«, fragte Elena kläglich.
»Geh zu Pacic«, meinte die alte Stojana.
»Warum gerade zu dem Hungerleider?«, wollte Pletnic wissen.
»Der ist genauso arm, wie Anka war, und arme Leute haben eher ein Herz als reiche.«
Branko war inzwischen wieder in die Kammer gegangen. Der kleine Raum war voll von Menschen. Ein paar ältere Frauen, die Branko gar nicht kannte, saßen an dem winzigen Tisch und auf Elenas Bett und beteten. Auf dem Spirituskocher dampfte Wasser. Mutter Stojana schüttete Kaffee hinein und reichte ihn herum. Nach einer halben Stunde schob sich Doktor Skalec durch die Tür. Er war ein schwerer Mann mit einem breiten Gesicht, dicken Backen und großen Froschaugen. Er trug wie immer seine weiße Weste, an der ihn alle erkannten, und kaute Kandis.
»Was höre ich«, sagte er. »Anka ist tot?«
Die alte Stojana nickte und die Frauen beteten leiser.
Der Doktor trat an das Bett, fasste nach Ankas Hand und sah ihr ins Gesicht.
»Ja, ja«, murmelte er. »Tabakstaub und eine kaputte Lunge, das verträgt niemand lange.«
Da stolperte auch schon der dürre Pacic mit seinen schweren Holzschuhen ins Zimmer. »Ich soll hier Maß nehmen«, stotterte er und brachte einen Zollstock aus der Tasche.
»Viel wird da nicht mehr zu nehmen sein«, meinte der Doktor. »Ich glaube, sie wiegt nur achtzig Pfund.«
Etwas später kamen wie ein Vogelschwarm neue Mädchen aus der Tabakfabrik.
Branko kannte die meisten. Sie brachten Blumen mit. Kleine, ärmliche Sträuße. Aber es waren alles Blumen, die Anka gerngehabt hatte, Rosen, Lilien, Jasminblüten, Zinnien und Mohn. Der Knabe saß in der äußersten Ecke der Kammer und sah alles wie in einem Nebel. Er konnte noch immer nicht glauben, dass die Mutter tot war. Aber da

lag sie, wenige Meter von ihm entfernt, und ihr schmales Gesicht verschwand beinahe unter den Blumen. Am Abend gingen die Mädchen und nur die alten Frauen blieben da. Auch Elena hängte ihr Tuch um und ging. »Ich kann heute doch nicht hier schlafen«, sagte sie und wickelte sich noch fester in das Tuch.
Sie war schon eine Weile fort, da kam sie noch einmal zurück. »Hat niemand Branko gesehen?«, fragte sie.
Die alten Frauen drehten sich um. Da saß er. »Komm!«, rief sie. »Du musst auch irgendwo schlafen.«
Sie gingen in Pletnics Café.
Pletnic stand breit und massig hinter seinem Schanktisch. Außer ihm waren noch der alte Jossip und ein junger Fischer da.
Branko kannte den stämmigen jungen Mann, auf dessen Brust lustige bunte Figuren tätowiert waren. Er hieß Rista und die große Elena war seine Braut.
Elena schob Branko vor den Schanktisch. »Der Junge kann heute nicht bei der Toten schlafen. Steckt ihn in eine Eurer Kammern.«
Pletnic kratzte sich erst und verzog seinen Mund. »Ich«, knurrte er, »immer nur ich.«
Rista lachte. »Knurrt nicht. Ihr habt doch sicher eine frei und Eure Wanzen freuen sich, wenn sie wieder etwas zu fressen haben.«
»Ich, Wanzen!« Pletnic wurde böse, aber dann packte er Branko an der Schulter. »Na, meinetwegen, bleib.«
Er brachte ihn auf den Speicher, wo Pletnic sonst seine Kellner schlafen ließ.
Der dicke Mann schloss eine Kammer auf und schob Branko hinein. Er zeigte auf eine Matratze, die in einer Ecke lag. »Da kannst du dich hinlegen.«
Branko legte sich auch gleich nieder und schlief ein, und es war ziemlich spät am andern Morgen, als er durch ein Schütteln wieder wach wurde.
Es war die alte Pletnic, die ihn an der Schulter gepackt hatte. »Komm«, sagte sie, »wenn du deine Mutter noch einmal sehen willst. Gleich legen sie sie in den Sarg.«
Branko wusste einen Augenblick nicht, was geschehen war. »Wen?«, fragte er.
»Dummer Junge«, krächzte die dürre Frau, »deine Mutter.«
Branko stöhnte auf. Ach ja, das hatte er in der Nacht wieder verges-

sen, seine Mutter war gestorben und sollte begraben werden. Die Mutter lag schon zwischen den schwarzen Brettern. Ihr Gesicht schien nicht mehr so durchsichtig wie all die Tage vorher. Ein helles Rot lag auf ihren Wangen und sie sah dadurch voller, ja beinahe lebendig aus.

Pacic hatte seinen Gesellen mitgebracht, der genauso mager wie der Tischler schien. Sie hoben gerade den Deckel über Ankas Gesicht.

»Aber sie lebt ja wieder!«, schrie Branko und stieß die Männer zur Seite.

Die alte Stojana packte ihn fest an den Händen, schüttelte den Kopf und sagte: »Das Rot haben ihr die Mädchen auf die Backen gemalt. Sie wollten, dass sie so schön in den Himmel kommt, wie sie auf der Erde war.«

Da lag der Deckel auch bereits über der Mutter. Pacic und sein Geselle schlugen die Nägel hinein und brachten den Sarg in die Kirche.

Die alte Stojana räumte nun auf, spülte die Tassen, kehrte den Boden, brachte die Lagerstatt wieder in Ordnung und Branko half ihr.

Am Mittag kam Elena mit allerlei Tüten und kochte eine Suppe, auch am Abend kochte sie eine, dann brachte sie Branko ins Bett. Heute durfte er wieder in der Kammer schlafen.

»Fürchtest du dich?«, fragte sie ihn, als sie die Decke über ihn legte. Branko schüttelte den Kopf. Er fürchtete sich nicht. Am nächsten Morgen sorgte die alte Stojana für ihn. Sie wusch sein Gesicht, auch Arme und Beine. »Komm«, sagte sie, als es Mittag schlug, »du musst mit.«

Elena und ihre Freundinnen hatten sich schon eingefunden. Sie warteten vor dem Haus.

Elena sah Branko an. Sie zeigte auf sein zerschlissenes Hemd und seine geflickte Hose. »So können wir dich nicht mitnehmen.«

Die alte Stojana hob die Hände. »Ich habe alles durchgesehen. Er hat nichts anderes.«

Da sie sich nicht zu helfen wussten, gingen sie wieder zum alten Pletnic. Elena stellte den Jungen vor ihn hin. »So kann der Junge nicht mit in die Kirche.«

Pletnic nahm eine Prise, drehte Branko zweimal um sich selber, schob seine Lippen vor und meinte: »Das kann er tatsächlich nicht.« Und nach einer Pause, in der er mehrere Male nieste: »Dann muss er eben zu Hause bleiben.«

»Du Bestie«, sagte Elena und zeigte ihr Pferdegebiss. »Du kommst sicher einmal in die Hölle.«
»Ja«, riefen die anderen, »und ins Fegefeuer!«
Pletnic lachte schmerzlich auf. »Ich bin ja schon drin. Ich bin ja schon drin. Und die Teufel sitzen auf mir und zwicken mich. Aber was wollt ihr eigentlich von mir?«
»Der Bub muss wenigstens eine anständige Hose haben.«
Pletnic sah Branko wieder an. »Ein Hemd wäre nötiger.«
Seine Frau, die neben dem dicken Mann noch dürrer als sonst aussah und ein Gesicht wie eine vertrocknete Birne hatte, meinte: »Auch eine Jacke.«
»Habt Ihr gar nichts?«, fragte Elena dringender.
Pletnic nahm wieder eine Prise. »Wir können ja einmal nachsehen.«
Das Hemd, das Branko bekam, hatte ein Gast anstelle der Bezahlung dagelassen.
Jacke und Hose waren von Pletnic selber.
Es war sein Firmungsanzug. Er hatte ihn aufgehoben.
»Dass du mir die Sachen gleich nach dem Begräbnis wiederbringst!«, sagte er noch und drohte mit dem Finger.
Sie mussten sich beeilen. Als sie an die Kirche kamen, schwenkte der Zug mit der Mutter schon aus dem hohen Portal heraus. Elena drängte Branko mit der alten Stojana zwischen den Sarg und den Pfarrer, sie selber ging nach hinten zu den Tabakarbeiterinnen.
Die alte Stojana fasste nach Brankos Hand. Branko machte sich aber wieder los. Nein, er war stark genug. Er brauchte keine Hand. Er konnte allein hinter dem Sarg seiner Mutter gehen.
»Bim, bam, bim, bam«, schwangen im Augenblick die Glocken über die weißlichen Häuser und Dächer der Stadt.
»Bim, bam, bim, bam.« Die eine Glocke schwang einen Ton tiefer als die andere. Er kam wie aus einem Loch und der andere jagte, als müsse er ihn einholen, dem ersten nach.
Es war leer in den Straßen; die Sonne lag wie ein glühendes Feuer über der Stadt und hatte alle Menschen vertrieben. Auf dem großen Markt standen nur einige Maultiere und ein Hund irrte über den Platz.
»Bim, bam, bim, bam.« Das Läuten der Glocken trieb doch ein paar Menschen aus den Häusern.
Der dicke Curcin, die weißen Ärmel hochgestreift, um die Beine eine

schlampige, graue Hose, über dem runden, gutmütigen Gesicht eine kleine Kappe, trat aus seiner Bäckerei.
Er legte die Hand vor die Augen und sah zum Turm der Kirche des heiligen Franziskus hinauf, wo die Glocken wie kleine Birnen hin- und hersprangen.
Der winzige Brozovic, die Daumen in den Westenausschnitten, steckte sein spitzes Gesicht aus seinem Gemischtwarenladen und starrte auch nach oben.
»Wer ist wohl gestorben?« Curcin rückte sein Käppchen nach hinten.
Brozovic machte ein unwissendes Gesicht. Im gleichen Augenblick stieß er sein Gesicht wieder vor, dass es so spitz wie eine Hechtschnauze wurde. Man hörte Schritte. Curcin hatte sie auch gehört. Einige Sekunden später kam der Gendarm Begovic aus einer der kleinen Gassen, die schmal und hoch, wie ein Gewirr von Kanälen, die Stadt Senj durchzogen.
Curcin und Brozovic sahen zuerst seine mächtigen Beine, die er immer vor sich herschob, als wären sie zu schwer für ihn. Dann kam der breite Gürtel, an dem der Revolver hing, zwischendurch baumelten seine Hände hin und her. In der Rechten hielt er den dicken Gummiknüppel, der prall und schwarz wie eine überräucherte Wurst war. Danach kam die speckige Jacke, auf der jeder sehen konnte, was Begovic gegessen hatte. Oben war sie offen und man blickte auf seine braune, behaarte Brust wie in einen Urwald.
Erst wenn man das alles gesehen hatte, kam Begovics Gesicht. Es war rund und so rot wie eine Tomate. Die Nase war platt gedrückt, als hätte sie jemand eingeschlagen. Darunter hing nach beiden Seiten ein schwarzer Schnauz. Sonst war wenig in dem breiten Gesicht zu sehen. Die Augen lagen ganz versteckt hinter buschigen Brauen, um die Ohren schossen die Borsten in die Höhe wie bei einem Uhu, außerdem wischte sich Begovic gerade mit seinen Wurstfingern den Schweiß ab, der in kleinen, grauen Bächen unter der braunen, steifen Mütze über die Stirn lief.
Curcin trat vor. »Wer ist gestorben, Begovic?«
Begovic blieb stehen und sah sich den Mann an, der es wagte, ihn anzusprechen. Der Bäcker war es. Nun, dem konnte man antworten. Er ließ den Gummiknüppel nach unten baumeln. »Die schöne Anka. Die Frau vom Babitsch. Eine Tabakarbeiterin«, knurrte er.
»Von Milan Babitsch?«

Begovic nickte. »Von dem. Gleich kommen sie.«
Man hörte sie schon. Den leisen Singsang von einigen hohen Stimmen und dazwischen eine tiefe Stimme, wohl die Stimme des Pfarrers. Darüber schwangen noch immer die Töne der beiden Glocken. Die kleinere hatte die größere beinahe eingeholt. Die Schläge folgten immer dichter aufeinander.
»Eine Tabakarbeiterin.« Brozovic, der die Antwort auch hörte, trat wieder in seinen Laden. Wegen einer Tabakarbeiterin wollte er sich nicht länger in die glühende Sonne stellen.
Da bog der Zug aus der Gasse, aus der Begovic gekommen war, heraus. Es war wohl der ärmlichste Leichenzug, den das alte Senj je gesehen hatte.
An der Spitze ging ein Knabe, einen weißen Kittel über der schwarzen Hose, mit dem Totenbanner, auf dem der heilige Georg einen Drachen tötete. Hinter ihm kamen die vier Männer, die den Sarg trugen.
Der Bäcker kannte sie alle, wie man hier jeden kannte. Der Erste war der alte Gorian, ein Fischer, der ein kleines Haus in einer Bucht etwas abseits von Senj hatte. Sein von einem Kranz grauer Haare umrahmtes Gesicht war streng, aber nicht unsympathisch. Neben ihm ging der junge Rista in seinem Fischeranzug, einer blauen Hose, einer ebenso gefärbten Jacke, und seine Füße staken in hohen Stiefeln. Der Dritte und Vierte waren der dürre Pacic und sein Geselle. Sie glichen einander wie Brüder. Pacics Hose war so kurz, dass man seine nackten Beine sah, die auch heute ohne Strümpfe in schweren Holzschuhen staken. Der Geselle schien noch magerer als sein Meister. Er zog das rechte Bein nach. Es war länger als das linke.
Über den vieren, direkt auf ihren Schultern, schwebte der Sarg. Er sah aus wie ein geschwärzter Balken und es lag nicht einmal eine Decke oder ein Kranz auf den schweren Brettern.
Gleich nach dem Sarg kam Hochwürden Lasinovic. Das schwere, bestickte Gewand, das er heute trug, hing steif wie eine große, goldene Glocke unter seinem rundlichen Gesicht. Er ging langsam und gemessen und sang die Litanei so laut und wohltönend, dass alle sie verstehen konnten.
Nach ihm kamen Branko, die alte Stojana und der alte Jossip. Die beiden Alten hatten den Knaben in ihre Mitte genommen.
Stojana trug einen langen, faltigen Rock und eine dunkle Bluse und

ihr einziger Schmuck war das lange, weiße Haar, das bis auf ihre Schultern fiel. Jossip trug seinen Mesnerrock. Er ging recht langsam und sein langer Bart zitterte, so strengte ihn das Gehen in der heißen Sonne an.

Curcin kannte Branko auch. Das war doch einer der Buben, die immer durch die Gassen tobten und vor dem man gleich wie vor vielen anderen seine Brote schützen musste. Der Junge trug sonst ein zerschlissenes Hemd und eine zerschlissene Hose; heute sah er so komisch aus, dass Curcin ein Lachen unterdrücken musste. Brankos schmales, jungenhaftes Gesicht war von dem übergroßen, gelben Hemdkragen umrahmt, darunter hing Pletnics schwarze Jacke, deren Schöße bis zu seinen Knien und deren Ärmel sogar über die Fingerspitzen gingen. Unter ihr sah, genauso groß, Pletnics Hose hervor, die Pletnics Frau mit zwei Sicherheitsnadeln hochgesteckt hatte.

Die beiden Gymnasiasten, die hinter Brozovic standen, den die Neugier doch wieder aus seinem Laden getrieben hatte, lachten auch, als sie Branko sahen, aber der große Junge, der ihnen sonst mit einem wütenden Blick oder mit seinen Fäusten gedroht hätte, hörte ihr Lachen gar nicht, sondern sah wie versteinert vor sich hin.

Begovic hatte sich ein paar Meter weiter oben aufgestellt, wo die kleine Gasse auf den Fischmarkt mündete. Er stand da, als stünden Hunderte hinter ihm, die er zurückhalten müsste. Er hatte dazu sein Begräbnisgesicht aufgesetzt. Die Augen waren groß, geradeaus gerichtet, der Schnurrbart glatt gestrichen und stach in zwei Nadelspitzen nach links und rechts. Die Mütze hatte er nach hinten geschoben und der Arm mit dem Gummiknüppel hing steif nach unten.

Branko und Begovic wechselten keinen Blick, obwohl die beiden sonst immer einander ansahen. Branko mit einer gewissen listigen, spitzbübischen Überlegenheit. Begovic mit leichtem Zorn im Gesicht, wobei er seinen Knüppel schwang.

Branko sah und hörte nicht einmal die Mädchen, die in breiten Reihen hinter ihm gingen. Es waren alles Tabakarbeiterinnen und Freundinnen seiner Mutter. Sie hatten noch ihre hellen, meistens mit Blumen bedruckten Kleider an und nur zum Zeichen der Trauer einen schwarzen Schleier darüber gebunden, der bis zu den Füßen hinunterreichte. Es waren hübsche Mädchen mit braunen oder roten und meist rundlichen Gesichtern. Einige weinten, die andern stießen sich an oder flüsterten miteinander.

Nein, Branko sah und hörte nichts. Sein Gesicht war verhangen und seine Augen, groß und weit geöffnet, blickten starr auf den schwarzen Sarg und manchmal auf die breiten Rücken der Männer, die ihn trugen. Dabei dachte er immer nur darüber nach, wie es kam, dass er jetzt hinter einem Sarg ging, in dem seine Mutter liegen sollte.
Der Zug überquerte den großen Hafenplatz. Rechts stand die Bude Radics, des Fischhändlers, der am Morgen und am Abend hier Fische verkaufte, aber jetzt, gegen Mittag, war der Stand leer.
Branko spürte eine Schwäche in den Knien, die gleiche, die vorgestern über ihn gekommen war, als er am Lager seiner Mutter niedersank, und er hätte sich am liebsten auf das Pflaster geworfen. Wie damals liefen ihm wieder die Tränen über das Gesicht.
Die alte Stojana, die groß und gespenstisch neben ihm ging, griff diesmal fester nach seiner Hand, packte sie derb über dem Gelenk und drückte sie.
So hatte sie ihn auch vorgestern angefasst. Hatte er dabei nicht gelobt, so tapfer wie seine Mutter zu sein? Branko unterdrückte sein Schluchzen. Im selben Augenblick wurden seine Knie wieder fester.
Der Zug bog vom Wasser ab. Der Weg stieg leicht zum Friedhof hinauf. Branko hörte, wie der alte Gorian stöhnte, auch Pacic schnaufte und wischte sich den Schweiß von Stirn und Nacken. Vor dem Friedhof war ein kleiner Platz. Es war heiß hier oben wie in einem Backofen. Die Luft war dick und staubig. Man konnte sie beinahe greifen und sie legte sich wie eine Last auf Schultern und Rücken.
Hochwürden Lasinovic machte eine Pause in der Litanei, die Mädchen schwiegen und fuhren mit ihren Tüchern über die geschminkten Gesichter, nur der alten Stojana war keine Müdigkeit anzumerken.
Das Tor war offen und sie traten ein.
»Dahinten«, sagte ein Mann, der einen Spaten in der Hand trug. »Wir haben sie in die Nähe der Mauer gelegt.«
Die Hitze war auf dem Friedhof noch drückender und die Männer beeilten sich. Sie stellten den Sarg auf einen schmalen Steintisch. Der Pfarrer segnete ihn ein. Dann wurde der Sarg wieder in die Höhe gestemmt und die Träger brachten ihn dorthin, wo der Mann mit dem Spaten die Grube ausgehoben hatte.
Es war der äußerste Winkel des kleinen Friedhofes. Thymian blühte überall. Eidechsen huschten fort, zwei schöne Schmetterlinge spielten miteinander, aber Branko sah auch das kaum.

Der alte Gorian und Pacic, Rista und der Geselle des Tischlers nahmen den Sarg vorsichtig wieder herunter. Der Mann mit dem Spaten legte zwei Stricke darum, den einen um das Kopfende, den anderen um das Fußende des Sarges, und langsam sank die schöne Anka in die Grube. Als der Sarg unten aufstieß – Branko spürte es wie einen Schlag –, traten die Mädchen an die Grube und warfen Blumen und Erde hinab. Auch der Pfarrer grüßte noch einmal hinunter, dann ging er mit Jossip und dem alten Gorian wieder fort.
Alle verließen den Friedhof. Die Mädchen banden sich vor dem Tor die Schleier ab, wischten sich die Tränen vom Gesicht und steckten die Nasen in ihre Puderdosen. Auch Elena, Rista, Pacic und sein Geselle gingen. Nur die alte Stojana war noch da und Branko.
Branko, der während der ganzen Zeit seine Tränen tapfer unterdrückt hatte, sah und hörte noch immer nichts und wollte auch nichts hören. Erst als die schweren Schollen auf den Sarg polterten, kam er etwas zu sich. Jetzt lag seine Mutter also da unten in der Grube. Er fühlte, wie das Weinen erneut aus seinem Herzen in die Augen stieg, und schon schluchzte er wieder.
Die alte Stojana fasste nach seiner Hand. »Komm«, sagte sie, »wir sind die Letzten.«
Am Tor bog die Alte in die Straße zur Stadt ein. Branko blieb aber stehen. Er wollte jetzt nicht in die Stadt. »Ich gehe ans Meer«, sagte er.
Mutter Stojana legte ihre Hand vor die Augen und sah ihm nach. »Komm aber dann zum alten Pletnic«, schrie sie hinter ihm her. »Er will seinen Anzug wiederhaben.«
Der Knabe nickte. Einen Augenblick später war er hinter der Friedhofsmauer verschwunden.
Branko lief über einen winzigen, steinigen, eingezäunten Acker, auf dem Weizen und duftender Lavendel standen, kletterte durch eine Dornhecke und gelangte auf die breite, tief ausgefahrene, staubige Straße, die von Senj in vielen Windungen die Küste entlang bis nach Fiume führt.
Er überquerte die Straße, deren Staub sich wie Mehl um seine Füße legte, sprang noch hundert Meter weiter und stand auf einer Klippe am Meer.
Es war ein hoher, von Ginster und Wacholderbüschen bewachsener Felsen, der zwischen großen Feigenbäumen aufragte. Von dem ausgewaschenen Stein ging es unmittelbar ins Wasser. Man konnte bis

auf den Grund sehen, so klar und hell war das Meer hier. Branko setzte sich auf den Stein, schlug die Beine übereinander, stützte den Kopf in die Hände und blickte über das Wasser.
Rechts lag die Insel Krk. Von dieser Seite war die Insel ein felsiger, lang ausgestreckter, unbewachsener Steinhaufen, der von Senj bis hinauf nach Fiume reichte. Vom Meer her ein liebliches Eiland mit vielen kleinen Dörfern, Oliven-, Pfirsich- und Aprikosenbäumen, Fischerhütten, Villen und einem herrlichen Strand.
Links lag die Insel Rab, grauer, kleiner und unscheinbarer als die Insel Krk, und dazwischen war das Meer. Ein leichter Wind erhob sich. Er kam von den Inseln und kräuselte die blaue Fläche, dass sie auf einmal Hunderte von kleinen, weißen Schaumkronen bekam. Ein Seeadler flog über das Meer. Er stieß auf das Wasser herab und gleich danach schraubte er sich wieder in die Höhe. Dann blieb er wie ein großer, aufgespannter Schmetterling in der Himmelsbläue stehen.
Branko blickte zu ihm hinauf. Wie allein der Vogel da oben stand! Genauso allein wie er. Und auf einmal kamen ihm wieder die Tränen.
Ja, Branko hatte zurzeit nicht einmal einen Vater.
Es dauerte oft ein oder zwei Jahre, bis man den großen, schlanken Milan mit seinem lohenden, schwarzen Haarschopf und seinen blitzenden Augen wieder am Hafen auftauchen sah. Er kam gewöhnlich mit dem Schiff, er war aber auch schon zu Fuß die alte Straße von Fiume oder die Allee, die sich in Serpentinen von den Bergen schlängelte, gekommen. Aber selbst wenn er auftauchte, kam er nicht für lange.
Vom Meer wehte ein heftiger Wind und traf den weinenden Jungen. Branko unterbrach sein Schluchzen, fuhr sich mit der Hand über das verweinte Gesicht und überlegte.
Er hatte seinen Vater nur fünfmal gesehen. Das erste Mal, als er zwei Jahre alt war, dann mit drei, mit sechs, mit neun Jahren, und das letzte Mal war er gerade zu seinem Geburtstag gekommen.
Milan Babitsch trat immer zuerst in das kleine Café des dicken Pletnic, spielte ein Lied und ließ sich einen Roten geben.
»Der Milan ist wieder da! Der Milan ist wieder da! Er spielt beim dicken Pletnic die Geige!«, verbreitete es sich dann wie ein Lauffeuer in der ganzen Stadt.
Curcin ließ seinen Teig stehen und kam angelaufen, Brozovic entschuldigte sich bei seinen Käufern, um Milan zu hören, der Schuster

warf den Stiefel, an dem er gerade hämmerte, in die Ecke und rannte zu Pletnic. Tomislav, der Schmied, kam mit seinen Gesellen, der alte Jossip blieb vor der Tür stehen, auch der Pfarrer oder Doktor Skalec, wenn sie gerade vorübergingen, und alle hörten Milan zu.
Die Kaufleute erzählten es ihren Kunden, die Marktfrauen den Mägden, und bevor es noch von allen Kirchen Mittag läutete, wusste man es auch in der Tabakfabrik, dass Milan wieder da war, und erzählte es der schönen Anka.
Die Mutter schob den feingeschnittenen Tabak, der in großen Bergen vor ihr lag, auf die Seite, warf ihren Arbeitskittel ab, riss ein paar Rosen von einem Zaun und suchte Milan. Nein – auf Brankos Gesicht erschien trotz der Tränen ein Lächeln –, zuerst suchte sie ihn.
Branko entsann sich sehr genau, seine Mutter zog ihn aus dem Winkel, in dem er gerade spielte, rieb ihm das Gesicht, den Hals und die Hände sauber, dann bekam er ein Hemd übergezogen und nun suchten sie beide den Vater.
Milan war aber längst nicht mehr bei Pletnic. Er spielte sich durch die Straßen von Senj, fiedelte im Hotel »Adria« Marculin etwas vor, im Kaffeehaus »Nehaj« den Gästen, dem Bürgermeister, Doktor Ivekovic, im Hotel »Zagreb« der Witwe oder in einer der winzigen Weinstuben hinter der Kathedrale den Bauern und Holzarbeitern. Jedem musste er etwas vorspielen, jeder trank danach mit ihm ein Glas Wein oder einen Schnaps und hieß ihn wie einen verlorenen Sohn herzlich willkommen.
»Milan!«, rief die Mutter, wenn sie ihn endlich fand.
»Anka!«, antwortete der Vater und nahm sie in seine großen, starken Arme, in denen die kleine Anka beinahe verschwand.
Nun wurde Branko gezeigt und bewundert.
»So«, sagte der Vater, »du bist Branko. Ein ordentlicher Kerl wird er. Die Haare, die Hände, die Augen, ganz wie ich, ganz wie ich.« Er riss ihn hoch und küsste ihn auf Mund und Backen.
Branko ängstigte dieser große, schwarzbärtige Mann immer erst, wenn er, von ihm hochgehoben, in der Luft schwebte. Das erste Mal hatte er auch geweint, aber der Vater fuhr ihm mit dem stachligen Bart ins Gesicht, kitzelte ihn, lachte ihn an und Branko musste mitlachen.
Das letzte Mal hatte er ihn gefragt: »Kannst du schon eine Geige halten?«, und ihm die seine vorsichtig in die Hände gedrückt.

Halten konnte er sie, auch an den dünnen Saiten zupfen oder mit dem Bogen darüberfahren, aber sonst konnte er noch nichts.
»Das andere wirst du schon noch lernen«, tröstete ihn der Vater. »Komm jetzt.«
Sie gingen alle drei in ein Café und Branko bekam süßen, öligen Wein, klebriges Sirupgebäck, zuckrige Kugeln und hie und da wieder einen Kuss. Dann gingen sie zu Brozovic und der fuchsige, kleine Mann, der sonst Branko nicht sehen konnte, ohne hinter ihm herzuschimpfen, dienerte vor Milan, und Branko durfte sein altes Hemd vom Leibe reißen und bekam ein neues, und seine dreckige, zu eng gewordene Hose durfte er ausziehen und Brozovic suchte eine größere und schönere aus, das letzte Mal bekam er auch eine bunte Kappe, ein Messer und einen Gürtel.
Branko wusste für ein paar Stunden, wie schön es war, einen Vater zu haben, noch dazu einen Vater, den alle bewunderten und der mit jedem ein Glas Wein trinken musste.
Länger als ein paar Stunden dauerte aber die Freude nicht und bald sah Branko auch seine Mutter nicht mehr. Sie war weder in der Tabakfabrik noch bei der Freundin. Nein, wo er auch suchte und nach ihr fragte, sie war verschwunden, als hätte sie der Wind verweht.
Für ein paar Wochen war sie mit dem Vater unterwegs und teilte sein unbekümmertes, freies Leben. Der Vater spielte in einem Café oder in einer Tanzdiele und dann wanderten sie weiter, schliefen in den Büschen, nährten sich von dem, was sie fanden oder was man ihnen schenkte, und badeten im Meer.
Branko suchte nie lange nach seiner Mutter. Er vergaß auch, dass er eine Mutter hatte, ging wieder zu seinen Freunden, prahlte mit seinen neuen Sachen und mit dem, was ihm sein Vater geschenkt hatte. Anstatt der Mutter gab ihm Elena ein Stück Brot, getrockneten Fisch oder einen Teller Suppe, und wenn er noch hungerte, fand sich immer etwas in Senj, was sich essen ließ, eine Gurke, Tomaten, ein Apfel. Man durfte sich nur nicht von Begovic erwischen lassen.
Das letzte Mal war die Mutter sehr müde zurückgekommen, sah blass aus und hustete.
Elena fragte: »Was hast du, Anka?«
Sie lachte. »Ach, nichts. Es war kalt unter den Bäumen. Das vergeht wieder.«
Es ging nicht vorbei. Der spaßige Doktor Skalec, der immer Kandis

kaute, spitzte die Lippen und machte ein bedenkliches Gesicht. Die Mutter durfte nicht mehr in die Tabakfabrik gehen und musste im Bett bleiben.
Auch im Bett wurde es nicht besser. Die Mutter hustete immer mehr und eines Tages hustete sie Blut.
Nun war sie tot und lag auf dem kleinen Friedhof in dem schwarzen Sarg. Die Mädchen hatten Erde auf sie geworfen und der Vater wusste nichts davon.
Wo er wohl war?
Wahrscheinlich fiedelte er irgendwo in der Welt, lachte und war fröhlich und ahnte nicht einmal, dass Anka gestorben war und Branko allein auf dem Felsen am Meer saß.
Der Knabe schlug die Hände vor die Augen, warf sich auf den weißen Stein und weinte.
Da sah er auf einmal seinen Vater, er hörte auch seine Geige, hörte jeden Ton. War das nicht auch seine Mutter, die hinter ihm herschritt? Natürlich war sie es. Sie ging schnell und immer schneller. Sie holte den Vater ein, schlang die Hände um seinen Hals und nun gingen sie gemeinsam durch den Tag.
Sie wanderten durch ein breites Tal. Die Mandelbäume blühten und es roch nach Thymian und Lavendel. Branko blickte ihnen nach. Die Mutter streckte ihre Hände in die Höhe, wie sie es manchmal tat, wenn sie besonders glücklich war, und der Vater spielte Brankos Lieblingsmarsch.
Branko freute sich. Aller Schmerz und alle Traurigkeit fielen von ihm ab. Die Mutter sah auch nicht mehr krank aus, sie war ganz die schöne Anka, die er liebte, die alle liebten, und nicht die weiße, blasse, die ihn zum Weinen brachte.
Den Knaben fröstelte. Er fuhr sich über die Augen. Hatte er geschlafen? War alles nur ein Traum gewesen? Er setzte sich auf und sah über das Wasser. Es war inzwischen dunkler geworden. Die Wellen hatten eine grünlich schwarze Farbe bekommen. Tief im Süden waren sie rot, denn der Schein der Sonne, die eben hinter den Bergen verschwand, lag noch wie eine leichte Feuersglut über den Schaumkronen. Branko hatte das noch nie gesehen. Das Wasser brannte.
Ein Schiff kam näher. Es sah aus wie ein riesiger Fisch, der mit seinen großen, leuchtenden Augen aus der glühenden Tiefe gestiegen war und nun langsam und vorsichtig über das brennende Wasser schwamm.

Branko fröstelte stärker. Es war die Bora, ein kalter, harter, trockener und böser Wind, der oft wie ein Sturm über das Land brauste, alles ausdörrte, die Blumen und die Bäume knickte und vor dem sich alle fürchteten, die Bauern, die Holzarbeiter und die Fischer. Er sprang auf. Er hatte auch der alten Stojana versprochen, noch einmal zu dem dicken Pletnic zu kommen. Ja, er musste Abschied nehmen von seiner Klippe, vom Meer, vom Gesicht seiner Mutter und von der Gestalt des Vaters.
Er ging wieder an dem kleinen Friedhof vorbei. Einige Kreuze ragten über die Mauer, auch eine Madonna, aber er ging nicht noch einmal hinein. Nein, er hatte da nichts mehr zu suchen. In der dunklen Grube zwischen den schwarzen Brettern lag seine Mutter nicht. Sie hatte es einfach in der kleinen Kammer nicht mehr ausgehalten, war ihrem Milan entgegengegangen und wanderte noch immer irgendwo mit ihm durch die Welt.
Diesmal kam er von den Feldern in die Stadt, tauchte an der alten Stadtmauer durch eine enge Pforte in die Gassen hinein, die hier noch schmaler waren als unten am Wasser, und einen Augenblick später war er an der Kirche des heiligen Franziskus. Ein paar Schritte weiter lag Pletnics Café.
In dem langen, schmalen und nicht sehr hohen Raum brannte eine helle Lampe. Branko trat ein.
Pletnic schlürfte einen Schnaps, auch seine Frau trank einen. Der alte Jossip und zwei andere alte Leute waren da und hinter ihnen an der kalkigen, feuchten Wand hockten die alte Stojana und Elena an einem Tisch.
»Guten Abend«, grüßte Branko.
»Da ist er ja, der Ausreißer. Ist die Jacke noch ganz?« Pletnic trat hinter seinem Schanktisch hervor, zog die Jacke Branko über die Schulter und hielt sie gegen das Licht.
»Ich habe nichts damit gemacht«, antwortete Branko.
»Das wollte ich dir auch nicht geraten haben. Ich habe sie fünfzig Jahre gehütet wie meinen Augapfel.«
»Wo bleibt der Junge nur?«, fragte der alte Jossip.
Pletnic sah auf. Er spürte wohl, dass die Frage an ihn gerichtet war.
»Weiß ich es?«, brummte er.
»He«, der Mesner strich sich über den Bart. »Er hatte doch bis heute ein Bett bei seiner Mutter.«

Pletnic machte einen Buckel wie ein Kater. »Bis heute, aber von heute an nicht mehr. Die Anka ist mir sowieso zwei Monate für sich und ihn die Miete schuldig geblieben.«
»Das Bett ist aber doch sicher noch frei?«, fragte der Mesner hartnäckig weiter.
»Schon heute Nachmittag war es wieder besetzt«, maulte der Dicke. »Eine Freundin von Elena ist eingezogen.«
Elena bestätigte es: »Ich habe sie mit hineingenommen. Ich habe sonst Angst in der Kammer.«
»Der Junge muss aber doch irgendwo wohnen?« Der alte Jossip nippte an seinem Glas.
Es blieb eine Weile still in dem kleinen Café. Alle sahen auf Branko und Branko sah sie an. Er hatte noch gar nicht daran gedacht, wo er heute bleiben konnte. Ja, seit Mutters Fortgang besaß er kein Zuhause mehr. Sein Blick blieb auf dem dicken Pletnic haften.
Pletnic krümmte sich unter diesem Blick. »Sieh mich nicht so an«, knurrte er laut. »Ich habe nichts zu verschenken.«
Dann wandte er sich an die anderen. »Soll doch dieser Filou, der Milan, für seinen Buben sorgen.«
»So«, krächzte die alte Stojana aus ihrer Ecke. »Ein Filou ist Milan plötzlich und gestern war er noch dein bester Freund.«
»Gestern«, brummte Pletnic kurz, »hat mir auch sein Sohn noch nicht auf der Tasche gelegen.«
»Ist denn die Kammer nicht mehr frei, in der er vorgestern geschlafen hat?«, fragte Elena.
Pletnic schüttelte den Kopf. »Heute Morgen ist dort ein Holzarbeiter eingezogen.«
»Er hat doch noch eine Großmutter«, meinte da die alte Frau Pletnic und schob ihren Kopf über den Schanktisch.
Pletnic knallte sich auf die schweren Schenkel. »Die alte Kata! Die alte Kata!« Er war richtig glücklich, dass seiner Frau dies eingefallen war.
»Dort wird der Junge auch nicht gerade ins Paradies kommen«, wandte Jossip ein.
»Ein Dach über dem Kopf ist besser als gar nichts.« Pletnic beugte sich über Branko. »Weißt du, wo deine Großmutter wohnt?«
Branko schüttelte den Kopf.
Pletnic erklärte es ihm. »Du musst über den Markt gehen und die

Allee hinauf. Wo der zweite Weg nach links abbiegt, noch dreihundert bis vierhundert Meter, da stößt du auf ihre Hütte. Aber geh gleich, bevor es ganz dunkel wird.«

Pletnic kam nach seiner langen Rede hinter dem Schanktisch hervor, nahm Branko an der Hand, und ehe sich Branko versah, ja noch bevor er sich von Elena oder einem der anderen Gäste verabschieden konnte, hatte ihn der Dicke auf die Straße gebracht.

Pletnic gab ihm noch einen leichten Stoß. »Nun lauf«, sagte er, »damit du nicht zu spät kommst und die Alte dich noch hineinlässt.«

2

Die alte Kata und ihre Hütte

Branko spürte noch einen Augenblick das wärmende Licht der Lampen, dann schlug die Tür mit einem Knall zu. Es war schon dunkel. Von links fiel der Schein einer Laterne. Über ihm standen ein paar Sterne. Branko trottete vorwärts. Zu der alten Kata sollte er gehen? Er hörte es Pletnic wieder sagen.
Er hatte die Alte einmal flüchtig gesehen. Groß und gespenstisch war sie unten am Hafen aufgetaucht, als er mit seiner Mutter zum Fischmarkt ging.
Anka war stehen geblieben. »Siehst du dort die große alte Frau?«
Branko nickte.
»Das ist deine Großmutter.«
Seine Augen waren wie Kreise geworden. »Die sieht ja so schwarz und bös aus.«
Anka hatte ihn an sich gedrückt. »Das ist sie auch. Die Leute sagen, sie sei eine Hexe.«
Er blickte zu ihr hinauf. »Was ist das?«
»Eine, die allen anderen Schlechtes wünscht.«
»Uns auch?«
Anka hatte gelacht, es klang aber nicht so hell wie sonst. »Uns besonders.«
Zu dieser Hexe sollte er gehen. Er schlich langsam zum Quai hinunter. Hier war es heller. Alle Lampen brannten und ein buntes Gewimmel herrschte am Wasser.
Ganz Senj drängte sich zusammen. Ein paar Holzarbeiter sprachen miteinander. Vor den kleinen Kneipen lungerten Matrosen. Bauern aus den Dörfern standen herum. Einige Fischer schoben sich durch die Menge. Gymnasiasten flanierten auf und ab. Einige Mädchen kicherten laut. Tabakarbeiterinnen zogen Arm in Arm vorüber. Bürger kamen aus den Häusern, ein paar Soldaten stellten sich auf.
Ein Pfiff ertönte. Der Postdampfer von Fiume kam. Das Fallreep wurde heruntergelassen und einige Reisende und Arbeiter bahnten sich einen Weg durch die Menge.

An der Spitze ging ein Engländer mit einer karierten Mütze. Dahinter kamen zwei Italiener, man erkannte sie an ihrem lauten Sprechen. Die Nächsten mussten Deutsche sein. Die Arbeiter waren recht zerlumpt angezogen. Über ihren zerschlissenen Hemden hingen die Jacken. Die Bauern trugen kleine, rote Kappen, von denen schwarze, schweifartige Bommeln nach unten fielen.
Die Portiers der kleinen Hotels stürzten den Reisenden entgegen, schwenkten ihre Mützen und riefen: »Hotel ›Adria‹!« – »Hotel ›Zagreb‹!« – »Hotel ›Nehaj‹!«
Branko blieb stehen. Den Portier vom Hotel »Zagreb« in seiner weißen Matrosenhose und seiner blauen Jacke kannte er. Er war ein Wiener, hieß Ringelnatz und sah aus wie ein Nussknacker.
Die Italiener gingen ins Hotel »Adria«, die Deutschen ins Hotel »Nehaj«.
Ringelnatz nahm dem Engländer die Koffer ab und stiefelte vor ihm her.
Hinter den Reisenden schloss sich die Menge wieder. Branko sah noch einmal nach dem Schiff. Das Fallreep wurde wieder eingezogen und der kleine Dampfer schraubte sich hinüber nach der Insel Rab.
Branko drehte sich nach links und ging Ringelnatz nach.
Am Fischplatz räumten zwei Frauen die Stände zusammen. Radic, der Fischer, schleppte alles auf einen Wagen. Vor der Apotheke stand der alte Homolic, zeigte seinen Bauch und nickte allen zu, die er kannte.
Im Hotel »Adria« spielte eine Zigeunerkapelle. Sie spielte laut und lärmend, und der erste Geiger warf seine Locken hin und her, als spiele er nicht mit dem Bogen, sondern mit ihnen.
Die Menschen stauten sich hier noch dichter als am Wasser. Branko sah zwei Tabakarbeiterinnen, die mit auf dem Friedhof gewesen waren. Am Mittag hatten sie noch geweint, jetzt sahen sie rot und wie Puppen aus. Ja, im weißen Licht der elektrischen Lampen glänzten ihre bemalten Gesichter, als wären sie mit Wachs überstrichen.
Vier Matrosen schlenderten hinter ihnen her, riefen ihnen Scherzworte zu und die Mädchen lachten laut und übermütig, wie seine Mutter einmal gelacht hatte.
Pacic, der Tischler, war auch da. Er saß, dünn wie ein Bleistift, in seiner zerschlissenen Jacke neben seinem Gesellen. Sie hatten sich hinter die Musiker gesetzt und tranken einen Roten.
Gleich neben der Kapelle stand Begovic. Sein Gesicht ragte wieder

wie eine Tomate aus dem steifen Uniformkragen; er schielte nach allen Seiten und suchte eine Beute.
Wenn er einen Jungen sah, der nicht hierhergehörte, schoss er auf ihn zu und schwenkte seinen Knüppel. Er traf jeden, den er treffen wollte, auch wenn er so betrunken war wie heute.
Auch alle, die stehen blieben, drängte er weiter. »Sitzen oder weitergehen«, kommandierte er und schlug dem jungen Rista über den Rücken.
»Man wird doch wohl noch stehen bleiben dürfen«, sagte der große Fischer. »Das ist Gottes Erde.«
»Nicht, wenn Musik ist.« Begovic schnaubte dem jungen Fischer seinen Schnapsdunst in das braungebrannte Gesicht. »Wenn die Musik spielt, gehört die ganze Straße dem Wirt und den Musikanten.«
»Sagst du das vielleicht, weil dir der Wirt einen Schnaps gegeben hat?«, lachte Rista auf.
»Einen«, krähte der bucklige Schuster, der hinter Pacic saß, »seit ich hier sitze, hat ihm Marculin schon ein halbes Dutzend gegeben.«
Branko war auch stehen geblieben. Da hatte ihn Begovic erspäht. Er ließ den Fischer stehen und schoss auf den Jungen los.
»Was machst du da?«, sagte er und Branko spürte den Knüppel auf dem Rücken.
»Ich gehe zu meiner Großmutter«, antwortete Branko und wollte weiter.
Begovic, der ihn an der Schulter gepackt hatte, hielt ihn fest. »Habe ich dich heute nicht schon einmal gesehen?«, schnaubte er und seine Augen schossen Blitze. Er dachte nach. »Ach, sie haben ja deine Mutter begraben.« Begovics kleine Augen krochen wieder in ihre Höhlen zurück. »Na, geh. Dafür prügle ich dich morgen nicht.« Er gab Branko einen Stoß und schob ihn in die nächste Straße hinein.
Hier waren sie heute Mittag mit dem Sarg gegangen. Brozovic äugte wieder wie ein Fuchs aus seinem Kramladen. Curcin hatte sich eine Bank vor die Tür gestellt, die Kappe lag neben ihm, und sein schlohweißes, aufgedunsenes Bäckergesicht sah in der Dunkelheit noch weißer als am Tage aus.
Auch der Gemüsehändler hockte vor seinem Haus; ein paar Nachbarn standen neben ihm. Sie sprachen miteinander oder riefen den Tabakarbeiterinnen, den Soldaten und den Matrosen Scherzworte zu. Die Angerufenen lachten und blieben die Antwort nicht schuldig. Im

Augenblick, da die Musik nicht mehr zu hören war, sangen die Mädchen. Auch einige Burschen fielen ein. Ja, alle waren fröhlich, nur Branko schlich wie ein herrenloser Hund an ihnen vorbei.
Von der Kirche herunter kam Hochwürden Lasinovic. Er hatte sein Prunkgewand abgelegt, einen schwarzen Rock an und einen breitrandigen, schwarzen Strohhut auf.
Neben ihm ging Doktor Skalec und kaute Kandis. Branko hätte ihn beinahe nicht erkannt, denn der Doktor hielt eine Mappe gegen die Brust, sodass man seine weiße Weste nicht sehen konnte. Ein paar Freunde Brankos schlichen hinter ihm her, und obwohl der Pfarrer neben ihm ging, sangen sie:

»Unser Doktor ist der Beste,
er hat eine weiße Weste,
er hat einen runden Hut
und kuriert die Kranken gut.
Lahme lässt er wieder springen,
Stumme können wieder singen,
nur Gesunde sind sein Graus,
die bringt er zum Friedhof raus.«

Branko musste lachen. Vor vier Tagen war er noch mit dabei gewesen, als sie das Lied sangen, das sie der bucklige Schuster gelehrt hatte, als Rache dafür, dass ihm seine Frau, obwohl er den Doktor Skalec geholt hatte, gestorben war.
Er wollte zu den Kameraden hinüber, aber die verstummten, als sie ihn sahen, und starrten ihn scheu von der Seite an. Ach ja, dachte Branko, sie wissen, dass meine Mutter gestorben ist, das macht sie ängstlich. Nun, ich muss ja auch zur Großmutter, und er bog wieder nach rechts ab.
Im Hotel »Zagreb« hatte man ein Klavier auf die Straße gestellt. Ein junger Mann spielte Geige und ein Mädchen begleitete ihn. Die Gäste saßen an kleinen Tischen um die Musikanten herum. Es waren aber keine kleinen Leute wie im Hotel »Adria«, sondern die »besseren« Leute von Senj.
Am ersten Tisch saß, hoch aufgeschossen, eine große Brille in dem langen, bleichen Gesicht, das von einem Spitzbart noch verlängert wurde, Doktor Ivekovic, der Bürgermeister von Senj. Ihm gegenüber

hockte, dick, glatzköpfig und so unförmig wie ein aufgeblasener Frosch, Doktor Kukulic, der Direktor der Senjer Fischereibetriebe.
Am nächsten Tisch saßen der reiche Karaman, Danicic, der dicke Müller, und der herrische Smoljan, der Bezirksförster, den die einen wegen seiner Strenge den bösen, die anderen wegen seines schmalen, festen Gesichtes den schönen Smoljan nannten.
Die übrigen Tische waren von Offizieren, Angestellten der Tabakfabrik und einigen Sommergästen besetzt. Die Tische waren alle gedeckt. Es roch nach gebratenen Hammelkoteletts. Branko zog den würzigen Duft in die Nase, er hatte Hunger, aber ihm würde ja doch niemand etwas geben.
Die Menschen ballten sich auch hier zu einer dicken Mauer zusammen. Es waren Handwerker mit ihren Frauen und Mädchen, die über die hohen Jasminbüsche sahen, die in schwarzen Kübeln um die Tische standen.
Hinter ihnen jagten die Gymnasiasten über den Platz. Sie neckten die Mädchen und schrien dabei.
Die Wirtin rief: »Ruhe!« Da torkelte Begovic auch schon hinter den Burschen her, weil aber der Sohn des Bürgermeisters unter den Gymnasiasten war, hob er nur drohend seinen Knüppel. Branko bog nun auf den breiten, mit großen Steinquadern belegten Marktplatz, den alle die »Clinia« nannten. Er war ein mächtiges Viereck, in das die verschiedenen Straßen und Gassen wie Flussläufe mündeten.
Links hämmerte der alte Tomislav, der Schmied, noch an einem Hufeisen. Vor ihm stand der große Bischofspalast. Gegenüber war das Gymnasium. Alles sah in dem hellen Licht der Lampen so weiß und sauber wie gewaschen aus.
Branko kam an dem alten Brunnen vorbei. Er tauchte die Hände in das kühle Wasser, wie er es immer tat, wenn er hier vorbeiging, dann schlenkerte er sie durch die Luft, damit sie trockneten.
Auf dieser Seite des Marktes war kein Mensch mehr. Ein Esel war hinter dem Brunnen angebunden. Ein Hund versuchte sich ihm immer wieder zu nähern, aber der Esel schlug aus und der Hund sprang schnell zurück. Der Knabe sah den beiden eine Weile zu, dann ging er weiter.
Neben dem Bischofspalast bog er durch das alte Tor und befand sich nun in der großen Allee, die die alte Hafenstadt mit dem Hinterland von Kroatien verband.

Hinter dem Tor war Senj zu Ende. Branko sah nur die breite Straße, die auf beiden Seiten von hohen Platanen flankiert war. Das Laub der Bäume bildete eine so dichte Decke, dass nicht einmal das Mondlicht durch die Blätter drang.
Gleich neben den Bäumen waren hohe Mauern; dahinter zogen sich Gärten bis zu den Bergen hinauf, die die Stadt umsäumten; in den Gärten standen auch Häuser, aber sie waren leer oder wurden nur ein paar Sommermonate bewohnt.
Branko schlüpfte in die Dunkelheit wie in ein Loch. Er war nicht ängstlich; obwohl er in der langen, finsteren Allee ganz allein war. Er sah nach links. Pletnic hatte gesagt, den zweiten Weg nach links solle er abbiegen. Er musste aber dicht an der Mauer entlanggehen, um die Stelle zu finden, an der der Weg abbog, so undurchdringlich war die Schwärze unter den Bäumen.
Der schmale Pfad stieg zuerst zwischen den Gärten steil nach oben, dann verlief er sich in Windungen in einer tiefen Schlucht.
Es war wieder heller geworden. Branko sah ein paar Steine, die quer über den Weg lagen, einige Wacholderbüsche, eine hohe Ginsterstaude, zwei Oliven- und ein paar große Feigenbäume.
Er blickte zurück. Er war mindestens schon fünfhundert Meter gegangen, aber die Hütte wollte noch immer nicht kommen. Da machte die Schlucht eine Biegung, und gerade dort, wo sie zu Ende schien, saßen schwarz und drohend einige Büsche und unter den Büschen schimmerte ein Licht.
Branko trottete näher. Er hatte auch jetzt keine Angst, obwohl ihm das Herz stürmischer klopfte. Eine Hexe sollte seine Großmutter sein und seine Mutter hatte sich vor ihr gefürchtet. Nun, warum nicht. Sie konnte ihn höchstens wieder hinauswerfen, wenn er eintrat, und dann musste er den Weg in die Stadt zurückwandern und sich unten am Wasser oder in einem leeren Haus einen Platz zum Schlafen suchen.
Die Hütte klebte unmittelbar am Felsen. Die Mauern waren aus schweren Steinen, auch das Dach bestand aus großen Steinplatten, die auf festen Balken lagen. Neben der Hütte war noch ein Anbau, und hinter dem Anbau lag Holz.
Das Licht, das Branko gesehen hatte, kam aus einem schmalen Fensterschlitz, eine Tür, um anzupochen und einzutreten, sah er nicht. Er musste erst um das Haus herumgehen. Die Tür war direkt an der

hohen Felsmauer und hatte einen schweren Eisenklopfer. Branko hob ihn und ließ ihn wieder fallen.
»Hallo! Hallo!« Der Bub hörte eine helle, überlaute Stimme.
»Wer ist denn da?«, fragte zu gleicher Zeit eine andere, die dünner, spitzer und giftiger war.
»Ha, ha!«, krähte die helle Stimme wieder. »Vielleicht der gute Onkel Jacova.«
»Hol dich der Teufel«, sagte die andere diesmal etwas lauter, aber die helle brach in ein noch heftigeres Gelächter aus.
Branko, der das alles mit Erstaunen vernommen hatte, wurde jetzt doch unruhig.
Aber da schlurfte schon jemand durch die Hütte, ein Riegel wurde zurückgeschoben und die Tür ging auf. »Ein Junge«, sagte gleich darauf die spitze Stimme: »Komm herein.« – »Nein, es ist der gute Onkel Jacova«, widersprach die andere Stimme und gleich darauf fing das Gelächter erneut an.
»Na, nun komm, wenn du wirklich hereinwillst, und mach vor allem die Tür hinter dir zu«, sagte die erste Stimme und Branko tat es.
Die Tür führte in einen großen Raum, der von einem Kaminfeuer notdürftig erhellt wurde.
Branko sah jetzt, wer zu ihm gesprochen hatte; es war die alte Kata, seine Großmutter.
Im Schein des Feuers erblickte er erst nur eine übergroße, hagere Gestalt; nun trat sie neben das Feuer und er sah auch ihr Gesicht. Die alte Kata glich wirklich einer Hexe. Ihr Gesicht war schmal wie ein Strich, die Hautlappen hingen ihr rechts und links bis unter das Kinn, die Nase war spitz, sie saß wie ein Pfeil zwischen den großen, rötlich schimmernden Augen. Branko hatte noch nie eine so fürchterlich große Nase gesehen. Das ganze Gesicht war in einen schwarzen Lappen gehüllt, unter dem, gelb und weiß, lange Haarsträhnen hervorquollen. Auch um ihren langen, hageren Körper hingen schwarze Lumpen, aus denen magere, knochige Arme herunterhingen mit genauso mageren, knochigen Fingern, die wie Krallen einen festen, dicken Stock umschlossen, auf den sich die Alte stützte.
Bevor sich Branko aber von diesem Schreck erholen konnte, fing die andere Stimme wieder zu sprechen an. »Sicher ist es der gute Onkel Jacova, sicher«, und im gleichen Augenblick lachte auch wieder jemand.

Im Raum klang diese Stimme noch heller und lauter als vor der Tür und Branko wäre am liebsten wieder hinausgestürzt, so ging ihm das Lachen durch Mark und Bein.
»Bist du endlich still, du verdammte Bestie«, schrie die Alte, fasste ihren Stock fester und schlug mit ihm nach oben.
Branko, der die Richtung des Stockes verfolgte, entdeckte nun, dass die Stimme gar nicht von einem Menschen, sondern von einem Papagei kam, der groß und aufgeplustert auf einer Stange über dem Kamin saß. Er hüpfte vor dem Stecken der Alten zurück, dabei lachte er noch lauter.
Branko starrte erstaunt zu dem Tier hinauf, da berührte ihn der Stecken der Alten unsanft an der Schulter und die große Frau knurrte: »Willst du mir endlich sagen, warum du gekommen bist?«
Der Knabe nahm all seinen Mut zusammen und stammelte: »Ich bin Branko.«
»Hast du schon so etwas gehört, Koko?« Die alte Kata wandte sich an den Papagei. »Er kommt hier herein und sagt, er heißt Branko. Es gibt hundert Brankos in Senj.«
Branko trat einen Schritt näher. »Ich bin der Branko von Anka.«
»Anka, Anka.« Die Alte drehte ihren Stock zwischen den Fingern. »Ankas kenne ich auch ein Dutzend.«
»Mein Vater ist Milan«, fuhr Branko tapfer fort. »Ihr seid meine Großmutter.«
»He, he.« Die Alte, die sich neben dem Feuer in einen großen Stuhl gesetzt hatte, stand wieder auf. »Der Sohn von Milan.« Sie sah zum Papagei hinauf. »Da hast du Biest doch recht gehabt. Wie er das Blut der Sippschaft riecht. He, he.«
Sie lachte wieder.
Der Papagei hatte anscheinend die Worte der Alten verstanden. Er kreischte laut: »Sicher, sicher, es ist der gute Onkel Jacova.«
Die Alte sagte: »Jacova ist es nicht. Aber es ist sein Enkel«, und wieder zu Branko gewandt, fuhr sie fort: »Was willst du hier?«
»Meine Mutter ist gestorben.«
»Ich habe den Milan gewarnt. Ich habe ihm gesagt, er soll sich eine Tanne und keinen Pfirsichbaum nehmen. Deiner Mutter sah man doch an, dass sie der erste Wind umbläst.«
»Sie sagen, sie sei an der Schwindsucht gestorben«, wandte Branko ein.

»Das ist ganz gleich, woran. So schwache Leute sterben an jeder Krankheit.«
Sie hockte sich wieder hin, nahm ihren Stock in die Hand und kratzte damit Kreise in den erdigen Boden.
Branko hatte sich inzwischen weiter umgesehen. Der Papagei, ein großer, schöner Vogel, war wieder in die Nähe des Feuers gerückt. Am Kopf war er gelb und grün, auf dem Rücken schwarz und blau, der Leib schimmerte weiß und gelblich, während die Flügel und die Schwanzspitzen blau und rötlich waren.
Hinter Koko hüpfte etwas anderes. Branko dachte zuerst, es sei der Schatten des Papageis, aber es war ein zweiter Vogel. Er rückte immer hinter dem Papagei her und sah schwarz, recht klug und verschmitzt aus. Branko erkannte ihn jetzt auch, es war ein Rabe.
Da sagte die Großmutter wieder: »Ich weiß aber noch immer nicht, warum du zu mir gekommen bist.«
Branko wagte sich noch einen Schritt vor. »Ich habe kein Bett mehr und die Leute haben gesagt, ich soll zu Euch gehen.«
»He, he!« Die Alte lachte greller und konnte sich gar nicht wieder beruhigen. Auch der Papagei fiel mit ein und der Rabe wippte dazu mit den Flügeln. Endlich hatte die Alte ihre Stimme wiedergefunden.
»Die Leute haben dich zu mir geschickt. Die Leute. He, he. Sonst bin ich für sie eine Hexe und sie verstecken ihre Kinder, wenn ich komme, und heute schicken sie mir sogar einen Balg ins Haus. He, he. Sie haben wohl keine Lust, ein armes Waisenkind zu füttern, was?«, und sie stieß Branko mit ihren knochigen Fingern in die Seite.
»Ich weiß nicht«, meinte Branko ausweichend.
Die Alte konnte sich noch immer nicht beruhigen. »Die Leute. Die Leute«, wiederholte sie, »und du bist dann einfach zu mir heraufgekommen, obwohl sie alle nur Schlechtes von mir erzählen?«
Branko sah die Alte tapfer an. »Ich habe keine Angst vor dir.«
»Das wollte ich dir, einem Enkel von Jacova und einem Sohn von Milan, auch geraten haben.«
»Vom guten, alten Onkel Jacova«, krächzte der Papagei wieder dazwischen.
»Bist du still, du Bestie.« Kata erhob erneut ihren Stecken. Sie stand dabei auf, ging aber nicht dem Vogel nach, wie Branko erwartet hatte, sondern auf einen uralten, wackligen Spind zu, der neben dem Kamin stand, und nahm eine Schale heraus. Sie kam wieder zurück

und drückte sie Branko in die Hand. »Ich habe noch einen Rest Suppe im Topf, den sollst du haben. Du kannst diese Nacht auch bei mir schlafen, aber wenn die Leute da unten«, sie hob ihre dürre Faust und drohte nach der Stadt, »meinen, sie können mir ihre Waisen heraufschicken, täuschen sie sich. Die alte Kata kann kaum für sich sorgen. Morgen früh scherst du dich wieder zu ihnen hinunter.«
Branko antwortete nichts darauf. Er war viel zu sehr von dem Duft der Suppe eingenommen, die die Alte ihm mit einem großen Löffel aus einem Kessel, der über dem Feuer hing, in seinen Napf schöpfte. Er spürte jetzt auch, wie hungrig er war. Immerhin hatte er die letzten Tage kaum etwas gegessen und heute überhaupt noch nichts. Die Suppe kochte fast noch, er konnte den Napf kaum halten und versuchte zu blasen, dann setzte er die Schale an die Lippen und schlürfte sie in kurzen Abständen und unter immer neuem Blasen.
Die Alte hatte sich inzwischen wieder neben das Feuer gesetzt, starrte hinein, schüttelte ihren Kopf und sagte nur immer wieder: »Die Leute. He, he. Die Leute.« Selbst der Papagei war ruhiger geworden und auch der Rabe hinter ihm saß still.
Auf einmal rief der große Vogel wieder: »Pass auf, Jacova. Pass auf, mein guter Onkel Jacova.«
Branko starrte erschrocken in die Höhe. Im gleichen Augenblick sprang ihm ein Kater mit einem maunzenden Laut auf die Schulter und versetzte seinem Napf einen Schlag. Dieser fiel auf den Boden und der Kater sprang hinter ihm her.
Das pechschwarze, gewaltige Tier rollte den Napf so, dass er wieder stand, und leckte eifrig den Rest auf, der noch darin war.
Branko war ganz verstört, sein Mund stand offen und er sah zu dem großen Tier hinunter. Auch die Alte war aufmerksam geworden. »Hat dir Morro die Suppe gestohlen? Du schwarzer Teufel.« Sie warf einen ihrer schweren Holzschuhe nach dem Kater, der schreiend fortsprang, holte mit ihrem Stock den Napf näher und füllte ihn ein zweites Mal. »Nun pass besser auf«, sagte sie.
Branko dankte ihr und schlürfte auch den zweiten leer. Er schielte dabei immer nach dem schwarzen Tier, das sich an den Kamin gehockt hatte und mit seinen Augen, in denen das Feuer wie zwei Kerzen tanzte, aufmerksam zu ihm herübersah. Der Papagei schimpfte »Spitzbube! Spitzbube!« zu ihm herab, aber das machte dem Kater nichts, er kam sogar nach einer Weile wieder auf Branko zu.

Diesmal schnurrte er, blinzelte zu Branko hinauf und machte einen Buckel.
Branko hatte noch immer allen Respekt vor dem großen Tier, aber als er nun seine weichen, seidigen Haare an den Knien spürte, beugte er sich sogar zu ihm hinunter und streichelte es. Das schwarze Fell knisterte und leuchtete, als wäre es mit Pulver geladen. Der Kater schnurrte noch stärker. Branko rührte das so, dass er, obwohl er noch Hunger hatte, dem Kater den Napf hinstellte. Das Tier hatte sich aber kaum darübergebeugt, als es Gesellschaft bekam. Zwei schwarze Hühner, von denen Branko gar nicht wusste, wo sie so plötzlich herkamen, versuchten ebenfalls etwas von der Suppe zu bekommen.
Der Kater fauchte sie an, aber die Hühner wichen nicht zurück. Von dem Fauchen war auch die Alte wieder aufmerksam geworden. »Ach!«, kreischte sie. »Ist denn schon Morgen, dass ihr bereits munter seid, ihr Viecher? Schnell in eure Ecke oder ich prügle euch hinein«, und sie stieß erst das eine, dann das andere Huhn mit ihren Füßen zur Seite.
Die Hühner flatterten auf eine Stange, die über einem Holzklotz hing, gackerten noch einige Male aufgeregt, dann steckten sie ihre Köpfe unter die Flügel und schliefen weiter. Branko sah auf die Alte. »Habt Ihr noch mehr Tiere, Großmutter?«, fragte er.
Die alte Kata blickte unwillig zurück. »Nein, das sind alle. Koko, der Papagei, der Rabe, Morro und die beiden Hühner. Nenn mich aber nicht wieder Großmutter, das habe ich nicht gern.«
»Aber Ihr seid doch meine Großmutter.«
»Ich bin die alte Kata und die will ich bleiben, und wenn du durchaus eine Großmutter brauchst, suche dir in Senj eine.«
»He, he!«, krächzte der Papagei wieder. »Und was sagt der gute, alte Onkel Jacova dazu?«
»Du sollst still sein, du Biest.« Die Alte wurde wild, reckte ihre Faust zu dem Papagei hinauf und drohte ihm.
»War das Euer Mann?«, fragte Branko neugierig.
Die Alte lachte auf. »Ja, ja, mein Mann. Er war ein genauso armseliger Geiger wie dein Vater. Er war nie zu Hause, und das Einzige, was ich von ihm geerbt habe, ist dieser Papagei und Milan.«
»Mein Vater ist kein armseliger Geiger«, sagte Branko stolz. »Er ist der beste Geiger von Senj.«
Die Alte kam auf ihn zu. »Was ist er denn sonst? Ha, ha, ha! Hast du

etwa eine ganze Hose an, eine Mütze auf dem Kopf oder einen vollen Bauch, wie es die Kinder von allen ehrlichen Arbeitern in Senj haben? Nichts hast du. Ein Hungerleider bist du, nicht einmal jemanden, der dir eine warme Suppe geben kann, hast du und die Leute schicken dich zur alten Kata, damit sie dich füttert. Ha, ha, ha, und der Tagedieb sagt noch, sein Vater sei nicht so ein armseliger Geiger wie sein Großvater. Noch armseliger ist er. Der alte Jacova hat seinen Milan nie so herumlaufen lassen wie Milan dich.«
Branko trat ein paar Schritte zurück. Er wagte aber doch zu fragen: »Lebt er noch, mein Großvater?«
»Das weiß ich genauso wenig, wie ich weiß, ob dein Vater noch lebt. Aber schweig jetzt. Wir haben schon zu viel geschwatzt. Komm lieber«, sie steckte einen Kienspan ins Feuer, der sofort hell aufbrannte, »du musst schlafen gehen.«
Die alte Kata durchschritt den Raum, der von dem Span etwas mehr erleuchtet wurde. Außer den Hühnern, dem Papagei und dem Raben war aber wenig zu sehen. Links von dem Kamin standen noch ein Holztisch und zwei Stühle, dahinter war ein Bett, darüber hingen einige Töpfe und Pfannen. Die wenigen Möbel waren mit dem Kamin, dem wackeligen Schrank und dem Holzklotz alles, was sich in der Hütte befand.
Die Alte stieß eine Tür auf, die in einen Schuppen führte. »Hier kannst du schlafen. Und ich sage es dir nochmals, morgen früh gehst du wieder in die Stadt.« Sie riegelte einen Laden auf. »Du kannst gleich hier hinausgehen. Schieb ihn dann wieder zu und stiehl nichts, bevor du gehst, sonst schicke ich dir alle Teufel nach.«
»Ich habe noch nie gestohlen«, antwortete Branko und hockte sich auf das Stroh, das überall herumlag.
»Du wirst es schon noch lernen«, sagte die Alte laut. »Die Hungrigen stehlen alle.«
Dann schlurfte sie wieder zurück. Einen Augenblick später hörte Branko, wie ein Schlüssel umgedreht wurde und die Alte sich wieder in ihren Stuhl fallen ließ.
Der Knabe, der rechtschaffen müde war, rollte sich auf dem Stroh zusammen und versuchte zu schlafen. Es dauerte aber ziemlich lange, bis er schlafen konnte. Immer neue Bilder zogen an ihm vorbei. Der Papagei, der Rabe. Wie lustig der Kater gewesen war, und die Hühner und seine Großmutter. Hexen waren doch wirklich nicht so

schlimm, wie die Leute behaupteten. Auch das Begräbnis und seine Mutter tauchten für einen Augenblick auf, aber bald waren sie wieder hinter dem Papagei und dem maunzenden Morro verschwunden. Es musste noch recht früh sein, da wachte er auf, weil ihm etwas über das Gesicht strich.
Er schlug die Augen auf, es war der schwarze Kater. Er schnurrte leicht, machte wieder einen Buckel, dann gähnte er und zeigte seine Zähne.
»Hast du auch hier geschlafen?«, fragte Branko.
Der Kater schnurrte lauter und rieb sich an seinen Beinen.
»Du hast wohl Hunger? Ich auch.«
Er wollte schon aufstehen und in die Stube der Großmutter hinübergehen; da entsann er sich, dass sie gesagt hatte, er solle sich sofort, wenn er aufgewacht sei, zum Teufel scheren.
Branko kratzte sich verlegen. Sein Hunger war nicht so groß, dass er unbedingt seinetwegen bei der Großmutter anklopfen musste. Aber er hätte gar zu gern den Papagei auch einmal bei Tage gesehen, ob er noch größer war als der Papagei unten im Hotel »Adria«, ob er außer den blauen und roten auch grüne Schwanzfedern hatte. Er hätte auch gern gewusst, ob der Rabe sprechen konnte, und natürlich wollte er auch seine Großmutter noch einmal sehen.
Da hörte er sie gehen. Sie schlurfte auf und ab, auch der Papagei schien schon munter zu sein, aber er sprach nicht, er krächzte nur.
Branko wagte es. Er ging an die Tür, klopfte an und sagte: »Großmutter!«
Das Schlurfen kam näher. »Bist du noch nicht fort, du Teufelsbraten«, schrie die Alte. »Liegst du noch immer in meinem Stroh! Soll ich erst meinen Knüppel nehmen und dich hinausprügeln!«
Branko bettelte. »Ich möchte nur noch einmal den Papagei sehen.«
Die Alte schimpfte lauter: »Nichts sollst du sehen. Niemanden. Fort sollst du gehen, verstanden, oder …« Sie drehte am Schloss.
Branko stolperte eilig zurück. »Ich gehe schon«, stammelte er.
»Aber schnell! Aber sofort!«
Branko schielte zu dem Laden hinauf. Er machte einen Sprung und saß rittlings auf dem Sims; im gleichen Moment wurde der Schlüssel umgedreht und die Tür ging auf.
»Ich bin schon draußen«, schrie Branko noch und ließ sich auf der anderen Seite auf die Erde fallen.

»Das ist dein Glück«, krächzte ihm die Alte nach.
Branko erhob sich wieder. »Armer Onkel Jacova«, hörte er den Papagei noch sagen, »armer Onkel Jacova«, dann rannte er davon.

3

Branko hat Hunger und kommt deshalb ins Gefängnis

Branko kugelte beinahe die Schlucht hinunter, so sprang er zuerst. Er rannte aber nicht, weil er sich vor der Alten fürchtete, sondern weil es ihm Freude machte, so kopfüber dahinzuschießen. Branko lachte sogar. Gott, wie die Großmutter geschrien und der Papagei gesagt hatte: »Ach, der arme Onkel Jacova.«
Die Schlucht sah am Tag viel freundlicher aus als in der Nacht. Die Wacholderbüsche hatten grüne Spitzen und Blütenansätze. Rechts und links standen Pechnelken. Oben auf der Höhe stemmten sich Pfirsichbäume in den Himmel. Die großen Steine glitzerten in der Sonne, das Gras hatte bunte Tauperlen und auch die alten Oliven- und Feigenbäume waren mit den schönen Perlen übersät.
Er kam in die Allee. Sie machte am Tag einen noch düstereren Eindruck als in der Nacht. Die dicken Platanen, die den Mond nicht hindurchgelassen hatten, ließen auch die Sonne nicht durch.
Auch die Kühle der Nacht war nicht durchgedrungen und so lag jetzt eine dumpfe, klebrige Wärme darunter.
Das Postauto, das zu den Plitvicer Seen fuhr, kam aus der Stadt gepoltert. Eine Kuhherde trottete dem Wagen entgegen. Der Chauffeur hupte, aber der Wagen musste stehen bleiben, weil die Kühe nicht auf die Seite gingen.
Die Straße war um diese Zeit überhaupt sehr belebt. Ein Bauernjunge, der Branko übermütig anblitzte, trieb vier Esel vor sich her, die hoch mit Körben, Kisten und Säcken beladen waren. Zwei Frauen, die auf Maultieren saßen, trabten nach der Stadt. Auch große, von Ochsen gezogene Bauernwagen bogen in die Allee ein und dazwischen buckelten Mädchen und Frauen schwere Körbe, zog ein Bäuerlein einen Handwagen und zwei Radfahrer fuhren klingelnd hinter der Kuhherde her.
Aus der Stadt kamen gleichfalls Leute. Holzarbeiter, die zu ihrer Arbeit gingen, eine Gruppe Steinbrucharbeiter, die Jungen pfiffen ein Lied, Bürger von Senj, die in ihre Gärten wollten, und ein Milchwagen, der über Land fuhr.

Branko trat durch das Tor auf den Markt. Die Sonne war höher gestiegen und lag schon auf den schönen viereckigen Platten, die den ganzen Platz bedeckten. Er sah aus wie ein großer Spiegel in der heißen Sonne und die Menschen schienen darauf wie schmutzige, graue Flecken.
Branko ging auf den Brunnen zu, tauchte das Gesicht hinein, rieb es mit den Händen ab und dann schüttelte er sich wie ein Hund, dass die Tropfen nach allen Seiten spritzten.
An diesem Brunnen wusch er sich jeden Morgen. Auch alle anderen armen Kinder von Senj wuschen sich hier, wenn sie es nicht vorzogen, sich überhaupt nicht zu waschen oder schnell einmal ins Meer zu springen.
Auf dem großen Platz war noch wenig zu sehen. Ringelnatz, seine weiße Mütze über dem Nussknackergesicht, kehrte vor dem Hotel »Zagreb« den Dreck zusammen. Rechts, neben dem Bischofspalast, hatten die Bauern ihre Kühe angebunden, auch die neuen kamen dazu und der Bauer band sie an die eisernen Stangen, die in einem Geviert zwischen großen Steinsäulen angebracht waren. Vor der Schmiede ließ der alte Dragan einen Maulesel beschlagen. Branko sah einen Augenblick zu. Dragan hielt den Fuß des Tieres hoch und Tomislav, ruhig und ernst wie immer, brachte das Eisen. Inzwischen klemmte sein Geselle dem Maultier ein Holz über die Nase. Das Tier versuchte zu schreien, zu beißen, auch auszuschlagen, aber es war schon zu spät.
Immer wenn das Tier zusammenzuckte, drehte der Geselle an der Holzklemme, sodass der Schmerz an der Nase größer als der hinten am Fuß war und das Tier vor Schmerz im Gesicht kaum spürte, dass ihm hinten der alte Tomislav ein Eisen auf den Fuß schlug. Erst als der Geselle die Klammer wegnahm und der arme Maulesel wieder um sich keilte, denn Dragan hatte den Fuß fallen lassen, spürte er, dass auch mit seinem Fuß etwas geschehen war. Er knallte ihn wütend auf das Pflaster, aber das Eisen saß fest.
Dragan fuhr seinem Esel einige Male über den Kopf und der Grauschimmel beruhigte sich wieder. Einen Augenblick später trippelte er, einen Sack auf dem Rücken, hinunter zum Quai.
Branko folgte den beiden. In den Straßen war es noch still. Der dicke Curcin öffnete gerade den Holzladen, der vor seiner Auslage war. Brozovic hatte die Tür aufgestoßen und schleppte Fässer mit Korken

heraus, um sie vor den Laden zu stellen. Der bucklige Schuster hatte noch geschlossen, auch das Hotel »Nehaj« war noch zu.
Auf dem großen Platz am Quai hatten sich schon die ersten Bauern mit ihrem Obst, Frühkartoffeln und ihrem Gemüse aufgestellt. Branko trottete an ihnen vorbei, hinunter ans Wasser.
Zwei Fischerboote legten an. Branko sah nach dem alten Gorian, der ein guter Freund seines Vaters war und sonst auch immer um diese Zeit am Quai stand, aber es waren nur der hagere Radic und einige Fischer aus Rab, die ihre Fische ausluden.
Branko schlenderte zwischen den Booten und dem Markt hin und her. Neue Bauern kamen. Sie brachten Tomaten und häuften sie zu kleinen Bergen. Auch der Junge, der die vier Esel vor sich hergetrieben hatte, lud ihre Lasten ab und baute seine Waren vor sich auf. Es waren Erdbeeren, Frühgemüse und Pfirsiche. Er verkaufte seine Waren aber nicht einzeln, sondern korbweise.
Radic schichtete einen Eimer Makrelen auf. Die zarten, schmalen Tiere mit ihren olivenfarbigen, dunklen Rücken leuchteten wundervoll in der Frühsonne. Der Leib war opalfarbig, und bei denen, die ihre Rachen geöffnet hatten, sah man die scharfen, spitzen Zähne. Die Fischer von der Insel Rab verkauften Seebarsche. Die großen Tiere waren einen halben Meter lang. Über die silberfarbigen, gefährlich aussehenden Leiber zog sich eine schwarze Linie. Sie lagen schwer, als ruhten sie nur aus, auf den hellen Brettern der Stände und Branko machte jedes Mal einen Bogen, wenn er an ihnen vorbeiging.
Ein Stück weiter baute die bärtige Marija ihren Stand auf. Sie handelte mit Zuckersachen, Schokolade und allerlei kleinem Gebäck. Sie watschelte mit ihrem dicken Leib zwischen einem Handwagen und ihrer kleinen Bude hin und her, schimpfte vor sich hin, wollte sich aber von niemandem helfen lassen, weil sie alle Menschen, vor allem die Kinder, für Diebe und Gauner hielt.
Die ersten Käufer kamen: Curcins Frau mit einer hellen Bluse, die Magd des Pfarrers mit einer gewaltigen Tasche vor dem Leib. Pletnic schob seinen dicken Bauch von Stand zu Stand. Er sah einen Augenblick auf Branko, aber dann blickte er auf die andere Seite.
Branko bekam durch das Herumschlendern Hunger. Aber was sollte er essen? Wenn ihn sonst der Hunger plagte, und dies kam oft vor, wenn er morgens vor seiner Mutter aus dem Haus stürmte und nicht

warten konnte, bis der Kaffee kochte, oder wenn sie mittags länger arbeiten musste und erst gegen vier eine Suppe aufsetzen konnte, ging er einfach hier vorbei, hob eine Tomate auf oder ließ sich von Curcin ein Stück Brot geben. Er nahm auch hie und da einen Apfel oder eine Aprikose weg, wenn es niemand sah, und wenn es jemand sah, vor allem die dicke Marija, dann drohte sie nur mit der Faust und schrie: »Ich werde es deiner Mutter sagen«, oder: »Ich werde es deiner Mutter schon aufschreiben.«

Jetzt konnte er das nicht mehr. Seine Mutter war ja tot. Er wagte es auch gar nicht. Die dicke Marija sah ihn schon den ganzen Morgen so unfreundlich an, und als er wieder auf ihre Zuckergläser blickte, kreischte sie: »He, du willst wohl stehlen. Pass auf, ich sage es dem Begovic.«

Sein Hunger wurde aber immer größer, je länger er auf dem Markt herumschlich. Er setzte sich ans Meer. Dass ausgerechnet heute der alte Gorian nicht gekommen war! Der hätte ihm sicher ein Stück von seinem Brot angeboten, wie er es immer tat, wenn Branko sich neben ihn setzte. Er sprang wieder hoch, der Hunger ließ ihm keine Ruhe und er war schon wieder zwischen den Ständen unterwegs.

Da lag eine Möhre. Er hob sie auf und biss hinein, aber sie machte seinen Hunger noch größer. Wenn die Pfirsiche und die Aprikosen nur nicht so gelockt hätten, auch die Fische, die sich in immer größeren Bergen auf den Tischen der Fischer häuften. Auch zwei Bäcker hatten ihre Stände aufgebaut und der Duft des frischen Brotes stieg ihm in die Nase, als hätte er es vor sich und könnte hineinbeißen. Er wollte schon zugreifen, da fiel ihm ein, was er gestern seiner Großmutter gesagt hatte: »Ich habe noch nie gestohlen.« Und was hatte sie geantwortet: »Dann wirst du es schon noch lernen. Die Hungrigen stehlen alle.«

Nein, er wollte auch heute nicht stehlen. Er biss die Zähne zusammen, ballte die Fäuste und machte einen Bogen um die Verkaufsstände. Er ging hinauf zum Park und hockte sich auf eine Bank. Es war schon recht warm geworden, die Fliegen umschwärmten ihn, in den Bäumen summten die Bienen und hoch über ihm kreischten ein paar Möwen.

Branko hielt es aber nicht lange aus. Es zog ihn wie mit Seilen wieder hinunter an den Quai. Er musste ja nicht stehlen. Vielleicht fand er noch eine Möhre, vielleicht fand er einen Fisch, den er sich braten

konnte, oder einige Aprikosen, die jemand weggeworfen hatte, weil sie fleckig waren und nicht verkauft werden konnten. Der Markt war inzwischen voller geworden. Viele Frauen wanderten von Stand zu Stand. Die Fischer ließen sich wieder neue Fische aus den Booten bringen. Der große Junge mit seinen Eseln hatte seine Waren auch schon verkauft. Er sprach jetzt mit einem hoch aufgeschossenen Mädchen, das mager und knochig neben ihm stand.
Branko beobachtete sie bereits den ganzen Morgen. In dem festen, derben Gesicht saßen kecke, helle Augen. Sommersprossen liefen über die Nase, brandrotes Haar lohte wie Feuer über ihr. Sie war barfuß und barhäuptig wie Branko und sie streifte genauso wie er zwischen den Ständen hin und her. Sie musste den großen Jungen kennen, denn sie sprachen noch immer miteinander. Jetzt schenkte er ihr ein paar Tomaten. Sie schob sie unter den grünen Sweater, der mit einem braunen, alten Rock das Einzige war, was sie anhatte.
Branko schlich wieder bei Radic vorbei. Der verkaufte gerade der Magd des Bürgermeisters eine ganze Schüssel seiner Makrelen.
»Sie sind doch frisch?«, fragte das Mädchen.
»So frisch wie Sie selber«, spaßte Radic und schüttete ihr die Fische in die Markttasche. Dabei fiel ein Fisch in die Gosse.
Das Mädchen, das über die Worte Radics lachte, merkte es gar nicht. Auch Radic hatte es nicht gesehen, nur Branko sah den Fisch zwischen den Beinen des Mädchens in der Gosse liegen.
Er blickte sich um. Sah noch jemand den Fisch? Nein, nur das Mädchen mit dem roten Schopf, das eben bei dem Eseltreiber gestanden hatte. Sie blickte im gleichen Augenblick auf ihn, blinzelte ihm zu, als wollte sie sagen: »Wenn du ihn nicht nimmst, nehme ich ihn.«
Branko bückte sich und wollte ihn unter sein Hemd stecken, da spürte er hinten im Genick eine feste Faust.
»Du Spitzbube«, schrie zur gleichen Zeit eine harte, böse, gewaltsame Stimme. Branko schnellte herum.
Es war der reiche Karaman, der ihn mit seinen groben Fäusten, die schwer und fest wie Schmiedehämmer waren, gepackt hatte und ihn noch immer festhielt.
»Was ist denn?« Radic kam hinter seinem Stand hervor.
Auch die Magd machte runde Augen und sah erst auf Branko und dann auf Karaman.
»Er hat gestohlen, der Kerl!« Karamans aufgedunsenes Gesicht, in

dem die kleinen Augen wie schwarze Knöpfe saßen, wurde rot. »Euch hat er bestohlen!«, schrie er weiter, zeigte auf den Fischschwanz, der aus Brankos Hemdschlitz hervorsah, und zog den Fisch heraus.
»Er lag auf dem Boden«, stammelte Branko. »Ich habe ihn nur aufgehoben.«
Radic, der kein allzu böser Mann war, wollte schon sagen: »Lasst ihm doch den Fisch, er wird Hunger haben, und wenn er einmal im Dreck lag, will ihn doch keiner mehr«, aber Karaman schrie schon so laut nach Begovic und immer mehr Leute strömten zusammen, dass Radic wieder hinter seinen Stand trat und erst sehen wollte, was die Leute dazu sagten.
Begovic, seinen Knüppel in der Hand, die Mütze nach hinten geschoben, den Rock aufgeknöpft, denn er hatte gerade in der Kneipe, dem Markt gegenüber, einen Schnaps getrunken, kam angerannt.
Er teilte die Menge mit seinen fleischigen Gurkenfingern. »Ein Spitzbube! Ein Spitzbube! Wo ist er?«
»Hier!« Karaman schob den Jungen, den er noch immer fest am Hals hatte, sodass man seine Finger bereits in Brankos Fleisch sah, Begovic zu. »Hier!« Er hielt den Fisch hoch. »Und das hat er gestohlen.«
Begovic hielt in seinem Eifer inne. Der Junge und der kleine Fisch, verdammt, wenn der Markt zu Ende war, lagen doch ein Dutzend davon auf der Erde. Warum machte der reiche Karaman so ein Geschrei deswegen.
Da mischten sich auch schon die anderen Leute ein.
Susic war da, der kleine Lumpenhändler, ein alter Mann mit einem roten Käppchen und einem weißen Bart, der weit über seinen Kaftan hing. Ein paar alte Frauen. Ein Matrose, zwei Holzarbeiter und außer der Magd des Bürgermeisters noch drei andere Mägde.
»Seht ihr nicht, dass es der Kleine nur aus Hunger getan hat?«, schimpfte eine der alten Frauen.
Susic nahm sein Käppchen ab. »Wegen eines Fisches so ein Geschrei zu machen. Im Wasser gibt es tausende.«
Der Matrose knurrte. »Na, und seht nur, wie dieser Bauer den Buben gewürgt hat, als wenn er ihm ein Halseisen umgelegt hätte.«
»Lass ihn laufen, Begovic!«, schrien zur gleichen Zeit die Holzarbeiter.
Begovic hatte große Lust dazu, aber da wandte sich Karaman wieder an ihn. »Nichts da«, sagte er. »Ich habe es gesehen. Er hat vorsätzlich

gestohlen und muss bestraft werden. Wisst Ihr übrigens, wer ich bin?« Er drehte sich jetzt mit seiner ganzen Breite zu Begovic. »Ich bin Karaman, Bauer und Stadtverordneter, und wenn Ihr den Spitzbuben nicht gleich festnehmt, werde ich mit dem Bürgermeister sprechen.«
Die Leute murrten noch mehr. »Der reiche Karaman!« – »Der Geizhals!« – »Der Leuteschinder!« – »Den sollte man einsperren!«
Karaman wandte sich noch einmal an Begovic. »Nehmt Ihr ihn jetzt fest oder soll ich ihn selber auf die Wache bringen?«
Begovic packte Branko schon an der Schulter. »Ihr habt es also gesehen, dass der Knabe gestohlen hat, Herr Karaman?«, fragte er.
»Mit meinen beiden Augen und hier ist ja auch die Beute!« Er hob den Fisch nochmals hoch.
»Hat es sonst noch jemand gesehen?« Begovic drehte sich um und sah auf die anderen.
»Ich!«, rief eine helle Stimme. Das Mädchen mit dem roten Haar stand neben Begovic und sah mit zornig blitzenden Augen auf Karaman und Begovic. »Ich habe es gesehen«, wiederholte sie. »Der Fisch lag bereits eine ganze Weile auf der Erde. Ein Hund hat schon daran gerochen, eine Frau ist daraufgetreten. Da kam der Junge«, sie zeigte auf Branko und blitzte ihn dabei an, »und hob ihn auf.«
»So, so«, meinte Begovic und sah Karaman wieder an, um zu erfahren, ob der Bauer nach diesem Zeugnis von seiner Klage Abstand nahm.
Aber Karaman – seine große, massige Gestalt wurde noch größer – starrte nur auf das Mädchen. »Habe ich dich nicht schon einmal gesehen?«, fragte er.
»Mich?« Sie schüttelte ihren Kopf, dass die Haare nach allen Seiten flatterten. »Sicher nicht.«
»Natürlich.« Seine Stimme wurde laut und dröhnte wie eine Trompete über den Platz. »Dein Haar vergisst man doch nicht, wenn man es einmal gesehen hat. Vorgestern warst du in meinen Aprikosen, vor einer Woche in meinen Erdbeeren, vor …«
Da war das Mädchen plötzlich verschwunden. Als wäre sie untergetaucht, war sie durch die Menge davongeschlüpft.
»Halt sie doch, alter Saufsack!«, schrie Karaman erbost und stieß Begovic in die Seite. »Nehmt sie fest! Springt ihr nach!«
Aber Begovic blieb wie angewurzelt stehen. Es ärgerte ihn, dass ihn der Bauer einen Saufsack nannte. »Ich kann nur einen festhalten!«,

knurrte er. »Und nicht die ganze Stadt, und bis jetzt habt Ihr nur gewollt, dass ich den da«, er schüttelte Branko, »verhafte.«
Der reiche Karaman schob nun selber seine mächtige, breite Gestalt durch die Menge, um dem Mädchen nachzulaufen, aber als er sich nach dem roten Schopf umsah, war die Kleine längst davon.
Begovic stand immer noch mit Branko da. »Hat es noch jemand gesehen?«, fragte er mechanisch wieder.
Die Leute schüttelten den Kopf.
Der Gendarm trat zu dem Fischer: »Fehlt Euch der Fisch?«
Radic lächelte verlegen. »Ich weiß nicht. Ich habe Hunderte und ich verkaufe sie nach Gewicht.«
»Wo ist der Fisch überhaupt?« Die Magd des Bürgermeisters sah sich um.
Der Matrose warf seinen Kopf nach hinten und lachte. »Ich glaube, Karaman hat ihn mitgenommen.«
Auch die anderen lachten auf.
»Ich habe es ja gleich gesagt«, meinte einer der Holzarbeiter, »Karaman soll man einsperren.«
»Macht Ihr eine Anzeige wegen des Diebstahls?« Begovic zog ein Buch aus der Tasche hervor.
Der Fischer wusste nicht, ob er Ja oder Nein sagen sollte. Den Leuten zuliebe, die um ihn herumstanden, hätte er gern Nein gesagt, aber der reiche Karaman, den sie alle fürchteten und der im Hochsommer, wenn er ein Dutzend Knechte hatte, die Fische zentnerweise kaufte, konnte wieder zurückkommen und es erfahren.
»Ihr könnt es Euch ja noch überlegen«, brummte Begovic. »Ich bringe den Buben vorläufig auf die Wache. Wenn bis zum Abend keine Anzeige kommt, lass ich ihn wieder laufen.«
Radic nickte.
»Platz da!« Begovic hatte seinen alten Schneid wiedergefunden, trieb die Leute mit seinem Knüppel auseinander, drängte Branko hindurch und ging mit ihm weiter.
Er sah sich den Sünder nun genauer an. »Oho!«, schrie er auf. »Du bist es.« Er gab Branko einen leichten Stoß. »Da habe ich dich gestern also nicht umsonst verprügelt.«
Sie kamen an der alten Marija vorbei.
»He, he!« Sie steckte ihr bärtiges Gesicht aus ihrer Bude. »Hat er gestohlen, der Branko? Ich habe es mir doch gedacht.«

»Ich habe nicht gestohlen«, heulte Branko jetzt auf. »Ich hatte bloß Hunger.«
Die Alte lachte noch schriller. »Gerade das nennt man ja Diebstahl, du Dummkopf.«
Vor dem Hotel »Adria« stand der dicke Marculin.
»Einen Schnaps, Begovic?«, fragte er.
»Ich habe einen Gefangenen.« Begovic zeigte auf Branko.
»Kommt nur. Einer ist keiner.« Er schenkte Begovic ein. »Was hat denn der Bub verbrochen?«
»Was weggenommen.« Begovic trank und wischte sich umständlich den Bart ab.
»Was denn?«
»Einen Fisch.«
Der Wirt lachte. »Mein Gott, es gibt doch genug davon in Senj.«
»Der alte Susic hat das auch gesagt«, bestätigte Begovic, »aber der reiche Karaman hat verlangt, dass der Junge verhaftet wird.«
»Der«, Marculin schnaufte auf, »der sollte lieber auf sich aufpassen als auf andere Leute.«
Begovic trank das zweite Glas. »Ich habe nichts gehört, Herr Marculin.« Er salutierte.
»Das könnt Ihr ruhig weitererzählen.« Er schenkte Begovic das dritte Glas ein.
Einige Kinder hatten das Gespräch belauscht.
Als Begovic und Branko weitergingen, sprangen sie vor den beiden her und riefen allen Leuten zu: »Branko hat gestohlen! Branko hat gestohlen!«
Branko war wütend und hätte sich am liebsten auf die Kinder gestürzt. Er war auch traurig, denn unter den Kindern waren zwei seiner Freunde. Vor ein paar Tagen hatten sie noch miteinander gespielt. Gestern war er für sie noch etwas Besonderes gewesen und sie waren ihm scheu aus dem Weg gegangen. Heute nannten sie ihn einen Dieb und beschimpften ihn.
Brozovic stand vor seinem Laden. Er nahm erst eine Prise, dann zupfte er sich an der Nase. Als er Begovic und Branko sah, schüttelte er seinen spitzen Kopf. »Nein, nein«, sagte er. »Der Bub ist also schon so ein Vagabund wie sein Vater.«
Sein Sohn, der, genauso klein, eine Gymnasiastenmütze auf dem spitzen Kopf, neben ihm stand, sagte laut: »Dieb! Dieb!«

Branko wurde noch wütender, und da ihn Begovic, seitdem er seine drei Gläschen getrunken hatte, nur noch an der Schulter hielt, riss er sich los und rannte auf Brozovic und seinen Söhnen zu. »Mein Vater ist kein Dieb!«, schrie er.
Er hob schon seine Faust; ehe er aber zuschlagen konnte, hatte ihn Begovic wieder am Hemd gepackt und gab ihm ein paar mit dem Knüppel.
»Mach mir nicht noch Geschichten«, sagte der Schwankende und versuchte Branko, der sich trotz der Prügel noch einmal losreißen wollte, fester zu fassen. Es glückte ihm auch und er stieß ihn weiter. Sie gingen eine kleine Gasse hinauf und begegneten nur noch einer alten Frau, die sich nicht einmal nach ihnen umdrehte. An der nächsten Straßenkreuzung war die Wache.
Dordevic, der andere Gendarm, stand vor der Tür. »Bringst du ihn endlich?«
»Was weißt du denn schon von ihm?«, fragte Begovic erstaunt.
»Ich weiß schon alles.« Dordevic verzog sein sauber rasiertes Gesicht zu einem Grinsen, und als ihn Begovic dumm anglotzte, fuhr er sachlicher fort: »Der Bürgermeister hat angerufen, Karaman hätte dir einen Dieb übergeben. Ob ihr angekommen wäret. Ich soll ihm gleich Bescheid sagen, wenn ihr da seid.«
Begovic machte ein noch dümmeres Gesicht. »Gott«, knurrte er, »wegen eines stinkenden Fisches eine solche Geschichte zu machen.«
Dordevic schlug ihm beruhigend auf die Schulter. »Bring ihn nur herein, deinen Fischdieb. Wir müssen ihn ja nicht gleich hängen.«
Branko war Begovic bis jetzt ohne Schwierigkeiten gefolgt, aber plötzlich stemmte er sich gegen die Schwelle, die zu der Wache hinaufführte. Es war das Haus, die schweren Eisengitter vor den Fenstern, wohl auch das Schild, auf dem drohend »Gendarmerieposten Senj« stand, vor dem er sich ängstigte. Er stemmte sich immer fester.
»He!«, Begovic stieß ihn in die Seite. »Soll ich wieder den Knüppel nehmen?« Er nahm ihn aber nicht, sondern hob Branko hoch und trug ihn über die Schwelle.
Branko beugte seinen Kopf nach hinten, um bis zum letzten Augenblick das Licht über sich zu sehen. Da erblickte er den hellgrünen Sweater und den roten Schopf des Mädchens, das ihn auf dem Markt so tapfer verteidigt hatte. Es schien ihm so, als habe er den Sweater

schon einige Male in den Gassen aufblitzen sehen, aber jetzt sah er ihn deutlicher und gleich darauf das Gesicht des Mädchens.
Sie winkte ihm. Für Branko war das wie eine Beruhigung und er wehrte sich nicht mehr.
Begovic trug ihn in eine Stube, in der außer einem Pult und einer Bank nur noch ein paar hohe Aktenschränke und eine große Standuhr waren.
»Nun sag einmal deinen Namen, Kleiner«, sagte Dordevic, der hinter das Pult getreten war.
»Branko.« Der Junge knurrte es dumpf heraus.
»Weiter, weiter, auch den andern will ich wissen.«
»Babitsch.«
»Du wohnst?«
»Nirgends«, antwortete Branko trotzig.
»Hast du keine Mutter?«
Begovic beeilte sich, ein Zeichen zu machen, dann sagte er: »Sie ist vorgestern gestorben.«
»Also tot.« Dordevic machte ein Kreuz auf sein Papier. »Der Vater?«
Branko antwortete wieder nicht.
»Der Milan ist sein Vater«, sagte Begovic für ihn.
Dordevic legte seinen Federhalter hin. »Der Milan. So einen guten Geiger habe ich mein ganzes Leben noch nie gehört.«
Branko stieß heraus: »Der Brozovic hat ihn einen Dieb genannt.«
Dordevic lachte. »Der Brozovic. So, so. Wenn er so etwas noch einmal von deinem Vater sagt, dann antworte ihm, er soll aufpassen, dass wir nicht wieder feststellen, dass seine Gewichte nicht stimmen.« Er wandte sich an Begovic. »Wo stecken wir ihn hin?« Begovic, der sich auf einen Stuhl gesetzt und die Augen geschlossen hatte, sprang auf.
»Was hast du gefragt?«
»Wo wir ihn hinstecken sollen?«
Begovic dachte nach. »Am besten in die hinterste Zelle.«
Dordevic nickte. »Das habe ich auch gedacht. Das ist die größte und hellste, da wird er am wenigsten Angst bekommen.«
»Ich bekomme keine Angst«, sagte Branko laut.
Dordevic sah ihn an. »Sag das nicht zu früh. Wenn man einen ganzen Tag allein ist, kommt die Angst von selber.«
Begovic nahm einen Schlüsselbund von der Wand und führte Branko durch das Haus in einen Hof. An das Haus schloss sich ein Seitenge-

bäude an. Die kleinen Fenster waren alle vergittert, nur das letzte, das etwas größer war, hatte ein einfaches Eisenkreuz. Sie gingen in das Seitengebäude hinein. Ein langer, halbdunkler Gang lag vor ihnen. Alle drei oder vier Meter war eine schwere Tür, die durch einen Riegel und ein Schloss gesichert wurde.
Begovic schlurfte den Gang entlang. An der letzten Tür blieb er stehen, fingerte an dem Schlüsselbund herum, dann schloss er die Tür auf und schob Branko hinein.
»So«, sagte er, »hier bleibst du, bis ich dich wieder heraushole. Und Punkt zwölf bringe ich dir etwas zu essen.«
Branko, der nicht antwortete, hörte noch, wie Begovic die Tür hinter ihm zuschlug, dann sah er sich um.
Der Raum war vier Meter breit und vier Meter lang. Er war weiß; die Wände, die Decke, sogar der Fußboden, auf dem körniger Sand lag, schimmerten weißlich. Im ganzen Raum war nichts weiter als ein Kübel mit einem Deckel, sonst war er leer. An der hinteren Wand war das Fenster, das Branko schon von draußen gesehen hatte, es saß ungefähr zwei Meter hoch und maß einen halben Meter im Quadrat. Das Eisenkreuz, das es in vier Teile teilte, war ungewöhnlich stark und fest in die Steine eingemauert. Branko hörte noch, wie Begovic die Tür wieder zuriegelte und den Schlüssel zweimal im Schloss umdrehte. Er hörte auch, wie sich Begovic noch einmal schnäuzte und langsam zurückschlurfte.
Da kam die Angst schon. Ja, ihm war auf einmal unsagbar ängstlich zumute. Er stürzte auf die Tür zu und wollte sie eindrücken, aber sie war fest. Er sprang zu dem Fenster hinauf und wollte sich emporziehen, aber er kam auch nicht hinauf, als er den Kübel zu Hilfe nahm. Er schrie, erst kläglich, später lauter, aber als es niemand hörte, ließ er es wieder und hockte verzweifelt in einer Ecke. Die Tränen schossen ihm aus den Augen. Er weinte, weil er in diesem Loch saß, weil er nun doch gestohlen hatte, was er gar nicht wollte; weil die Leute seinen Vater und ihn beschimpft hatten, er weinte über alles und weinte immer schmerzlicher, bis der Druck, der auf seinem Herzen lag, leichter wurde.
Er wusste nicht, wie lange er so geweint hatte, als er ein Kratzen unter seinem Fenster hörte. Kam da jemand? Er sah hinauf. Er sah nichts, aber das Kratzen wurde deutlicher. Er wollte schon aufstehen und etwas sagen, da sah er eine Hand, die sich oben um das Fenster-

kreuz krallte, einen Augenblick später tauchte etwas Grünes auf und, bevor er noch sein Erstaunen meistern konnte, das rote Haar und der Kopf des Mädchens, das er vor einigen Minuten gesehen hatte.
Sie zog sich ganz hoch und starrte zu ihm hinein. Sie konnte aber wohl nichts sehen, weil sie vom Licht in die Dunkelheit blickte.
»Bist du da?«, flüsterte sie leise.
»Ja«, sagte Branko aufgeregt.
Sie hielt einen Finger über den Mund.
»Pst«, machte sie. »Nicht so laut, damit uns niemand hört.«
Branko schwieg.
Das Mädchen setzte sich breit auf das Fenstersims und jetzt konnte sie ihn auch sehen.
»Ist es hoch bis zu mir herauf?«, fragte sie.
»Zwei Meter. Es können auch mehr sein.«
»Kannst du heraufkommen?«
Branko schüttelte den Kopf. »Es geht nicht.«
»Hier draußen ging es. Es sind lauter Risse in der Mauer.«
»Hier ist alles glatt«, antwortete Branko traurig.
»Ist da nicht ein Kübel?«, fragte das Mädchen weiter, das noch immer in den Raum starrte.
»Damit geht es auch nicht. Ich habe es schon probiert.«
»Bring ihn doch einmal her. Ich reiche dir meine Hand oder, nein, warte, vielleicht noch besser meinen Fuß.« Das Mädchen streckte ihre Beine durch die Gitterstäbe.
Branko brachte den Kübel und stieg hinauf. Er konnte die Beine, die braun, etwas dreckig und fest waren, gerade mit seinen Fingern erreichen. Er konnte sie aber weder umschließen noch sich daran in die Höhe ziehen.
»Es geht nicht«, sagte er noch einmal und stieg wieder von dem Kübel hinunter.
»Hm«, machte das Mädchen, steckte ihren Kopf, den sie weit nach außen gebogen hatte, damit ihre Beine recht tief nach unten reichten, erneut in die Zelle. »Hm«, und nach einer Pause fuhr sie fort: »Warte eine Weile. Ich werde mir etwas Besseres ausdenken.«
Branko sah, wie sie langsam verschwand, erst ihre Beine, dann ihr Kopf und später die Hände.
Er war ganz aufgeregt. Wer war das Mädchen? Und wie kam sie dazu, sich seiner anzunehmen, nachdem ihn alle, auch seine Freunde,

verlassen hatten? Er hatte sie früher kaum gesehen. Höchstens einmal unten am Wasser, und was hatte der reiche Karaman gesagt? Sie hätte bei ihm Aprikosen gestohlen. Das war ja gleich, wenn sie ihm nur hier heraushalf. Er ging eilig hin und her. Sechs Schritte bis zur Tür und sechs Schritte zurück. Hoffentlich kam sie wieder. Hoffentlich hatte sie auch niemand gesehen und hoffentlich kamen Begovic oder Dordevic nicht zurück, bevor er aus der Zelle heraus war.
Es musste schon eine halbe Stunde verstrichen sein, seit sie fortgegangen war. Branko hörte es halb zwölf schlagen und eine Weile später drei viertel. Jetzt musste sie wirklich bald kommen, sonst kam Begovic früher als sie.
Da hörte er das Kratzen am Fenster wieder. Aber es war nicht das Mädchen, das auftauchte, sondern eine Stange. Jemand schob sie durch das Kreuz herein, bis sie zwischen Kreuz und Decke festsaß. Eine Minute später saß auch das Mädchen auf dem Fenstersims.
»Da bin ich wieder«, sagte sie, zeigte ihre Zähne und lachte. »Ich habe eine Stange mitgebracht. Pass auf. Ich schiebe sie zu dir hinein.« Sie hob sie etwas und die Stange senkte sich nach unten.
»Geh auf die Seite«, zischte sie noch. Branko sprang eilig an die Wand, da stieß sie bereits unten auf.
»Nun musst du sie an das Fenster stellen«, unterwies ihn das Mädchen weiter. »Ich halte sie, und dann kletterst du an ihr herauf.«
Branko packte das dicke Holz fest zwischen Arme und Beine und zog sich daran in die Höhe. »Pass auf!« Sie reichte ihm eine Hand. Ihre Finger schlossen sich um die seinen. Noch einen Ruck und er war oben.
Sie saßen nun dicht nebeneinander. Branko sah, dass das Mädchen einen schmalen Mund, kleine Ohren und helle, gelbe Augen hatte. Wie Bernstein glänzten sie und die Sommersprossen saßen tatsächlich überall, sogar auf der spitzen, kühnen Nase.
»Wer bist du eigentlich?«, fragte er.
»Das erzähle ich dir später«, antwortete das Mädchen. »Jetzt musst du erst noch durch das Gitter kommen.«
Das hatte er ganz vergessen. Das Gitter war ja noch zwischen ihnen. Er packte es an. Es war kalt und saß fest. Er versuchte, daran zu rütteln. »Ich glaube, das bringen wir nicht heraus.«
Sie lachte. »Schafskopf«, tadelte sie ihn. »Das glaube ich auch. Du musst durchkriechen.«

»Meinst du, dass ich durchkomme?« Er steckte seinen Kopf in das oberste Viereck.
»Du musst es wenigstens versuchen, und wenn es nicht geht, musst du eben so lange darin bleiben, bis dich Begovic wieder hinauslässt.«
Branko schob den Kopf weiter vor, aber er blieb mit den Schultern stecken. »Ich bin zu dick«, seufzte er und wollte sich schon wieder nach unten fallen lassen.
»Nimm den Kopf wieder hinein«, kommandierte sie, »und versuch es zuerst mit der linken Hand. So«, sie half ihm. »Nun den Kopf. Dann die Schulter.« Sie versuchte ihn herauszuziehen.
»Ich bin wirklich zu dick.«
»Du bist ja schon halb draußen. Komm, probier es noch einmal.«
Er schob und stieß sich weiter und wollte schon wieder sagen, es gehe nicht, da hörte er, wie es von allen Kirchen zwölf schlug, und gleichzeitig auch, dass jemand den Gang entlangkam.
»Oh«, jammerte er, »ich glaube, Begovic kommt«, und stemmte und presste sich noch fester durch das Gitter.
»Lass ihn nur kommen«, tröstete ihn das Mädchen. »Jetzt musst du nur noch etwas den Bauch einziehen, und bis er die Tür aufgesperrt hat, bist du draußen.«
Er hing tatsächlich schon halb aus dem Fenster, aber er hatte keinen Halt mehr.
»Lass dich einfach fallen«, sagte sie. »Ich halte dich.«
Branko rutschte weiter.
Im Gang versuchte Begovic – ja, es war Begovic, der Branko das Essen bringen wollte – vergeblich, die Tür aufzuschließen. Er war noch einmal in der Stadt gewesen und hatte überall, nachdem er ein oder zwei Schnäpse bekommen hatte, die Geschichte von dem gefangenen Knaben und dem gestohlenen Fisch erzählen müssen. Nun war er noch unsicherer auf den Beinen und auch in den Händen als vorher.
Branko, der sich an das Mädchen geklammert hatte, konnte nun auch seine Beine herausziehen. Er sah nach unten. Das Fenster lag gar nicht so hoch wie von der Zelle aus.
»Spring jetzt«, sagte das Mädchen, »sonst erwischen sie dich doch noch.«
Branko sprang. In dem Augenblick hatte Begovic die Tür geöffnet und trat in die Zelle.

»Hier«, sagte er und wollte Branko das Essen reichen. Da sah er den Pfahl und den leeren Raum.
»Verdammt«, jammerte er, »der Kerl ist ausgerissen und gleich kommt der Bürgermeister, um sich ihn anzusehen.«
Da blickte er nach oben.
Branko war verschwunden, aber Zora saß noch auf dem Fenster. Sie streckte ihm die Zunge heraus.
»Auf Wiedersehen, Begovic!«, rief sie.
Begovic ließ entsetzt die Schüssel mit dem Essen fallen, riss die Augen auf und starrte zu dem Mädchen hinauf.
»Bin ich betrunken«, stotterte er. »Ich habe doch einen Jungen eingesperrt und jetzt reißt ein Mädchen aus.«
Das Mädchen schüttelte die Haare. »Ich bin auch ein Mädchen«, lachte sie, »und damit du weißt, wer ich bin: Ich bin die rote Zora.«
Im gleichen Augenblick ließ sie die Stäbe los und war gleichfalls verschwunden.

4

Die rote Zora und ihre Bande

Branko hockte noch auf der Erde, als das Mädchen neben ihm niedersprang.
»Du bist die rote Zora«, sagte er bewundernd. Er hatte schon viel von dem Mädchen gehört. Sie führte eine Bande, die in Senj sehr gefürchtet war.
»Komm jetzt! Schnell!«, unterbrach sie ihn. »Begovic kann jeden Augenblick hier sein.«
Das Mädchen schwang sich bereits auf den nächsten Zaun und setzte darüber. Branko folgte ihr.
Die Häuser standen in dem Viertel sehr dicht nebeneinander, aber hinter jedem Haus war noch ein winziger Hof und eine Mauer.
Zora schien hier genau Bescheid zu wissen und wie Brankos Befreiung hatte sie auch ihre Flucht gut vorbereitet. Am nächsten Zaun standen zwei Kisten.
Zora war bereits oben. »Wenn du auf dem Zaun bist«, rief sie ihm zu, »wirf die Kisten mit den Beinen um.« – Branko tat es.
Das nächste Hindernis war eine hohe Mauer. Zora hatte einen Pfahl darangelehnt. Diesmal wartete sie, bis Branko oben war, dann zogen sie den Pfahl gemeinsam nach.
Jetzt hörten sie Begovic schon. »Dordevic!«, schrie er. »Dordevic! Der Kerl ist ausgerissen!«
»Bist du verrückt!«, rief Dordevic zurück. »Der Bürgermeister hängt dich auf. Wo ist er?«
»Dort! Dort!« Begovic zeigte auf die beiden, die sich gerade auf eine dritte Mauer schwangen.
»Renn ihnen doch nach!« Begovic rannte schon.
Zora und Branko traten auf der anderen Seite des Häuserviertels auf die Straße. »Jetzt da hinauf«, flüsterte Zora und zog ihn eine kleine Treppe hoch.
Die Kinder balancierten wieder eine Mauer entlang, ließen sich in eine Scheune hinab, verschnauften dort und horchten, ob noch etwas von den Gendarmen zu hören sei, aber sie hörten nichts.

»Komm jetzt!« Zora schob einen Riegel zur Seite und stieß eine kleine Klappe auf. »Da hinaus.«
Branko streckte erst vorsichtig seinen Kopf durch die Öffnung, bevor er ihr folgte. Wo waren sie?
Er machte erstaunte Augen. Die Klappe war in der alten Mauer, die den oberen Teil von Senj umgab, und führte unmittelbar auf die Straße, die um die Stadt herum ans Meer und von dort nach Fiume ging.
Die Helle, die ihn plötzlich umgab, blendete ihn einen Augenblick, dann sprang er dem Mädchen nach.
Zora sah sich vorsichtig um. »Wir müssen nur noch über die Straße und in die Gärten«, rief sie, »dann sind wir gerettet.«
Sie rannten hinüber. Zora saß schon auf einem Zaun, da hörten sie Dordevics Stimme: »Begovic! Begovic! Da sind sie!«
Dordevic war um den Häuserblock herumgelaufen, um sie oben abzufangen, er war aber eine Minute zu spät gekommen.
»Herauf!«, rief das Mädchen. Branko saß schon neben ihr. »Nun lauf wie der Teufel und immer hinter mir her.«
Die beiden Kinder waren in einem Kohlbeet gelandet. Nun krochen sie durch eine Himbeerhecke, sprangen über ein Mistbeet, schlichen sich an einer Laube vorbei und liefen immer schneller. Zora kannte hier jeden Winkel. Sie teilte Gebüsche, umging jeden Stacheldraht, jeden Zaun, der zu hoch war, kannte jede Pforte, die offen stand, und bei denen, die verschlossen waren, wusste sie einen Durchschlupf oder kletterte einfach darüber.
Sie waren schon durch sieben oder acht Gärten gerannt und Branko konnte kaum noch.
»Hat es überhaupt noch einen Zweck, dass wir vor ihnen davonlaufen?«, stöhnte er. »Ich glaube, sie erwischen uns doch.«
Zora sah ihn halb böse, halb belustigt an. »Solange einen die Beine noch tragen, soll man ausreißen, und solange sie uns noch nicht am Kragen haben, können wir ihnen auch noch entkommen.« Da kam wieder eine Mauer. Als Branko hinuntersprang, war er auf der breiten Allee, die er am Morgen entlanggewandert war.
»Spring schnell hinüber und schwing dich drüben über die Mauer. Ich glaube, sie sind uns noch immer auf den Fersen.«
Branko überquerte die Straße und kam mit Mühe auch noch über die jenseitige Mauer. Als er sich dahinter ins Gras duckte, hörte er so-

wohl Begovic wie Dordevic herankeuchen. Diesmal war Begovic um die Gärten gelaufen, während Dordevic ihnen gefolgt war. Sie sahen Zora.
»Da ist das Teufelsmädchen«, japste Begovic ganz außer Atem, »und da wird auch der Junge nicht weit sein.«
Er keuchte heran. Bevor er aber an der Mauer war, hatte sich auch Zora hinübergeschwungen.
Zora schoss an Branko vorbei auf ein kleines Gartenhaus zu und zirpte wie ein Fink. Im gleichen Augenblick wurde ein Laden aufgestoßen und ein Junge blickte aus dem Fensterloch.
»Kommt heraus«, flüsterte Zora leise, »wir werden verfolgt.«
Aus dem einen Kopf wurden drei und mit einem Satz sprangen die drei zu ihnen in den Garten.
Der Erste war groß, plump und sah ungemein tollpatschig aus. Auf einem breiten Körper saß ein genauso breiter, schwerer Kopf. Die Haare standen in die Höhe wie bei einem Igel, die Ohren waren größer als gewöhnlich, die Nase dick und fleischig, und wenn nicht die Augen so melancholisch gewesen wären, hätte man annehmen können, der ganze Junge sei ein ausgesprochener Rowdy. Er kam mit großen Schritten, die Hände, die genauso ungeschlacht waren wie sein Körper, etwas vorgeschoben, auf sie zu. Der Zweite war im Gegensatz zum Ersten klein, beinahe winzig, aber ungemein schnell und beweglich. Er überholte den Großen und war zuerst bei ihnen.
Der Dritte war ungefähr so groß wie Branko, er glich ihm auch in seinem Wuchs und seinem Aussehen, nur dass die schlitzförmigen Augen, der große Mund und ein Zug, der von der Nase bis hinunter zum Kinn reichte, dem Gesicht etwas Boshaftes, ja Hinterhältiges gaben.
»Wer verfolgt euch?«, sprudelte der Kleine heraus und hob seinen spitzen Kopf und die kleine Stupsnase zu Zora empor.
»Zwei Gendarmen, Begovic und noch einer«, flüsterte das Mädchen, »gleich werden sie da sein, Nicola.«
Der Große zeigte die Fäuste und die Zähne. »Ich werde es ihnen schon geben.«
»Bist du verrückt, Pavle«, fuhr ihn Zora an, »davonlaufen sollt ihr an unserer Stelle, nichts weiter.«
»Das ist alles, was wir machen sollen?«, fragte der Dritte.
»Ja, Duro«, antwortete sie. »Pass auf. Du bist doch immer der Klügste. Wir beide gehen jetzt ins Gartenhaus. Ihr macht die Läden

zu und setzt euch dann hierhin. Sobald euch Begovic und der andere sehen, reißt ihr aus. Jeder nach einer anderen Seite, und oben an der Brombeerhecke sehen wir uns nach einer Stunde wieder.«
Duro nickte, Nicola rieb sich die Hände: »Das wird fein«, und Pavle sagte: »Ich hätte sie doch lieber verprügelt.«
Da hörten sie Begovic schon an der Mauer. »Komm, Dordevic, hilf mir. Allein komme ich nicht mehr hinüber.«
Dordevic schien auch bereits da zu sein, denn einen Augenblick später tasteten Begovics dicke Hände auf die Mauer.
»Hinein!«, zischte Duro Zora und Branko zu. Da waren sie schon im Haus. Duro drückte die Läden zu und es wurde dunkel um die beiden.
Begovic hatte inzwischen mit Ächzen und Stöhnen die Mauer erklommen. Oben blieb er erst einige Sekunden sitzen. Er sah fürchterlich aus. Seine Kappe fehlte und die paar Haare, die er noch hatte, standen steil in die Höhe. Den Rock trug er offen, den Gürtel schien er verloren zu haben, auch seinen Knüppel hatte er nicht mehr und der Schweiß lief über sein Gesicht, als hätte man Wasser darübergegossen.
»Ach«, stöhnte er, »ach«, und er wischte sich mit beiden Händen den Schweiß von der Stirn. Erst dann sah er sich um.
Die drei Jungen, die unten im Gras saßen und Karten in der Hand hielten, spielten ihre Rollen ausgezeichnet. Sie machten erst Gesichter, als sei Begovic ein Geist.
Auch Begovic starrte mit großen Augen zu ihnen hinunter. »Dordevic!«, rief er. »Da sind sie, aber es sind nicht mehr zwei, sondern drei.«
»Ich glaube wirklich, du bist besoffen«, meinte Dordevic, der sich jetzt auch an der Mauer in die Höhe zog.
Als die Jungen auch Dordevic sahen, warf Duro als Erster die Karten hin: »Zwei Gendarmen auf einmal, das ist mir zu viel.« Er riss aus.
Nicola warf als Zweiter seine Karten weg. »Ja, wenn Dordevic mit unterwegs ist«, meinte er, »wird es gefährlich«, und rannte zur anderen Seite.
Pavle blieb noch immer sitzen. In seinem großen, gutmütigen Gesicht arbeitete es. Er hätte sich lieber mit den beiden geprügelt, als auszureißen, besonders da man ihnen ansah, dass sie recht mitgenommen waren.

Endlich nahm er seine Karten zusammen, erhob sich langsam und brummte: »Ich will lieber auch gehen.«
Begovic hatte Dordevic inzwischen ganz nach oben gezogen.
»Siehst du sie nun?« Er zeigte auf die davonlaufenden Jungen. »Es sind wirklich drei.«
»Schafskopf«, knurrte ihn Dordevic an, »ob zwei oder drei, fangen müssen wir sie.«
Begovic kratzte sich in den Haaren. »Sage mir wenigstens noch, welchen von ihnen.«
»Ich werde mal dem Großen nachlaufen«, sagte Dordevic, »der scheint der Langsamste zu sein.« Er sprang von der Mauer hinunter und rannte Pavle nach.
Begovic strich sich noch einmal über die Haare. »Mir armem Mann überlässt man immer das Schwerste«, stöhnte er. Dann lief er Nicola nach.
Zora und Branko, die dicht an den Laden gepresst durch die Ritzen starrten, hatten alles gesehen und gehört. Zora rieb sich vor Freude die Hände, stampfte auf und zappelte hin und her.
Branko schnaufte noch immer und war außer Atem. Er sah aber gleichfalls mit Freude, wie erst die Jungen und schließlich Begovic und Dordevic verschwanden.
»Was machen wir nun?«, fragte er, und da das Mädchen nicht gleich antwortete, fuhr er fort: »Ich würde am liebsten hierbleiben.«
»Das ist zu gefährlich«, meinte Zora, die noch hinter den Gendarmen herspähte. »Nein, sie können zurückkommen, wenn sie keinen von den beiden erwischen, und in alle Lauben sehen. Wir müssen weiter.«
»Wohin denn?«, wollte Branko wissen.
»Du hast es doch gehört. In die Brombeerhecken. Sie sind oben, hinter der Stadt.«
Sie drückte die Läden wieder auf, spähte noch einmal nach allen Seiten und sprang in den Garten. Branko folgte ihr.
Bevor sie durch den nächsten Zaun schlüpften, drehte sich Zora noch einmal um. »Hast du die Läden wieder zugemacht?« Branko verneinte.
»Schnell, mach es«, sagte sie. »Die Gendarmen wissen sonst sofort, dass wir in dem Haus gewesen sind.«
Branko kehrte um und tat es.
Sie krochen, kletterten, stiegen und schlichen diesmal langsamer vor-

wärts, aber sie mussten noch beinahe über ein halbes Dutzend Zäune, Mauern und Hecken, kamen an einem Springbrunnen vorbei, an schönen Aprikosenbäumen, an einem ganzen Blumenhain. Branko sah Sonnenblumen, Lilien, Klatschmohn, Rittersporn, Rosen und war erstaunt, wie abgeschlossen und schön es auf der anderen Seite der Mauern war, die er noch nie gesehen hatte, denn er spielte mit seinen Kameraden bisher immer nur in Höfen und Kellern oder unten am Meer. Sie begegneten fast niemandem. Einmal einer alten Frau, die Unkraut jätete, einer Katze, einem alten Mann, der in der Sonne saß und kaum aufblickte, als sie vorüberrannten, und einem asthmatischen Hund, der aber zu dick war, um sie einzuholen. Im gleichen Augenblick krochen sie auch durch die letzte Hecke und befanden sich zwischen Schlehenbüschen, Brombeer- und Himbeergewirr und Ginster.
Ja, hinter der letzten Mauer war die Schönheit, Abgeschlossenheit und Gepflegtheit der Gärten wie weggewischt. Es begann eine heiße, erst noch dichte, aber dann immer dürftigere Wildnis.
Die Kinder gingen einige Meter in dem Bachbett des Potoc und bestiegen dann eine Höhe. Die Hitze war hier beinahe unerträglich. Die Hecken fielen zu winzigen Sträuchern zusammen. Immer mehr kamen Stein und Fels durch. Sie sahen auch keine Blume und kaum einen Grashalm mehr.
Hinter dem Hügel, wo es etwas schattiger war, begann das Brombeergebüsch, von dem Zora gesprochen hatte. Es zog sich die ganze Hinterseite des Hügels hinab und reichte bis hinunter ans Meer. »Dadrin kommen wir manchmal zusammen.« Zora zeigte auf die Mauer von Dornen und Ranken.
Branko stotterte nur: »Dadrin?« Die Hecke schien ihm so undurchdringlich, die Ranken so fest und stachlig, dass er das Gefühl hatte, nicht einmal ein Hund oder sonst ein Tier könnte hineinkommen.
»Es darf eigentlich keiner, der nicht in der Bande ist, mit hineingenommen werden«, sagte Zora weiter, »aber du darfst hinein. Es ist ja meine Bande, also komm.«
Sie bückte sich, zog einige Ranken, die fest in der Erde steckten, heraus und legte sie neben sich.
Langsam wurde ein Gang frei.
»Kriech hinein!« Sie zeigte auf das Loch.
Branko staunte noch immer. »Das habt ihr gemacht? Ihr seid wirklich tüchtige Kerle.«

»Pass lieber auf, wie ich es wieder zumache«, antwortete Zora und steckte, nachdem sie ihm nachgekrochen und sich vorsichtig umgedreht hatte, alle Ranken wieder sorgfältig in die Erde.
»Nun kommt nicht einmal ein Fuchs oder ein Hase herein«, sagte sie stolz, »und du kannst weiterkriechen.«
Die Bande hatte einen richtigen Gang ausgeschnitten. Branko musste aber immer auf allen vieren bleiben; sobald er sich erhob, stach ihn eine Ranke in den Hals oder in den Rücken.
Zweimal machte der Gang einen Bogen und einmal musste Zora an ihm vorbeischlüpfen, weil er plötzlich aufhörte und noch einmal sorgfältig zugesteckt war.
»Da kommt wirklich niemand herein, der nicht genau Bescheid weiß«, lobte Branko wieder.
»Auch nicht hinaus«, meinte Zora. »Hinaus ist es noch schwieriger.«
Der Gang öffnete sich und sie konnten endlich aufstehen. Sie waren jetzt auf einem runden, ungefähr zehn Quadratmeter großen Platz.
»Wir sind da«, sagte Zora, »nun wollen wir warten, bis die anderen kommen.«
Branko sah sich um.
Auf dem Platz war eine alte Feuerstelle. Die Brombeeren standen hier so hoch, dass man nicht darübersehen konnte. Ja, wenn man sich dicht an sie drückte, lag man sogar, obwohl die Sonne beinahe am höchsten stand, etwas im Schatten. Zora rollte sich unter ein paar Ranken zusammen, legte den Kopf zwischen die Arme und versuchte zu schlafen. Branko hockte ihr gegenüber. Er sah sie an.
Er war, seitdem ihn das Mädchen aus dem Gefängnis geholt hatte, noch nicht zur Besinnung gekommen. Jetzt atmete er auf und dachte noch einmal über alles nach.
Zora hatte die Augen geschlossen und er konnte sie unverwandt ansehen. Es lag etwas Weiches und Mädchenhaftes in ihrem Gesicht, während sie bisher ernst und knabenhaft, ja manchmal sogar hart und böse ausgesehen hatte. Das rote Haar war durch die Hände verdeckt, und die Sommersprossen waren im Schatten der Ranken kaum sichtbar. Sie sah jetzt nicht nur mädchenhaft, sondern geradezu schön aus. Warum hatte sie ihn wohl aus dem Gefängnis befreit und war dann mit ihm fast über alle Zäune und Mauern von Senj geklettert, um ihn zu retten?
Branko wurde traurig, während er darüber nachsann. Er sah wieder

die Gesichter der Senjer Buben, die ihn beschimpft und einen Spitzbuben genannt hatten.
Alle hatten ihn verraten und verlassen, sogar seine Freunde, nur weil er einen Fisch aufgehoben hatte, und ausgerechnet dieses fremde Mädchen, das alle die rote Zora nannten, hatte ihn gerettet.
Zora spürte, dass Branko sie ansah.
Plötzlich sagte sie, ihre Augen waren noch halb geschlossen: »Was starrst du mich so an?«
Branko sagte, was er dachte: »Warum hast du mich eigentlich gerettet?«, fragte er.
»Ich weiß es nicht.«
»Ich möchte es aber wissen.«
»Ich kann es dir nicht sagen.«
»Du hast mich doch vorher gar nicht gekannt?«
»Ich habe gesehen, dass du hungrig warst, und ich weiß, wie es ist, wenn man Hunger und nichts zu essen hat. Ich habe dir dann helfen wollen, als dich Karaman erwischte, und ich musste dir eben weiterhelfen, als dich Begovic ins Gefängnis brachte.«
»Mir will einfach nicht in den Kopf, dass du das alles für mich getan hast«, antwortete Branko.
»Ach«, spottete sie, »man soll überhaupt nicht so lange über etwas nachdenken. Ich tue einfach immer, was ich muss.«
»Ich denke immer erst nach, bevor ich etwas tue.«
Zora blickte ihn eine Weile nachdenklich an, sodass Branko ganz rot wurde. Dann lächelte sie. »Na, dann denk weiter, aber denk leise. Ich bin müde und will schlafen.«
Inzwischen war Dordevic Pavle und Begovic Nicola nachgelaufen. Dordevic täuschte sich aber, wenn er glaubte, dass er Pavle einholen könnte.
Der große Knabe war schneller und gewandter, als er aussah. Er setzte sich mit einer ungemeinen Beharrlichkeit, beinahe wie ein großer Bär, in Trab, sprang über Zäune, setzte über Mauern, und bevor Dordevic durch das nächste Gebüsch gekrochen war, hatte er Pavle schon aus den Augen verloren.
Begovic hatte mehr Glück. Er war Nicola ein paar Schritte nachgegangen, dann legte er sich auf den Boden.
Nein, er konnte nicht mehr, und wenn alle Bürgermeister der Adria und selbst der Bischof von ihm verlangten, diesen Lausejungen wie-

der einzufangen, hier lag er und hier blieb er liegen, wenigstens so lange, bis er ohne Keuchen weitergehen konnte.
Nicola, der neugierige Kerl, merkte bald, dass ihm Begovic nicht mehr folgte. Er schlich deswegen leise wieder zurück, wohl um sich den fremden Knaben noch einmal anzusehen, der mit Zora gekommen war.
Begovic, der noch immer schnaufte, spitzte die Ohren. Verdammt, da kam doch jemand. Vielleicht hatte er mit seinem Warten mehr Glück als Dordevic mit seinem Rennen.
Er hielt den Atem an und blieb ganz ruhig. Da trat Nicola aus dem nächsten Busch hervor.
»Hab ich dich!« Begovic packte ihn erst am Arm, dann am Hals. Nicola schrie auf und der gewandte Junge drehte und schlängelte sich wie ein Fisch, aber Begovic hielt ihn fest. Dann setzte er seine Pfeife an die Lippen und pfiff.
Dordevic hörte den Pfiff und blieb stehen. »Aha«, dachte er, »Begovic hat einen«, und da von seinem Knaben keine Spur mehr zu sehen war, kehrte er wieder um.
Pavle und Duro hörten den Pfiff auch. Duro zischte durch die Zähne, das machte er immer, wenn er ärgerlich war. »Ffft«, klang es. »Sicher«, brummte er, »hat sich Pavle, dieser Trottel, erwischen lassen.«
Pavle dachte das Gleiche. Er dachte es aber von Duro, denn dass jemand Nicola erwischte, war noch nie vorgekommen.
Nicola zappelte noch immer wie ein Fisch im Netz, kratzte und spuckte und Begovic spürte, dass er diesen quicklebendigen Irrwisch nicht mehr lange halten konnte. Er pfiff deswegen wieder. »Ich komme schon«, rief Dordevic und rannte schneller.
»Ich kann ihn kaum noch halten«, stöhnte Begovic.
»Dann gib ihm doch eins mit dem Knüppel«, rief ihm Dordevic zu.
»Da hast du recht.« Begovic griff nach der Stelle, wo sonst sein Knüppel hing, aber weder der Knüppel noch der Revolver noch der Gürtel waren da.
»Um Gottes willen!« Er stöhnte vor Schreck auf und fasste auch mit der anderen Hand nach unten.
Nicola nutzte den Augenblick und wollte davon, aber diesmal wurde er noch fester gepackt. Dordevic hatte ihn an Hals und Kragen.
»Was schreist du denn?«, fragte er Begovic.
»Mein Knüppel und mein Revolver sind weg.«
Dordevic lachte: »Die hast du schon drüben auf der anderen Seite der

Straße verloren. Sei jetzt still und sehen wir uns lieber unser Vögelchen an.«
Er drehte Nicola herum. »Aber das ist ja gar nicht Branko Babitsch!«
Begovic blickte auch auf Nicola: »Jedenfalls ist es der, der ausgerissen ist und den ich fangen sollte.«
»Ich bin nur ausgerissen«, sagte Nicola, der seinen Mut wiedergefunden hatte, »weil Sie plötzlich beide da oben auf der Mauer saßen.«
»So, so«, meinte Dordevic, »und ein Mädchen und einen anderen Burschen hast du nicht gesehen?«
»Doch.« Nicola nickte eifrig. »Aber die sind dort hinunter«, und er zeigte nach der Stadt zu.
»Das sagst du jetzt erst.« Begovic knirschte mit den Zähnen, und da er immer noch saß, ging er nicht, sondern kroch auf Nicola zu.
»Sie haben ja mich und meine Freunde gar nicht danach gefragt«, entschuldigte sich Nicola. »Wenn Sie uns gefragt hätten und nicht einfach von da oben auf uns heruntergesprungen wären, dass wir Angst bekamen, wären wir Ihnen auch nicht davongelaufen. Ja, wir hätten vielleicht die beiden mitgefangen.«
»Was habt ihr denn hier gemacht?«, fragte Begovic streng.
»Das haben Sie doch gesehen«, antwortete Nicola, »wir haben Karten gespielt.«
»Das haben wir«, echoten Duro und Pavle gleichzeitig. Sie waren unterdessen leise näher gekommen, aber sie blieben ungefähr zehn Schritte von den Gendarmen entfernt.
Begovic und Dordevic starrten sie verblüfft an.
Begovic sagte: »Das ist die ganze Bande.«
»Und das Mädchen und Branko sind nicht dabei«, unkte Dordevic.
»Das sehe ich auch.« Begovic sah Dordevic wütend an, dann rief er den beiden zu: »Kommt einmal näher.«
»So dumm bin ich nicht«, lachte Duro. »Sie können mir, was Sie sagen wollen, auch so sagen.«
»Ich komme auch nicht«, brummte Pavle.
»Ihr habt also hier nur Karten gespielt?«, fragte sie Dordevic.
»Nichts weiter.« Pavle zog seine Karten aus der Tasche. »Hier sind meine noch.«
»Das ist aber doch das Grundstück von Doktor Skalec«, examinierte sie Dordevic schärfer.
»Ich bin ja sein Neffe«, sagte Duro schlau.

Dordevic lachte. »Nun sag noch, der, den ich habe, ist der Sohn des Kaisers von China und der Große dort ist der Sohn des Sultans von Marokko. Nein, nein, mein Junge, der Neffe von Doktor Skalec, wenn er überhaupt einen hat, sieht nicht wie ein Schwein aus.«
Duro machte ein geziertes Gesicht. »Wir sehen immer so aus, wenn wir Räuber spielen. Gestern hatten wir uns sogar schwarz angemalt, weil wir Neger waren.«
Dordevic überlegte eine Weile und sah dann auf Begovic.
»Lass sie laufen«, meinte Begovic, »ob sie nun die Neffen von Doktor Skalec sind oder nicht. Wir wollen ja die rote Zora und Branko Babitsch fangen.«
Dordevic rieb sich sein glattes Kinn. »Ich glaube auch, es ist das Beste. Wenn nämlich einer von der Blase wirklich der Neffe von Doktor Skalec ist, nimmt uns der Bürgermeister doppelt vor. Er ist mit dem Doktor verschwägert und wir haben sowieso nichts zu lachen, wenn wir ohne Branko auf die Wache kommen.«
Er ließ Nicola wieder los, gab ihm aber noch einen Stoß, sodass dieser erst kopfüber in das Gras fiel, bevor er aufspringen und zu Pavle und Duro rennen konnte.
»Das werde ich aber meinem Onkel sagen«, schimpfte Duro laut.
»Das sagen wir ihm«, wiederholten Pavle und Nicola und dann ließen sie Begovic und Dordevic stehen und jagten davon.
Es war schon vier, als sie an der Brombeerhecke eintrafen. Pavle schnupperte wie ein Hund. »Sie sind schon da«, sagte er.
»Riechst du das?«, spottete Duro.
»Nein, aber ich sehe es. Die Zweige sind anders gesteckt.« Sie machten das Loch auf und krochen hinein.
Branko wachte davon auf, dass er eine Stimme »Sie schlafen« sagen hörte. Er öffnete mühsam die Augen. Da sagte die gleiche Stimme: »Nein, der Junge ist wach.«
Davon wachte auch Zora auf. Sie stützte sich auf ihre braunen Arme, sah die drei an, lachte und fragte: »Seid ihr sie losgeworden?«
»Und wie.« Nicola erzählte.
Zora lachte noch einige Male. Auch Branko musste lachen. Er konnte sich Begovic ohne seinen Knüppel gar nicht vorstellen.
Dann war es still auf dem kleinen Platz. Nicola musterte Branko und Branko musterte Nicola. Auch Pavle schielte neugierig zu Branko hinüber, nur Duro tat so, als ob Branko nicht da sei.

Zora, die das alles eine Weile verfolgte, sprang auf einmal auf. »Ich habe euch ja noch gar nicht gesagt, wer das ist.«
»Branko heißt er!«, rief Nicola.
»Babitsch«, plapperte Pavle hinterher.
Duro sagte kurz: »Und der Bürgermeister sucht ihn. Er muss also allerhand ausgefressen haben.«
»Woher wisst ihr das?« Zora war erstaunt.
»Begovic und Dordevic haben es erzählt«, sagten die Buben. »Dann sollt ihr auch wissen, dass er schon im Gefängnis war. Der reiche Karaman hat ihn verhaften lassen. Er hatte einen Fisch aufgehoben und ich habe ihn befreit.«
Pavles Augen wurden groß wie Froschaugen. Nicola machte einen spitzen Mund. Duro zog aufgeregt einen Grashalm durch die Zähne. Branko bestätigte es. »Ich habe gestern meine Mutter verloren. Ich hatte Hunger. Es war ein kleiner Fisch, den ich aufgehoben habe. Begovic hat mich ins Gefängnis gebracht. Zora hat eine Stange durch das Fensterkreuz geschoben und wir sind geflohen.« Pavle machte diesmal nur »Ah« und zeigte weiter seine Froschaugen. Nicola sah einmal auf den Jungen und einmal auf Zora. Duro schien wieder ruhiger. Er betrachtete Branko jetzt auch, aber nicht gerade freundlich.
»Was soll nun aus dem Jungen werden?«, fragte er.
»Ich möchte ihn in unsere Bande aufnehmen«, antwortete Zora.
»Das wäre fein!«, jauchzte Nicola. »Wir können ruhig fünf sein.«
Pavle hob seinen Kopf. »Ich habe auch nichts dagegen. Einen, den sogar der Bürgermeister sucht, können wir noch gebrauchen.«
Duro sagte nichts. Er schob nur die Lippen vor und starrte weiter auf Branko.
Branko blickte ihn auch an. Das verschmitzte, hinterhältige Gesicht gefiel ihm noch weniger als vorhin.
»Na, und du?« Zora stieß Duro an.
»Du weißt, dass ich gegen jeden Neuen bin«, sagte Duro.
Zora kniff die Augen zusammen und machte ein böses Gesicht. »Wir sind aber alle dafür.«
»Dann muss er wenigstens erst das Messerspiel probieren. Wenn er das Messerspiel kann, habe ich nichts dagegen.«
»Gut«, sagte Zora und ihr Gesicht hellte sich wieder auf.
»Gut«, bestätigten auch Nicola und Pavle.
»Kennst du es überhaupt?«, fragte Zora Branko.

»Ich habe es schon gesehen. Die Zimmerleute und die Matrosen unten am Quai spielen es manchmal.«
Das Mädchen wandte sich an Pavle. »Hast du dein Messer?« Pavle nickte. »Dann mach es ihm vor. Wenn er es noch nie gemacht hat, gilt immer erst der dritte Wurf.«
Pavle zog ein großes Messer aus der Tasche, das in einer Lederscheide steckte. Er zog es heraus und prüfte seine Schärfe.
Zora, die ungeduldig war, sagte: »Fang schon an.«
Pavle ließ sich mit den Knien auf den Boden nieder und Branko musste sich ihm gegenübersetzen. Er hatte das Messer fest in seiner großen Hand und stieß es mit der Spitze nach unten. Das Messer stak bis zum Heft in der Erde.
»Das war Nummer eins«, sagte er, zog das Messer wieder heraus und gab es Branko.
Branko fasste das Messer genauso wie Pavle und ließ es nach unten fallen. Er lächelte. Es stak gleichfalls.
»Freu dich nicht zu früh«, grinste Duro hämisch, »das Erste kann jedes Kind.«
Pavle nahm nun das Messer zwischen den Zeige- und Mittelfinger, und zwar so, dass die Finger mit der Schneide gegen sein Gesicht standen, dann drehte er die Hand blitzschnell um und das Messer sauste wieder bis zum Griff in den Boden.
Diesmal glückte es Branko erst beim zweiten Mal. Das Messer saß auch nicht so tief in der Erde, wie es bei Pavle gesessen hatte.
»Nummer drei ist noch schwerer«, sagte Nicola gewichtig.
Pavle hatte das Messer schon wieder. Er legte es so auf seinen Handteller, dass der Hornteil zwischen den Fingerspitzen saß und die Schneide bis über das Handgelenk reichte. Nun warf er es durch ein Hochschnellen der Finger in die Höhe, zog die Hand eilig zurück und das Messer stieß mit der Schneide ins Gras.
Diesmal wog Branko den Dolch erst eine Weile in seiner Hand, bis er es probierte. Er sah dabei scharf auf das Messer, und wirklich, es glückte ihm gleichfalls. Das Messer drang mit der Spitze in den Boden.
Nun machte Pavle noch einmal dasselbe. Nur dass er diesmal das Messer statt auf den Handteller auf den Rücken der Hand legte. Auch das machte ihm Branko ohne Schwierigkeiten nach.
Die fünfte und sechste Übung waren noch schwieriger und Branko glückte es bei beiden erst beim dritten Mal, das Messer richtig in die

Erde zu stechen. Beide Male lag es umgekehrt in der Hand, der Horngriff in der Handschale und die Schneide zwischen den Fingern. Er musste das Messer auch gegen sich schleudern und die Hand noch schneller zurückziehen.

Zora sah ihm dabei angestrengt zu, auch Duro starrte auf jede Bewegung von Brankos Hand und dem kleinen Nicola tropfte der Speichel aus dem Mund, so aufgeregt war er.

»Jetzt kommt das Schwierigste«, sagte Pavle.

»Nein«, meinte Nicola. »Das Letzte ist das Schwierigste.«

»Keins ist schwierig«, erklärte Duro verächtlich. »Ich habe alle sofort gekonnt.«

Pavle hatte das Messer jetzt zwischen den Zähnen. Er senkte den Kopf etwas, hob ihn darauf schnell in die Höhe, dass das Messer mit der Schneide nach oben flog und gleich darauf wieder mit der Spitze nach unten sauste.

Zora klatschte in die Hände: »Das macht er immer am besten.«

Pavle war stolz auf das Lob und sein dickes Gesicht verzog sich zu einem Grinsen. »Ich probiere es auch immer wieder«, sagte er.

Branko hatte bis jetzt alles mit Freude nachgemacht, was ihm Pavle zeigte, aber die Messerschneide in den Mund zu nehmen hatte er Angst.

Duro, der sein Zögern sah, stieß Nicola an. »Er will nicht mehr«, spottete er.

Nicola meinte: »Ich habe es gleich gesagt. Es ist das Schwerste.«

Duro lachte auf. »Er hat einfach Angst.«

Das wollte sich Branko auf keinen Fall sagen lassen. Er hielt das Messer schon zwischen den Lippen, zögerte aber von neuem, und erst als ihn ein ermunternder Blick von Zora traf, schleuderte er es in die Höhe.

Es ging einfacher, als Branko gedacht hatte. Obwohl die Schneide flach auf den Boden fiel. Das zweite Mal ging es schon besser und beim dritten Mal stak das Messer so tief wie bei Pavle.

»Bravo!«, sagte Zora laut.

Auch Nicola sagte: »Bravo«, und nickte Branko aufmunternd zu und Pavle, der das Messer schon wieder herausgezogen hatte, brummte anerkennend: »Es saß wirklich so tief wie bei mir.«

Die letzte Übung schien leichter zu sein. Pavle nahm das Messer zwischen Daumen und Zeigefinger, schleuderte es aber nicht nach vorn,

sondern rückwärts. Das heißt, er bog die Hand nach unten und das Messer drehte sich erst, kurz bevor es auf den Boden kam. Branko probierte es, aber die Schneide streifte ihn, als er die Hand nach unten bog, außerdem fiel das Messer platt auf die Erde.
»Du musst es schneller machen.« Pavle zeigte es ihm wieder.
Branko versuchte es, aber in dem Augenblick, als er das Messer in die Höhe warf, stieß ihn jemand in die Seite. Er drehte sich um. Im gleichen Moment fiel das Messer nach unten, aber nicht in die Erde, sondern auf seine Hand, die er noch aufgestützt hatte. Es drang tief hinein. »Au!«, heulte er auf, schüttelte das Messer ab und wurde weiß im Gesicht. »Au!«, schrie er noch einmal, denn es schmerzte, und wütend sagte er: »Jemand hat mich gestoßen.«
Er drehte sich wieder um. Duro hockte hinter ihm. »Du bist es gewesen!«, schrie er. »Du!«
Duro senkte sein Gesicht. »Vielleicht habe ich dich zufällig berührt. Ich wollte aber nur sehen, ob du es richtig machst.«
»Du hast es mit Absicht getan!«, schrie Branko laut und wäre Duro am liebsten mit der blutenden Hand in sein scheinheiliges Gesicht gefahren.
Zora rutschte jetzt herüber. »Zeig her«, sagte sie.
Die Wunde war recht tief und blutete immer mehr.
Zora riss ein Stück Leinen von ihrem Hemd und wickelte es um Brankos Hand. »So«, tröstete sie ihn, »nun halte die Hand hoch. Es wird schon wieder aufhören.«
Branko tat es, aber das Blut drang durch das Leinen und rann den Arm hinab.
»Ich weiß etwas Besseres«, sagte Pavle. »Wenigstens hat es unser Schäfer immer so gemacht.«
»Was denn?«, fragte Branko.
Pavle kratzte Sand zusammen, ließ sein Wasser darauf und drückte den nassen Sand auf die Wunde. Jetzt hörte es sofort auf zu bluten. »Siehst du, es hilft«, und ein Strahlen lief über Pavles gutmütiges Hundegesicht. »Nun kratz es wieder ab und Zora kann ihren Lappen aufs Neue darumbinden.«
Sie machte es noch sorgfältiger als das erste Mal. »Tut es noch weh?«, fragte sie dabei. Branko schüttelte den Kopf. »Es brennt nur.«
Sie saßen einen Augenblick still zusammen. Plötzlich sagte Duro: »Nun gehört er also nicht zu unserer Bande?«

»Warum nicht?« Zora schoss herum und auch Pavle und Nicola sahen Duro erstaunt an.
»Die letzte Übung hat er ja nicht fertiggebracht.«
»Weil du mich gestoßen hast!«, begehrte Branko wieder auf.
»Ich habe dir ja schon gesagt, ich habe es nicht mit Absicht getan, und selbst wenn ich es mit Absicht getan hätte, das bleibt bestehen, das Messer saß nicht im Boden, sondern in deiner Hand.«
»Es war ja erst das zweite Mal«, sagte Pavle ruhig. »Branko kann es noch ein drittes Mal probieren.«
»Wenn er Mut dazu hat«, sagte Duro ironisch.
Branko wurde immer wütender. »Den habe ich schon. Gebt mir das Messer noch einmal.«
Pavle kramte es wieder aus der Tasche und gab es ihm.
Tatsächlich, es glückte; obwohl Branko die Hand zitterte, drehte sich das Messer in der Luft und stach in den Boden.
»Nun gehörst du wirklich zu uns.« Zora sah ihm stolz in die Augen. Nicola zwinkerte ihm nur zu. Pavle gab ihm die Hand. »Du bist ein tapferer Kerl«, sagte er und drückte Brankos Hand mit seinen festen Fingern, dass dem armen Branko fast wieder übel wurde. Zora stieß Duro in die Seite. »Willst du ihm nicht auch die Hand geben?«
»Nein.« Duro schüttelte den Kopf.
»Du freust dich also nicht, dass wir Branko in unsere Bande aufgenommen haben?«
Duro schüttelte wieder den Kopf.
Nun, dachte Branko, der ist wenigstens ehrlich, und er wusste, er hatte heute drei neue Freunde, aber auch einen Feind gewonnen, nach der Sache mit dem Messer zu urteilen sogar einen sehr gefährlichen.
Zora sah noch immer auf Duro. »Wir sprechen später noch darüber«, sagte sie, »kommt jetzt.«
Nicola und Pavle krochen schon in den Gang, Duro folgte, und hinter ihnen kroch Zora.
Bevor das Mädchen ganz in den Gang verschwand, drehte sie sich noch einmal um. »Freust du dich wenigstens, Branko?«
Branko nickte. »Ich freue mich.«
Zora strich sich ihre rote Mähne aus dem Gesicht. »Ich freue mich auch.«
Pavle wartete, bis alle aus dem Gesträuch heraus waren, dann machte

er den Gang sorgfältig wieder zu. Die anderen waren inzwischen den Hügel hinabgelaufen. Es ging immer im Trab. Zora lief an der Spitze. Branko spürte seine Beine wieder, ihm war auch noch schwindlig von dem Schmerz in der Hand. Er wollte es Nicola, der vor ihm rannte, schon sagen, da blieb Zora stehen, äugte nach allen Seiten, ob niemand sie sah, und kroch in ein Ginstergebüsch.
Duro war schon darin verschwunden. Nicola auch. Branko folgte zögernd, da sah er Zora vor einem Loch stehen, das von dem Ginster verdeckt wurde.
»Wo gehen wir denn hin?«, fragte Branko.
Sie legte die Hand auf den Mund, zeigte dann auf das Loch und sagte leise: »Hier hinein.«
Es war stockdunkel in der Höhle. Branko musste auf allen vieren kriechen. Die Höhle war nicht sehr hoch. Überall lagen Steine und Scherben. Die Knie schmerzten ihm schon und auch die Hände taten ihm weh. Manchmal wuchs eine Mauer vor ihm auf und er dachte, die Höhle, die sich mit der Zeit zu einem Gang verengte, sei zu Ende. »Kriech weiter!«, zischte dann Zora hinter ihm. »Kriech weiter!« Und wirklich, der Gang machte nur einen Bogen. Er war noch immer nicht zu Ende.

5

Die Burg der Uskoken

Die Bande war schon beinahe fünf Minuten auf allen vieren gekrochen, als es endlich etwas heller wurde. Im gleichen Augenblick spürte Branko, dass der Gang jetzt nach oben ging. Bald konnte er sich wieder aufrichten. Er stand in einem halbdunklen Raum, in den durch eine Mauerlücke Licht drang.
Im gleichen Moment sah er, dass sich Duro und Pavle um einen großen Stein mühten, der an einer der Mauern lehnte. Endlich konnten sie ihn wegwälzen und ein neues Loch wurde sichtbar.
Duro stieg hinein. Pavle und Nicola folgten. »Geh nur.« Zora, die hinter Branko getreten war, stieß ihn an: »Wir müssen auch hinein.«
Das Loch führte in einen Treppenraum. Eine steile Rundtreppe stieg beinahe kerzengerade in die Höhe. Sie konnten nicht darauf gehen, sie mussten gleichzeitig mit Händen und Füßen nach oben klettern. Manchmal fiel durch eine Ritze neues Licht auf die Stiege. Branko sah, dass die Treppe sehr alt und die Steine hoch und groß waren.
»Uff«, stöhnte Nicola über ihm. Er war in einen langgestreckten Raum getreten. Noch zwei Treppenstufen und Branko stand auch darin.
Der Raum war ungefähr zwei Meter breit, ziemlich hoch und beinahe zehn Meter lang. Es gab schießschartenähnliche Löcher, durch welche die Strahlen der sinkenden Sonne fielen.
Die Mauern bestanden alle aus schweren, grob übereinandergelegten, nur roh eingekalkten Steinen. Auch an den Schießscharten waren sie mindestens einen halben Meter dick. Überall lag Holz, in der einen Ecke stand ein kleiner, aus Steinen zusammengetragener Herd, an verschiedenen Stellen häuften sich Holzwolle, Heu und Decken. Der hintere Teil des Raumes war etwas erhöht, zwei Stufen führten hinauf, auch da oben lagen Heu, Stroh und andere Sachen.
»Das ist mein Lager«, sagte Nicola stolz und der Kleine zeigte auf den ersten Heu- und Strohhaufen.
Branko trat näher. Es lagen nur einige Lumpen, alte Holzschuhe, bunte Glasscherben und eine Steinschleuder herum.

»Das meine ich.« Nicola stieß Branko an und zeigte in die Höhe. Branko sah auf. Die Sonne malte gelbe Ringe auf ein paar Bilder. Er trat näher. Es waren die Gesichter einiger Film- und Theaterstars, die sich Nicola aus Zeitungen und Magazinen herausgeschnitten und an die Wand gepappt hatte.
»Diese«, sagte er und tippte mit seinen spitzen Fingern auf eine dicke Sängerin, »gefällt mir am besten.«
Branko sah den kleinen, lebendigen Jungen mit dem eckigen Mund und dem weißlichen Haar, das lang um den spitzigen Kopf hing, erstaunt an. »Warum?«
»Ich weiß nicht«, sprudelte Nicola heraus, »aber es ist so.« Und als wollte er nichts weiter darüber sagen, führte er Branko zur nächsten Lagerstatt.
»Wer schläft hier?« Branko sah wieder zuerst auf das Lager.
Pavle war zu ihnen getreten. »Ich!«
Pavle sammelte keine Filmdivas, sondern Boxer, Schwimmer, Springer, Rennfahrer und Athleten.
»So einer will ich einmal werden.« Der große Junge wies auf einen hünenhaften Japaner, der drei andere in die Luft stemmte.
»Hast du denn so viel Kraft?«, fragte Branko.
»Heute noch nicht.« Pavle sah Branko an. »Aber wenn ich tüchtig esse und immer stemme, bekomme ich schon noch so viel.«
»Das«, er zeigte auf einen Mann, der von einem hohen Brett ins Wasser sprang, »ist der beste amerikanische Kunstspringer. So springe ich auch einmal.« Pavle starrte mit seinen großen Augen ganz ernst auf das Bild und schien alles um sich herum vergessen zu haben.
Duro, der hinter sie getreten war, spottete: »Dabei ist er wasserscheu und kann noch nicht einmal schwimmen.«
Nicola biss die Zähne zusammen und grinste.
»Das lerne ich noch«, erwiderte Pavle zuversichtlich. »Ich bin ja erst dreizehn. Ich war auch schon bis zum Bauch im Wasser. Passt auf, bis das Jahr um ist, gehe ich noch bis zum Hals hinein.«
Duro spottete weiter. »Das werden wir wohl nie erleben.«
»Wollen wir wetten«, sagte Pavle, und nach einigem Überlegen: »um das Bild des Springers«, und er streckte Duro seine Hand hin.
Duro drehte sich um. »Mit dir wette ich nicht. Vor allen Dingen nicht um so eine lumpige Fotografie.«
Branko, der sich nicht in den Streit mischen wollte, war inzwischen

zum dritten Lager getreten. Es sah ordentlicher aus als die beiden ersten und darüber waren drei Bretter angebracht. An dem ersten hingen mehrere Bilder von Pferden, an dem zweiten Fallen und eine Schleuder, wie Nicola sie hatte, an dem dritten waren in gleichen Abständen Schmetterlinge aufgespießt.
Nicola war ihm wieder gefolgt. »Hier schläft Duro. Er will Bauer werden oder Pferdezüchter.« Er wies auf die Fallen: »Damit fängt er Vögel. Vorige Woche hat er einen Stieglitz gefangen, aber er war noch zu jung. Er ist nach drei Tagen gestorben. Warum er die Schmetterlinge sammelte, weiß ich nicht. Er durchsticht sie mit einer Nadel und spießt sie auf. Wegen dem da«, Nicola zeigte auf einen riesigen Schwalbenschwanz, »war er eine ganze Woche unterwegs. Er ist dann immer wie verrückt, isst nichts, trinkt nichts, bis das Tier an seinem Brett zappelt.«
Branko trat näher an das Brett und sah sich den großen Schmetterling genauer an. »Er ist schön«, sagte er anerkennend.
»Oh.« Nicola schnalzte. »Du müsstest ihn in der Sonne sehen.«
Zora, die zuletzt in den Raum getreten war, ging inzwischen an allen vorbei auf die kleine Empore hinauf.
Branko sah ihr nach. Nicola stieß ihn an. »Ja, da oben hat sie ihr Lager«, erzählte er weiter. »Aber sie lässt keinen hinauf. An der Treppe ist die Grenze. ›Ich will mein Lager ganz allein haben‹, hat sie gesagt, als sich Duro auch da oben einquartieren wollte, und als er doch hinaufging, warf sie ihn – ritsch, ratsch – wieder hinunter.« Nicola erzählte das leise, damit es Duro, der jetzt vor seinem Lager saß, nicht hören sollte, und fügte hinzu: »Sie ist so stark, die Zora, stärker als wir alle.«
Branko trat nun an einen Fensterschlitz und blickte hinaus. Erst blendete ihn die Sonne, aber als sich seine Augen daran gewöhnt hatten, sah er einen Höhenzug, große Bäume, ein Dutzend Häuser von Senj, aber obwohl er sich lange überlegte, wo er sein könnte, kam er nicht darauf.
Als er sich wieder umdrehte, hatten die Jungen alle eine Arbeit übernommen. Duro hockte vor dem kleinen Herd und steckte Holzwolle hinein. Nicola brachte aus einer Ecke Wasser in einem Topf. Pavle schleppte Holz. Er war wirklich stark. Er zerbrach die dicken Äste wie Streichhölzer zwischen seinen Händen. Branko wollte ihnen helfen, da kam Zora wieder von ihrer Empore herunter. Ihre Haare

waren zurückgestrichen und ein Band darumgebunden, außerdem hatte sie ihren Sweater abgestreift und eine wohl ehemals gelbe Bluse über ihren Rock gezogen.
»Ich weiß noch immer nicht, wo wir sind«, sagte Branko.
»Komm!« Sie drehte ihn um und schob ihn vor sich her. »Ich will es dir zeigen.«
Sie gingen wieder auf die Rundtreppe zu, aber als Branko in das Loch treten wollte, sagte Zora: »Halt, wir steigen hinauf.«
»Wo?«
»Wart nur ab.« Die Treppe führte unmittelbar neben der anderen weiter, aber der Eingang war wie unten mit großen Steinen verbaut und sie mussten sie erst sorgfältig herausnehmen.
»Warum macht ihr das immer wieder zu?«, fragte Branko.
»Das wirst du schon noch begreifen«, erwiderte Zora. »Jedenfalls mach es auch immer zu, denn wenn jemals einer unser Versteck findet, sind wir verloren.«
Die Treppe hatte ungefähr dreißig Stufen und führte in einen großen, düsteren Saal, der von dicken Stein- und Holzsäulen getragen wurde. Sie waren kaum ein paar Schritte gegangen, da lösten sich viele schwarze Tiere von der Decke und flatterten mit leisem Pfeifen um ihre Köpfe. Branko wich furchtsam zurück.
Zora lachte. »Hab keine Angst. Das sind nur Fledermäuse.«
»Ich habe noch nie so viele gesehen.«
Zora lachte wieder. »Sieh einmal dort oben hinauf. Da wirst du noch mehr sehen.«
Hinter der zweiten Säule hingen Tausende, eine an der anderen, große und kleine, schmächtige und fette. Die spitzen Hundeköpfe mit den langen, leicht bebuschten Ohren hingen nach unten. Es sah aus, als habe man die Tiere aufgehängt.
Sie wurden nun alle unruhig. Erst wippten sie die Ohren hin und her, dann öffneten sie ihre Flügel, einen Augenblick später ließen sie sich fallen, und ehe sich die beiden Kinder versahen, flatterten sie wie eine schwarze Wolke um sie herum.
Branko blieb wieder stehen und wollte zurück.
Zora packte ihn an der Schulter. »Leg dir die Hand vor die Augen und komm. Noch zwei Schritte und wir sind sie los.«
Hinter einer Säule ging die Treppe weiter. Sie wurde etwas bequemer, auch breiter, und man musste nicht mehr auf allen vieren gehen.

Die Kinder kamen an eine Tür, die aber nicht verschlossen war und die man leicht aufstoßen konnte.
In dem Raum, in den sie nun traten, stank es fürchterlich. Es war ein grässlicher Geruch; überall lagen Knochen, Federn, Wollreste und vor allem Vogeldreck herum und aus einer Ecke kam ein wütendes, lautes Fauchen.
»Was ist das?« Branko blieb wieder stehen.
Es war ein großer Kopf, der so fauchte, er sah aber nur die Augen, einen mächtigen Schnabel und einen unförmigen Federkranz darum.
»Ein Uhu«, flüsterte ihm Zora ins Ohr. »Spring! Mit dem ist nicht gut Kirschen essen.«
Eilig sprangen sie an ihm vorbei und hielten erst wieder an, als sie durch eine zweite und dritte Tür geschlüpft waren. Die Räume hingen aneinander, aber sie waren genauso leer und unbewohnt wie der erste. Manchmal waren auch die Dielen durchgebrochen und man konnte in ein schwarzes Loch oder durch die Mauer sehen.
»Nimm dich nur in Acht«, warnte Zora, »wir sind jetzt schon dreißig Meter hoch.«
Die Treppe begann wieder, aber sie führte nur einige Schritte höher in einen Verschlag. Branko hörte es gurren und sah Zora erstaunt an.
»Es sind Tauben«, lächelte das Mädchen. »Unsere Tauben. Sie nisten hier oben. Manchmal sind es zwanzig, manchmal sind es nur drei oder vier. Die Habichte und die Turmfalken sind sehr hinter ihnen her.«
»Esst ihr sie auch?«, wollte Branko wissen.
Zora nickte. »Aber nur, wenn wir gar nichts anderes zu essen haben. Es sind eigentlich Nicolas Tauben. Er füttert sie auch und bringt sich fast um, wenn wir eine essen müssen.«
Die beiden Kinder blickten in den Verschlag. Es war eine große Mauerlücke, die Nicola und Pavle, wie Zora erzählte, mit Brettern notdürftig vor den Habichten und auch vor dem Wind und der Sonne geschützt hatten.
»Siehst du die beiden dahinten?« Zora zeigte auf zwei schneeweiße Tauben, die ganz in der Ecke saßen. »Die brüten. Nicola kann sie aufheben und daruntersehen. Er sagt, jede hat zwei Eier und in einigen Tagen werden wir wieder vier Tauben mehr haben.«
Von dem Verschlag führte eine Leiter in die Höhe. Sie war sehr brü-

chig und sie mussten vorsichtig steigen. Es sah hier oben überhaupt recht brüchig aus. Auch die Mauern hatten Risse und manchmal waren sie so breit, dass man hineintreten konnte.
»Steig jetzt leise«, flüsterte das Mädchen, »dann kannst du noch etwas sehen.« Aber sie hatte wohl zu laut gesprochen, denn im gleichen Augenblick stieg ein Vogel vor ihnen hoch. Er war recht groß und maß von einem Flügel zum anderen beinahe einen Meter. »Das ist ein Turmfalke«, erklärte Zora weiter. »Siehst du«, sie zeigte in den Riss, »dort ist sein Nest. Ich glaube, es sind zwei Eier darin.« Auf einmal jauchzte sie. »Die kleinen Falken sind schon ausgekrochen. Wie lustig sie aussehen.« Zora lachte.
Branko lehnte sich über den Riss und konnte das Nest nun auch sehen. Es bestand aus Aststücken, Federn, Laub, Dreck und Kalkresten. Die kleinen Falken waren noch winzig und ganz nackt, und das Größte an ihnen waren der Kopf und der Schnabel. Die Tiere sperrten die Schnäbel auf und gaben piepsende Laute von sich. Dabei versuchten sie aufzustehen. Sie waren aber zu schwach und fielen wieder um.
»Sag Duro nichts davon, dass sie ausgekrochen sind«, bat Zora im Weitersteigen. »Er tötet alle Vögel und ich habe Falken so gern.«
»Ich sage ihm bestimmt nichts«, knurrte Branko und setzte vorsichtig einen Fuß vor den andern.
Sie waren schon auf der dritten Leiter, da wies Zora auf die nächste und sagte: »Das ist die letzte.«
Branko lachte. »Ich dachte, wir steigen bis in den Himmel.«
Ein paar Sekunden später sagte er aber nichts mehr, denn sie waren im Himmel. Alles Dunkle, Muffige, Grausige, Stinkende, Schwarze und Drückende war auf einmal verschwunden. Über den Kindern wölbte sich ein einziges, helles Blau. Es war, als stiegen sie aus einem tiefen Schacht mitten in die Sonne hinein, und sie waren wie geblendet.
»Oh!«, machte Branko nur.
»Oh!«, rief auch Zora und streckte ihre Hände in die Höhe, als könnte sie dem Himmel damit noch näher kommen.
»Ist das schön«, sagte Branko andächtig.
»Ich kenne nichts Schöneres«, meinte Zora, »obwohl ich es beinahe alle Tage sehe.«
Erst jetzt sah sich Branko um, und nun wusste er auch, wo er war: auf

der alten Burg, die sich links auf einem Hügel hoch über der Stadt Senj erhob.
Die Burg bestand aus einem riesigen Mauerviereck, das ungefähr fünfzig Meter in die Höhe wuchs. Alle Mauern waren ein bis zwei Meter dick und oben saßen vier kleine Türme, von denen der eine zerfallen war.
Tief unten lag die Stadt Senj. Branko sah die Straßen, die von hier oben wie Striche schienen, er blickte auf die Häuser, die alle nur noch wie Spielzeughäuser wirkten. Auch die Türme der Kirche des heiligen Franziskus und der Kathedrale sahen nur wie Lanzenspitzen aus, die aus dem Steingewirr herausragten, und der Bischofspalast, vor dessen Breite und Höhe Branko sonst immer großen Respekt hatte, war von der Burg aus nichts weiter als ein länglicher, weißer Stein.
»Da geht ein Mann über die Clinia«, sagte Branko.
»Und dort noch einer«, lachte Zora. »Warum sollen die Leute auch nicht über den Platz gehen?«
»Es sieht von hier alles so winzig aus«, meinte Branko.
»Sieh nur auf die Berge«, antwortete Zora. »Da sind wir klein.«
Der Knabe hatte schon das Gesicht erhoben. Der Hügel, auf dem die Burg stand, lag ungefähr neunzig bis hundert Meter über der Stadt, aber trotzdem konnte man von ihm aus weit über das Land sehen.
Gleich hinter der Stadt stiegen die Berge steil in die Höhe. Es waren fast alles Felsen, nur hie und da schimmerte etwas Grünes auf der Nacktheit der Berge, dem Gelb des Sandes und der rötlich braunen Erde.
Die Berge zogen sich um die ganze Stadt. An einigen Stellen war wie mit einem Beil eine Schlucht hineingeschlagen, aber die Einschnitte waren nicht tief und dahinter erhoben sich neue Berge. Branko zeigte hinüber: »Wie hoch sind die wohl?«
»Rate.«
»Dreihundert Meter.«
»Mehr.«
»Fünfhundert Meter.«
»Mehr.«
»Tausend Meter.«
Zora lachte. »Das ist zu viel, siebenhundert Meter.«
»Ich möchte einmal hinauf«, seufzte Branko. »Von da oben kann man sicher noch viel weiter sehen.«

»Man sieht sehr weit. Vor allem auf das Meer.«
»Warst du schon oben?«
»Oft, sehr oft. Wir gehen viel auf die Berge.«
»Dann lass uns bald wieder gehen. Ich bin noch nie auf einem Berg gewesen.« Er sah wieder hinauf. »Was haben die beiden übrigens für grüne Kämme?« Er wies nach rechts, wo sich hinter den ersten Hügeln weitere Hügel erhoben.
»Das sind Bäume«, antwortete Zora.
»Es gibt Bäume auf den kahlen Bergen?«
»Bist du dumm. Natürlich gibt es Bäume, und wie viele. Tausende und Abertausende. Und nicht so kleine wie hier unten im Park und in den Gärten. Bäume, die fünf- und zehnmal größer sind.« Sie lachte auf. »Du hast sie auch schon gesehen. Die Holzarbeiter bringen sie immer herunter und schleppen sie auf den Quai.«
»Ich dachte, die kämen von weit, weit her.«
»Solche sind auch dabei«, nickte Zora, »aber die meisten kommen von unseren Bergen.«
Branko starrte noch immer auf die Höhen. Zora hatte sich umgedreht. Sie klopfte ihm auf die Schulter. »Sieh dir jetzt das Meer an.«
Der Knabe machte ein noch erstaunteres Gesicht. »Oh«, sagte er, »hier ist es viel schöner als von meiner Klippe aus.«
»Du hast eine Klippe?«
»Unten am Wasser, aber da sieht man nur das Meer und Rab und Krk und das Wasser, welches zwischen den Inseln ist; aber von hier sieht man ja sogar noch das Meer hinter den Inseln.«
Zora nickte. »Blick nur genau hin. Von hier aus sieht man so weit, bis man nichts mehr sehen kann.«
Es war wirklich schön, das Meer von der Burg aus zu sehen. Es begann dunkel und wie ein schwarzer Streifen; das war das Meer zwischen den Inseln. Dann kamen die braunen und roten Felsen, die jetzt von der Abendsonne beleuchtet wurden und die so hell wie glühende Holzblöcke waren, und dahinter kam das richtige Meer. Das Meer, das erst blau, dann bläulich, dann immer heller, dann weiß und dann so unendlich wurde, dass man nicht mehr sah, wo es zu Ende ging, und darüber war der Himmel, der zuerst auch schwärzlich und blau war, dann heller wurde und auf einmal mit dem Meer versank, als wäre da alles zu Ende, das Meer, der Himmel, die Erde und die Welt, einfach alles.

»Hier leben wir«, antwortete Zora schlicht. »Hier leben wir schon seit acht Monaten.«
»Ich hatte zuerst Furcht, als ich in das dunkle Loch musste«, gestand Branko. »Auch als ich die vielen Tiere sah.«
»Wir hatten erst alle Furcht«, beruhigte ihn das Mädchen. »Aber nun haben wir uns an die Tiere und das Dunkel gewöhnt.«
»Ich hätte nicht gedacht, dass ihr hier wohnt. In der Stadt sagt man doch, es sei verboten, auf den Turm zu gehen. Außerdem sei es gefährlich und soll spuken.«
»Dass wir hier wohnen, ist verboten«, sagte Zora, »aber wo sollen wir sonst bleiben? Dass es gefährlich ist, stimmt gleichfalls, und zuerst haben wir auch gedacht, es spukt, aber dann war es nur der Wind oder ein Stamm, der krachte, oder der Uhu, und jetzt«, sie lachte lustig auf, »jetzt spuken wir selber mit, besonders wenn jemand kommt.«
»Kommt oft jemand?«
»Manchmal ein neugieriger Fremder. Manchmal jemand aus Senj. Deswegen machen wir auch alles immer gut zu, damit nicht plötzlich jemand in unserer Höhle steht.«
»Wie seid ihr eigentlich auf die Burg gekommen?«
Zora, die sich über die breite Brüstung gelehnt hatte, dachte nach. »Als wir unsere Bande gründeten, lebten wir in der Brombeerhecke. Dann wurde es uns zu kalt und da zogen wir in die Gärten. Manchmal haben wir in einer Laube und manchmal in einem Gartenhaus gewohnt, aber meistens kamen die Leute bald dahinter, dass außer ihnen noch jemand in ihren Pavillons lebte. Sie lauerten uns auf; einmal hätten sie uns beinahe erwischt, einmal hat ein Hund Nicola gebissen und Pavle musste ihn erschlagen, später schossen sie sogar auf uns, und dann entdeckte ich zufällig den Turm und sagte zu den anderen: Wir sollten in den Turm ziehen.«
»Du hast ihn entdeckt?«, sagte Branko nur.
»Ja, ich kam zufällig herauf und hatte gleich das Gefühl, das ist ein gutes Versteck für uns, und sagte es den anderen.«
Branko hockte sich auf einen Balken und Zora erzählte weiter: »Wir haben erst unten neben dem Brunnen gewohnt. Ich zeige dir das morgen. Da mussten wir uns aber immer verstecken, wenn jemand kam. Später haben wir den langen Raum gefunden, wo wir jetzt wohnen. Nicola, der sich den ganzen Tag im Turm herumtrieb, ent-

deckte mit der Zeit die Höhle, auch die Treppe hier herauf und die Leitern, die wir eben gegangen sind. Er ist überhaupt recht brauchbar, wenn er auch klein und nicht besonders stark ist.«
»Er ist schneller als ein Wiesel«, sagte Branko, »und so übermütig.«
Zora lachte. »Besonders mit der Zunge. Du solltest ihn einmal schimpfen hören, wenn wir uns mit anderen Buben prügeln oder uns sonst jemand etwas antun will.«
Branko sah wieder auf die Stadt. Die Sonne sank langsam tiefer. Ein leichter Nebel lag über den Häusern und am Quai flammten die ersten Lichter auf. Auf dem Turm dagegen war es noch hell und sie wagten sich ein paar Schritte weiter.
Um das Sims lief ein breiter Gang. Er führte von einer der kleinen Turmspitzen zur anderen. Da, wo das Türmchen abgebrochen war, Zora sagte, durch einen Blitz, mussten sie vorsichtig über einige Bretter klettern. Sonst war es weniger gefährlich. Der Gang wurde auf beiden Seiten von zwei Mauern flankiert. Die Mauern hatten tiefe Schießscharten, sodass sie mehr wie große, ausgezackte Kämme als wie Mauern aussahen. Durch jede dieser Scharten konnte man nach unten blicken, ohne dass von unten jemand hereinzusehen vermochte.
An einigen Stellen waren noch kleine, überbaute Erker, auf die man hinaustreten und von wo man die ganze Mauer überblicken konnte. An anderen Stellen waren kleine Gräben in die Mauer eingelassen, die mit Erde gefüllt waren; in ihnen wuchsen Blumen, Stachelbeeren, ein wilder Kirschbaum, Holunder und allerlei Unkraut, besonders Brennnesseln.
Branko lachte. »Sogar Sträucher habt ihr hier oben.«
Zora nickte. »Duro behauptet, hier hätten sie früher Gemüse gezogen, wenn die Burg belagert wurde, denn in die Gräben gehen überall kleine Wasserrinnen und die Erde ist über einen halben Meter tief.«
Branko antwortete nichts. Er sah jetzt nach der Innenseite. Zora lehnte sich neben ihn. »Hier geht es genauso tief hinunter wie draußen. Es ist ein großer Innenhof, um den die ganze Burg herumgebaut wurde. In der Mitte ist der Brunnen. Er soll sehr tief sein. Man sagt sogar, von ihm gehe ein Gang bis zum Meer.«
Branko versuchte hinunterzusehen. Die dicken, grauen Mauern schossen schwer und drohend in die Tiefe. Ihm war, als wollten sie ihn mitziehen, und er bog sich wieder zurück.

»Wie heißt die Burg eigentlich?«, fragte er.
»In Senj nennen sie die Leute nur ›die Burg‹, aber sie heißt ›Nehajgrad‹ und wir nennen sie die ›Uskokenburg‹.«
Branko sah vor sich hin. »Mutter hat sie auch immer nur ›die Burg‹ genannt. Du musst mir erzählen, warum ihr sie die Uskokenburg nennt.«
Zora richtete sich auf. »Wir nennen sie die Uskokenburg, weil wir uns selber ›die Uskoken‹ nennen.«
Branko starrte sie an. »Ihr?«
Zora stemmte sich in die Höhe und wuchs richtig aus ihrer gelben Bluse und dem braunen Rock heraus. »Wir«, sagte sie noch bestimmter, »denn wir wollen auch so tapfere Helden werden, wie es die Uskoken waren.«
»Ich habe nie von ihnen gehört«, sagte Branko.
Zora schüttelte erstaunt und missbilligend ihre rote Mähne. »Was? Ein Senjer Junge weiß nicht, wer die Uskoken sind?«
»Mein Vater hat mir, glaube ich, doch etwas von ihnen erzählt. Er hat mir auch ein Lied von ihnen vorgespielt. Warte, vielleicht fällt es mir wieder ein.« Er begann:

»Oh, das Meer ist so schön.
Oh, das Meer ist so rot.
Uskoken, seid immer bereit.«

Zora fiel ein:

»Wenn ein Windstoß sich regt,
wenn die Ebbe vergeht
und der Aar hoch über uns schreit.«

Sie sangen nun gemeinsam weiter:

»Dann zu Schiff, dann zu Schiff
und die Segel gerafft
und wir stoßen mit Freude vom Land.
Kommt ein Türke daher,
schickt Venezia ein Schiff,
wir stürmen's, das Schwert in der Hand.«

Zora hatte immer leidenschaftlicher gesungen, nun fuhr sie fort: »Die Uskoken waren die berühmtesten Ritter, Kapitäne und Seefahrer an der ganzen Adria. Geh einmal in die Kirche des heiligen Franziskus, da liegen sie unter hohen Steintafeln begraben und du kannst auf ihnen von ihren Heldentaten und Kämpfen lesen.«
»Ich bin dort getauft worden«, sagte Branko.
»Dann ist es noch schlimmer, wenn du nichts von ihnen weißt. Sie waren viele Jahrhunderte die größten Helden von Kroatien. Sie haben die Mauern um Senj gebaut. Den Quai haben sie errichtet, die Burg Nehajgrad, und siehst du da oben die Bergkuppe?« Sie zeigte auf einen Felskegel, der sich hinter der Stadt erhob.
Branko nickte.
»Da oben hatten sie noch eine Burg. Ihren Adlerhorst. Wenn die Feinde in zu großen Mengen kamen, zogen sie sich auf den Adlerhorst zurück. Aber sie sollen nur drei- oder viermal hinaufgezogen sein, sonst haben sie ihre Feinde immer geschlagen.«
»Du musst mir noch mehr von ihnen erzählen«, sagte Branko.
»Sie haben die Venezianer besiegt und die Türken, sie sind gegen die Ungarn und gegen das Deutsche Reich ins Feld gezogen und unter ihnen war auch ein junges Fräulein, das zog mit den Männern ins Feld, und es war genauso tapfer wie sie; man erzählt sogar, es sei noch tapferer gewesen.«
Zora glühte richtig, als sie das sagte. Aber sie sah nicht mehr auf Branko, sie blickte auf den Adlerhorst, wo die Sonne gerade in ihrer ganzen Schönheit und Glut versank.
Branko wollte weiterfragen, da trat Duro zwischen sie. Er musste schon länger hinter ihnen gestanden und sie belauscht haben, denn er kam ganz ruhig aus einer Nische – man merkte ihm nicht an, dass er die vielen Treppen heraufgestiegen war.
Sein Gesicht war mürrisch, beinahe zornig. »Ich suche euch schon seit einer halben Stunde«, knurrte er.
»Ich habe Branko die Burg gezeigt«, entschuldigte sich Zora, »und jetzt habe ich ihm von den Uskoken erzählt.«
Duro blickte Branko ärgerlich an. »Er hätte etwas Nützlicheres machen können. Wir haben inzwischen das Essen kochen müssen.«
»Einmal musste er die Burg sehen«, sagte Zora bestimmt, »aber komm«, sie winkte Branko, »wir sind ja jetzt fertig«, und zu Duro: »Ich habe außerdem Hunger auf euer Essen.«

Die Kinder kletterten den langen Weg zurück. Als sie zum Raum kamen, wo der Uhu hauste, wollte Zora wieder springen. Duro hielt sie zurück. »Warte einen Augenblick. Ich glaube, er ist schon fort.« Das unheimliche Tier hockte tatsächlich nicht mehr in seiner Ecke, aber es stank noch immer. Auch von den Fledermäusen waren viele fortgeflogen. Es hingen nur noch vereinzelte in dem Saal und auch die schlugen mit den Flügeln und wollten aufbrechen.
Sie traten in die Höhle. Zora schnüffelte. »Es riecht nach Eiern.«
Duro nickte. »Wir haben Spiegeleier gemacht.«
Pavle und Nicola saßen auf der Erde. Die Pfanne mit den Eiern stand zwischen ihnen.
»Ihr seid ja eine Ewigkeit fortgeblieben«, schimpfte Nicola, »und Duro, der euch suchen wollte, auch. Wir haben inzwischen angefangen.«
»Und wenn ich nicht aufgepasst hätte«, stotterte Pavle aufgeregt, »hätte euch Nicola auch noch die letzten Eier weggegessen.«
»Du«, unterbrach ihn Nicola, und zu Zora gewandt: »Ich musste ihm immer mit dem Löffel auf den Mund hauen.«
»Lügner!«, schrie Pavle empört. »Dabei habe ich ihm beinahe die Finger zerschlagen.«
Zora klopfte dem aufgeregten Pavle beruhigend auf die Schulter. »Ich weiß schon, wer hier schwindelt.«
Nicola zwinkerte mit den Augen. »Ich weiß es auch.«
»Zeigt erst einmal, was überhaupt noch in der Pfanne ist«, sagte Duro grob.
Pavle hob den Deckel hoch. Es waren noch fünf Eier darin.
»Wie viel hast du denn hineingetan?«, fragte Zora.
»Zehn«, antwortete Pavle.
»Oh«, machte Nicola und tat ganz zerknirscht. »Dann habe ich doch vielleicht eins zu viel gegessen. Ich dachte, es wären fünfzehn darin. Für jeden drei.«
Zora drohte ihm mit der Faust. »Dafür bekommst du morgen eins weniger.«
»Einverstanden«, nickte Nicola. »Also morgen.« Und lachend: »Es waren nämlich die letzten. Morgen bekommen wir alle keine.« Die drei lagerten sich um die Pfanne. Branko bekam Pavles Löffel – er war groß und aus Holz – und von Nicola ein dickes Stück Brot. Auch Duro und Zora bekamen einen Brocken. Zora teilte die Eier in drei Teile und schob erst Duro und dann Branko seinen Teil hin.

Branko, der schon ein Stück Brot abgebissen hatte, wollte sich gerade auch sein Ei nehmen, da sagte Duro zu ihm: »Warst du nicht der Letzte?«
»Ich glaube«, sagte Branko.
Duro wies mit seinem Kopf nach hinten. »Das Loch steht noch offen. Der Letzte muss es immer zumachen.«
Branko, der an die Worte Zoras dachte, wie wichtig es war, jeden Gang in der Burg gleich wieder zu schließen, steckte sein Brot in die Tasche und sprang auf.
Pavle erhob sich gleichfalls. »Du hast noch nicht gegessen, Branko. Ich gehe.«
Duro sah ihn böse an. »Seit wann bedient ein freier Uskoke den anderen? Der Letzte macht den Gang zu und nicht du«, und er zog Pavle wieder nach unten.
Branko schob, obwohl es ihm mit seiner verbundenen Hand noch schwerfiel, die Steine in das Loch und kam wieder zurück. Duro hatte inzwischen gegessen und sich zurückgelegt. Zora schien auf ihn gewartet zu haben, denn sie hielt ihr Brot noch in der Hand.
»Nun komm.« Pavle schob ihm einen Stein zu.
Branko setzte sich wieder und holte sein Brot aus der Tasche, aber als er nach seinem Ei langen wollte, war es nicht mehr in der Pfanne.
Er hatte sich so darauf gefreut, dass er ein ganz bestürztes Gesicht machte.
»Was hast du?«, fragte Zora.
»Es ist nicht mehr darin.«
»Diesmal war ich es aber nicht!«, schrie Nicola auf.
»Ich auch nicht«, schwor Pavle.
»Dann muss ich es wohl gewesen sein«, meinte Duro, der noch immer auf dem Rücken lag. »Ja, ich war es sogar bestimmt. Ich glaube, ich hatte einfach vergessen, dass wir plötzlich fünf geworden sind, und dachte, das letzte Stück gehört auch noch mir.«
Branko starrte Duro böse an. Auch Pavle sah mit seinem bösen Blick auf Duro. Zora machte gleichfalls ein grimmiges Gesicht, dann nahm sie ihr Ei vom Brot herunter. »Da hast du meins.« Sie legte es auf Brankos Brot. »Ich habe heute sowieso keinen rechten Hunger.«
Duro merkte, dass die ganze Bande für Branko und gegen ihn war. Er sprang deswegen brüsk auf. »Wir haben jetzt immer so wenig zu essen«, klagte er, »und ich werde auch ohne den Neuen kaum

noch satt. Kommt, wir wollen uns mal wieder etwas Richtiges holen!«
»Wohin?«, fragten Nicola und Pavle zu gleicher Zeit.
»Kommt nur! Kommt nur!«
»Oh«, sagte Nicola, angesteckt von Duros Eifer, »ich komme schon.«
Pavle sprang gleichfalls auf. »Ich auch.«
»Wir gehen alle«, sagte Duro noch.
»Willst du uns wirklich nicht sagen, wohin?«, fragte nun auch Zora.
Duro war schon an der Treppe. »Ich sag es euch erst, wenn wir draußen sind.«

6

Die Hühnerdiebe und Branko will nicht mehr mitmachen

Es dauerte über eine halbe Stunde, bis die Bande die Treppen hinunter, den langen Gang entlanggekrochen war und sich wieder im Freien befand.
Branko war der Letzte, aber Zora hatte auf ihn gewartet. Sie half ihm auch, die Höhle wieder zuzudecken.
Als sie sich aufrichteten und nach den andern umsahen, war schon niemand mehr da.
Zora lauschte eine Weile. »Sie sind bereits in den Gärten«, sagte sie und setzte sich auch in Bewegung.
Das Mädchen lief mit leichtfüßiger Gleichmäßigkeit, und obwohl sie barfuß war, trat sie fest auf alle Steine, Gräser, Scherben und Disteln.
Sie sah auch jedes Hindernis, obwohl es bereits dunkelte. Sie fegte über jede Hecke, sprang über jedes Loch, setzte über jeden Zaun und Branko konnte ihr kaum folgen.
Nach ein paar Minuten hatte sie die anderen eingeholt. Duro war noch an der Spitze. Pavle rannte schwer, aber gleichmäßig, knapp hinter ihm. Nicola war der Dritte.
Die Bande kam an eine Straße, überquerte sie und eilte weiter. Sie fegten wie ein Rudel Wölfe dahin, die Hügel hinauf und die Hügel hinunter – immer im gleichen Tempo. Branko kam nur mühsam mit. Er war noch nie so lange gelaufen. Jetzt kamen sie einen Augenblick ans Wasser, drückten sich an die Klippen, aber nur, weil jemand oben die Straße entlangging, denn sie wichen jedem Menschen aus.
Es war wohl nur ein Liebespaar, denn Duro zirpte leise und die Bande setzte sich wieder in Marsch.
Sie krochen die Klippen entlang weiter, sprangen von Fels zu Fels; direkt unter ihnen klatschte das Wasser. Der Mond schien drauf und die kleinen Fontänen, die in die Höhe schnellten, leuchteten in allen Farben.
Sie überquerten die Straße ein zweites Mal, rannten über ein paar grobgepflügte, steinige Äcker, huschten wie Schatten durch einen

alten Steinbruch, und erst, als sie oben, unmittelbar vor einem kleinen Obstwäldchen waren, blieb Duro stehen.
»Seht ihr das Haus da unten am Wasser?«, sagte er und zeigte in eine Bucht, die sich weit in das Land hineinzog.
Die Kinder nickten.
»Da gibt es Hühner. Ich habe sie gestern gesehen. Nicola stellt sich in die Nähe der Straße. Der Neue«, er sagte nicht Branko, »bleibt hier oben an den Bäumen stehen. Wenn jemand kommt, schreit ihr dreimal wie eine Eule, aber nicht zu laut. Pavle, Zora und ich gehen hinunter in den Hof und holen uns eines der Hühner.«
Er erklärte das alles ganz kurz, beinahe befehlsmäßig, und bevor jemand etwas dagegen einwenden konnte, kletterte er den Hang, der vor ihnen lag, hinunter und Zora und Pavle folgten ihm.
Branko, der zurückgeblieben war, kam erst jetzt heran.
Nicola zischte ihm zu. »Sie sind hinunter zu dem Haus und wollen ein Huhn holen. Ich soll unten auf der Straße aufpassen und du hier oben.«
Branko winkte nur mit der Hand und Nicola wollte schon gehen. »Halt«, sagte er noch, »wenn jemand kommen sollte, schreien wir wie ein Kauz. Kannst du das?«
Branko hatte sich hingeworfen. Er war von dem langen Lauf wie erschlagen. »Ich will es versuchen«, schnaufte er.
Er lag in einem Lavendelgebüsch. Sein Herz klopfte, als müsse es zerspringen. Nicola sah noch einmal auf ihn, dann rutschte er den Hang hinunter, aber nur bis auf die Straße.
Die anderen rannten noch ein ganzes Stück weiter, erst ungefähr hundert Meter vor dem Haus ging Duro im Schritt.
»Ist ein Hund da?«, flüsterte Zora.
»Ich glaube nicht«, wisperte Duro zurück.
»Es ist alles finster«, flüsterte Zora weiter.
Duro zeigte auf das Wasser. »Da ist Licht. Ich glaube, sie sind beim Fischen.«
Um das Haus lief eine brüchige Steinmauer, dahinter waren dichte Büsche und ein großer Feigenbaum. Duro kletterte leise über die Mauer, dann schlich er auf das Haus zu.
Das Haus war nicht sehr groß. Es war aus breitgefügten Steinen, nur die Seite nach dem Meer hatte einen Kalkbewurf, nach dieser gingen auch die Fenster.
Sie kamen an ein Holzgestell, an dem Netze hingen.

Zora flüsterte wieder: »Die Netze sind da. Vielleicht sind sie doch nicht draußen.«
Duro beruhigte sie. »Sonst stehen hier auch die Boote. Ich habe sie gestern noch gesehen. Sie sind sicher hinausgefahren.«
Die Kinder schlichen wie Füchse um das Haus herum. Hinter dem Haus war ein ärmlicher Anbau.
»Da sind sicher die Hühner«, flüsterte Duro und schlich näher. Sie schoben einen Riegel zurück und traten ein. In dem Raum lagen Büchsen, Angelgeräte, ein alter Anker und Lumpen.
Duro schnupperte. »Hier riecht es nicht nach Hühnern.«
Auch Zora suchte alle Ecken ab. Da hörte sie Pavle hinter sich. »Kommt! Der Stall ist hinter dem Garten auf der anderen Seite.«
Sie umgingen den kleinen, eingezäunten Gemüsegarten, in dem auch Rosen, Jasmin und einige Sonnenblumen standen. Die Sonnenblumen sahen im Mondlicht wie große, silberne Scheiben aus. Hinter dem Garten stand die zweite Hütte. Sie war geräumiger als die am Haus. Pavle, der sie erspäht hatte, klinkte sie auf. Sie sahen hier zuerst auch keine Hühner, nur eine Ziege reckte sich in die Höhe, sah sie erstaunt an und meckerte laut.
»Bist du still«, zischte ihr Pavle zu. Aber es war ganz gut, dass sie gemeckert hatte, nun regten sich die Hühner. Sie saßen hoch über ihr auf einer Stange.
Es waren sechs Stück. Sie sahen so dumm und neugierig herunter, als ob sie nur darauf warteten, mitgenommen zu werden.
»Hast du den Sack?«, flüsterte Duro Pavle zu.
»Natürlich«, antwortete der große Junge und zog ihn zwischen Hemd und Hose hervor.
Zora war inzwischen auf einen Kübel gestiegen, packte eines der Hühner an den Beinen und zog es herab. Das Huhn flatterte auf, es fing außerdem jämmerlich an zu gackern, auch die Ziege meckerte wieder, sodass Duro ängstlich wurde.
»Sie werden uns noch erwischen«, meinte er und ging schon auf die Tür zu.
»Quatsch«, sagte Pavle ruhig. Er nahm Zora das schreiende Huhn ab und stopfte es in den Sack. Als er sah, dass auch Zora gehen wollte, sagte er ganz verblüfft: »Meinst du, eins ist genug?«
»Es ist wirklich gescheiter, wir gehen wieder«, antwortete das Mädchen und folgte Duro.

Pavle blickte noch einmal auf die Hühner. Sie waren zusammengerückt und schliefen schon wieder. Dann strich er sich über das Gesicht. »Zwei wären wirklich besser als eines«, dachte er, aber da Zora bereits rief, rannte er ihr nach.
Duro war schon an der Mauer. »Sie haben uns tatsächlich gehört und kommen zurück. Wenn ihr euch nicht beeilt, fangen sie uns noch.«
Zora sah auf das Wasser. Duro hatte recht. Ein Boot schob sich links neben dem Feigenbaum an den Strand. Sie sah auch, dass ein älterer Mann darin stand. Er zog die Ruder ein und spähte herüber.
Das Mädchen wartete noch, bis Pavle herangekommen war. »Mach leise und lass dich nicht sehen«, flüsterte sie, »das Boot ist gleich da.«
Sie schmiegten sich dicht an die Mauer und gerade, als das Boot auf dem Sand knirschte, waren sie drüben. Erst krochen sie noch auf allen vieren, aber als sie in den Schatten der ersten Bäume kamen, fielen sie wieder in ihren alten Trab.
Branko hatte sich inzwischen erholt. Sein Herz raste noch immer, aber langsam wurden die Schläge gleichmäßiger, ihm wurde auch wohler, er konnte sich aufsetzen und bald auch wieder stehen.
Er sah sich um. Der Himmel war voller Sterne. Im Westen hing groß der Mond. Er konnte alles sehen. Jeden Apfel, der über ihm in den breiten Bäumen hing, auch die Blätter der Bäume und ihre gekrümmten Äste. Die ganze Welt war in ein seltsames Halbdunkel getaucht. Er hatte das noch nie erlebt. Er spürte aber keinerlei Angst, im Gegenteil, diese halbe Dunkelheit hatte etwas Beruhigendes.
Er ging bis an den Rand des Wäldchens. Da unten war die Straße. Von Nicola war nichts zu sehen, er lag wahrscheinlich hinter den Wacholderbüschen, die dort wie übergroße Soldaten in einer langen Reihe standen.
Hinter der Straße fiel der Hang steil ins Wasser. Das Meer war ruhig geworden und glänzte so silbern wie eine große, unendliche Spiegelfläche.
Wo waren sie eigentlich? Wahrscheinlich war er noch nie hier gewesen. Er sah die Boote auf dem Wasser, auch die Fackeln, mit denen die Fischer nachts hinausfuhren. Er sah die Bucht und die seltsame Rundung, die tief ins Land reichte, und auf einmal sah er auch das Haus, das oberhalb der Bucht stand. Das war doch das Haus des alten Gorian. Branko schlich ein paar Schritte vorwärts und sah genauer hin.

Jetzt erkannte er alles wieder, den kleinen Bau, den Feigenbaum. Natürlich war er schon hier gewesen, sogar oft. Der alte Gorian war ein guter Freund seines Vaters und sein Vater ging immer zu ihm, wenn er in Senj weilte. Er war auch ein guter Freund Brankos. Der Alte war ja sogar mit beim Begräbnis der Mutter gewesen und Branko hatte sich vorgenommen, nach dem Begräbnis mit ihm zu sprechen, aber dann war er zu seiner Klippe gegangen und hatte alles vergessen.
Branko setzte sich wieder nieder. Da fielen ihm Duros Worte ein. »Da unten sind Hühner, ich habe sie gestern gesehen.« Er sprang in die Höhe. Um Gottes willen, sie stahlen die Hühner doch nicht beim alten Gorian? Er wäre ihnen jetzt am liebsten nachgerannt, aber da sah er, dass die drei schon auf die Straße traten, dass sich Nicola zu ihnen gesellte und dass sie eilig heraufkamen.
Branko trat ihnen entgegen. »Wart ihr da unten in dem Haus?«
Duro schob ihn wütend auf die Seite. »Ja, aber frag jetzt nicht. Wir werden verfolgt«, und er jagte an ihm vorbei.
Auch Zora, Nicola und Pavle rannten eilig weiter und Branko blieb nichts anderes übrig, als ihnen zu folgen.
Die Bande eilte wieder über Äcker, Wiesen und Hänge, und erst als sie zwischen den schützenden Felsen des Steinbruchs waren, blieb Duro stehen. »Hier sind wir sicher«, sagte er zu Nicola und dann zu Branko: »Stell dich da oben auf die Höhe und pass wieder auf.«
Branko kam aber näher. »Ich habe dich schon vorhin gefragt, ob ihr dort unten in dem Fischerhaus wart?«
»Ich habe dir auch geantwortet«, erwiderte Duro, »und du hast es wohl auch verstanden.«
Pavle hob seinen Sack hoch: »Ein Huhn.«
»Wisst ihr, dass es ein ganz armer Fischer ist, dem ihr das Huhn gestohlen habt, und dass er außerdem mein Freund ist?«
Duro, der Pavle den Sack abgenommen hatte, lachte: »Wenn wir Hunger haben, stehlen wir, wo wir stehlen können. Wir können nicht erst fragen, ob der Mann arm oder reich ist.«
Pavle, der über Brankos Angriff erstaunt war, hob seine schweren Hände etwas hoch, dann sagte er: »Es war auch nicht das einzige Huhn, welches er hatte. Es waren sechs da.«
»Sechs«, fuhr ihn Branko noch zorniger an. »Karaman hat mindestens dreihundert. Wenn ihr schon stehlen müsst, dann stehlt dort.«
Nicola pfiff. »Karaman hat einen Hund.«

Duro lachte wieder. »Ja, er soll nur morgen hingehen und dort ein Huhn stehlen.«
Branko wurde durch den Spott noch wütender. »Ich denke, ihr seid Uskoken und wollt genauso tapfere Helden sein wie die, die in der Kirche des heiligen Franziskus liegen. Nun, ich glaube, ein Uskoke hat nie einen armen Menschen bestohlen, und ich glaube auch nicht, dass sich ein Uskoke je vor einem Hund gefürchtet hat.« Er blickte genauso wütend auf Zora. »Auch keine Uskokin.«
»Was willst du eigentlich?« Das Mädchen trat auf ihn zu.
»Ich will, dass wir das Huhn sofort wieder zum alten Gorian hinbringen, und wenn ihr keinen Mut dazu habt, mach ich es und dann gehen wir zum reichen Karaman und holen uns dort ein anderes.«
Zora sah ihn schweigend an. Pavle machte nur »hm, hm« und der kleine Nicola sagte gar nichts.
»Wollt ihr oder wollt ihr nicht?« Branko blitzte sie an.
»Da hast du das Huhn«, sagte Duro spöttisch. »Trag es ihm hin.« Und er warf das Huhn Branko vor die Füße.
Branko bückte sich, um es aufzuheben. Er fasste aber in Blut. »Du hast es getötet!«, rief er und wollte Duro an den Hals springen.
Duro lachte nur. »Das macht man mit jedem Huhn, bevor man es brät, du Narr. Nun rupf es, Pavle«, fuhr er ruhiger fort. »Nicola und ich suchen Holz. Zora macht Feuer, und dir habe ich schon einmal gesagt, du sollst da oben hinaufgehen und aufpassen. Die Uskoken gehorchen nämlich, wenn ihnen ihr Führer etwas sagt.«
»Ich denke, Zora führt die Bande.« Branko zitterte, so wütend war er.
»Das schon«, erwiderte Duro. »Aber wenn einer von uns etwas vorschlägt und es angenommen wird, so führt er das auch durch und die anderen gehorchen ihm.«
Brankos Augen streiften Zoras aufs Neue. »Ist das wahr?«
Zora nickte.
Branko starrte noch einmal auf das Huhn. Pavle rupfte es schon. Nicola hatte auch bereits Holz zusammengetragen. Gleich würden sie es braten und essen. Es war also sowieso nichts mehr zu machen. Gorians Huhn ging den Weg aller Hühner. Er wandte sich deshalb um und stieg auf den Rand des Steinbruchs, wie es Duro verlangt hatte. Zora war seinen Blicken gefolgt und hatte sie wohl falsch gedeutet, denn sie rief ihm nach: »Sobald es fertig ist, rufen wir dich oder ich schicke dir etwas davon hinauf.«

Branko drehte sich heftig um. »Ich will nichts davon haben. Nichts. Von dem Huhn des alten Gorian esse ich nicht ein Stück.«
Er lehnte sich oben an eine alte Esche und starrte vor sich hin. Er war immer noch wütend, aber nicht nur auf Duro, von dem er schon wusste, dass er sein Feind war und bleiben würde, auch auf Pavle und Nicola, sogar auf Zora und auf sich selber. Dabei konnte er nicht einmal sagen, warum er die Zähne zusammenbiss, dass es knirschte. Die Bande konnte ja nicht wissen, als sie das Huhn stahl, dass der alte Gorian ein armer Mann und außerdem sein Freund und der Freund seines Vaters war. Die Kinder konnten auch nicht ahnen, dass Branko, und das spürte er wieder deutlich, noch Hemmungen gegen das Stehlen hatte. Er war ja selber ein Dieb gewesen und Zora hatte ihn als Dieb aus dem Gefängnis befreit.
Außerdem hungerten die Kinder und mussten essen, und wenn sie nichts stahlen, das wusste Branko gleichfalls, freiwillig gab ihnen in Senj niemand etwas.
Aber wie sich auch Branko alles überlegte, wie er die Worte abwog, etwas war noch falsch an allem, irgendwie klafften noch Risse zwischen seinen Gedanken. Er nahm sich vor, wenigstens das, was geschehen war, wiedergutzumachen. Ja, das musste er. In der nächsten Nacht wollte er zum alten Karaman gehen und dort ein Huhn stehlen, und wenn er ein Dutzend Hunde hatte. Nein, sogar zwei Hühner, und sie in den Stall des alten Gorian bringen. Als er das zu Ende gedacht hatte, wurde er wieder ruhiger und ging sogar hin und her.
Unterdessen wurde unten Holz gebrochen, jemand zündete ein Streichholz an und die Flammen schlugen hoch.
»Pass doch auf«, schimpfte Duro Nicola, »man kann das Feuer sicher überall sehen.«
Pavle und Zora stellten sich davor und der Schein war weniger sichtbar. Nach einer Weile drang der Duft des Bratens zu ihm herauf. Es roch gut. Branko zog ihn ein. Er hatte lange nichts so Gutes gerochen oder gegessen und es presste ihm fast den Magen zusammen. Aber er nahm sich vor festzubleiben. Nein, von dem Huhn aß er nichts.
Pavle kam herauf. »Da ist ein Stück.« Er brachte ihm eine Keule.
»Ich habe schon Zora gesagt«, antwortete Branko heftig, »ich will nichts von dem Huhn. Iss es selber.«
Pavle schüttelte den Kopf. »Zora hat mir extra gesagt, ich soll es dir geben.«

»So sage ihr extra«, Branko wurde bös, denn der gute Duft betäubte ihn beinahe, »ich will es nicht.«
»Ich werde es ihr ausrichten.« Pavle rutschte wieder in die Tiefe.
Nach ein paar Minuten kam Zora selber herauf. »Du bist ein Dummkopf«, sagte sie. »Nun hat es Duro gegessen.«
»Soll er«, knurrte Branko. »Er hat es ja auch gestohlen.«
Das Mädchen blickte ihn einen Augenblick unwillig an. »Wir haben es alle gestohlen. Merk dir das und komm jetzt. Wir müssen gehen.«
Pavle hatte inzwischen das Feuer ausgelöscht. Duro warf die Knochen auf die Seite und sie gingen.
Diesmal war Zora an der Spitze. Sie rannte noch schneller als Duro und nach einer halben Stunde waren sie vor der Burg.
Zora war bereits in der Höhle verschwunden, auch Pavle und Duro, da drehte sich Duro noch einmal um und sagte zu Nicola:
»Vergiss nicht, zum Bäcker zu gehen.«
Nicola nickte und wandte sich zu Branko: »Gehst du mit?«
»Wohin?«
»Wir holen Brot in der Stadt.«
»Stehlt ihr das auch?«
Nicola lachte: »Nein, das stiehlt ein anderer für uns.«
»Wer denn?«
Nicola lachte noch lauter: »Der Bäcker.«
Branko stieß Nicola in die Seite. »Du lügst!«
»Nein, nein, komm nur. Ich werde es dir erzählen.«
Die beiden schlichen den Hügel wieder hinab, krochen durch das Bachbett des Potoc; es war tief und auf der anderen Seite ging es noch steiler hinauf. Während sie so schlichen, sich gegenseitig stützten oder zogen, erzählte Nicola seine Geschichte.
»Wir bekommen das Brot vom dicken Curcin.«
»Von dem«, unterbrach ihn Branko, »oh, den kenne ich auch.«
»Er ist mein ganz besonderer Freund«, fuhr Nicola fort. »Es ist schon lange her. Ich glaube drei Monate, da stahlen wir bei ihm noch das Brot. Einmal, ich hockte im Hausgang bei ihm und wartete, bis er mit dem neuen Brot kam, war ich aber nicht schnell genug und er erwischte mich. Ich dachte, nun ist es vorbei. Curcin wird mich beim Kragen nehmen, dann verprügeln, danach ruft er sicher nach Begovic, der verprügelt mich noch einmal und ich werde eingesperrt. Aber Curcin sagte nur: ›Also, du bist der Dieb‹, sah mich eine Weile durch-

dringend an, dann meinte er: ›Nun, du siehst nicht so aus, als ob du aus Freude stiehlst. Geh einmal in meine Kammer, und sobald ich fertig bin, werde ich mit dir reden.‹
Ich fasste das natürlich so auf, wie unsereiner das auffasst. Ich dachte mir: ›Er will erst sein Brot fertig heraustragen oder inzwischen Begovic holen oder sich einen Stecken besorgen.‹ Jedenfalls hatte ich seinen freundlichen Ton keinen Augenblick ernst genommen und mir war zumute wie allen Dieben, wenn sie beim Stehlen erwischt werden. Ich dachte auch gar nicht daran, ruhig zu warten, ich dachte nur daran, ob es wohl eine Möglichkeit gebe, aus dem Raum, in den er mich gesteckt hatte, wieder herauszukommen. Ich sah mich um. Es war ein alter Backraum, der jetzt eine Mehlkammer geworden war. Vor mir wölbte sich der große Ofen, rechts standen volle Mehlsäcke und links ein alter Backtisch und einige leere Säcke. Sonst waren nur noch die Tür, die verschlossen war, und ein kleines Fenster zu sehen. Das Fenster war sehr hoch und hatte ein Drahtgitter.
Ich äugte hinauf und glaubte, dass ich das Gitter auseinanderzwängen könnte. Aber wie sollte ich hinaufkommen? Ich rüttelte an dem Backtrog, um ihn unter das Fenster zu schieben. Er war zu schwer. Ich wollte einen Mehlsack herbeischleppen, aber der war noch schwerer. Ich war ganz verzweifelt, und da der dicke Curcin ziemlich lange ausblieb, wurde ich es mit jeder Minute mehr. Auf einmal kam er. Ich dachte noch, ich könnte, wenn er hereinkäme, durch seine Beine sausen, aber er trat so schnell herein und machte die Tür so wenig auf, dass es unmöglich war. Dann drehte er sich um und schloss nun die Tür von innen zu. Dabei blinzelte er mich das erste Mal an und sagte: ›Das mache ich nicht wegen dir, sondern wegen meiner Frau.‹ Ich verstand aber auch das nicht und blieb weiterhin misstrauisch.
Er ließ sich auf einen Mehlsack nieder und rief mich zu sich. Ich kam langsam näher. ›Nun, mein Junge‹, sagte er, und wieder aufs Allerfreundlichste: ›Sag mir einmal, warum du immer mein Brot stiehlst?‹ Ich sagte, teils trotzig, teils ängstlich: ›Weil ich Hunger habe.‹ – ›Hast du keine Eltern?‹, fragte er weiter. ›Nein.‹ – ›Auch keine Großeltern?‹ Ich sagte wieder: ›Nein‹, und dann: ›Wir haben alle keine, auch die anderen, für die ich das Brot mitstehle.‹ – ›Was‹, sagte er, ›ihr seid mehrere?‹ – ›Vier‹, antwortete ich schon tapferer.
Er strich mit seinen breiten, weißen Händen ein paarmal über das

Gesicht, dann über die dicken Oberschenkel und darauf sagte er: ›Ja, du siehst wirklich nicht so aus, als ob du das Brot zum Vergnügen stiehlst. Ich will dir etwas sagen. Ich habe jeden Tag einen Korb altes Brot, das meine Frau Brozovic für seine Schweine gibt, und er gibt ihr dann manchmal eine Flasche Schnaps dafür. Was sie mit dem Schnaps macht, weiß ich nicht. Entweder trinkt sie ihn selber oder gibt ihn weiter. Ich bin der Meinung, ihr braucht das Brot nötiger als die Schweine. Ich stelle jetzt jeden Morgen den Korb hier herein. Punkt fünf. Von fünf Uhr an könnt ihr euch aus dem Korb so viel Brot herausnehmen, wie ihr wollt. Aber nur bis um sieben. Um sieben trägt ihn meine Frau zu Brozovic. Also verspätet euch nicht. Verstanden?‹«

Nicola sah Branko strahlend an. »Er gab mir sogar seine Hand. Seitdem holen wir uns jeden Morgen bei Curcin das Brot, und nicht nur immer altes.« Nicola drückte genießerisch ein Auge zu. »Manchmal, wenn das frische schon fertig ist, legt uns Curcin auch etwas von dem frischen hinein.«

Die Kinder waren an einer kleinen Mauer angekommen. Sie kletterten hinauf, mussten noch über ein Dach, dann ließen sie sich in einen Hof hinunter. Es war der Hof der Bäckerei.

»Geh jetzt leise«, mahnte Nicola Branko, »wir müssen durch das ganze Haus.«

Er klinkte eine Tür auf und sie kamen in einen langen Gang, in dem es nach frischem Brot duftete.

»Hier ist es.« Nicola drückte eine zweite Tür auf und zog Branko hinein.

Der Raum war genau so, wie ihn Nicola geschildert hatte. Der Brotkorb war ein breites, langes Gestell, das voller alter Wecken, Brote und Kuchenreste war.

Nicola schnupperte. »Siehst du?« Er hob eines der Brote hoch. »Das ist wieder ein frisches. Nun stopf dir die Taschen voll.«

Die Jungen waren gerade dabei, sich noch einige Brotlaibe zwischen Hemd und Haut zu stecken, als die Tür einen Spalt weit geöffnet wurde, jemand laut »Diebe! Diebe!« rief, die Tür wieder zuknallte, zweimal den Schlüssel umdrehte und weiter »Diebe! Diebe!« schrie.

Nicola sperrte den Mund auf und ließ vor Schreck die Brote, die er in der Hand hatte, fallen. »Das war die Meisterin«, sagte er kläglich. »Gott, das kann bös werden.«

»Ist sie so schlimm?«, fragte Branko, der weniger erschrocken war.
»Der Meister hat gesagt, sie sei schlimmer als der Teufel und wir sollen uns ja nie von ihr erwischen lassen.«
»Was machen wir da?« Branko sah sich nach allen Seiten um.
»Nichts«, jammerte Nicola. »Wir können nichts machen.« Die Meisterin war inzwischen immer noch schreiend in die Backstube geeilt.
»Curcin!«, schrie sie. »Hörst du nicht?«
Curcin antwortete: »Ich backe. Was ist denn?«
»Es sind Diebe in der Mehlkammer und ich schreie mir fast die Kehle aus dem Leib und du kommst nicht.«
»In der Mehlkammer?«, wiederholte Curcin, der schon ahnte, wer in der Kammer war. »Was sollen sie in der Mehlkammer stehlen?«
»Du merkst natürlich nichts. Jeden Morgen ist ein Teil des alten Brotes weg. Ich wollte es erst nicht glauben. Ich dachte, wer stiehlt schon altes Brot in Senj? Dann dachte ich, es sei eine Katze, aber ich habe das Brot gewogen. Einmal waren es elf Pfund und am anderen Morgen neun. Zwei Pfund stiehlt auch die größte Katze nicht.«
»Vielleicht waren es Ratten«, meinte Meister Curcin und holte weiter das frische Brot aus dem Ofen.
»Ratten! Du Tropf, ich habe es dir doch gerade gesagt: Diebe sind es. Ich habe mich auf die Lauer gelegt. Sie sind über die Mauer gekommen. Ich habe es genau gehört. Ich habe auch die Mehlkammer einen Augenblick aufgemacht. Es sind zwei Kerle. Ich habe sie gesehen, wie ich dich sehe, dann habe ich schnell die Mehlkammer abgeschlossen und nach dir geschrien.«
Der Bäcker sagte: »Zwei hast du gesagt. Hm.« Er rieb sich die weißen Hände zuerst aneinander und später an den Hosen ab. »Da muss ich wohl einmal nachsehen.«
Er stieg langsam von seinem Ofen herauf und überlegte dabei, wie er die beiden Knaben, denn es konnten ja nur diese sein, ohne dass sie seine Frau zu Gesicht bekam, wieder aus der Mehlkammer befreien könnte. Auf einmal rieb er sich die Hände eiliger. »Zwei hast du gesagt?«, wiederholte er.
»Zwei! Zwei waren es! Zwei große, starke Kerle!«
»Hm.« Curcin blieb stehen. »Ist der Geselle da?«
»Nein. Das weißt du doch. Er ist um diese Zeit immer mit dem ersten Brot unterwegs.«
»Dann solltest du lieber erst bei Brozovic an den Laden trommeln

und mir Hilfe holen. Zwei starke Kerle sind schließlich zu allem fähig.«
»Gern«, sagte die Frau. »Ich gehe schon.« Sie band sich schnell eine Schürze um, denn sie war nur in Hemd und Nachtjacke, und rannte über die Straße.
Curcin schloss unterdessen eilig die Mehlkammer auf. Natürlich, am Backtrog standen die beiden Jungen. Nicola hatte seine Brote wieder aufgehoben und sah Curcin kläglich an. Branko stand etwas ruhiger hinter ihm.
»Da sitzen wir ja schön in der Patsche«, sagte der Bäcker. »Über den Hof könnt ihr nicht hinaus, denn meine Frau hat schon die halbe Nachbarschaft aus dem Schlaf geschrien, über die Straße könnt ihr auch nicht. Was machen wir bloß?«
Auf einmal kam ihm ein Gedanke. Er kicherte und ging auf Zehenspitzen auf den Ofen zu.
»Vielleicht könnt ihr da hinaus. Ja, sicher«, strahlte er. »Das ist noch ein alter Kamin. Also nur Mut!« Er machte den Ofen weit auf.
Die beiden zögerten, als sie den schwarzen Schlund sahen.
»Bei Begovic ist es bestimmt nicht schöner«, fuhr Curcin fort. »Und mit dem Brot ist es dann auch aus. Also, hineinspaziert.«
»Wie sollen wir aber wieder herauskommen?«, fragte Nicola, der noch immer etwas Angst hatte.
»Geht erst einmal hinein. Spürt ihr die frische Luft? Wenn ihr drei Meter tief gekrochen seid, kommt der Kamin. Der ist so breit, dass sogar ein Mann, wenn er nicht zu dick ist, hinaufkriechen kann. Es sind Eisenklammern darin und oben ist er so weit offen, dass ihr bequem hinauskriechen könnt. Ihr seid dann unmittelbar über dem Potoc. Rutscht das Dach hinunter und ihr seid in Sicherheit.«
»Danke, Meister.« Branko schlüpfte schon in den Ofen hinein. Curcin packte ihn an der Hose. »Halt, bist du nicht Branko?«
Branko verzog sein Gesicht. »Ja, der bin ich.«
»Bist du auch schon bei den Hungerleidern? Jossip hat mir doch erzählt, sie hätten dich zu deiner Großmutter geschickt.«
»Die wollte mich nicht«, antwortete Branko. »Sie hat mich schon am nächsten Tag hinausgeworfen.«
»Diese Hexe«, knurrte Curcin böse. »Der will ich es aber sagen.«
Unterdessen war auch Nicola in den Ofen gekrochen und der Bäcker machte die Klappe wieder zu.

»He«, hörten sie seine Stimme nochmals, er musste die Klappe wieder geöffnet haben, »kommt morgen auf demselben Weg zurück. Meine Alte wird die Tür jetzt sicher abends abschließen. Halt, ich glaube es ist noch besser, ich stelle euch die Brote gleich in den Ofen, dann müsst ihr gar nicht erst in die Mehlkammer kommen.«
Curcins Frau hatte inzwischen heftig gegen Brozovics Laden getrommelt.
Endlich tauchte das fuchsige Gesicht des Krämers auf. »Was ist denn!«, schrie er. »Brennt's? Ich schlafe noch.«
»Diebe sind bei uns, Herr Brozovic, Diebe! Zwei Stück. Sie möchten kommen und meinem Mann helfen.«
»Diebe, Frau Curcin?« Er erkannte sie erst jetzt. »Zwei Stück. Und da ruft ihr ausgerechnet mich, einen alten Mann. Wisst ihr nicht, dass wir dazu die Polizei haben. Ein halbes Dutzend Gendarmen in Senj, die wir alle von unserm Geld bezahlen. Rennt auf die Wache oder wartet, ich schicke meinen Jungen.« Und er zog seinen Kopf wieder zum Fenster herein.
In der Zeit war aber schon der bucklige Schuster auf die Straße getreten, auch ein paar Fischer, die vom Nachtfang kamen, und einige andere Leute hatten sich versammelt.
»Kommt nur«, sagte der Schuster. »Ich habe mehr Mut. Ich und Ihr Mann werden die Diebe schon fangen.«
»Wir gehen auch mit«, sagten die Fischer. »Dem dicken Curcin tun wir gern einen Gefallen.«
Es waren mit zwei Nachbarsfrauen im Ganzen acht, die mit Knüppeln und Stöcken bewaffnet in die Bäckerei eindrangen.
»Gott!«, schrie die Curcin auf einmal laut. »Die Tür steht offen. Mein Mann ist allein hineingegangen. Und wie still es ist. Hoffentlich ist ihm nichts passiert.«
Da stand Curcin auf der Schwelle. »Ich lebe noch«, lächelte er, »und deine Diebe haben sich davongemacht. Jedenfalls habe ich nichts mehr von ihnen finden können.«
»Ich schwöre aber«, die Curcin hob die rechte Hand, »ich habe sie gesehen und ich habe zweimal hinter ihnen abgeschlossen. Hier standen sie. Hier am Backtrog. Der eine war klein. Der andere war dicker und größer. Ich habe sogar gesehen, dass sie Brote in den Händen hatten.«

Die Menschen waren alle hinter der Meisterin eingedrungen und blickten sich um.
»Hm«, machte der Schuster, »hier scheinen sie tatsächlich nicht mehr zu sein.«
Der eine Fischer sah unter den Backtrog. »Hier ist auch keiner.«
»Ob sie sich in den Säcken versteckt haben?«, meinte eine Frau und versuchte einen hochzuheben.
»Die sind zu schwer«, lachte der Meister, »die bringt nur ein richtiger Bäcker weg, Fräulein.«
»Ho«, machte da der Schuster, der ein pfiffiger Kerl war, »vielleicht sind sie durch den Backofen davon.«
Er versuchte die Tür aufzumachen. »Sie geht ganz leicht auf. Sehen Sie!«, schrie er. »Hier sind Spuren, Meister.« Er zeigte auf den Ruß, in den Hände und Füße eingedrückt waren.
Alle drängten sich heran.
»Das waren sie«, sagte die Curcin richtig erleichtert.
Der Meister fuhr sich über das Kinn. »Ihr könntet recht haben.« Er schob die anderen auf die Seite und kroch ein Stück in den Ofen hinein. Er horchte dabei. Es war aber nichts mehr zu hören. Die Kinder waren wohl schon in Sicherheit.
»Man sieht es noch ganz deutlich«, meinte er, als er wieder herauskam, »sie sind tatsächlich durch den Ofen davon und bereits über alle Berge.«
»Ach«, klagte die Meisterin, »und ich dachte, ich hätte sie. Jeden Tag stehlen sie uns ein paar Wecken und Brote.«
Inzwischen war auch Begovic gekommen. Die Mütze saß schief auf seinem Kopf. Seine Jacke war noch nicht zugeknöpft und der Knüppel baumelte auf der falschen Seite. Er schob die Anwesenden auseinander. »Bei Ihnen ist gestohlen worden, Curcin?«, schnarrte er.
»Ja, aber nichts Schlimmes; altes Brot.«
Seine Frau schlug die Hände über dem Kopf zusammen. »Nichts Schlimmes nennt er das.«
Begovic zwirbelte seinen Bart: »Habt Ihr die Diebe?«
»Beinahe, Herr Wachtmeister.«
Die Curcin zog ihn ganz in die Mehlkammer. »Ich hatte sie hier eingeschlossen.«
»Und wo sind sie jetzt?«
»Durch den Backofen davon«, antwortete Curcin.

»Das muss ich mir einmal ansehen«, sagte Begovic gewichtig.
»Bitte.« Curcin ließ Begovic mit einem verlegenen Grinsen vorbei.
»Mich müsst Ihr aber jetzt entschuldigen«, sagte er noch. »Ich muss mich um mein Brot kümmern, sonst hat die halbe Stadt heute nichts zu essen und das ist die Geschichte nicht wert.«
»Geh nur«, meinte seine Frau aufgeregt, »ich werde es dem Herrn Gendarm zeigen.«
Die Jungen waren tatsächlich schon lange davon. Der Feuerraum, durch den sie kriechen mussten, war ungefähr einen halben Meter hoch und sie kamen gut bis zu dem Kaminloch. Auch der Kamin war breit genug, sodass sie ohne Schwierigkeiten hindurchkamen. Oben lockerten sie ein paar Ziegel, damit die Öffnung, durch die sonst nur der Rauch drang, breiter wurde, dann traten sie auf das Dach.
»Was machen wir nun?« Branko spähte das Dach hinunter.
»Curcin hat gesagt, wir sollen einfach hinunterrutschen«, sagte Nicola, der seinen Humor wiedergefunden hatte, und meinte: »In der Hölle waren wir schon, wir können also nur noch in den Himmel kommen.«
Sie hockten sich nieder.
»Gib mir deine Hand«, sagte Nicola noch, aber Branko rutschte schon über das Dach hinaus und sauste in die Tiefe.
Er fiel in das Bachbett des Potoc auf einen Lumpenhaufen. »Lebst du noch?« Nicola äugte zu ihm hinunter.
»Ja, ja, komm nur. Ich bin ganz weich gefallen.«
Einen Augenblick später fiel Nicola neben ihn.
Sie rafften eilig das Brot zusammen, das ihnen bei der Rutschfahrt aus den Taschen gefallen war, kletterten das steile Bachbett hinauf und fünf Minuten später krochen sie durch ihren Gang.
Als sie in der Burg ankamen, war es schon beinahe sechs und die Sonne schien herein.
»Wie seht ihr denn aus?«, lachte Zora.
»Wir?« Branko wischte sich über das Gesicht.
»Ja, ihr.« Zora lachte noch lauter. Auch Pavle und Duro lachten. Sie blickten sich an. Jetzt merkten sie erst: Der Ruß saß ihnen nicht nur an den Händen und Füßen, sondern auch am Hals und im Gesicht. Sie waren in Curcins Kamin schwarz wie die Neger geworden.

7

Der alte Gorian

Die Bande verbrachte den ganzen Tag im Turm. Duro drehte den anderen den Rücken und las in einem Buch, das Nicola einmal gefunden hatte. Pavle hockte auf seinem Lager und schnitzte aus festem Holz Löffel. Nicola war bei seinen Tauben und Zora saß oben auf ihrer Empore und nähte.
Branko setzte sich eine Weile neben Pavle und ließ sich im Schnitzen unterweisen, worin der sonst ungeschickte Junge eine große Fertigkeit zeigte; dann kroch er allein in der Burg herum, stieg erst hinunter in die Keller und dann hinauf bis auf den Zinnengang. Als er gegen Abend zurückkam, saß noch immer jeder für sich auf seiner Matte und die gedrückte Stimmung, die sich seit dem Krach wegen des Huhnes über die Bande gelegt hatte, war noch nicht gewichen.
Gegen neun stand Pavle auf und sagte: »Ich hole Wasser.« Duro hängte sich zwei Blechbüchsen um und ging mit.
Einen Augenblick später kam Zora von ihrem Lager herunter, trat neben Branko und sagte: »Willst du noch immer zu Karaman gehen?«
Branko nickte. »Ich stehle ihm zwei Hühner und bringe sie Gorian.«
»Ich begleite dich«, sagte Zora.
»Warum?« Branko sah auf.
»Ich begleite dich«, sagte Zora noch einmal, »das genügt.«
Die beiden Kinder gingen diesmal einen anderen Weg. Von der Wendeltreppe gelangte man, wenn man ein paar Steine auseinanderschob, unmittelbar auf die frühere Haupttreppe, die vom Hof bis hinaus auf den Söller führte. »Die gehen wir aber nur bei Gefahr oder wenn wir es eilig haben«, erklärte das Mädchen.
Der Hof war ein kleiner, viereckiger Schacht. Die dicken Mauern fielen wie Felswände in ihn hinunter. Der Brunnen, der genau in der Mitte des Vierecks stand, war leer. Zora warf einen Stein hinein. Es dauerte lange, bis er unten aufschlug.
Ein Tor schloss den Hof ab. An dem unteren Teil waren zwei lose Bretter. Zora schob sie auseinander und sie schlüpften hinaus.
Die Kinder bogen gleich hinter der Burg in eine Schlucht. Der Hof

des reichen Karaman lag am Ausgang der Schlucht, da, wo das spärliche Wasser, das durch die Schlucht rann, ins Meer floss.
Zora wollte sich in Trab setzen, aber Branko hielt sie an. »Wir haben noch Zeit«, meinte er. »Karaman geht sicher nicht vor elf ins Bett und wir sind, auch wenn wir langsam gehen, in einer Stunde dort.«
Sie gingen nebeneinander. Zora war immer einen halben Schritt voraus. Das Mädchen hatte ein fremdes, etwas starres Gesicht. »Sie trotzt sicher noch«, dachte Branko, »aber es ist doch anständig, dass sie mitgegangen ist.«
An einem kleinen Hang blieb sie stehen und schnupperte. »Hier muss es Aprikosen geben.«
Branko zog auch Luft durch die Nase. »Ich rieche nichts.«
»Bestimmt«, sagte sie. »Komm, wir klettern ein Stück hinauf.« Das Mädchen hatte recht, auf der Höhe stand eine Reihe Aprikosenbäume. Es war heute dunkler als in der vergangenen Nacht. Der Mond hing hinter einem Schleier.
»Hoffentlich gibt es auch Früchte«, sagte Branko skeptisch.
Zora schnupperte wieder. »Die Früchte duften, nicht die Bäume.« Sie tasteten in die Blätter. Da waren Aprikosen, große, weiche Früchte. Sie pflückten mehrere und bissen hinein.
Die Schlucht wurde breiter. An den Hängen lagen einige Feldstücke. Sie waren wie hier alle Felder mit Steinmauern eingezäunt, um sie vor der Bora zu schützen.
Nach einigen Hundert Metern sahen sie ein Licht.
Branko zeigte darauf. »Das ist der Hof von Karaman. Siehst du, der Bauer ist noch wach.«
Sie kletterten wieder ein Stück den Hang hinauf und hatten den Hof jetzt direkt unter sich. Es war ein großes Häuserviereck. Der lange, einstöckige Wohnbau lag dem Meer zu, auf beiden Seiten gliederten sich der langgestreckte Stall und die Scheunengebäude an. Eine hohe Mauer schloss die hintere Front ab.
Im milchigen Halbdunkel sah der Hof wie eine Festung aus. Alle Konturen waren verschwommen und auch die Bäume, die innerhalb und außerhalb des Viereckes standen, glichen eher großen, gespenstischen Gestalten als ehrenwerten Pflaumen-, Birnen- und Apfelbäumen.
Die Kinder sahen auf den Hof hinunter. Auf einmal fasste Zora Branko bei der Hand. »Siehst du, dort am Baum, den Hund?«

Branko sah ihn jetzt auch. Er stand unter einem riesigen Birnbaum und sah herauf. Einige Sekunden später setzte er sich in Bewegung und kam auf sie zu.
Branko hatte seit ihrem Aufbruch keinen Gedanken für den Hund gehabt. Auch in der Nacht vorher, als Duro den Hund erwähnte, war für ihn das Tier nichts weiter gewesen als einer von den vielen Kläffern, die er kannte und die, wenn man mit einem Stein nach ihnen warf, den Schwanz einzogen und davonjagten.
Karamans Hund aber war kein »Kläffer«, sondern ein großer, ausgewachsener, braungefleckter Wolfshund. Als er nun, manchmal langsam, manchmal schneller, auf sie zulief, machte Branko ein genauso erschrockenes Gesicht wie Zora.
Branko hatte außer dem Sack für die Hühner nichts bei sich, mit dem er einem so großen Hund entgegentreten konnte. Nicht einmal einen Stein oder einen Knüppel.
Er sprang auf; auch Zora hatte sich erhoben. Ihr Mund stand offen und sie lehnte sich ängstlich an ihn.
»Ich glaube, wir müssen ausreißen«, stammelte Branko.
Zora schüttelte den Kopf. »Das wäre das Dümmste. Er hat uns schon, bevor wir am nächsten Baum sind.«
Der Hund war kaum noch dreißig Meter von ihnen entfernt. Er bog um ein Gebüsch und sie sahen ihn nun ganz genau. Es war ein stattlicher, schöner Hund mit einem spitzen, edlen Kopf, einem prächtigen, schlanken Körper und festen, hohen Beinen.
»Er hinkt ja!«, rief Branko aufatmend.
Auch Zora wurde mutiger. »Und er wedelt mit dem Schwanz.«
Branko hatte einmal gehört, dass der reiche Karaman seinen Hund »Leo« rief. Er ging dem Tier entgegen. »Leo«, sagte er, »Leo.«
Der Hund hinkte wirklich, er kam aber, als er seinen Namen hörte, noch schneller auf Branko zu. Er ließ sich sogar von ihm streicheln. Zora kam auch heran.
Branko lachte: »Vor dem Hund hast du nun Angst gehabt!«
»Mach dich nur nicht tapferer, als du bist«, fauchte ihn Zora an. »Eben hast du noch mehr gezittert als ich.«
Der Hund ließ sich auch von Zora streicheln, dabei jaulte er und legte sich auf den Rücken.
»Was hat er wohl?«, fragte Branko.
»Er wird etwas an der Pfote haben. Sieh nur, wie er sie hochhebt.«

Zora fasste schon nach dem Bein, das der Hund besonders behutsam von sich fortstreckte.
Das Mädchen tastete sich zur Pfote hinauf. Der Hund jaulte wieder, aber er wedelte dabei noch heftiger mit dem Schwanz. »Ich kann leider nichts sehen«, sagte Zora.
Branko fasste in die Tasche. »Ich zünde ein Streichholz an.«
In dem hellen Licht sahen sie, dass der Hund sich einen Scherben in den Ballen getreten hatte, außerdem musste das Tier den Ballen schon einige Male hin- und hergewetzt haben, um den Scherben herauszubringen, denn die Wunde war breit und blutete.
Zora setzte sich. »Gib mir das Bein auf den Schoß.«
Branko versuchte, das Tier zu ihr hinüberzuschieben, aber der Hund sprang von selber auf und legte die Pfote in ihren Schoß.
»Leuchte wieder.«
Branko, der nur noch drei Streichhölzer hatte, zündete einen kleinen Span an.
Zora versuchte den Scherben mit einem Stück Tuch zu fassen. Es war gar nicht so einfach. Er saß recht tief. Der Hund zuckte oft hin und her, jaulte aber nicht mehr, er sah Zora nur groß an, während sie an dem Splitter zog.
»Da ist er.« Zora atmete auf und hielt das Stück Glas hoch.
Der Hund warf den Kopf in die Höhe und versuchte nach dem Scherben zu schnappen, dann setzte er seine Pfote vorsichtig auf. Er jaulte noch einmal, aber er spürte wohl, dass der Schmerz geringer wurde, denn er setzte die Pfote immer wieder auf die Erde. »Ich werde ihm die Wunde am Wasser noch auswaschen«, sagte Zora.
Branko nickte. »Ich gehe in der Zeit zum alten Karaman hinunter.« Er sagte es leise, als wolle er verhindern, dass es der Hund verstünde.
»Komm, Leo!« Zora sprang auf und fasste den großen Hund am Halsband. Leo ging auch willig mit.
Branko schritt unterdessen auf das Haus zu. Er sah nach dem Licht. Es war erloschen. Sie hatten Glück. Karaman war inzwischen zu Bett gegangen.
Das schwere Tor war verriegelt. Es war gut, dass Branko das Haus vorher von oben gesehen hatte. Er umging es und kletterte hinten über die Mauer.
Der Hof war so milchig wie alles in dieser Nacht. Er sah aber den

Misthaufen, ein Taubenhaus und rechts eine Leiter, die wohl zu dem Hühnerstall führte.
Er öffnete die Tür darunter. Ja, hier waren Hühner. Er roch es. Einen Augenblick später leuchtete sein vorletztes Streichholz auf. Er hatte bestimmt nicht zu viel gesagt: Der ganze längliche Raum war voll Federvieh. Er packte die beiden vordersten Tiere, stopfte sie in seinen Sack und verschwand wieder.
Zora saß immer noch mit dem Hund am Wasser.
»Ich bin zurück!«, rief Branko zu ihr hinunter.
»Hast du die Hühner?«
»Hm«, machte er nur.
»Lass sie oben und komm herunter.«
Branko legte den Sack hinter einen Baum und rutschte hinab.
Zora hatte dem Hund einen Lappen um die Pfote gebunden. Jetzt fütterte sie ihn mit einem Rest Brot, den sie in ihrem Rock gefunden hatte. »Fühl nur«, sagte sie, »wie mager das Tier ist.«
Branko war es schon aufgefallen. Das große, gefleckte Tier sah wirklich recht elend aus. »Ich habe auch noch ein Stück Brot«, sagte er und nahm es aus der Tasche.
Der Hund schnüffelte schon, steckte aber erst den Kopf unter Brankos Hände, dann nahm er das Brot und zermalmte es zwischen den Zähnen.
Zora machte sein Maul auf. »Der hätte uns schön zugerichtet«, meinte sie, »wenn er nicht einen Scherben in der Pfote gehabt hätte.«
Branko sagte wieder nur: »Hm.«
Der Hund stand nun auf und sprang ein paarmal um sie herum. Es ging schon besser, obwohl er noch immer hinkte.
»Was machen wir aber nun mit ihm?«, fragte Branko.
»Ich habe mir das auch überlegt. Er wird mitkommen, wenn wir gehen.«
»Hast du noch ein Stück Brot?«
Zora zeigte es.
»Gib es her. Ich werfe es weit über den Bach, dann rennen wir im Wasser bis zum Meer. Bis der Hund das Brot gefunden hat, sind wir unten und im Wasser kann er unsere Spur nicht verfolgen.«
»Ich werde es werfen«, sagte Zora. »Hol du inzwischen den Sack oder willst du ihn oben liegen lassen?«
Branko kratzte sich. Die Hühner hatte er schon wieder vergessen.

Zora tauchte das Brot vorher noch ins Wasser. »Spring, Leo!«, rief sie und warf das Brot, so weit sie es werfen konnte.
Leo setzte vorsichtig über das Wasser hinweg und verschwand in der Dunkelheit. Zugleich rannte Zora den Bach hinunter. Branko, der einen Bogen gemacht hatte, war schon fast am Meer.
»Kommt er?« Der Junge lauschte.
»Sei doch still«, zischte Zora ärgerlich. »Ein Hund hört viel besser als ein Mensch.«
Sie rannte weiter. Erst als sie schon eine Weile, meistens im Wasser oder über Klippen und Steine, am Meer entlanggesprungen waren, blieb Zora hinter einem Felsen stehen. »So«, sagte sie, »nun wollen wir lauschen.«
Sie hörten den Hund, aber weit entfernt. Er bellte ein paarmal auf. Nicht wütend, wie sonst Hunde bellen, sondern beinahe traurig.
»Ich glaube, er kommt uns nicht nach«, meinte Branko.
»Ich glaube es auch nicht.« Zora wischte sich die Haare aus dem Gesicht. »Aber wir sollten weiterlaufen.«
Die Kinder rannten jetzt knapp bis an die Bucht, wo die Hütte des alten Gorian stand. Da, wo sie sich in der Nacht vorher getrennt hatten, blieb Branko stehen.
»Du solltest hierbleiben«, meinte er. »Ich gehe lieber allein.«
Zora schüttelte den Kopf. »Ich gehe mit. Ich war ja auch schon dort und kann dir zeigen, wo der Hühnerstall ist.«
»Oh«, Branko tat überlegen. »Ich kenne beim alten Gorian jede Ecke.«
»Ich gehe trotzdem mit«, sagte Zora bestimmt.
Im Haus war es wieder dunkel und still. »Heute sind sie aber nicht draußen.« Zora zeigte auf den Strand. »Da liegen die Boote.«
»Gorian wird schlafen«, beruhigte sie Branko. »Er ist ein alter Mann und er geht, wenn er nicht fischen muss, immer früh ins Bett.«
Sie drückten die Tür auf und traten in den Stall. Gestern hatte der Mond in den kleinen Raum geschienen, heute war es stockdunkel.
»Sei vorsichtig«, zischte Zora, »hier rechts muss die Ziege sein.«
Branko zischte zurück: »Ich habe den Sack schon offen.«
In dem Augenblick schnappte hinter ihnen ein Riegel zu und im gleichen Moment flammte ein Licht auf.
»Ich habe es dir doch gesagt, dass sie heute wieder kommen, Andja«, sagte eine tiefe Stimme hinter ihnen. »Diebe kommen immer zwei-

mal, besonders, wenn sie das erste Mal nicht alles gestohlen haben.«
Zora fasste sich ans Herz, so erschrocken war sie. Auch Branko stockte einige Sekunden der Atem. Er hatte die Stimme erkannt, es war der alte Gorian. Das Mädchen hatte sich schon wieder in der Gewalt. Sie sah sich nach allen Seiten um. Die Tür war zu. Das Schnappen des Riegels hatte sie noch im Ohr, aber es war noch ein Fenster da. Vielleicht konnten sie durch das Fenster entkommen. Sie sprang hinüber, aber das Fenster war auch zu.
Der alte Gorian hatte es beobachtet. »He, he«, lachte er auf. »Siehst du, Andja, jetzt wollen sie durch das Fenster. Nein, nein, wenn wir Diebe fangen, machen wir vorher auch die Fenster zu.«
Zora sah sich nun nach dem Mann um. Wo saß er überhaupt? Sie hatte ihn noch nicht gesehen. Und mit wem sprach er? Vielleicht war seine Frau mit im Stall. Ihre Augen suchten den ganzen Raum ab, der von dem Licht – es war eine einfache Pechfackel, wie sie die Fischer auf dem Wasser verwenden – nur notdürftig erleuchtet wurde.
Sie sah aber außer Branko, der noch immer erschrocken mitten im Stall stand, nur die fünf Hühner auf der Stange und die Ziege. Da drehte sich die Ziege um und blickte sie an. Im gleichen Augenblick wurde hinter ihr das bärtige Gesicht eines Mannes sichtbar.
»Ja, ja, Andja«, sprach der Alte weiter, »sieh dir nur die beiden Diebe an. Der eine ist ein Bursche und der andere ein Mädchen. Ach, ach.« Er hustete auf. »Nicht wahr, es sind dieselben, die gestern in deinem Stall waren?« Er lachte wieder. »Sie konnten ja nicht wissen, dass du als mein Wächter hier warst. Hast brav gemeckert«, er streichelte der Ziege über den Rücken, »aber ich war zu weit draußen, und als ich kam, waren sie schon mit dem Huhn davon. Aber«, er lachte lauter, »der alte Gorian hatte recht. Sie sind wieder gekommen, und diesmal haben wir sie.«
Er erhob sich. »So, Andja«, sagte er noch, »und nun wollen wir uns die Diebe einmal ansehen.«
Wie er so langsam aufstand, der große Kopf, das graue Haar darum, die hellen Augen ernst, ja zornig auf die Kinder gerichtet, die breite Gestalt, die durch das Licht noch breiter wurde, in der vorgeschobenen Hand einen tüchtigen Knüppel, sah er aus wie ein Riese, der sich plötzlich aufrichtet.
Zora wurde noch aufgeregter und rannte schneller hin und her. Sie

hatte in diesem Augenblick keine Angst mehr, sondern wollte nur gegen die ankommende Gefahr etwas tun. Sie schlug nach dem Licht. »Ich werde es ausblasen«, dachte sie, »dann ist es dunkel und er sieht uns nicht mehr.«
Der Alte lachte wieder. »He, he! Siehst du, Andja, das habe ich mir auch gedacht, deswegen habe ich eine Pechfackel genommen. Blas nur, Mädchen, blas, eine Pechfackel bläst du nicht aus.«
Zora sah es schon ein. Ja, je wilder sie auf die Fackel blies, umso heller und größer brannte sie.
»Nehmen wir den Buben zuerst, Andja?«, fragte der alte Gorian. »Sicher, wir nehmen den Buben«, und bevor Branko, der die ganze Zeit mit offenem Mund und wie gelähmt auf den Alten gestarrt und auf das Gespräch mit der Ziege, die er übrigens auch kannte, gelauscht hatte, sich wehren konnte, packte ihn Gorian, steckte ihn zwischen die Beine und gleich darauf sauste der Stecken auf seine Hinterbacken herunter.
»Au!«, schrie Branko, der durch den Schmerz schneller wieder auf die Erde kam, als ihm lieb war. »Au, au!«, und er versuchte sich aus den Knien des Alten zu befreien.
Vater Gorian hieb aber ruhig weiter.
»Au, au!« Branko schrie immer kläglicher.
»So«, sagte der Alte endlich und seine Knie lockerten sich. »Ich glaube, er hat genug, Andja, und nun soll auch das kleine Fräulein ihren Teil haben.«
Branko hatte die letzten Schläge kaum noch gespürt. Ja, der Schmerz hatte ihn beinahe betäubt, und als ihn der Alte jetzt freiließ, taumelte er nur zurück und fiel ins Stroh. Die Worte des Alten, dass jetzt auch Zora verprügelt werden sollte, brachten ihn aber sofort wieder zur Besinnung. »Nicht!«, schrie er unter Tränen. »Nicht! Das Mädchen dürft Ihr nicht schlagen!«
»Hörst du, Andja«, sagte der Alte, der sich inzwischen – das Prügeln hatte ihn angestrengt – auf einen Eimer gehockt hatte. »Unser Dieb ist sogar ein Kavalier. Das ist nicht jeder Spitzbube. Sehen wir ihn uns einmal näher an.« Er packte Branko wieder und zog ihn hoch. Branko hatte noch immer das Gesicht voller Tränen. Er versuchte sie abzuwischen und mit der anderen Hand hielt er seine Hinterseite, die langsam wie Feuer brannte. »Nein«, stammelte er wieder, »das Mädchen dürft Ihr nicht schlagen.«

Gorian hatte inzwischen seine Fackel geholt, riss Brankos Hand vom Gesicht und leuchtete den Jungen an.
»Du bist es, Branko? Du bist es?« Er ließ die Hand des Jungen wieder los. »Siehst du, Andja«, sprach er etwas gedämpfter, »gestern haben wir noch darüber gesprochen, wir sollten uns nach Milans Sohn umsehen und ihn vielleicht ins Haus nehmen. Man soll nie voreilig sein, merk dir das, Andja. Da hätten wir uns ja einen schönen Spitzbuben ins Haus geholt.«
»Ich bin kein Spitzbube«, sagte Branko das erste Mal fester und stampfte trotz seiner Schmerzen auf. »Ich bin keiner und das Mädchen auch nicht.«
»Hör dir das an, Andja«, lachte der Alte. »Hör dir das an«, und etwas lauter: »Und wer hat mir gestern mein Huhn gestohlen? Und wer hat eben gesagt: ›Ich habe den Sack schon aufgemacht?‹« Branko, der endlich seine Sprache und auch seinen Mut wiederfand, antwortete: »Wir wollten keine Hühner stehlen. Wir haben Euch zwei Hühner gebracht und ich habe den Sack nur aufgemacht, um die Hühner herauszulassen, dann wollten wir wieder gehen.«
Nun hatte der Alte den Mund offen. Er stand auf. »Ihr habt mir Hühner gebracht?« Er hob die Fackel höher und sah sich um. Auch die Ziege drehte ihren Kopf, als habe sie wieder alles verstanden. Der Alte hätte die Fackel beinahe fallen lassen. Tatsächlich, in der linken Ecke des Stalles hockten zwei Hühner. Sie schmiegten sich fest aneinander, und als jetzt das volle Licht auf sie fiel, gackerten sie leise.
Der alte Gorian sah erst noch einmal hinauf auf die Stange, da oben saßen die fünf anderen Hühner, dann sah er wieder auf die beiden in der Ecke. Auch die Ziege sah sie an, sie meckerte diesmal etwas lauter als sonst.
Der alte Mann fiel auf seinen Eimer zurück. »Aber«, und diesmal sprach er nicht zu seiner Ziege, »warum hast du mir das nicht gesagt, bevor ich dich verprügelt habe, du dummer Junge?«
»Ich wollte es ja«, stotterte Branko, »aber bevor ich den Mund auftun konnte, hattet Ihr mich schon zwischen den Knien. Außerdem«, er zögerte etwas, »waren wir wirklich gestern da und haben ein Huhn gestohlen.«
»Hm«, Gorian schnäuzte sich, »und dann hat dich heute das böse Gewissen gepackt, dass du den alten Gorian um eines seiner Hühner gebracht hast, und du wolltest eure Dieberei wiedergutmachen?«

Branko schüttelte den Kopf. »Ich musste aufpassen und wusste gar nicht, dass das Huhn bei Euch gestohlen wurde. Als ich es später erfuhr, habe ich gleich gesagt, ich bringe dem Vater Gorian sein Huhn wieder zurück. Da töteten sie es schnell, rupften und brieten es, und bevor ich mich versah, war es auch schon gegessen. Ich habe aber nichts davon genommen und gesagt: ›Nein, ich esse nicht von diesem Huhn‹, und dann habe ich geschworen, ich bringe Euch dafür zwei andere Hühner in den Stall.«
»Hm«, machte der Alte wieder, »und das Mädchen ist dazu mitgekommen?«
»Das ist die rote Zora«, sagte Branko stolz. »Ich gehöre jetzt zu ihrer Bande.«
Der alte Gorian schnäuzte sich aufs Neue. »So, so.« Er zog Zora zu sich heran. »Du bist die rote Zora. Ich habe schon allerlei von dir und deiner Bande gehört. Nicht viel Gutes. Ihr treibt euch in den Feldern herum und lebt von Diebstahl.«
Zora sah den Alten ruhig an. »Wir nehmen nur, was wir brauchen.«
Gorian wandte sich wieder an seine Ziege. »Die spricht genauso wie du, Andja. Du nimmst dir auch nur, was du brauchst. Nicht?«, und er klopfte ihr den Rücken.
»Määä«, machte die Ziege und blickte zu ihm auf.
Gorian wandte sich erneut an das Mädchen. »Ihr seid aber keine Ziegen. Ihr seid junge Menschen und ihr solltet irgendwo hingehen und etwas Besseres anfangen.«
»Uns will aber niemand«, antwortete Zora trotzig.
Der Alte stieß Branko an: »Dich auch nicht?«
Branko schüttelte den Kopf: »Sie haben mich zu meiner Großmutter geschickt.«
Gorian lachte leicht. »Und was hat sie gesagt?«
»Ich soll stehlen gehen.«
»Und du hast ihren Rat befolgt?«
Branko wurde rot und nun erfuhr Gorian auch die andere Geschichte. Von dem in die Gosse gefallenen Fisch. Dass der reiche Karaman Branko verhaften ließ. Seine Flucht mithilfe Zoras aus dem Gefängnis. »Und«, schloss Branko, »nun gehöre ich zu ihrer Bande.«
»Hm«, machte der Alte nach einer Pause, in der er lange vor sich hingesehen hatte, »wie viel seid ihr denn?«
»Fünf«, antwortete Branko.

Der Alte kratzte sich hinter dem Ohr. »Fünf. Das ist mir zu viel. Zwei hätte ich vielleicht genommen.«
»Wir wären auch gar nicht gekommen«, sagte Zora an Brankos Stelle trotzig. »Wir sind eine richtige Bande, die Uskoken, und wohnen …« In dem Augenblick schlug sie sich auf den Mund.
»Ich kann mir schon denken, wo ihr wohnt. Wahrscheinlich in einer Scheune oder in einem Stall, aber fünf«, der alte Gorian kratzte sich wieder hinter dem Ohr, »nicht, Andja, fünf sind wirklich zu viel.«
Da bückte er sich. Die beiden neuen Hühner waren aus ihrer Ecke gekommen und scharrten unter ihm im Sand. Er packte das eine und hob es hoch. Es war ein junges, mageres Hähnchen. »Ha, ha!«, lachte er. »Das Vögelchen haben sie mir für unsere dicke Henne mitgebracht, Andja.«
»Dafür sind es auch zwei.« Branko hob das andere Tier hoch. Es war gleichfalls ein junger Hahn und genauso mager wie der andere.
»Na«, fuhr der Alte fort, »ein guter Tausch ist es nicht. Wo habt ihr sie denn her?«
»Vom reichen Karaman«, sagte Branko zögernd.
»Hm, und der hat sie euch einfach gegeben?« Gorian blinzelte erst Branko und dann Zora an.
Branko sagte: »Wir haben sie genommen.«
Gorian tippte ihm wieder gegen die Brust, dann strich er sich über den Bart. »Hörst du das, Andja, sie haben sie genommen, und eben hat er noch geschrien: ›Ich bin kein Dieb.‹«
»Oh«, antwortete Branko. »Ich war selber im Stall. Es waren viele da. Ich glaube, ein paar Hundert.«
Der Alte schmunzelte: »Ich glaube, so hätte dein Vater auch gesprochen, Branko, und auch dein Großvater, den ich noch gekannt habe, aber ob du nun einem, der tausend Hühner hat, ein Huhn stiehlst, oder einem, der nur sechs hat, Diebstahl bleibt Diebstahl.«
»Nein«, sagte Branko und auch Zora schüttelte den Kopf.
Zora fügte noch hinzu: »Auf dem Markt haben sie außerdem gesagt, Karaman sei selber ein Spitzbube.«
Der Alte bewegte seinen Kopf missbilligend hin und her. »Trotzdem habt ihr kein Recht, bei ihm zu stehlen, sonst hätte ja auch jeder das Recht, bei euch zu stehlen, denn ihr seid genau solche Spitzbuben wie er.«
»Ich würde mich schon zur Wehr setzen.« Branko machte eine Faust.

»Ich auch.« Zora zeigte ihre Zähne.
»Nun, darauf könnt ihr euch verlassen«, meinte Gorian, »Karaman setzt sich auch zur Wehr. Aber nicht selber. Er wird, wenn er morgen früh sieht, dass ihm zwei Hähne fehlen, und er sieht es sicher, denn der alte Geizhals zählt den Tag über mindestens dreimal alles, was er besitzt, nach Senj gehen und es der Polizei melden. Übermorgen gehen dann überall die Gendarmen herum, schnüffeln in alle Bratküchen, in alle Hühnerställe, kommen sicher auch zu mir und fragen: ›Gorian, gehören die kleinen Hähne da dir?‹ Und ich werde weder Ja noch Nein sagen können, denn wenn ich Ja sage, werden sie doch Karaman erzählen, dass sie nur bei mir zwei Hähne gesehen haben, und wenn ich Nein sage, werden sie mich mitsamt den Hähnen gleich mitnehmen und mich zwei oder drei Monate einsperren.«
Die Kinder waren nach der langen Rede des Alten recht still geworden und sahen betrübt vor sich hin.
»Na«, Gorian stieß sie diesmal beide an, »was sagt ihr nun?«
»Man könnte sie vielleicht gleich schlachten«, schlug Branko vor.
Zora klatschte in die Hände. »Und am Spieß braten wie gestern Abend. Ich kann das wie kein anderer«, und sie hatte schon den einen Hahn hochgehoben und wollte ihm den Kopf abdrehen.
»Halt«, sagte der Alte aufgeregt, »halt. Nein, auch aus dem Braten wird nichts. Der alte Gorian hat noch nie etwas Gestohlenes gegessen und es würde ihm auch heute nicht schmecken.«
Er wandte sich an Branko: »Wo hast du deinen Sack?«
Branko suchte ihn. Er lag hinter ihm.
Der alte Gorian nahm ihm den Sack ab. »Gib den Hahn her«, sagte er zu Zora und stopfte ihn in den Sack zurück.
»Wo ist der andere?«
Branko hatte ihn schon.
»Hinein mit ihm.« Gorian wickelte noch eine Schnur um den Sack.
»So«, meinte er, »nun nehmt ihr den Sack auf den Rücken und bringt die Hühner zum alten Karaman zurück.«
»Wie sollen wir das machen?«, fragte Branko.
»Das ist eure Sache. Ihr habt sie hergebracht, also bringt sie auch wieder hin. Es wird bestimmt nicht schwerer sein.«
Er war aufgestanden und griff nach seiner Fackel. »Ihr müsst übrigens gleich gehen. Ich muss aufs Meer. Ihr habt mir gestern zwei Stunden Fang gestohlen und heute habe ich auch die halbe Nacht auf

euch gewartet. Wenn ich nicht noch zehn Kilo Fische fange, haben meine Andja und ich die nächsten Wochen nichts zu essen und müssen auch stehlen gehen.«
Er reichte Branko den Sack und schob die Kinder zur Tür.
»Können wir nicht mit aufs Wasser gehen?«, fragte Zora. »Ich war schon oft dabei, wenn sie Fische fingen.«
»Könnt ihr denn rudern?«
Die Kinder bejahten eifrig.
»Hm«, machte der Alte, »das ist sogar ein guter Gedanke. Der alte Orlovic, der mir sonst hilft, hat sich gestern Rheumatismus geholt und liegt im Bett, und wenn wir zu dritt sind, können wir sogar mit den Netzen fischen.«
»Das wäre schön.« Die Kinder strahlten.
»Dann lasst den Sack da. Eure Hühner haben noch ein paar Stunden Zeit, packt dort das kleine Boot und schiebt es ins Wasser.«
Die Kinder stürzten sich jubelnd darauf und einen Augenblick später schaukelte es auf den Wellen.

8

Die Nacht auf dem Wasser

Ein leichter Wind schob den Nebel, der über dem Land gelegen hatte, über dem Wasser zusammen. Dort stand er wie eine Wand, aber er zog langsam weiter nach den Inseln hinüber.
Der Mond strahlte jetzt genauso wie gestern. Die Sterne waren zu sehen und man konnte sogar die Burg von Senj und dahinter die Berge erblicken.
Branko und Zora saßen nebeneinander auf der breiten Ruderbank.
Branko tauchte das rechte Ruder, Zora das linke ins Wasser. Es dauerte eine Weile, bis sie in den gleichen Takt kamen und ihr Boot gleichmäßig vorwärtsschoss.
Der Alte hatte inzwischen das zweite Boot ins Wasser geschoben und folgte ihnen. »Seht ihr da draußen das große Licht«, rief er ihnen zu. »Das ist der Leuchtturm von Rab. Auf den müsst ihr zuhalten.«
Die Kinder tauchten die Ruder schneller ins Wasser. Je weiter sie hinauskamen, umso leichter schien es ihnen, die schweren Hölzer durch das Wasser zu ziehen. Die von einer milchigen Schicht bedeckte Flut war glatt wie Öl und ihr Boot glitt wie ein Pfeil dahin. Nun setzten sich die Kinder, die erst steif und ungeschickt auf der Bank gesessen hatten, auch etwas freier hin. Sie sahen sich um.
Es war recht lustig, so nachts auf dem Wasser zu sein. Wenn sie ihre Ruder in die Flut tauchten, bildeten sich silberne Kreise, und wenn sie sie wieder heraushoben, glänzte alles wie tausend schillernde Perlen.
Wie still es jetzt auf dem Wasser war! Sie hörten nichts als das gleichmäßige Aufklatschen ihrer Ruder und manchmal die Ruder Vater Gorians.
»Wie weit er hinter uns bleibt«, lachte Branko.
»Ich sehe ihn kaum noch«, sagte Zora und nach einer Pause fragte sie: »Hat er dich sehr geschlagen?«
»Es tut schon noch weh, aber wenn ich mich fest daraufsetze, vergeht der Schmerz.«
»Ich wusste gar nicht, was ich machen sollte, als er dich so schlug«, fuhr Zora fort. »Mir war es, als hätte er mich selber geschlagen.«

»Er ist sonst sehr gut«, sagte Branko.
»Ich dachte auch erst, es seien zwei im Stall.«
»Weil er mit seiner Ziege sprach. Ich kenne das. Das macht er immer. Mein Vater sagt, er sei ein wenig närrisch geworden, seit er seine Frau verloren hat, aber sonst sei er der gütigste Mensch der Welt.«
»Du hast noch einen Vater?«, fragte Zora erstaunt.
Branko nickte. »Er heißt Milan und ist der beste Geiger von Senj.«
Zora dachte einen Augenblick nach: »Ich glaube, ich habe ihn schon einmal gehört. Es war im Frühjahr. Er spielte im Hotel ›Zagreb‹.«
»Das kann er gewesen sein«, sagte Branko eifrig. »Im Frühjahr war er das letzte Mal da.«
»Hast du auch noch eine Mutter?«, fragte Zora weiter.
Branko schüttelte traurig den Kopf und ließ einen Augenblick sein Ruder auf dem Wasser schleifen, sodass das Boot scharf nach links glitt. »Nein, ich habe keine mehr«, sagte er dann. »Sie haben sie« – und er betonte das »sie« – »vor drei Tagen begraben.« Zora antwortete nicht darauf, sie versuchte erst ihr Ruder mit dem Brankos in Einklang zu bringen, und erst, als sie wieder eine Strecke zurückgelegt hatten, sagte sie: »Meine Mutter ist schon vor vier Jahren gestorben.«
»Ich glaube gar nicht, dass meine Mutter gestorben ist«, meinte Branko bestimmt. »Sie hat es einfach vor Sehnsucht nach Milan nicht mehr ausgehalten und ist auf und davon gegangen.«
Zora blickte vor sich hin. »Meine Mutter ist aus Sehnsucht nach Albanien gestorben.«
»Seid ihr aus Albanien?« Branko machte große Augen.
»Ja«, sagte Zora. »Ich bin eine Albanierin gewesen, bevor ich in Senj eine Uskokin wurde.«
»Albanien ist weit«, sagte Branko.
»Wir sind mit einem kleinen Boot gesegelt. Es hat vierzehn Tage gedauert, bis wir nach Senj kamen.«
»Warum seid ihr überhaupt fortgefahren, wenn deine Mutter dann solches Heimweh hatte?«
Diesmal vergaß Zora, ihr Ruder durchs Wasser zu ziehen. »Das ist eine lange Geschichte und ich habe sie noch keinem Menschen erzählt.«
Branko blickte das Mädchen an. »Mir kannst du sie ruhig erzählen.«
Zora nickte. »Ja, ich glaube, dir kann ich sie erzählen. Ich weiß nicht,

ich hatte schon das erste Mal, als ich dich über den Markt gehen sah, das Gefühl, dir könnte man alles erzählen, und wie du heute so tapfer warst und nicht wolltest, dass mich der alte Gorian prügelte, dachte ich sogar einen Augenblick, ich möchte einen Bruder haben, der so ist wie du.«
Branko blickte verlegen auf die Seite. Im gleichen Augenblick musste er das Ruder fester nehmen. Sie waren aus der Bucht in das offene Meer gekommen und von rechts kam eine starke Strömung.
Auch Zora bog sich stärker gegen die Bank und nach einigen kräftigen Ruderschlägen hielten sie wieder Kurs auf das Leuchtfeuer.
»In unserem Land«, begann Zora aufs Neue, »herrscht noch die Blutrache. Ich weiß nicht, ob ich es dir richtig erklären kann, aber der Großvater meines Vaters hatte einen aus der Familie der Dhailan getötet und da mussten alle Dhailans schwören, dass sie nicht eher Ruhe halten würden, bis auch einer oder mehrere von unserer Familie tot waren. Ich war noch sehr klein, da wurde mein Vater erschlagen. Daraufhin haben seine Brüder wieder ein paar Dhailans getötet, und die Brüder der Dhailans unsere ganze Familie bis auf unsern Dinco, der damals erst drei Monate alt war, meine Mutter und mich. Da Dinco auch noch getötet werden sollte, ist meine Mutter heimlich mit uns hinunter ans Meer gegangen, hat einem kroatischen Fischer, der gerade mit seinem Boot nach Hause wollte, ein paar ihrer Ketten gegeben und der hat uns nach Senj gebracht.«
»Oh«, machte Branko nur, der allem, was Zora erzählte, atemlos lauschte, »und dann seid ihr in Senj geblieben?«
Zora nickte. »Meine Mutter fand erst Arbeit in der Tabakfabrik. Dann hat sie für Matrosen und manchmal für andere Leute gewaschen und hat ihnen die Sachen geflickt. Aber sie hatte immer Sehnsucht nach Albanien und eines Morgens lag sie im Bett und war tot.«
»Und du und dein Bruder?«
»Dinco ist ein paar Tage später auch gestorben und mich hat man zu den Grauen Schwestern gegeben, weißt du, die ihr Haus in der Josefsallee haben.«
Branko kannte es, auch die grauen, beflügelten Frauen, die manchmal durch die Straßen von Senj huschten.
»Bei meiner Mutter durfte ich machen, was ich wollte; bei den Grauen Schwestern sollte ich den ganzen Tag ›brav‹ sein, schreiben und lesen oder singen und beten. Ich las hauptsächlich in den alten

Chroniken und am liebsten das, was von den Uskoken darin stand, aber als ich das alles gelesen hatte, wurde mir das Leben in dem grauen Haus immer langweiliger und ich ging auf und davon. Zweimal haben sie mich wieder eingefangen und lange eingesperrt, und als sie mich das dritte Mal wieder fanden, sagten sie, wenn ich ihnen noch einmal davonliefe, käme ich in ein Kloster hoch oben in den Bergen, das hätte eine hohe Mauer und da könnte ich nicht wieder heraus. Da habe ich mich etwas besser vor ihnen versteckt, denn ich hatte Angst vor den hohen Mauern, und bin in die Brombeerbüsche gezogen. Ich hatte erst furchtbare Angst so allein im dicken Gestrüpp, besonders nachts, aber dann kam Pavle.«
»So, dann kam Pavle«, wiederholte Branko.
Zora wollte weitererzählen, aber da hörten sie die Stimme des alten Gorian hinter sich. »Könnt ihr nicht mehr?«, rief er und versuchte an ihnen vorbeizufahren.
Den Kindern war es gar nicht aufgefallen, dass sie, während Zora erzählte, erst langsamer und zuletzt gar nicht mehr gerudert hatten.
»Wir können schon noch«, sagte Branko und holte kräftig aus. Zora fasste ihr Ruder auch fester und nach einigen Schlägen hatten sie den Alten bereits wieder hinter sich.
»Es ist noch gut eine halbe Stunde«, rief ihnen Vater Gorian nach, »und behaltet den Leuchtturm im Auge.«
Das Wasser strömte nicht mehr so stark, aber es schlug jetzt kleine Wellen. Sie klatschten gegen das Boot wie Peitschenschläge.
»Der Erste, den du trafst, war also Pavle«, fing Branko wieder an. Zora strich sich eine Strähne aus dem Gesicht. »Ich sah ihn eines Tages unten am Quai. Er war schon so groß wie heute, aber er heulte und das Wasser lief ihm aus Augen und Nase. Ich stieß ihn mit dem Fuß an und fragte: ›Warum heulst du?‹ Da sah er mich aus seinen großen Augen an und schluchzte: ›Mein Vater hat mich verprügelt, hinausgeworfen und gesagt, wenn ich jemals wieder nach Hause komme, schlägt er mich tot.‹ Ich fragte ihn: ›Warum denn?‹ – ›Ich weiß auch nicht‹, antwortete er mir. ›Mein Vater ist Schuster und ich soll ihm helfen und er sagt, ich mache alles kaputt!‹ – ›Machst du denn das?‹, fragte ich ihn weiter. ›Ja‹, sagte er, ›ich muss alles auch immer von innen sehen, wenn ich es von außen gesehen habe!‹
Ich hatte damals schon nicht mehr so viel Angst, aber ich war immer so allein, deswegen sagte ich zu ihm: ›Komm mit mir. Da tut dir nie-

mand etwas und es kann dich auch niemand mehr schlagen.‹ Er hat mich zuerst nur dumm angesehen und dann gesagt: ›Hast du denn auch etwas zu essen für mich? Ich habe den ganzen Tag schrecklichen Hunger.‹ – ›Komm nur‹, habe ich geantwortet, ›ich werde immer satt und da wirst du auch satt werden.‹ Als er schon ein Stück mit mir gegangen war, blieb er noch einmal stehen und sagte: ›Du musst aber auch auf mich aufpassen.‹ – ›Warum?‹, habe ich ihn gefragt. ›Nun, weil ich doch alles kaputtmache.‹ Ich habe laut aufgelacht und gesagt: ›Bei mir bist du sogar am richtigen Platz. Da, wo ich wohne, kannst du alles kaputtmachen.‹«
Branko musste lachen: »Ja, das kann er. Sowohl in der Hecke wie im Turm und es wird sicher noch eine Weile dauern, bis er das alles kaputtgemacht hat.«
»Er ist jetzt ganz nützlich geworden«, meinte Zora, »und klüger, und anstatt alles kaputtzumachen, macht er sogar Quirle und Löffel. Er ist auch unerhört stark und du hast es ja gehört: Er will noch stärker werden.«
Branko lachte wieder: »Und der beste Schwimmer.«
»Spotte nicht«, sagte Zora ernst, »er geht auch noch ins Wasser.« Die Wellen schlugen höher und spritzten ins Boot. Sie mussten vorsichtiger fahren. Branko fragte aber doch: »Kam dann Duro?«
»Nein. Erst kam Nicola. Pavle brachte ihn eines Tages mit. ›Da ist noch einer‹, sagte er, ›der keinen Vater und keine Mutter mehr hat‹, und zog ihn durch das Tor. Wir wohnten damals noch unten in der Burg. Ich fragte ihn, wo er ihn herhabe. ›Er wollte Äpfel stehlen‹, sagte Pavle, ›da habe ich ihn erwischt.‹ – ›Waren es deine Äpfel?‹, fragte ich ihn. ›Nein‹, antwortete Pavle, ›aber es waren die, die ich auch stehlen wollte, und da habe ich ihn erst verprügelt, aber weil er so schrie, habe ich ihm ein paar von den Äpfeln gegeben, und als er dann gleich wieder Witze machte, habe ich ihn mitgenommen.‹«
»Nicola gefällt mir auch«, lachte Branko und er dachte daran, wie sie bei Curcin durch den Kamin gekrochen und das Dach hinuntergerutscht waren. Was hatte doch Nicola damals gesagt? Ach ja: »In der Hölle waren wir schon. Wir können nur noch in den Himmel kommen.«
Zora lächelte auch, obwohl sie nicht wusste, warum Branko so prustete. »Er macht viel Spaß«, meinte sie, »und er hat uns schon oft zum Lachen gebracht, wenn wir weinen wollten.«

»Fahrt jetzt nach rechts«, hörten sie da die Stimme des alten Gorian weit hinter sich. »Ungefähr zweihundert Schläge nach rechts. Wartet dort, bis ich herankomme.«
Zora tauchte ihr Ruder tief ins Wasser und Branko hob das seine heraus.
Das Boot drehte sich wie ein Kreisel, es schlingerte jetzt richtig, und sie mussten sich einen Augenblick aneinander festhalten. Zora packte Branko dabei an der Schulter.
»Halt dich nur. Ich sitze schon wieder ganz fest.« Branko legte zur gleichen Zeit sein Ruder flach auf das Wasser, da hörte das Schaukeln auf.
Die Kinder warteten nun, bis der Alte herankam.
Branko konnte es aber nicht unterlassen, vorher zu fragen: »Und dann kam Duro?«
Zora nickte. »Wir kannten ihn gar nicht und hatten ihn auch noch nie gesehen. Er belauschte uns aber schon eine Zeit und erspähte dabei, dass wir jeden Tag in den Turm gingen. Eines Morgens trat er an uns heran und sagte: ›Ihr müsst mich in eure Bande aufnehmen, sonst verrate ich es dem Begovic, dass ihr hier oben haust.‹ Pavle hatte ihn schon am Hals und sagte: ›Soll ich ihn in den Brunnen werfen?‹«
»Ach!«, rief Branko. »Hätte er es nur getan!«
Zora schüttelte den Kopf: »Nein, es wäre nicht richtig gewesen. Du kennst ihn ja noch gar nicht. Duro ist ein ganz brauchbarer Junge, und wenn wir ihn nicht gehabt hätten, wäre es uns schon manchmal sehr schlecht ergangen.«
»Ich weiß nur, dass er falsch ist«, meinte Branko.
»Vielleicht gegen dich«, gab Zora zu, »aber gegen uns ist er es seit damals am Brunnen nicht wieder gewesen.«
Da ruderte Gorian heran. »Ihr seid wirklich gute Ruderer«, lobte er sie. »Ich bin ganz in Schweiß geraten, um euch nachzukommen«, und er fuhr sich über das Gesicht.
»Was sollen wir nun machen, Vater Gorian?«, fragte Zora.
»Warte es nur ab, Mädchen. Ich muss erst einen Augenblick verschnaufen«, und er holte einige Male tief Luft, während sein Kahn langsam an das Boot der Kinder heranglitt.
»Habt ihr ein Streichholz?«, fragte er dann. Branko hatte noch eines.
»Hebt vorn das Brett hoch.« Er zeigte auf die Spitze ihres Bootes.

»Habt ihr's?«
»Gleich, gleich!«, riefen Branko und Zora.
»Vorn liegen zwei Fackeln. Gebt mir eine herüber. Danke. Die andere steckt in die Gabel, die vor euch steht, und zündet sie an.« Zora machte ihre Hände zu einer Höhle und Branko strich das Holz über die Schachtel. Ein paar Sekunden später loderte ihre Fackel hell auf. Der Alte reichte die seine noch einmal herüber und sie zündeten sie auch an.
»Nun passt gut auf«, erklärte der Alte. »Ich habe hier mein großes Zugnetz. Wir nehmen es zwischen unsere beiden Kähne. Ich binde meinen oberen Teil hinten an meinen Kahn, der untere ist beschwert und fällt nach unten. Haltet die Leine.« Er reichte sie ihnen. »Damit bindet ihr den anderen Teil des Netzes an euren Kahn, aber oben und so, dass das Netz trotzdem tief nach unten fallen kann. Könnt ihr das?«
Branko machte gerade den Knoten.
»Nun lasst euch weiter nach rechts treiben. Das Netz fällt langsam ins Wasser. Wenn die obere Schnur spannt, haltet. Wir treiben dann mit der Flut wieder in die Bucht. Aber redet nicht dabei, wir müssen jetzt still sein.«
Die Kinder nickten eifrig. Sie waren jetzt ganz bei der Sache und ließen ihr Boot langsam abtreiben. Beim alten Gorian klatschte unterdessen das Netz ins Wasser.
»Halt!«, rief er plötzlich. »Jetzt wird es gut sein. Nun haltet immer den gleichen Abstand. Das rechte Ruder zieht ihr am besten ein und passt nur auf das Netz auf.«
Die Kinder taten es und wechselten dabei die Plätze. Branko setzte sich in den hinteren Teil des Bootes und Zora neben die Fackel. Auf Brankos Gesicht fiel der Mond.
»Du siehst ganz durchsichtig aus«, flüsterte Zora leise, »ich kann hinter dir das Wasser und das Boot sehen.«
»Du siehst aus, als fingst du gleich an zu brennen«, antwortete Branko.
Die Flamme der Fackel, die ungefähr in gleicher Höhe wie ihr Kopf flackerte, kam einmal vor und einmal hinter ihrem Gesicht zum Vorschein und umlohte es, als brenne das Gesicht selber.
Sie mussten jetzt sehr genau aufpassen, dass sich die Leine nicht zu straff zog. Sie sahen es an den Korken, die an der Leine waren und die dann über, statt auf dem Wasser tanzten.

Die Kinder spürten, wie die Wellen immer schneller in die Bucht trieben. Manchmal spritzte ihnen das Wasser ins Gesicht, so hoch schlugen sie gegen ihr Boot.
»Ob wohl schon Fische im Netz sind?«, fragte Zora leise.
Aber Branko antwortete nur: »Sei still. Wir sollen doch still sein.«
Er musste schon zum zweiten Male das Steuerruder herumreißen, weil sich die Leine zu straff spannte. Auf einmal sprang ein großer Fisch hoch.
»Hast du es gesehen«, sagte Zora wieder. »Er ist über unser Netz gesprungen.«
Branko musste lachen: »Das hättest du auch gemacht, wenn du ein Fisch wärst.«
Die Boote waren wieder am Anfang der Bucht und trieben hinein.
»Kommt langsam herüber«, rief da der Alte, »und zieht dabei das Netz etwas in euer Boot. Aber wirklich langsam.«
Branko stellte das Steuer schräg und die Kinder zogen zuerst den Strick und dann das Netz zu sich herauf. Es war schwer und sie mussten sich fest gegen die Bootswand stemmen.
Die Boote hatten sich schon ungefähr auf acht Meter genähert und die Kinder zogen immer heftiger an dem Netz.
»Da ist ein Fisch!«, schrie Branko aufgeregt.
»Habt ihr den ersten?« Der alte Gorian beugte sich vor. »Packt ihn und werft ihn hinter euch in das Fass.«
Branko fasste nach dem Fisch, der in einer Masche des Netzes steckte. Er ließ aber dabei das Netz los und die schweren Stricke rutschten mitsamt dem Fisch wieder ins Wasser zurück.
Zora lachte: »Ein Glück, dass das Netz angebunden ist, sonst hätte uns der alte Gorian sicher zum Teufel geschickt. Du musst immer die linke Hand am Netz lassen und die Fische nur mit der rechten Hand herausnehmen.«
Sie zogen wieder. Der Fisch war noch da. Branko packte ihn vorsichtiger. Er war schlüpfrig, und als er ihn zwischen den Fingern hatte, schnellte er hin und her. Er brachte ihn aber doch in das Fass.
Zora fing jetzt auch einen. Er war kleiner als der, den Branko gefangen hatte, und er wäre ihr beinahe wieder entwischt.
Die Kinder hatten nun den größten Teil des Netzes in ihr Boot gezogen und die Kähne kamen sich immer näher. Der alte Gorian schien mehr Glück zu haben. Er packte schon das fünfte oder sechste Mal zu.

»Wir haben erst zwei«, sagte Zora kläglich.
»Passt nur gut auf«, tröstete sie der Alte. »Das Netz ist noch recht schwer. Die größten sitzen unten.«
So war es auch. Plötzlich plätscherten vor den Kindern ein paar große Fische. Sie sahen erst nur die Flossen, aber dann auch die silbrigen Leiber der Tiere. Sie waren zu dick, um mit dem Kopf durch die Maschen zu kommen, und schossen deswegen noch frei im Netz herum.
»Lasst das Netz locker«, rief der Alte, »ich hole sie zu mir herüber.«
Vater Gorian zog und das Netz glitt nun ganz in sein Boot.
»Das sind wirklich schöne Kerle«, sagte er anerkennend und holte den ersten heraus. Er packte auch den zweiten und dritten, aber der letzte, der der größte war, schnellte auf einmal in die Höhe, und ehe sich der Alte versah, war er wieder im Meer verschwunden.
»Futsch«, machte Gorian und sah dem Fisch mit einem komischen Gesicht nach, sodass die Kinder lachen mussten. »Ja, ja«, er kratzte sich den Bart, »diese Viecher sind schlauer, als sie aussehen«, er lachte jetzt auch, »und ich hatte die zehn Dinar für ihn schon in der Tasche.«
Der Alte verschnaufte nun einen Augenblick, während sich die Boote wieder aneinanderlegten.
»Seid ihr nicht müde?«, fragte er die Kinder.
Branko schüttelte den Kopf. »Keine Spur.« Er war es wirklich nicht.
Der Alte zündete sich seine Pfeife an und der Wind trug den würzigen Rauch zu den Kindern hinüber.
»Ist euch auch nicht kalt?«, fragte er weiter.
»Nein, nein.« Die Kinder lachten. »Uns ist ganz warm.«
Die Pfeife wurde ausgeklopft und der Alte griff wieder nach den Rudern. »Dann wollen wir es noch einmal versuchen.«
Die Boote glitten eine Weile die Bucht entlang; aber als sie das Netz herausholten, waren nur vier kleine Fische darin. Nun ruderten sie wieder ins Meer hinaus, dabei waren sie glücklicher und fingen über ein Dutzend.
Der alte Gorian, der sich eine zweite Pfeife gönnte, meinte: »Sie schwimmen jetzt alle zum Ufer. Wenn wir weiter so viel ins Netz bekommen, wird es ein guter Fang.«
Die Kinder machten ihre Sache besser und besser. Sie lernten, wie man das Netz festhaken und mit beiden Händen nach den Fischen greifen konnte, wenn sie für eine Hand zu groß waren. Sie sprachen

auch kaum noch ein Wort und sahen nur nach den Korken oder den Fischen.
Als sie sich das vierte Mal nach dem Meer wandten, stand Branko plötzlich auf.
»Was hast du denn?«, fragte Zora.
»Sieh nur!« Branko zeigte auf das Wasser.
Es war ein seltsames Schauspiel.
Die Kinder spürten schon lange an der beginnenden Helle, dass es tagte und die Sonne bald kommen würde. Jetzt lag ein erster Streifen, der oben ganz spitz war, auf dem Wasser und er kam wie eine Pyramide auf sie zu.
»Das ist die Sonne«, sagte Zora, die das schon oft gesehen hatte, und sie strich ihr Haar, das ihr tief ins Gesicht hing, nach hinten. Branko stand aber immer noch mitten im Boot und schaute in das Licht. Der Strich wurde heller und heller und auf einmal tauchte die Sonne auf. Sie kam wie ein glühender Ballon über die Spitzen der Berge, und der Nebel dampfte um sie, als koche alles unter ihrer Hitze.
»Das ist schöner als das Abendrot, das ich neulich sah«, sagte Branko.
»Warte einen Augenblick.« Zora sah auch in die Glut. »Es wird noch schöner.«
Das große Meer, so weit es die Sonne beleuchtete, wurde in diesem Moment zu fließendem Silber.
Branko hatte noch nie etwas so Schönes gesehen; einige Minuten später wurde das Silber durch die höher steigende Sonne in Gold verwandelt.
»Oh.« Branko stöhnte auf. »Das ganze Wasser ist pures Gold. Wenn ich doch etwas davon hätte.«
»Nimm dir doch etwas davon«, spottete Zora und spritzte ihm eine Handvoll ins Gesicht.
Branko wollte zurückspritzen, aber da rief der alte Gorian: »Kommt! Wir machen Schluss.«
Der letzte Fang war der beste. Branko fing elf und Zora dreizehn Fische und in ihrem Fass plätscherte es, als sei es voll.
»Deck einen Sack darüber«, sagte Zora, »damit uns keiner wieder herausspringt.«
Branko fand keinen, darum legte er ein Brett über die Öffnung.
Der Alte zog wieder das ganze Netz zu sich herüber. Er ließ es vorsichtig in sein Boot fallen und schmunzelte dabei vor sich hin. »Ihr

seid wirklich Glückskinder«, lachte er. »So viel hatte ich schon lange nicht mehr in meinem Fass.«
»Unseres ist auch bald voll«, meldete Zora.
»Dann«, der Alte nahm seine Ruder, »können wir ja ruhig heimfahren.«
Der Wind hatte sich gelegt, die Wellen waren wieder verschwunden, das Meer war noch immer ein großer Bottich mit Gold und sie ruderten in das Gold hinein.
Die Boote waren weit draußen, sie brauchten über eine halbe Stunde, bis sie endlich die Hütte des alten Gorian zu Gesicht bekamen, und noch einmal zehn Minuten, bis ihr Kahn auf dem Sand knirschte.
Zora gähnte: »Ich bin jetzt doch müde.«
Branko streckte sich. »Ich auch. Besonders in den Händen.«
Der Alte hatte diesmal besser mit ihnen Takt gehalten und sein Boot glitt auch schon auf den Strand.
»Kommt!«, rief er. »Wir wollen das Netz gleich aufhängen.«
Er gab ihnen das eine Ende und sie zogen es aus dem Boot heraus.
»Hängt es über die Pfähle!« Er zeigte sie ihnen und im gleichen Augenblick kam er selber und hängte das andere Ende auf.
»Nun holt euren Kübel.« Der Alte blinzelte sie freundlich an. »Wir wollen einmal sehen, was wir gefangen haben.«
Der Alte hob den seinen einfach hoch und schleppte ihn an einen großen Steintisch, neben dem eine leere Wanne und zwei leere Bottiche standen.
Branko und Zora brachten den ihren nicht so leicht fort.
»Wartet, ich komme.« Der Alte half ihnen.
Er schüttete nun beide Kübel in die Wanne, in der etwas Wasser war. Die Fische überkugelten sich, schlangen sich durcheinander und versuchten sich in den Ecken zu verkriechen.
Jetzt sahen die Kinder erst, wie viele es waren. Sie konnten sie kaum zählen. Es war ein lustiges Durcheinander von Köpfen, Flossen und Schwänzen. Im Licht der Sonne sahen sie auch die einzelnen Farben. Jeder Fisch sah anders aus. Das war ihnen noch gar nicht aufgefallen. Der eine silbrig und der andere grau, der dritte glänzte grün und der nächste hatte schwarze Tupfen. Auch ihre Köpfe, Schwänze und Flossen waren verschieden.
Der alte Gorian trat an die Wanne heran und fasste hinein. »Das ist eine Äsche.« Er zog einen der größten Fische heraus. Das Tier war

gefleckt und voller Schuppen, am Rücken war es dunkelgrau, die Seiten glänzten silbern und der Leib war weiß. Schwarze Streifen liefen darum.

Der Alte wog die Äsche in der Hand. »Sie wiegt bestimmt drei Pfund.«

»Woher kennt Ihr die Fische so genau?«, fragte Branko.

Vater Gorian lachte. »Wenn man sein ganzes Leben mit Fischen zu tun hat, kennt man sie natürlich. Äschen gibt es übrigens eine große Menge. Das sind die schwersten.« Er zeigte auf den Kopf und auf die Flossen. »Es ist die großköpfige Meeräsche.«

Er schlug dem Tier mit einem Stück Holz über den Kopf, öffnete den Leib und ließ die Eingeweide nach unten fallen. Den ausgenommenen Fisch schob er auf die Seite.

Er zog einen zweiten aus der Wanne. »Das ist auch eine Äsche. Seht genau hin. Ihr merkt es immer am Kopf und am Schwanz. Kaum ein anderer Fischschwanz ist so tief ausgeschnitten wie der von den Äschen.«

Die nächsten Fische waren Makrelen. Sie waren am lebendigsten und glitschten dem Alten immer wieder davon. Ihre Leiber schimmerten zuerst in allen Farben, aber je länger die Fische an der Luft waren, umso dunkler wurden sie und zuletzt ging der zuerst opalfarbige Schimmer in ein dunkles Olivgrün über.

»Sind noch mehr Makrelen darin?«, fragte der Alte und blickte in die Wanne. »Die tun wir alle in das große Fass. Ich bringe sie erst nach Senj, wenn ich wenigstens ein halbes Hundert habe.«

Der Alte holte nun nacheinander die anderen Fische aus der Wanne heraus. Es waren ein paar schlanke Seebarsche. Sie schlugen um sich und zeigten ihre Zähne. Wie bei Raubtieren bleckte ihr Gebiss auf und sie waren ja auch solche. Vater Gorian sagte: »Das sind die wertvollsten von unserer Beute. Die kommen ins Hotel ›Zagreb‹.«

Zwischen den Barschen lagen Sardellen, Anchovis, wieder Makrelen. Von den Sardellen warf der Alte zwei zurück ins Wasser. »Die nimmt uns doch keiner ab, die sind noch zu klein.« Die Anchovis schimmerten silbern und ihr Kopf war goldig. Die Sardellen glänzten auch wie Silber. Ihr Maul war weit gespalten und ihr Unterkiefer stand etwas vor.

»Oho«, sagte der Alte plötzlich. »Was haben wir denn da gefangen?«, und er hielt einen breiten Fisch in die Sonne. Das Tier war kurz, hoch

und rautenförmig. Die Augen saßen auf der linken Seite und gerade übereinander. Das Maul war groß und die Kinder sahen eine Reihe spitzer Zähne, die bis hinunter in den Schlund reichten. »Der kommt sonst selten ins Netz«, meinte der Alte. »Es ist ein Steinbutt.«
Der Steinbutt kam mit einigen großen Barben, die mit ihren rubinroten Kiemendeckeln, ihren bräunlich gelben Rücken, den weißen Leibern, die wie Perlmutter glänzten, und den goldgelben Streifen, die von den Brustflossen bis zu den Schwanzflossen reichten und außerdem noch zinnoberfarbige Flecken hatten, die schönsten und buntesten Fische waren, in das andere Fass.
»Die hebe ich auch auf«, sagte der Alte. »Die kommen erst am Freitag auf den Markt. Am Freitag kaufen die Senjer auch teurere Fische.«
»Hast du gesehen?«, sagte Zora und stieß Branko an. »Die Barben haben einen Bart«, und sie zeigte auf die Fäden, die an den Kiemen der Barben hingen.
Gorian nickte. »Damit wühlen sie den Schlamm auseinander und scheuchen die kleinen Tiere auf, die sich dort vor ihnen verstecken.«
Der Haufen vor dem Alten wurde größer und größer. Jetzt in der Sonne und so übereinandergeworfen, verloren die Tiere ihre schönen Farben immer mehr und glichen nur noch einem Berg toter Fische, wie ihn die Kinder auf dem Markt schon oft gesehen hatten.
»Schade«, sagte Branko laut.
Der Alte sah ihn an. »Was ist schade?«
»Dass sie nun tot sind. Erst sahen sie viel schöner aus.«
Der Alte nickte: »Ja, die Fische sind schön. Vor allem, wenn man sie gerade aus dem Wasser nimmt. Aber wir müssen alle sterben. Die meisten Fische sind dazu noch Räuber und leben von anderen Fischen, und die keine Fische fressen, fressen Würmer und Krustentiere. Wir sind ja dazu da, um zu fressen oder gefressen zu werden, und ihr müsst kein allzu großes Mitleid mit ihnen haben.«
»Lebend waren sie doch schöner«, sagte Branko noch einmal.
Gorian sah ihn an: »Das sind wir auch, Junge, aber nun kommt.«
Er schob ihnen die Hälfte der Fische hin. »Habt ihr etwas bei euch, um sie mitzunehmen?«
»Wir?«, fragten Zora und Branko erstaunt.
»Ja, ihr. Ihr habt sie doch mitgefangen und die Beute wird bei uns Fischern immer geteilt.«

»Wir haben Euch aber doch nur geholfen.«
Der Alte lachte: »Das ist es ja gerade. Und nicht nur geholfen, sondern ihr wart für das erste Mal sogar recht brauchbare Fischer. Fasst nur zu. Die Fische gehören euch. Oder meint ihr, ich werde ehrliche Arbeiter um ihren Lohn bringen? Genauso wie der alte Gorian kein Spitzbube ist, ist er auch kein Betrüger.«
Da die Kinder noch immer keine Anstalten machten, die Fische einzupacken, nahm der Alte einen Sack und steckte sie hinein.
»Nun nehmt sie«, sagte er noch einmal, »sonst werde ich zornig.«
Zora, die recht verschüchtert und von der Güte des Alten ganz erschüttert war, trat neben ihn und nahm sie.
»Danke«, stotterte sie und dann noch einmal: »Danke.«
Vater Gorian lachte: »Da ist wirklich nichts zu danken. Wenn ihr nämlich nicht gekommen wäret, hätte ich mit der Angel hinausfahren müssen, und ihr könnt sicher sein, dann hätte ich nicht die Hälfte von denen gefangen, die jetzt mein Anteil sind. Nein, ich muss euch sogar danken«, und er schüttelte den Kindern die Hand.
»Dürfen wir dann vielleicht wieder einmal kommen und Euch helfen, Vater Gorian?«, fragte das Mädchen.
Der Alte zwinkerte ihr zu: »Gern. Sagt mir nur eure Adresse, dass ich euch eine Mitteilung machen kann.«
Zora blinzelte zurück. »Kennt Ihr Curcin?«
»Den dicken Bäcker? Wer kennt ihn nicht. Ich hole mir alle drei Tage mein Brot bei ihm.«
»Sagt es dem, der sagt es uns wieder.«
»So, so«, der Alte fuhr sich über seinen Bart, »mehr darf also auch Vater Gorian nicht erfahren?«
Zora nickte. »Die Uskoken sind schweigsam.«
»Na, meinetwegen. Aber geht jetzt. Ich will mich noch eine Stunde aufs Ohr legen«, und er gab ihnen nochmals die Hand.
Sie waren bereits durch das Gartentor. »Halt! Halt!«, rief da der Alte laut. »Ihr habt eure Hühner noch hier.«
»Ach«, stöhnte Zora, »ich dachte schon, Ihr hättet sie vergessen.«
»Nein, nein«, sagte der Alte. »Kommt! Kommt! Sie liegen im Stall.«
Branko holte sie.
»Und liefert sie brav ab«, drohte ihnen der alte Fischer, »und wenn ihr es nicht tut, dann lasst euch nicht wieder beim alten Gorian sehen.«

9

Die Gymnasiasten

Zora trug den Sack mit den Fischen, Branko den Sack mit den Hähnen. Sie wanderten schweigsam dahin. Als das Gehöft des reichen Karaman vor ihnen auftauchte, sah Zora Branko an.
»Wie machst du es mit den Hähnen?«
Branko zuckte mit den Achseln. »Ich weiß es noch nicht.« Darauf setzte er sich hin.
»Wir lassen den Sack einfach hier liegen«, schlug Zora vor.
»Dann merken sie es ja, dass jemand die Hähne stehlen wollte. Nein, wir müssen uns schon etwas Besseres ausdenken.«
Das große Hoftor wurde aufgemacht. Es war aber nicht Karaman, der heraustrat, sondern einer seiner Knechte, ein baumlanger Kerl mit einer roten Mütze. Er stieß auch den zweiten Flügel auf.
Die Kinder krochen in ein Gebüsch und starrten unentwegt zum Gehöft hinüber.
Der Bursche ging zurück. Es dauerte aber nicht lange, da watschelten einige Enten durch das Tor und dahinter, der Gänserich an der Spitze, ein Dutzend Gänse. Sie marschierten alle hinunter zum Bach.
»Sieh!« Zora sprang auf. »Da kommen auch die Hühner.«
Es waren zwei große Hennen und ein Hahn, die neugierig aus der Durchfahrt spähten.
»Gib mir den Sack.« Zora hatte ihn Branko schon weggenommen und schlich langsam von Busch zu Busch auf das Tor zu.
Als sie an den Weg kam, der hinauf zu Karamans Hof führte, machte sie den Sack auf und zog die Hähne heraus. Sie taumelten erst einige Schritte, schüttelten sich dann und richteten sich auf. Der kleinere versuchte bereits zu krähen, und obwohl es noch recht kläglich klang, probierte es einen Moment später auch der andere. Ein paar Hähne aus dem Hof antworteten ihnen, und als hätten die beiden nur auf diese Antwort gewartet, stürmten und flatterten sie wie wild durch das Tor hinein.
Zora kam zurück. Sie lachte über das ganze Gesicht. »Das war einfacher, als ich dachte.«

Die Kinder verteilten die Fische nun in beide Säcke. Es war noch immer kalt und sie setzten sich in Trab. Es schlug sechs, als sie oben an der Burg ankamen. Von der Bande war nur noch Pavle im Versteck. Er saß auf seiner Matte und starrte vor sich hin. Als Zora und Branko eintraten, sprang er erfreut in die Höhe. »Da seid ihr ja!«, rief er immer wieder. »Da seid ihr ja!«
»Wo sollen wir denn sonst sein?«, fragte Zora erstaunt.
»Wir dachten, Karamans Hund hätte euch gebissen und einer seiner Knechte oder Karaman selbst hätte euch erwischt.«
»Woher weißt du überhaupt, dass wir zu Karaman gegangen sind?«, fragte Branko.
»Du hast doch gesagt, dass du zu ihm gehen willst«, antwortete Pavle und nach einer Pause fügte er etwas verlegen hinzu: »Duro hat außerdem gesehen, dass ihr zu ihm hinuntergegangen seid.« Zora sah sich um. »Wo ist er?«
»Er wollte euch suchen gehen.«
»Und Nicola?«
»Der ist wie immer zu Curcin gegangen, das Brot holen.«
Die Kinder warfen ihre Säcke auf die Erde. »Rate einmal, was wir darin haben, Pavle«, sagte Zora.
Pavle hob ihren Sack hoch. »Er ist schwer.« Er schnüffelte. »Und es riecht nach Fischen. Habt ihr Fische darin?«
Zora nickte eifrig. »Beide Säcke sind voll. Hast du Öl?«
»Eine halbe Flasche.«
»Hole sie schnell. Bevor die anderen kommen, müssen die ersten Fische braten.« Branko suchte Holz und Papier und es dauerte gar nicht lange, da prasselte ein Feuer. Zora schob die Pfanne, die sie einmal am Meer gefunden hatte, über die Flammen, legte ein paar Fische hinein, goss das Öl darüber und bald roch der große Raum nach Öl und bratenden Fischen.
Der Erste, der kam, war Nicola. Er freute sich auch, dass Zora und Branko zurück waren, dann schnupperte er aufgeregt. »Und Fische habt ihr mitgebracht?« Er stürzte sich gleich auf den größten. »Sieh nur, da sind noch mehr.« Zora schüttete den anderen Sack aus.
Nicola machte große Augen. »Habt ihr ein ganzes Netz gestohlen?«
Zora schüttelte ihren Kopf, dass die Haare nach allen Seiten flogen. »Wir haben die Nacht mit dem alten Gorian gefischt und er hat uns die Hälfte von dem Fang geschenkt.«

»Was hat er zu euren Hühnern gesagt?«
»Er wollte sie nicht haben. Wir mussten sie wieder zu Karaman zurückbringen.«
Nicola kaute mit beiden Backen. »Und habt ihr das getan?«
Zora und Branko nickten.
Nicola hörte zu kauen auf. »Wirklich?« Dann sah er wieder auf die Fische. »Die langen ja für drei bis vier Tage, so sei euch verziehen.«
»Wir müssen sie trocknen«, sagte Zora nachdenklich. »Frische Fische halten sich nicht lange.«
»Auf der Insel Rab legen sie sie einfach in die Sonne«, meinte Pavle, der das einmal gesehen hatte.
»Ich glaube, wir räuchern sie lieber«, schlug Nicola vor. Zora war auch der Meinung. »Wir braten sie erst etwas an. Pavle macht uns einen Räucherofen und dann hängen wir sie hinein.«
Pavle, der an einer Äsche kaute, starrte Zora an. »Lasst mich wenigstens erst meinen Fisch essen«, stotterte er.
Nicola blinzelte. »Wenn wir nur dann noch etwas zu räuchern haben?«
»Oh.« Pavle stopfte noch eine zweite Äsche in sich hinein. »Ich bin gleich fertig.«
Auf einmal stand Duro hinter ihnen. Er war so lautlos wie immer in den Raum getreten.
Er zeigte auf die Fische. »Die sind vom alten Gorian.«
Zora nickte. Sie war ganz stolz.
»Ich habe gesehen, wie sie euch der Alte geschenkt hat.«
Zora hob ihren Kopf. »Er hat sie uns nicht geschenkt. Wir haben sie gefangen.«
Duro tat so, als habe er das nicht gehört. »Ich war erst bei Karaman und habe euch gesucht, und als ihr dort nicht zu finden wart, bin ich zu Gorian gegangen.«
»Wir sind aber schon lange hier«, sagte Branko und sah ihn an. »Ich habe noch Aprikosen geholt.« Duro warf Zora zwei in den Schoß. »Ich wollte euch auch etwas mitbringen.«
Zora biss in eine Aprikose hinein. Sie spuckte gleich alles wieder aus. »Die sind ja noch grün. Die wir heute Nacht gegessen haben, waren saftiger und reifer.«
Duro antwortete erst nichts, dann sagte er: »Dafür sind meine auch am Tage gepflückt. Der reiche Karaman hat es sogar gesehen.«

Die Bande hörte aber gar nicht darauf. Pavle baute in einer Ecke eine Räucherkammer. Nicola und Branko reihten die Fische auf einen Draht und hängten sie hinein. Zora brachte etwas von dem brennenden Holz herüber und sie versuchten die Fische zu räuchern.
Drei Tage saßen sie nun in ihrem Versteck herum und aßen von den Fischen. Zora ging einmal nach Kirschen, aber sie waren noch nicht reif. Pavle schnitzte, wenn er nicht aß. Nicola besuchte mit Branko seine Tauben, während Duro in seinem Buch las oder gelangweilt vor sich hinstarrte.
Am vierten Morgen, als Pavle wieder Fische holen wollte, sagte Duro, der die ganzen Tage schon brummig gewesen war, grob: »Ich habe die verdammten Fische satt. Ich möchte einmal wieder etwas anderes essen.«
»Du kannst dir ja etwas anderes holen«, blitzte Branko ihn an.
»Das tue ich auch.« Duro sprang auf.
Pavle kam wieder zurück. »Dann hole nur auch für uns etwas. Die vier letzten Fische sind weg.«
Zora kam von ihrer Empore herunter. »Es waren eine Barbe und drei Makrelen. Ich habe sie gestern Abend noch gesehen.«
»Sie sind radikal weg«, sagte Pavle betrübt und zeigte den Draht, auf dem sie aufgespießt waren.
Branko sah sich den Draht an. Außer den Kiemen der Barbe und ihren spitzen Zähnen war von den Fischen nichts mehr zu sehen. »Das war aber keiner von uns«, sagte er, »das waren Ratten.«
Pavle ballte seine Fäuste. »Diese Bande. Ich glaube, ich habe sie gehört. Es muss gegen Morgen gewesen sein, als sie sich die Fische holten.«
»Was soll ich denn besorgen?« Duro war unschlüssig an der Treppe stehen geblieben.
»Ich gehe mit. Wir werden schon etwas finden«, sagte Zora.
Pavle legte einen Finger an die Stirn. »Ist heute nicht Mittwoch?«
»Wahrscheinlich«, antwortete das Mädchen.
»Am Mittwoch kommt Stjepan. Vielleicht hat uns Stjepan etwas mitgebracht.«
»Wir wollen sehen.« Zora ging auch zur Treppe.
»Nimm dich aber in Acht«, rief ihr Nicola nach. »Begovic ist, seitdem du Branko aus dem Gefängnis geholt hast, nicht gerade freundlich auf dich zu sprechen.«

»Woher weißt du das?«
»Curcin hat es mir gesagt. Begovic schnüffle überall nach dir und Branko herum.«
Zora lachte: »Soll er. Die rote Zora fängt man nicht so leicht.« Einen Augenblick später war sie mit Duro verschwunden.
Branko und Nicola räumten die Höhle auf, während sich Pavle wieder an seine Löffel setzte.
Branko setzte sich später neben Pavle.
»Wer ist dieser Stjepan?«, fragte er.
Pavle schnitzte erst seinen Stiel fertig. »Ein Bauernjunge«, antwortete er dann.
»Ihr kennt ihn?«
»Hm«, nickte Pavle.
»Gut?«
Pavle blickte ihn an. »Meinst du, er würde uns sonst etwas schenken.«
Nicola setzte sich zu ihnen. »Frag lieber mich«, lachte er. »Wenn dir Pavle so weiter antwortet, weißt du heute Abend noch nicht, wer Stjepan ist.«
Branko wandte sich an Nicola:
»Also, erzähle.«
»Stjepan ist ein Bursche aus der Nähe von Brinje. Das ist ungefähr vier bis fünf Stunden von hier. Er bringt jeden Mittwoch Butter, Obst und Gemüse in die Stadt. Für die meisten Sachen hat er feste Abnehmer, den Rest bringt er auf den Markt.«
»Ist Stjepan groß?«, fragte er.
»Ungefähr einen halben Kopf größer als du.«
»Hat er schwarze Haare?«
»Schwarze Haare und eine Stupsnase.«
»Hat er vier Esel?«
Nicola nickte eifrig. »Manchmal auch fünf oder sechs. Es kommt darauf an, wie viel Körbe er in die Stadt bringen muss.«
»Ich habe ihn einmal gesehen. Er sprach mit Zora. Es war an dem Tag, wo ich ins Gefängnis kam.«
»Kennst du auch die Gymnasiasten, die in der Josefsallee spielen?«
»Den Sohn von Brozovic, diesen Spitzkopf, den dicken Skalec, den Sohn vom Doktor, und Marculin aus dem Hotel ›Adria‹, die?«
»Ja«, fiel Nicola ein, »und den dicken Müllerssohn, den Sohn von

Karaman, den Försterjungen und den Sohn vom Bürgermeister. Sie legen sich immer auf die Lauer, wenn Stjepan durch die Allee kommt, und treiben seine Esel auseinander. Einmal kamen wir gerade dazu.«

»Ihr! Ihr!« Pavle hob seinen Löffel und sah Nicola blitzend an. Nicola lachte. »Ich weiß schon, du.«

Pavle tippte auf seine Brust. »Ich und Zora.« Ein Grinsen lief über sein Gesicht. »Wir haben sie …«

»… verhauen«, ergänzte Nicola, »und seitdem ist Stjepan unser Freund, und wenn ihm etwas übrig bleibt von seinen Sachen, so schenkt er es uns.«

»Oft«, sagte Pavle wieder, »bringt er uns sogar etwas mit. Mir hat er das letzte Mal Speck mitgebracht und Zora ein Stück Butter.« Nicola lachte lauter. »Ich weiß schon, euch beide liebt er am meisten.«

Nicola und Branko legten sich nun zurück. Der Kleine sang ein Lied und Branko summte mit. Da schoss Zora wieder in ihr Versteck.

»Kommt! Kommt!«, rief sie atemlos. »Die Gymnasiasten sind wieder über Stjepan!«

Nicola war schon aufgesprungen, auch Pavle hatte seinen Löffel auf die Seite geworfen und sich einen Stecken genommen.

»Wir haben gerade von Stjepan gesprochen«, sagte Nicola.

»Ja«, echote Pavle, »ich habe Branko von ihm erzählt.«

Während sie die große Treppe hinabsprangen – ja, diesmal krochen sie nicht durch den Gang –, berichtete ihnen Zora, was passiert war.

»Wir sind über den Markt geschlichen, um nach Stjepan Ausschau zu halten, aber da war er nicht. ›Vielleicht hat er schon alles verkauft‹, sagte Duro, ›wir werden einmal im Hotel ›Zagreb‹ nach ihm fragen.‹ Ich bin über die Zäune und Duro ist durch die Stadt gegangen. Ringelnatz stand vor dem Hotel, und Duro hat ihn nach Stjepan gefragt. Ringelnatz antwortete: ›Stjepan war noch gar nicht da. Er ist auch noch nicht vorbeigekommen.‹ Auf einmal sieht Duro einen seiner Esel über den Platz traben und denkt gleich, da ist sicher wieder etwas passiert. Ich stand schon oben am Tor, als er über den Markt kam, und da sahen wir auch, wie sich Stjepan mit den Gymnasiasten vor dem Garten des Bürgermeisters herumschlug. Wir jagten hinauf, aber Stjepan schrie: ›Holt Pavle, sie sind zu sechst‹, und ich bin sofort wieder umgekehrt, um euch zu holen.«

»Hörst du«, sagte Pavle stolz und stieß trotz des Laufens Nicola in die Seite, »mich soll sie holen.«
»Stjepan wird sich auch freuen, wenn ich mitkomme«, antwortete Nicola und rannte noch schneller.
Kurz vor der Stadt blieb Zora stehen. »Es ist besser, wir trennen uns. Pavle und Nicola rennen durch die Stadt und Branko und ich klettern über die Zäune.«
Pavle brummte nur etwas. Er war schon in den ersten Straßen verschwunden und Nicola stürmte ihm nach.
Zora und Branko jagten den Potoc hinauf, stiegen über Zäune und sprangen durch Gärten.
Als sie ein paar Minuten später über die Mauer äugten, die die Allee von den Gärten trennte, sahen sie, dass sich der Kampf schon dem Ende näherte.
Duro schlug sich noch mit zwei Gymnasiasten herum, während die anderen verschwunden waren. Stjepan selber rief verzweifelt nach seinen Eseln. Einer graste ein Stück weiter oben, zwei standen bei einem Baum, ein dritter und vierter liefen langsam wieder herbei.
Branko und Zora sprangen mit ein paar Sätzen mitten in das Getümmel hinein. Die beiden Gymnasiasten – der eine war der junge Marculin und der andere der Sohn von Doktor Skalec – warteten aber gar nicht ab, bis Zora und Branko sie gepackt hatten, sie liefen davon.
Branko wollte ihnen nach. Zora hielt ihn fest. »Bleib«, sagte sie, »wenn die beiden weiter die Allee hinunterrennen, kriegt sie Pavle und er wird ohne uns mit ihnen fertig. Wir wollen lieber Stjepan helfen, dass er seine Esel wiederbekommt.«
Duro wischte sich über das Gesicht. Er hatte eine Wunde über der Stirn. »Das war ein schwerer Kampf«, stöhnte er.
»Wo sind denn die anderen?«, fragte Zora und versuchte Duro das Blut aus dem Gesicht zu wischen.
»Sie sind im Garten des Bürgermeisters«, sagte Duro leiser. »Eben habe ich sie noch gehört.«
Stjepan hatte bereits drei Esel beisammen, jetzt brachte er den vierten. Sein langes, aufgewecktes und offenes Gesicht war ganz mit Blut und Dreck beschmiert, auch seine Kleider waren blutig und hingen ihm in Fetzen vom Leib.
»Siehst du schlimm aus!« Das Mädchen fuhr ihm ebenfalls mit ihrem Rockzipfel über das Gesicht. Dadurch wurde es nur noch

schlimmer. Zora hatte ihm das Blut von einem Ohr zum anderen gewischt.
»Oh«, sagte Stjepan, »das bisschen Blut macht nichts. Viel böser ist, dass mir immer noch ein Esel fehlt.«
»Dein Esel ist schon auf dem Markt«, tröstete ihn Duro.
»Auf dem Markt?«, fragte Stjepan erstaunt.
»Er stand am Brunnen. Er wird wohl auch jetzt noch dort stehen. Ich will einmal nachsehen«, und er wandte sich zum Gehen.
Duro war aber noch keine zehn Schritte gegangen, da bog Nicola aus dem Tor in die Allee ein und zog den Esel hinter sich her. Er strahlte dabei über das ganze Gesicht, und als er mit dem Tier herankam, sagte er: »Er stand vor dem Hotel ›Zagreb‹ und wollte seinen Salat allein verkaufen, aber als ihm Ringelnatz einen Zehn-Dinar-Schein gab, konnte er nicht herausgeben.«
Alle lachten, auch Stjepan musste lachen, obwohl ihm nicht zum Lachen war.
»Wo hast du denn Pavle gelassen?«, fragte Branko.
Nicola grinste: »Eben hat er den kleinen Marculin in den Brunnen geworfen und der dicke Skalec liegt auch bereits darin. Da habe ich den Esel genommen und mir gedacht: Ich will mir lieber bei euch Arbeit suchen. Pavle wird doch nichts für mich übrig lassen.«
Alle lachten wieder, nur Stjepan war noch traurig.
»Ich weiß nicht, was ich machen soll«, klagte er. »Dem Grauen da«, er zeigte auf das kleinste Tier, »fehlt ein Korb mit Aprikosen. Ich glaube, sie haben ihn gestohlen.«
»Sicher«, bestätigte Duro. »Ich habe gesehen, wie sie ihn forttrugen.«
»Er gehört Ristic«, klagte Stjepan weiter, »und der wird mich erschlagen, wenn ich ihm erzähle, dass mir die Gymnasiasten seine Früchte gestohlen haben.«
»Wo haben sie ihn denn hingebracht?« Zora sah Duro an.
»Da hinein.« Duro zeigte wieder auf den Garten des Bürgermeisters. »Der fuchsige Brozovic trug ihn an der rechten und der dicke Müller an der linken Seite.«
»Dann kommt! Vielleicht können wir Stjepan auch die Aprikosen wiederholen.« Sie stürzte schon auf die Tür zu, und Nicola und Branko folgten ihr.
Duro wollte auch mit.
»Bleib lieber zurück«, rief das Mädchen Duro zu. »Hilf Stjepan seine

Esel wieder beladen. Mit den paar Burschen werden wir auch ohne dich fertig.«
Die Kinder plumpsten in ein Blumenbeet, als sie von dem Tor heruntersprangen.
Hinter dem Beet begann ein langer Laubengang, der mit Rosen, Glyzinien und Wein bewachsen war, und am Schluss des Ganges stand ein kleines Haus.
»Das ist ihr Schlupfwinkel«, zischte Zora Branko zu. »Wir sind schon einmal darin gewesen. Sie haben Federbüsche, Bogen, Pfeile und ein paar Holzbeile an den Wänden.«
Nicola nickte. »Gleich hinter dem Haus ist noch eine Schilfhütte. Die nennen sie ihren Wigwam.«
Zora war schon am Haus. Es stand offen. Sie blickte hinein. Es war aber niemand darin.
»Sie sind sicher im Wigwam«, sagte Nicola. »Kommt, ich führe euch. Es sind nur ein paar Schritte.«
»Wenn du weiter so schreist, sind sie bestimmt nicht mehr darin«, flüsterte Zora.
So war es auch. Als die Kinder um das Gartenhaus bogen, sahen sie die Gymnasiasten über einen Zaun in den Nachbargarten springen.
Der eine blieb einen Augenblick auf dem Zaun sitzen. Es war der junge Ivekovic, ein überlanger Bursche mit einem schmalen, bleichen Gesicht, einem festen Tuchanzug und derben, hohen Stiefeln. Über den Augen saß eine Brille.
»Das ist doch die rote Zora«, sagte er und äugte noch einmal zu den Kindern hinunter.
Ein zweiter, der junge Brozovic, der schon hinter dem Zaun stand und sein fuchsiges Gesicht durch die Latten quetschte, fügte hinzu: »Und der andere, der hinter ihr steht, ist der Bursche, den sie aus dem Gefängnis befreit hat.«
»Ich bin es«, antwortete das Mädchen, hob ein Stück Holz hoch und schleuderte es zu dem Sohn des Bürgermeisters hinauf. Der Bub hatte sich aber schon zu Boden fallen lassen.
»Ich werde es Begovic sagen«, schrie er zurück, »der wird sich freuen, wenn er euch wieder zu Gesicht bekommt.«
Branko und Nicola wollten den Gymnasiasten nach, aber Zora hielt sie zurück. »Lasst sie nur laufen. Mit denen rechnen wir später ab. Wir wollen lieber sehen, wo sie Stjepans Aprikosen haben.«

Vor dem Eingang der Schilfhütte hing eine rote Decke. Sie schlugen sie zurück und traten ein.
In dem kleinen Raum war nichts als der Korb. Die Früchte lagen auf dem Boden. Einige waren zertreten und andere angebissen. Die Kinder sammelten sie eilig wieder ein, aber auch mit den zertretenen und angebissenen wurde der Korb nicht voll.
»Der arme Stjepan«, seufzte Zora, »der halbe Korb wird ihm nicht viel nützen.«
»Ich habe hinter dem Haus einen Baum mit viel schöneren Aprikosen gesehen«, sagte da Nicola. »Pflücken wir einfach von denen noch so viele, bis der Korb wieder voll ist.«
»Wo denn?«, fragte Zora.
»Ich zeige ihn euch.«
In der Nähe des Hauses standen sogar mehrere Aprikosenbäume und die Früchte waren beinahe doppelt so groß wie die, welche in Stjepans Korb lagen.
Nicola kletterte auf einen Baum und Zora und Branko pflückten alle Früchte, die sie von unten erreichen konnten.
Der Korb war schon übervoll und Branko und Nicola wollten ihn gerade zu Stjepan tragen, da hörten sie vom Tor her eine Stimme: »Sie sind noch da.«
Sie sahen hin. Die Gymnasiasten kamen zurück und ein großer Mann mit ihnen.
»Was machen wir jetzt?« Branko blickte sich nach allen Seiten um.
»Wir gehen am besten nach hinten«, meinte Branko. »Dort ist eine Mauer, über die nicht jeder kommt, und hinter der Mauer ist der Bach.«
Die Mauer war sehr hoch und sie wussten nicht, wie sie hinaufkommen sollten.
Zora packte Branko an der Schulter. »Am Haus steht eine Leiter. Wir holen sie.«
Zuerst kletterte Nicola mit dem Korb hinauf, dann Zora und als Letzter Branko. Sie zogen die Leiter nach, schoben sie über die Mauer und ließen sie gerade auf der anderen Seite wieder nach unten, da tauchten der junge Ivekovic, Brozovic, der dicke Müller und der Försterssohn hinter ein paar Haselnussbüschen auf.
»Sie sind schon auf der Mauer«, sagte der junge Ivekovic zu dem Mann.

Dieser, der groß und hager war, einen Spitzbart hatte und eine Brille trug, kam, so schnell ihn seine Beine trugen, nach.
»Das ist der Bürgermeister selber«, sagte Nicola aufgeregt. »Ich kenne ihn. Ich habe ihn schon einmal gesehen.«
Auch Branko kannte ihn. Ja, er war es. Das lange, bleiche Gesicht, die schmalen, weißen Hände, genauso hatte er vor ein paar Tagen im Hotel »Zagreb« gesessen.
Er japste noch vom schnellen Lauf. »Ihr verdammte Bande!«, schrie er, so laut er schreien konnte. »Wie kommt ihr dazu, meine Aprikosen zu stehlen, noch dazu die besten und größten, die ich in meinem Garten habe!«
Branko sah sich den großen, aufgeregten Mann erst einen Augenblick an, bevor er antwortete. »Weil«, begann er zögernd, aber dann immer mutiger und schneller, »weil Ihr Sohn und die anderen da unseren Freund Stjepan verprügelt haben.«
»Sie haben auch seine Esel auseinandergetrieben«, fiel Zora ein.
»Und hier!« Nicola zeigte den Korb.
Da wurde den Gymnasiasten die Sache zu gefährlich. »Glaub ihnen nichts, Vater«, rief der junge Ivekovic.
»Ja, sie lügen!«, sagte Smoljan, der Förstersohn.
»Der große da«, Brozovic zeigte auf Branko, »ist außerdem der Bursche, der neulich dem Begovic davongelaufen ist.«
»Und das Mädchen neben ihm«, stotterte der dicke Müller, »ist die rote Zora, die Begovic auch sucht.«
Der Bürgermeister trat einen Schritt näher. Er sah sich Branko an. »So«, meinte er und zupfte aufgeregt an seinem Bart. »Du bist der Dieb, den Karaman erwischt hat.«
»Ich bin kein Dieb«, antwortete Branko. »Ich habe nur einen Fisch aufgehoben, der auf der Straße lag, aber«, sagte er lauter, »Ihr Sohn ist ein Dieb. Er hat mit seiner Bande unserm armen Stjepan diesen Korb, der voller Aprikosen war, gestohlen!« Und er hob den Korb hoch.
»So.« Doktor Ivekovic schien etwas betroffen. »Und«, fuhr er weniger grob fort, »dass du dich jetzt über meine Aprikosen hergemacht hast, ist auch kein Diebstahl?«
»Nein«, sagte Branko. »Wir haben den Korb ja nur wieder gefüllt.«
»Stopft ihm das Maul, dem Lügner«, schrie der junge Ivekovic laut.
»Ja, stopft es ihm.« Der junge Smoljan nahm ein Stück Holz und warf es zu Branko hinauf.

Der Bürgermeister verbot aber den Gymnasiasten das Werfen und trat noch einen Schritt näher an die Mauer heran.
»Wenn du kein Dieb bist, warum bist du dann aus dem Gefängnis davongelaufen?«
»Weil es nicht schön war«, erwiderte Branko ehrlich.
»Er ist doch ein Dieb!«, schrie der kleine Brozovic. »Mein Vater sagt es auch.«
»Sei du nur still!«, schrie Branko dem kleinen Kläffer wütend zurück, »und sage deinem Vater, wenn er den Sohn von Milan Babitsch noch einmal einen Dieb nennt, erzähle ich allen Leuten, dass seine Gewichte nicht stimmen.«
Der kleine Brozovic wurde rot im Gesicht. »Das sage ich aber meinem Vater.«
»Das sollst du auch«, antwortete ihm Branko, »und sag ihm noch, wir werden es in der ganzen Stadt erzählen.«
Der Bürgermeister war noch einen Schritt näher gekommen und stand nun unmittelbar unter der Mauer.
»Wenn es wahr sein sollte, dass mein Sohn und die fünf anderen Buben eurem Stjepan einen Korb Aprikosen weggenommen haben, warum seid ihr dann gerade in meinen Garten eingedrungen und habt den Korb hier gefüllt? Es war ja immerhin nicht einer, sondern sechs, die ihn gestohlen haben.«
»Weil die Spitzbuben mit dem Korb hier hereingelaufen sind«, antwortete Branko, »und wir ihn hier wiedergefunden haben und weil wir ihn so schnell wie möglich wieder füllen mussten. Wenn Stjepan ohne Aprikosen auf den Markt kommt und sie nicht verkauft, schlägt ihn der Bauer, der ihm die Früchte mitgegeben hat, halb tot.«
»Ich finde es noch immer nicht gerecht«, meinte der Bürgermeister. »Wenn sechs gestohlen haben, müsst ihr auch sechs bestrafen und nicht nur einen, und noch dazu seinen unschuldigen Vater.«
Die Kinder, die nicht merkten, dass sie der Bürgermeister mit diesem Gespräch nur hinhalten wollte, antworteten weiter.
Nicola machte sein pfiffigstes Gesicht. »Das werden wir auch, Herr Bürgermeister, aber bei einem mussten wir anfangen.«
»Ja«, sagten auch Branko und Zora, »wir rächen uns noch an allen.«
»Kommt nur«, rief jetzt der junge Smoljan, der inzwischen mit dem jungen Ivekovic zurückgegangen war und Steine zusammengelesen hatte. Er warf den ersten zu Branko hinauf.

Branko wich aus und der Stein flog an ihm vorbei. Der junge Ivekovic warf besser, aber er traf auch nicht Branko, sondern Stjepans Korb.
Branko suchte den Stein, aber er war wieder von der Mauer heruntergefallen. Er packte deswegen eine Aprikose, zielte und traf Smoljan mitten ins Gesicht.
»Au!«, schrie der und rieb sich den süßen Brei aus Nase, Mund und Augen.
Jetzt begann ein richtiges Bombardement und auch der Bürgermeister konnte es nicht mehr aufhalten. Smoljan, Brozovic, der junge Ivekovic und der dicke Müller warfen mit Holzstücken, Grasbüscheln und Steinen und Branko, Zora und Nicola antworteten mit den Aprikosen.
Branko bekam von dem dicken Müller einen Stein gegen die Hand, Zora wurde so stark von einem großen Grasbüschel getroffen, dass sie das Gleichgewicht verlor und beinahe von der Mauer gefallen wäre. Branko konnte sie im letzten Augenblick noch halten. Nicola ritzte ein Stein an der Stirn, aber es war weiter nicht schlimm.
Branko packte die letzte Aprikose, zielte und traf den dicken Müllerssohn mitten auf den Kopf, sodass er heulend davonlief. Als er aber nach der nächsten fassen wollte, merkte er, dass der Korb leer war. Im gleichen Augenblick fiel ihm ein, wie dumm es gewesen war, mit den Aprikosen zu werfen. Statt die Früchte in Sicherheit zu bringen, damit sie Stjepan verkaufen konnte, hatten sie nun nicht nur die gestohlenen, sondern auch die anderen auf die Gymnasiasten geworfen.
Zora dachte im gleichen Augenblick dasselbe und auch den Gymnasiasten fiel es auf, dass die Kinder auf der Mauer auf einmal erschrocken in ihren Korb sahen.
»Ha, ha«, lachte der junge Ivekovic, »jetzt haben wir unsere Aprikosen wenigstens wieder.«
»Wieso denn?«, fragte der kleine Brozovic dumm.
»Sieh doch, was sie für Gesichter machen. Ihr Korb ist sicher leer.«
Die Kinder sollten aber noch einen anderen Schreck bekommen. Der Bürgermeister war während des Bombardements ein wenig zurückgetreten; nun kam er wieder hinter den Bäumen hervor, aber es war noch jemand bei ihm.
Zora sah den Mann zuerst. »Sieh nur«, sie stieß Branko an.

Branko machte erschrockene Augen. Die dicken Beine, die wurstigen Finger und den Knüppel kannte er doch. Natürlich. Jetzt kamen auch die Hängebacken, der große Bart und die Mütze hinter der Hecke hervor. Es war Begovic.
»Dort oben sind sie, Begovic«, instruierte ihn der Bürgermeister und zeigte auf die Mauer.
Der dicke Begovic ging ein wenig in die Knie und legte die eine Hand über die Augen, als könne er die Kinder noch nicht recht sehen, dann salutierte er vor dem Bürgermeister, schulterte seinen Knüppel und ging mit festen Schritten auf die Mauer zu.
Branko war noch immer bleich vor Schreck, auch Zora machte ein erschrockenes Gesicht. Nur Nicola grinste wie sonst und äugte lustig zu Begovic hinunter.
»Nehmen Sie sie fest, Begovic!«, befahl der Bürgermeister.
Auch die Gymnasiasten riefen: »Nimm sie fest, Begovic. Nimm sie fest.«
Begovic stellte sich auf die Zehen, schob den Kopf wie ein Kranich aus dem Kragen heraus, machte sein grimmigstes Gesicht, wedelte mit seinem Knüppel, aber so hoch er ihn auch hob, bis zu den Kindern hinauf konnte er damit nicht kommen. Er verlegte sich deswegen aufs Brüllen: »Im Namen des Gesetzes«, schrie er sie an, »ihr seid verhaftet!«
Branko tropfte der Angstschweiß von der Stirn, auch Zora hielt sich ängstlich an der Mauer fest, aber den kleinen Nicola schreckte auch Begovics Brüllen nicht.
»Wenn Ihr uns verhaften wollt, müsst Ihr schon heraufkommen, Begovic«, krähte er frech hinunter.
Nun wurde auch Zora mutiger. »Ja, kommt nur herauf, Begovic«, sagte sie und zeigte die Zähne. Selbst in Brankos Gesicht kam etwas Farbe. Die hohe Mauer schützte sie ja wirklich vor dem dicken Begovic und seinem Knüppel.
Begovic sah das auch ein. Er drehte sich um, salutierte wieder vor Doktor Ivekovic und sagte: »Sie lassen sich nicht verhaften, Herr Bürgermeister.«
»Dann holt sie doch herunter!«, brüllte ihn Doktor Ivekovic an. Begovic drehte sich erneut zu der Mauer und versuchte vergebens, an den überkalkten Steinen in die Höhe zu klettern. Sie waren zu glatt, der Gendarm rutschte immer wieder auf die Erde.

»Hier muss doch eine Leiter sein«, erinnerte sich der Bürgermeister und rannte mit dem jungen Smoljan und Brozovic zum Haus zurück.
Begovic starrte inzwischen wütend zu den Kindern hinauf, dann, als sähe er das Vergebliche seines Bemühens ein, veränderte sich sein Gesicht auf einmal. »Kommt um Gottes willen herunter, Kinder«, rief er leise zu ihnen hinauf. »Kommt herunter, der arme Begovic verliert sonst Amt und Brot.«
»Wir kommen schon«, meinte Nicola tröstlich. »Aber wir spazieren lieber auf der anderen Seite hinunter.«
Doktor Ivekovic und die beiden Gymnasiasten kamen wieder. »Die Leiter ist fort.«
»Ich habe sie gesehen«, erinnerte sich der dicke Müller. »Sie sind damit auf die Mauer geklettert und haben sie dann hinübergezogen.«
Nicola lachte noch einmal frech hinunter. »Und nun steigen wir auf ihr wieder hinab«, sagte er und verschwand.
»Ich gehe lieber auch«, lachte Zora, stülpte sich den leeren Korb über den Kopf, zwinkerte Begovic, dem Bürgermeister und den Gymnasiasten noch einmal zu und kletterte die Leiter hinunter. Jetzt stand nur noch Branko auf der Mauer.
Da drehte sich Begovic entschlossen zu Doktor Ivekovic um. »Ich glaube, ich muss schießen, Herr Bürgermeister«, sagte er und nestelte mit seinen Gurkenfingern an seiner Revolvertasche.
»Ja, schieß, Begovic!«, schrien die Gymnasiasten. »Schieß!«
Bevor Begovic seinen Revolver aus der Tasche herausgenommen und sich wieder umgedreht hatte, war die Mauer ganz leer. Auch Branko war verschwunden.

10

In der Försterei und bei den Fischteichen

Die Kinder rannten am Bachufer entlang, schlängelten sich durch die Büsche, kletterten einen Hang hinauf, und noch ehe zwanzig Minuten vergangen waren, standen sie vor ihrer Brombeerhecke. Nicola war etwas zurückgeblieben. Er hinkte.
»Was hast du?«, fragte ihn Zora.
»Ich weiß nicht, ich muss mir beim Sprung von der Leiter den Fuß verstaucht haben. Jedenfalls tut es weh.«
»Komm, kriech erst hinein. Ich werde ihn mir dann ansehen.«
Sie zog die Hecke auseinander, ließ Nicola vorankriechen und kroch, den Korb immer vor sich herschiebend, langsam nach. Als sie an ihrem Lagerplatz ankamen, saß Pavle schon da, blinzelte sie an und lachte über das ganze Gesicht.
»Bist du schon lange hier?«, fragte das Mädchen.
»Eine gute Stunde.«
»Ich dachte, du taufst die Gymnasiasten«, sagte Branko.
Pavle grinste wieder. »Die sind schon getauft, und wenn mich Ringelnatz nicht weggerissen hätte, säßen sie jetzt noch im Wasser.«
Die Kinder stießen ihn an. »Erzähl doch.«
Pavle kratzte sich erst gründlich, bevor er weitersprach. »Da ist nicht viel zu erzählen. Ich rannte mit Nicola über den Markt, dort sahen wir erst Stjepans Esel und dann kamen die beiden Gymnasiasten. Sie rannten auf den Brunnen zu, um sich zu waschen. Ich habe erst Marculin dabei geholfen und später dem Sohn von Doktor Skalec. Auf einmal kam Skalec wieder in die Höhe, fing furchtbar an zu schreien, und ehe ich ihn wieder unter Wasser hatte, war Ringelnatz da und sagte: ›Du ersäufst sie ja‹, und als ich ihm antwortete: ›Das will ich auch, wie junge Katzen will ich sie ertränken‹, hat er mich weggestoßen und die beiden wieder aus dem Wasser herausgelassen.«
»Und was haben sie gesagt?«, fragte Branko weiter.
»Der kleine Marculin hat gespuckt und geniest, als habe er den ganzen Brunnen im Bauch, und der kleine Skalec hat weitergeschrien.«
»Und du?«

Pavle grinste. »Ich habe mich davongemacht. Schließlich waren so viele Leute durch Skalecs Geschrei zusammengelaufen und sie schrien so laut mit, dass ich dachte: Die kommen sicher noch auf den Gedanken und stecken dich auch in den Brunnen. Da bin ich vorher ausgerissen.«
»Hast du wenigstens noch Stjepan gesehen?«, wollte Zora wissen.
Pavle nickte eifrig. »In der Allee. Stjepan wartete noch auf euch. Ihr hättet gesagt, ihr wolltet ihm seinen Korb wiederbringen. Duro war bei ihm. Habt ihr ihm den Korb denn nicht gebracht?«
Zora zog eine Grimasse. »Hier ist er. Aber leer wird er Stjepan auch nichts nützen«, und dann erzählten sie Pavle, was sie inzwischen erlebt hatten.
»Hm«, machte Pavle nur, kratzte sich wieder, sah sich den Korb noch einmal an, ob wirklich keine Aprikosen darin waren, dann meinte er: »Wir müssen ihm wenigstens den Korb wiederbringen.«
»Das müssen wir«, bestätigte auch Zora, »aber wo finden wir ihn?«
»Wir verstecken uns am Ausgang der Allee. Da kommt er vorbei.«
»Gleich?«, wollte Branko wissen.
Pavle war schon aufgestanden. »Ich glaube, es ist besser.«
»Ich kann nicht mit«, jammerte Nicola.
Pavle drehte sich um. »Warum denn nicht?«
»Ich habe mir wehgetan.« Er zeigte auf seinen Fuß.
Pavle und Zora bewegten das Gelenk.
»Au!«, schrie Nicola.
»Es ist nur verstaucht«, sagte der große Junge. »Hast du einen Lappen?«
Nicola hatte keinen, aber Zora hatte einen. Pavle feuchtete ihn an und das Mädchen band ihn straff um das Gelenk.
»Nun leg dich hin«, sagte Pavle. »In einigen Stunden ist es wieder besser.«
»Ihr wollt mich allein hierlassen?«, sagte der tapfere Nicola jetzt recht kläglich.
Zora lachte: »Hier bist du besser aufgehoben als im Turm. Wir holen dich dann wieder ab.«
Von der Hecke bis zur großen Allee waren es zehn Minuten. Sie legten sich oberhalb der breiten Straße in einen Graben und passten auf. Es schlug schon Mittag, als Stjepan endlich mit seinen Eseln kam. Duro war noch bei ihm.

Zora pfiff wie ein Fink, es war eines ihrer Signale, aber erst beim dritten Pfiff antwortete ihr Duro.
Das Mädchen sah die Straße hinauf und hinunter. Nein, es kam niemand. Dann sprang sie aus dem Graben heraus. Pavle und Branko folgten ihr.
»Habt ihr den Korb?«, fragte Stjepan.
Pavle, der ihn getragen hatte, hob ihn hoch. »Es ist aber nichts mehr drin.«
Stjepan nickte kläglich. »Ich habe es mir gedacht.«
Zora erzählte ihm nochmals die ganze Geschichte. »Ist es schlimm?«, fragte sie dann.
»Ich glaube, ja«, seufzte Stjepan und hängte den Korb auf einen Esel. »Ristic wird auf jeden Fall sein Geld für die Aprikosen haben wollen, und wenn ich es ihm nicht geben kann, wird er vor Wut wild und grimmig.«
»Soll ich mit dir gehen?« Pavle schob sich an Stjepan heran.
Stjepan sah ihn an. »Wenn er mich nur verprügelt, das ertrage ich allein, und wenn er etwas anderes mit mir vorhat, kannst du mir doch nicht helfen.«
Die Kinder waren inzwischen von der Allee abgebogen und einer kleinen Straße auf den Berg gefolgt. Unter den ersten Ginster- und Wacholderbüschen, die überall an dem Weg standen, setzten sie sich.
»Was waren die Aprikosen wert?«, fragte Zora.
»Zwölf Dinar sollte ich mir für das Kilo geben lassen, und es waren zehn im Korb.«
»Das ist viel Geld«, sagte Branko.
»Einen Dinar habe ich.« Zora brachte ihn aus der Tasche.
»Ich habe sogar zwei«, sagte Duro.
»Ich habe auch einen.« Pavle zeigte ihn.
Stjepan sah sie nur an. »Vier Dinare nützen mir nichts. Ristic will seine hundertzwanzig und keinen Dinar weniger.«
Die Kinder schwiegen eine Weile und blickten hinab auf Senj. Die Stadt sah in der Mittagssonne beinahe weiß aus. Auch das Meer dahinter hatte seine dunkle Färbung verloren und die Inseln sah man kaum, so dicht umhüllte sie der Dunst, der auf dem Wasser lag.
»Und an allem sind die verdammten Gymnasiasten schuld«, sagte Pavle in die Stille hinein.
»Wir haben ihnen versprochen, uns noch zu rächen«, sagte Branko.

Duro lachte: »Marculin musste sein Vater stützen, so hat ihn Pavle Wasser schlucken lassen.«
Stjepan versuchte zu lächeln. »Skalec wurde auch von seinem Vater heimgebracht. Er schrie noch immer.«
Zora ballte ihre kleinen Fäuste. »Oh, sie sollen noch mehr schreien!«
»Ich möchte es zuerst diesem Försterjungen heimzahlen«, zischte Duro und fasste sich ins Gesicht. »Er war der Schlimmste. Er hat mir die halbe Nase zerschlagen.«
»Kommt doch gleich mit«, riet ihnen Stjepan. »Er ist sicher jetzt wieder daheim. Bis zur Försterei ist es kaum eine Stunde.«
Duro war schon aufgesprungen. »Wollen wir?«
Die Jungen wollten, auch Zora war bereit.
Der Weg stieg in großen Serpentinen immer höher. Steine lagen in der Fahrrinne und das Wasser hatte sie tief ausgewaschen. Rechts standen jetzt anstelle der Ginster- und Wacholderbüsche Kiefern und Birken. Je höher sie hinaufkamen, umso dichter wurden die Kiefern, und die Birken traten wieder zurück.
Auf dem Gipfel des Berges bestieg Stjepan einen Esel. »Ihr könnt es auch versuchen«, sagte er. »Hier auf der Höhe reite ich immer.«
Die Kinder probierten es. Zora und Pavle hatten Glück. Sie trabten bald hinter Stjepan her, als hätten sie schon immer auf Eseln gesessen. Duro und Branko wurden dagegen wieder von ihren Eseln abgeworfen.
Duro hatte ein großes, störrisches Tier. Schon wenn er ihm nahte, schüttelte es unwillig den Kopf, und sobald er sich auf seinen Rücken setzte, lag er wieder auf der Straße.
Brankos Tier war zierlich und nicht ganz so widerspenstig, aber wenn er die Beine um seinen Leib schlang und »Hott!« rief, blieb es stehen, beugte den Kopf und Branko rutschte über den Hals wieder nach unten.
Duro probierte es noch einmal, aber als er das vierte Mal im Staub lag, knurrte er: »Ich gehe lieber zu Fuß.« Er konnte auch gar nicht mehr reiten, der Esel hatte ihn liegen lassen und war den anderen nachgetrabt. Branko presste diesmal die Beine nicht so fest um den grauen Leib, und siehe da, der Esel zottelte dahin. Er trabte aber bald nicht mehr, sondern galoppierte, und ehe er es sich versah, jagte er an den anderen vorbei.
»He«, lachte ihm Stjepan nach, »reite nicht so schnell.«

Auch Pavle lachte und Zora rief: »Branko will immer der Erste sein.«
Branko war aber gar nicht danach zumute. Er wäre viel lieber der Letzte gewesen. Er lag fast auf dem kleinen Tier und presste sich wieder fester an.
Das schien dem Esel aber nicht zu gefallen, er bockte mitten im Galopp und diesmal rutschte Branko nicht von ihm herunter, sondern flog in hohem Bogen durch die Luft.
Er hatte Glück, er fiel nicht in den Staub, sondern ins Gras, und als die anderen herankamen, war er bereits wieder aufgestanden.
Stjepan, der etwas schneller geritten war, meinte, als er herankam: »Er hat dich gerade da abgeworfen, wo wir uns trennen müssen.«
»Biegst du hier ab?«, fragte Branko.
»Nein, ihr. Siehst du das Dach dort unten? Das ist die Försterei. Der kleine Weg dort«, er zeigte in den Wald, »führt hinunter. Ich muss die Straße weiter.«
Inzwischen waren auch Pavle, Duro und Zora gekommen. Die Kinder verabschiedeten sich.
»Willst du unser Geld wirklich nicht?«, fragte Pavle noch einmal.
Stjepan schüttelte den Kopf. »Nein, es nützt mir nichts.«
»Nimm's nur«, bestimmte Zora und drückte ihm die vier Dinar in die Hand.
Die Kinder warteten noch, bis Stjepan, der seine Esel aneinandergekettet hatte, hinter der nächsten Biegung verschwunden war, dann jagten sie den Felsweg hinab.
Er ging steil nach unten und war von Farnen und Ginsterbüschen überwuchert. Manchmal war der Ginster so hoch, dass er ihnen weit über den Kopf reichte.
Das Försterhaus lag vor einem großen Nadelwald. Es war ein einstöckiger, nicht sehr hoher Bau. Vorn sah man vier Fenster, dann kam ein Zaun, hinter dem ein Hund an der Kette rasselte, sonst war es still in dem Gehöft.
Die Kinder waren hinter einer Hecke stehen geblieben und spähten zu dem Haus hinüber. Der Hund hatte sie schon gehört. Er bellte ein paarmal auf.
»Was machen wir jetzt?«, fragte Duro und sah die anderen an.
»Ich gehe einfach ins Haus und frage nach dem Jungen«, erklärte Pavle, »und wenn er herauskommt, packe ich ihn und haue ihm ein paar runter.«

»Und wenn er den Hund auf dich loslässt?«, fragte Zora.
»Ach, der Hund«, winkte Pavle ab.
»Und wenn er seinen Vater ruft?«, sagte Duro.
»Bis der herauskommt, sind wir schon wieder fort.«
»Gut«, sagte jetzt Branko, »machen wir es so. Aber du bleibst mit Duro am Zaun stehen. Ich gehe!« Und bevor noch jemand etwas einwenden konnte, ging er bereits mit großen Schritten auf das Haus zu.
Der Hund bellte lauter und fletschte die Zähne. Branko öffnete das Tor, schritt an ihm vorbei und stieg über eine kleine Treppe zur Haustür. Bevor er aber den schweren Klopfer in Bewegung setzen konnte, ging sie auf.
Branko trat einen Schritt zurück, denn er dachte, es sei der Förstersjunge, der die Tür öffnete, es war aber eine alte, zahnlose Frau.
»Ist Euer Bub da?«, fragte Branko.
Die Alte schob sich ganz vor die Tür, musterte Branko erst eine Weile prüfend, dann antwortete sie: »Nein, Vladimir ist nicht da. Bist du ein Freund von ihm?«
»Ja«, log Branko.
Die Alte sah ihn wieder an. »Gut seht ihr heute alle aus. Vladimir blutete und sein Hemd war zerrissen und du siehst auch nicht besser aus.«
»Wir hatten eine Schlacht«, log Branko weiter.
»Ihr solltet lieber Schularbeiten machen, als euch in den Straßen herumzuprügeln«, maulte die Alte lauter. »Da bleiben auch eure Hemden ganz und ich muss sie nicht jeden Tag flicken.«
»Die Schularbeiten«, sagte Branko so obenhin, »machen wir auch. Aber sagt mir nun wirklich, wo Vladimir ist.«
Die Alte hob erst eine Hand vor die Augen und sah sich suchend um. »Er ist entweder hinten bei den Ställen oder nach der Mühle hinuntergegangen«, sagte sie dann. »Du siehst am besten selbst nach.«
»Dahinten?« Branko zeigte nach dem Wald, in dessen Richtung die Alte gesehen hatte.
»Ja, dort, wo das Gitter ist, hat er sie. Du wirst sie schon finden.«
Sie öffnete die Tür wieder und schlurfte, ohne noch ein Wort zu sagen, in das Haus zurück.
Branko winkte den anderen und erzählte, was er von der Alten erfahren hatte.
»Bei seinen Ställen, sagst du?«, fragte Pavle.

»So hat es wenigstens die Alte gesagt.«
Die Kinder machten um den Hund, der noch immer wild kläffte und beinahe seine Kette zerriss, einen Bogen, schlichen über den Hof, an einem Holzstall vorbei und gelangten in einen Garten. Der hintere Teil, der mit Gemüse bepflanzt war, wurde von einem Drahtgestell abgeschlossen.
Die Kinder dachten zuerst, es sei ein großer Hühnerstall, aber als sie näher herankamen, entdeckten sie, dass es eine Art Gehege war, welches durch Querzäune in verschiedene Gelasse geteilt wurde. »Da ist ein kleines Reh!«, rief Zora erstaunt und zeigte auf das schmale Tier, das sich, erschreckt durch die Kinder, in eine Ecke seines Geheges flüchtete.
»Hier sind zwei Füchse!«, schrie Branko und starrte auf die braunen, spitzköpfigen Gesellen, die mit listigen Augen aus einem kleinen Stall zu ihm heraufäugten.
Duro hatte inzwischen in dem dritten Gehege drei buschige, eilig vor ihm fliehende Eichhörnchen entdeckt und Pavle ein großes Vogelhaus, in dem außer einem Starenpaar einige Meisen, ein Kreuzschnabel und andere Vögel saßen.
»Das gehört wohl alles dem Vladimir«, sagte Branko und versuchte die Füchse zu locken.
»Man kann sogar hinein«, sagte Duro, der den Eichhörnchenstall geöffnet hatte.
»Pass nur auf, dass dir die Tiere nicht ausreißen«, warnte ihn Zora. Aber es war schon zu spät, einer der langschwänzigen Gesellen erspähte die offene Tür, huschte hinaus und schnellte auf den nächsten Baum.
Duro sah ihm verdutzt nach, dann meinte er ruhig: »Ach, sollen sie doch davonlaufen. Dann wird sich dieser Kerl wenigstens ärgern.«
Pavle machte es Duro schon nach. Er öffnete das Vogelhaus und versuchte die Vögel hinauszuscheuchen. Sie versteckten sich aber in den Zweigen, die überall in dem Haus angebracht waren.
»Du musst sie allein herauskommen lassen«, riet ihm Duro. »Sie bekommen sonst Angst.«
Pavle trat ein wenig zurück und tatsächlich, der Star hüpfte heraus, pfiff hellauf und flatterte davon. Einen Augenblick später flogen auch die Meisen heraus. Nur der Kreuzschnabel wollte sich nicht von seinem Haus trennen.

Zora und Branko waren auch zu ihren Tieren gegangen. Während sich aber Zoras Reh ängstlich von einer Ecke seines Stalles zur anderen flüchtete, äugten Brankos Füchse weiter listig aus ihrer kleinen Hütte.
Branko bückte sich und versuchte sie mit einem Knochen ganz hervorzulocken. Plötzlich schoss auch der eine aus der Hütte, aber er schnappte nicht nach dem Knochen, sondern nach Brankos Fingern.
»Du Biest!«, schrie Branko und schlug nach dem kleinen Kerl. Der duckte sich, aber nur, um zum zweiten Mal nach Brankos Hand zu schnappen.
Branko fasste jetzt nach einem Stecken, um sich des Fuchses zu erwehren, da flüchtete das Tier in die Hütte zurück.
Der Junge wollte ihm gerade das zweite Mal zu Leibe gehen, da rief Zora aus ihrem Stall: »Hilf mir doch, das arme Reh rennt sich sonst noch zu Tode.«
Branko ließ die Füchse in Ruhe und ging hinüber zu dem Mädchen. Zora hatte ihre Türe weit geöffnet, aber das kleine Reh, das bei jedem Schritt, den Zora machte, in eine andere Ecke schoss, rannte immer wieder an der offenen Tür vorbei, als sei sie wie sonst geschlossen.
»Komm!«, rief sie Branko zu. »Du musst von rechts und ich von links auf das Tier zugehen.«
Es versuchte aber weiter zu fliehen und erst, als ihnen auch Pavle zu Hilfe kam, konnten sie es fangen.
Pavle warf sich einfach darüber und schlang beide Arme um das kleine, scheue, zitternde Tier.
Zora kam näher und strich ihm über die fliegenden Flanken. »Gott, ist das schön«, staunte sie. »Ich möchte es am liebsten mitnehmen.«
Auch Branko betrachtete es genau: die großen, ängstlichen Augen, das spitze Gesicht, die hellen, beinahe durchsichtigen Ohren. Es sah wirklich schön aus.
»Was soll ich jetzt mit ihm machen?«, fragte Pavle.
Zora ging nach der Tür. »Heb es sorgfältig hoch. Wir stellen es hinter dem Garten auf die Beine. Dann springt es sicher in den Wald.«
Pavle brachte es schon. Das Tier blieb, als es Pavle losgelassen hatte, noch einen Augenblick unschlüssig stehen. Ja, es äugte die Kinder erstaunt mit seinen großen Augen an. Auf einmal schnupperte es; es roch wohl den Wald. Dann setzte es ein paarmal die Füße auf und

probierte, ob sie es auch noch trügen, und ehe sich die Kinder versahen, war es mit einigen graziösen Sprüngen hinter den nächsten Bäumen verschwunden.
»Ob es seine Mutter wiederfindet?«, fragte Zora.
»Ich weiß nicht«, meinte Pavle und Branko sagte: »Ich glaube, es braucht gar keine Mutter mehr.«
Inzwischen war auch Duro herangekommen. »Was habt ihr gemacht?«, wollte er wissen.
»Wir haben das Reh freigelassen«, sagte Zora.
»Meine Eichhörnchen sind gleichfalls alle fort«, lachte Duro, »und«, er wandte sich an Pavle, »deine Vögel auch!«
»Nun müssen wir noch die Füchse davonjagen«, sagte Branko. »Sie wollten einfach nicht gehen.«
Die Buben rannten wieder zurück, aber als sie an den kleinen Holzstall kamen, sahen sie, dass die Füchse die Abwesenheit der Kinder genutzt hatten, um gleichfalls zu verschwinden.
Branko machte große Augen. »Eben waren sie noch da und der eine hätte mich beinahe gebissen.«
»Füchse sind schnell«, lachte Pavle, »sie sind sicher schon über alle Berge.«
Zora hatte inzwischen ein Stück Kreide genommen und schrieb etwas mit großen Buchstaben an das Vogelhaus.
Branko trat näher. »Was machst du da?«
»Lies es doch.« Zora schrieb weiter.
Branko buchstabierte: »Das war die rote Zora und ihre …«
»Bande«, fügte das Mädchen hinzu und setzte einen Punkt hinter das »e«.
»Warum schreibst du das hin?«
Zora lachte. »Das machen wir immer, wenn wir uns an jemandem rächen. Vladimir wüsste ja sonst nicht, dass wir es waren, die seine Tiere freiließen.«
Die Kinder gingen wieder zurück. Der Hund bellte immer noch, sogar lauter als vorher, zog und rasselte an seiner Kette, als wüsste er, was die Kinder hinten bei den Gehegen gemacht hatten. »Kommt«, sagte Duro, den das Bellen beunruhigte. »Ich glaube, es ist besser, wir verschwinden jetzt.«
»Wohin?«, fragte Branko.
»Ich möchte zur Mühle gehen«, sagte Zora.

»Ich auch. Vielleicht können wir noch dem dicken Müllersjungen einen Streich spielen«, meinte Pavle.
»Ich gehe mit«, erklärte Branko.
»Allein gehe ich auch nicht nach Hause«, brummte Duro.
»Also los«, sagte Zora, schnalzte mit der Zunge und rannte in den Wald hinein.
Der Wald war dicht und bestand aus Kiefern, dicken Eichen, Ulmen und Eschen. Um die alten, knorrigen Bäume rankten sich noch Gestrüpp und Efeu in die Höhe.
Die Kinder jagten wie die wilde Jagd um die Bäume, teilten die Büsche mit ihren Händen und schlüpften hindurch, sprangen über Wurzeln und Steine, schnellten um Hecken und über Brombeerranken, kletterten über altes Holz und kugelten sich über Reisighaufen und Grasbüschel. Zora rannte noch immer leichtfüßig – das rote Haar leuchtete wie ein Feuerschein um den Kopf – an der Spitze. Dann kamen Pavle und Duro. Branko war wieder der Letzte.
Da schrie Zora auf. »Seht! Einer von unseren Füchsen!«
Tatsächlich, vor ihnen sprang ein kleiner Fuchs her. Er sah sich manchmal nach den Kindern um, hielt aber sonst einen gleichmäßigen Abstand, bis er in einer dichten Hecke verschwand.
Die Kinder blieben stehen.
»Hier ist er hinein«, sagte Duro.
Pavle wollte ihm mit einem Stein zu Leibe rücken, Branko mit einem Stück Holz.
Zora lachte auf. »Ach, ihr Schafsköpfe. Dort oben ist er schon. Er wollte euch nur irreführen.«
Der kleine Bursche war wirklich nur in das Gebüsch gehuscht, um es sofort auf der anderen Seite wieder zu verlassen, und einen Augenblick später war das listige Tier zum zweiten Mal und diesmal ganz verschwunden.
Die Kinder trabten weiter, stöberten noch zwei Kaninchen und einen großen, schwarzen Kater auf, der sie grimmig anfauchte, bevor er Fersengeld gab, auch einer Fasanenfamilie begegneten sie, zwei Birkhühnern, dann lichtete sich der Wald und sie kamen an einen steilen Hang, der unten in Äckern und Wiesen mündete.
Zora war stehen geblieben. »Dort ist die Mühle.«
Der sehr alte, ehrwürdige Bau lag neben gewaltigen Eschen und war umgeben von vielen Erlen, Weiden und Haselnussbüschen. Wenn

man genauer hinblickte, sah man auch den kleinen Bach, der das Mühlrad trieb, und das große, mächtige, vom Wasser überschäumte Rad.

Vor der Mühle lagen hintereinander drei große Teiche. Der vorderste war der größte; und in dem grünlichen, von Schilf umstandenen Wasser schwamm ein schwerfälliger Kahn, in dem zwei Personen saßen, sonst war weit und breit nichts zu sehen, weder Mensch noch Tier.

Zora starrte schon eine Weile unbeweglich auf den Kahn. »Ich glaube, das sind sie«, sagte sie.

»Wer?«, wollte Pavle wissen.

»Dummkopf, der dicke Müllers- und der Förstersohn.«

Pavle ballte seine Fäuste und wollte sofort weiter.

»Warte, bis die anderen kommen.« Zora hielt ihn fest.

Duro stand schon neben ihnen und eine Minute später keuchte auch Branko heran.

»Seht ihr sie?« Zora zeigte auf den Kahn.

Duro lachte auf. »Alle beide und ganz allein. Na, wartet!«

Branko sah sich den Kahn auch an. »Ich glaube, dort sind sie ganz sicher.« Duro fuhr herum. »Aber sie können, wenn wir den Teich umstellen, nicht heraus.«

»Wir können aber auch nicht hinein«, widersprach Branko. »Das Wasser ist sicher tief.«

»Laufen wir erst einmal zu ihnen hinunter«, entschied Zora den Streit und setzte über den ersten Abhang hinweg.

Die Kinder kugelten, sausten, rutschten und schossen hinter ihr her. Das Mädchen blieb wieder allen weit voraus, nur Pavle, der ihr wie ein Hund folgte, konnte einigermaßen mit ihr Schritt halten.

Die beiden Jungen auf dem Wasser, die gerade nach dem Ufer rudern wollten, hatten die Bande schon bemerkt und stießen ihr Boot eiligst wieder in die Mitte des Teiches.

Die Bande teilte sich kurz vor dem Teich.

Zora und Branko sprangen über eine Wiese nach dem hinteren Teil des Wassers, während Duro und Pavle nach vorn rannten, wo eine kleine Schleuse war, über welche das Wasser aus dem Teich in den Bach floss.

»Jetzt haben wir euch!«, rief Duro laut und hob seine Faust.

»Ha, ha!« Der dicke Müllerssohn stellte sich in die Mitte des Kahnes

und lachte zu ihnen herüber. »Wenn ihr uns haben wollt, müsst ihr schon ins Wasser kommen, und wenn ihr im Wasser seid, gebe ich euch damit«, er hob sein Ruder, »eins auf den Kopf.«
Pavle teilte das Schilf auseinander und wollte trotzdem ins Wasser. Er sank bis über die Knie in einen dicken, zähen Schlamm und Duro musste ihn wieder herausziehen.
Nun lachte auch der junge Smoljan. »Der Erste ist schon beinahe ertrunken.«
»Lach nicht so dumm!«, schrie Duro wütend. »Sonst erzähle ich dir, was wir mit deinen Tieren gemacht haben.«
Der junge Smoljan sprang auf. »Was habt ihr denn mit ihnen gemacht?«
»Wir haben sie freigelassen!«
»Die Eichhörnchen etwa?«, schrie der große Junge aufgeregt.
»Die Eichhörnchen und das Reh! Auch die Füchse und die Vögel!«, schrie Duro hinüber.
Vladimir zeigte erst seine Zähne, dann schüttelte er seine Fäuste. »Oh, ihr Bande! Das Reh fraß mir schon aus der Hand und die Füchse hatte ich erst vorige Woche bekommen. Ist auch der Kreuzschnabel fort?«
»Alle!«, rief nun auch Pavle. »Wir haben alle befreit!«
»Das erzähle ich meinem Vater!«, schrie Vladimir immer wütender. »Ja, das erzähle ich ihm und er soll sein Gewehr nehmen und auf euch schießen und er soll euch ins Gefängnis bringen und er soll«, aber da sagte er plötzlich nichts mehr, sondern sank in den Kahn zurück und heulte.
»Heul nur«, rief Pavle laut. »Stjepan, dem ihr die Aprikosen gestohlen habt, hat auch geheult.«
»Ein zahmes Reh ist doch mehr wert als ein Korb Aprikosen«, sagte der Müllerssohn.
»He, und dass ihr zu sechst Stjepan verprügelt habt, habt ihr wohl schon vergessen?«
»Wir werden ihn auch wieder verprügeln«, heulte der Förstersohn laut auf, »und wie!«
»Jetzt seid erst ihr dran, und wenn wir euch unter den Fäusten gehabt haben, wird es euch vergehen, Stjepan aufs Neue zu überfallen.«
»Wir sind hier sicherer vor euch als daheim«, prahlte der dicke Danicic.

»Aber wir können warten«, meinte Duro und setzte sich auf die Schleuse.
Danicic lachte: »In einer halben Stunde kommt mein Vater; der wird euch schon Beine machen.«
Branko, der das Gespräch mitangehört hatte, kam um den Teich gelaufen. »Glaubt ihr das?«, fragte er Pavle und Duro.
»Es ist schon möglich«, meinte Duro. »Der Müller ist am Markttag immer in der Stadt und geht erst am Nachmittag wieder zurück.«
»Dann müssen wir etwas anderes versuchen, um sie in unsere Hände zu bekommen.«
»Sag nur auch was?«
»Wir nehmen Steine«, mischte sich Pavle ein. Er hatte schon einen genommen, hob ihn und zielte. Er klatschte vor dem Boot ins Wasser.
Der dicke Danicic lachte wieder. »Ihr müsst schon weiter werfen, wenn ihr uns treffen wollt.«
Jetzt warfen auch Duro und Branko, aber ihre Steine trafen noch schlechter.
Auch der Försterssohn hatte sich von seinem Schreck etwas erholt.
»Nicht einmal Steine können sie werfen, die Landstreicher«, sagte er.
»Du bist selber einer!«, rief Duro.
»Und ihr seid Verbrecher!«
»Und ihr Spitzbuben!«
»Und ihr seid Gesindel!«
»Und ihr Vagabunden!«
Die Kinder beschimpften sich immer lauter.
Ihre Worte wurden gröber und gröber, aber so laut Branko und Duro auch schrien, die Schimpfworte trafen die beiden im Boot noch weniger als ihre Steine und sie schimpften weiter aufs Kräftigste zurück.
Da tauchte Zora bei ihnen auf. »So bekommen wir sie nie«, meinte sie.
»Ins Wasser können wir aber auch nicht«, sagte Branko. »Pavle hat es schon probiert.«
Pavle zeigte seine schwarzen Beine. »Es ist alles Schlamm.«
»Ich weiß, was wir machen«, sagte da Duro. »Wir ziehen die Schleuse hoch und lassen das Wasser aus. Wenn das Wasser abläuft, treibt der Kahn heran und wir haben sie.«
Pavle schnalzte mit der Zunge und begutachtete die Schleuse schon.

Sie war sehr einfach. Das dicke Brett, über welches das überschüssige Wasser floss, war auf beiden Seiten zwischen zwei Hölzer geklemmt, man musste es nur hochziehen.
Branko wollte mit zufassen, aber dann sagte er: »Ich glaube, es ist besser, wir machen es nicht.«
Zora blickte ihn an. »Warum?«
»Ich weiß nicht«, antwortete Branko, der wirklich nicht recht wusste, woher seine Bedenken kamen.
»Er hat bestimmt nur Angst«, lachte Duro und sah ihn spöttisch an.
Branko blickte ihm ins Gesicht. Nein, Angst hatte er nicht. Das wollte er Duro auch beweisen. »Nun«, sagte er, »wenn ihr es alle wollt. Komm, Pavle!« Er fasste wieder nach dem Brett.
Er brauchte aber die Hilfe von Pavle gar nicht, das Brett war schon hochgezogen und im gleichen Augenblick drängte das Wasser in einem breiten Strom unter dem kleinen Steg dahin.
Der Müllerssohn musste wohl gesehen haben, was die Bande machte, denn er sagte sehr ernst und sehr erschrocken: »Die Schleuse ist offen.«
»Ja!«, rief Duro laut. »Jetzt bekommen wir euch doch.«
Pavle reckte bereits die Fäuste. »Den Förterssohn will ich haben.«
Branko plagte noch immer ein schlechtes Gewissen, und während die anderen auf den Teich schauten und sich freuten, wie sich der Wasserspiegel senkte und bald da eine Insel, dort ein Stein und hier ein Sumpfloch auftauchte, starrte er weiter in das Wasser, das immer heftiger unter dem Steg davonschoss und über die darunterliegende Wiese gurgelte und quoll.
Aber was war das, was da dick und schwarz, schlank und beweglich mit dem Wasser über die Gräser schoss oder in den schmalen Bach stürzte? Branko sah genauer hin. Es waren Fische. Er packte Zora an der Schulter. »Siehst du sie?«
Zora sah kaum hin. »Ich glaube, es sind Karpfen«, sagte sie. »Der Müller bringt sie immer auf den Markt.«
»Sie schwimmen aber alle davon«, sagte Branko.
»Lass sie nur schwimmen.« Zora blickte bereits wieder nach dem Boot und den Knaben. »Die Hauptsache ist, dass wir Smoljan und Danicic bekommen.«
Das Boot näherte sich durch den starken Sog immer mehr der Schleuse, obwohl sich die beiden Knaben mit einer Stange und ihren

Rudern verzweifelt dagegen wehrten. Aber die Kinder hatten zu früh triumphiert. Auf einmal stoppte es. Es saß auf einer Schlammbank fest. »Verdammt!« Pavle stampfte auf. »Wir bekommen sie wieder nicht!«
»Jetzt können wir sie treffen.« Duro suchte nach einem Stein.
Zora lachte: »Vor allen Dingen können sie jetzt selber nicht mehr heraus. Sie sitzen in ihrem Boot wie in einem Gefängnis.«
Smoljan und Danicic schienen das auch zu spüren, denn sie sahen sich ängstlich nach allen Seiten um, dann rüttelten sie an ihrem Boot, um es wieder flottzubekommen.
»Gebt euch nur gar keine Mühe«, höhnte Duro. »Ihr seid wirklich gefangen«, und er zielte mit seinem Stein. Bevor er ihn aber werfen konnte, hörten die Kinder ein furchtbares Gebrüll hinter sich.
»Ihr verdammtes Gesindel!«, schrie jemand. »Wer hat meine Schleuse aufgemacht?«
Es war Danicic, der vom Markt heimkehrte. Die Kinder hatten den bleichen, rundlichen Mann, den man allgemein die Kugel nannte, gar nicht kommen hören. Jetzt stürmte er, so schnell er laufen konnte, von der Straße her zu ihnen herüber.
Zora, die gerade auch einen Stein werfen wollte, jagte schon davon. Duro und Branko folgten ihr. Nur Pavle stand noch an der Schleuse. Er hatte den Mund offen und starrte dem dicken Mann, dessen Gesicht erst rot, dann bläulich wurde und der einen Stecken schwang und immer lauter schimpfte, entgegen.
Zora drehte sich noch einmal um. »Komm doch, Pavle!«
Nun wandte sich auch Pavle zur Flucht, nicht ohne noch einmal den beiden auf dem Wasser zu drohen. Er war bald wieder neben dem Mädchen und ein paar Minuten später jagten die Kinder den Hang hinauf, zurück in den Wald.
Sie machten diesmal einen großen Bogen um die Försterei. Zora überquerte die Straße, die sie am Mittag heraufgestiegen waren, und lief rechts von ihr eine steile Schlucht hinab. Erst als sie am Grund dieser Schlucht war, verschnaufte sie und ließ die anderen, die sie weit hinter sich gelassen hatte, herankommen.
»Hast du gesehen, wie wütend der Müller war?«, fragte Branko als Erstes, als er keuchend neben ihr saß.
»Ich bin auch wütend«, antwortete Zora, »dass wir sie doch nicht erwischt haben.«

Pavle zeigte seine Zähne. »Und ich erst.«
»Ich weiß nicht«, sagte Branko, »der Müller war noch wütender als ihr.«
»Glaubt ihr«, fragte Duro, »dass sie schon wieder aus dem Teich heraus sind?«
Zora schüttelte den Kopf. »Bis der Teich wieder so voll wird, dass der Kahn schwimmt, kann es Nacht werden.«
Nachdem sie sich eine ganze Stunde ausgeruht hatten, gingen sie langsam zur Stadt zurück. An einem kleinen Obsthang aßen sie Pfirsiche, dann entsannen sie sich Nicolas und eilten nach dem Brombeergebüsch.
Nicola war aber nicht mehr da und sie wollten hinauf in die Burg. Auf einmal rief er sie. Er hatte in einem Wacholdergebüsch gelegen und auf sie gewartet. »Gott sei Dank«, sagte er wie erlöst, »sie haben euch also noch nicht erwischt.«
»Uns?«, sagten Branko und Duro zugleich.
»Ja, euch! Sie suchen euch doch in der ganzen Stadt.«
»Warum denn?«, fragte auch Zora erstaunt.
Nicola sah sie dumm an. »Das wisst ihr nicht! Die ganze Stadt spricht schon davon. Ihr sollt dem Müller den Teich geöffnet haben. Begovic und Dordevic suchen euch überall. Ringelnatz hat mir erzählt: Für dreitausend Dinar Karpfen und Schleien sind dem Müller davongeschwommen.«
Die Kinder waren starr. Auch Zora machte ein erschrockenes Gesicht.
»Ich wusste, dass es eine Dummheit war«, sagte Branko.
»Warum hast du dann die Schleuse geöffnet?«, brauste Duro auf.
»Weil ich kein Feigling sein wollte«, antwortete Branko nur.

11

Gefangen und wieder befreit

Die Kinder konnten das erste Mal nicht schlafen. Branko wälzte sich am unruhigsten auf seinem Lager hin und her. Duro stand manchmal auf und starrte durch eine Schießscharte in die Nacht. Nicola wurde außer von den Fischen auch von seinem schmerzenden Fuß gequält. Nur Pavle schnarchte und rührte sich nicht.
Es wurde Morgen, da stand auf einmal Zora zwischen ihnen. »Warum schlaft ihr nicht?«, fragte sie.
»Wir haben gestern wirklich eine Dummheit gemacht«, sagte Branko.
Zora stülpte die Lippen vor. »Bah«, machte sie. »In ein oder zwei Tagen sind die paar Fische wieder vergessen.«
»Dreitausend Dinar sind eine große Summe«, wandte Nicola ein.
»Eine sehr große«, ließ sich auch Duro vernehmen. »Ich bin dafür, dass wir verschwinden.«
Zora stampfte auf. »Ich fliehe nicht. Wenigstens nicht, bis ich Stjepan an allen Gymnasiasten gerächt habe.« Sie holte von ihrem Lager eine Tafel. Das Mädchen hatte mit Kreide

Danicic
Smoljan
Ivekovic
Skalec
Brozovic
Marculin

daraufgeschrieben. Sie machte durch Danicic und Smoljan einen Strich. »Nein«, sagte sie noch einmal. »Ich fliehe erst, wenn ich auch durch die anderen so einen Strich machen kann.«
»Wir können uns doch später noch an ihnen rächen«, meinte Duro.
Zora wurde wütend. »Ich mache es heute. Ihr könnt ja hierbleiben.«
»Wenn du gehst«, erklärte Branko, »gehe ich natürlich mit.«

Nicola grinste. »Ich auch, und wenn ich meinen Fuß in die Hand nehmen muss.«
Sie warteten noch, bis es aus der Stadt sieben schlug, dann brachen sie auf.
Kurz vor den ersten Häusern trennten sie sich. Pavle musste beim Bäcker das Brot holen. Zora und Duro wollten sich erkundigen, ob der Schaden wirklich so groß sei, den sie angerichtet hatten, und Nicola und Branko sollten inzwischen nach dem kleinen Brozovic Ausschau halten.
»In einer Stunde treffen wir uns wieder hier«, sagte Zora und verschwand mit Duro.
Es war für Branko und Nicola gar nicht einfach, in die Stadt bis zu Brozovic vorzudringen. Zuerst krochen sie das Bett des Potoc entlang, dann schlüpften sie in einen Abflussgraben. Der Graben, der zuletzt in einer Röhre endete, war durch einen Deckel abgeschlossen. Sie mussten sich mit beiden Händen dagegenstemmen, bis er nachgab und sie herauskriechen konnten.
Sie befanden sich jetzt in der Nähe der Sankt-Franziskus-Kirche, unmittelbar hinter dem Café des alten Pletnic in einem Hof. Branko kannte hier jedes Haus, jeden Keller, jede Mauer und jeden Zaun.
»Komm!«, rief er und ging voran.
Die Jungen tasteten sich eine Treppe hinab, kamen in einen Keller, schlüpften durch ein schmales Fenster und waren auf einem zweiten Hof.
Von hier mussten sie durch ein langes Stallgebäude, das gleichzeitig ein Lagerraum für Eisenstücke, Pflugscharen und Feldgeräte war.
»Hier hat der alte Tomislav sein Lager«, sagte Branko.
»Der Schmied?«
»Ja, der Schmied.«
Sie waren an eine Tür gekommen.
Branko äugte zuerst vorsichtig hinaus. Er konnte von da aus den Laden von Curcin, die Werkstatt des Schusters und das Hotel »Adria« sehen.
Curcin stand vor seinem Laden, rieb sich die Hände und sah die Straße hinauf und hinunter. Das Hotel »Adria« war noch geschlossen. Ein paar Bäuerinnen kamen mit ihren Körben vom oberen Markt herunter. Sie gingen hinunter an den Quai. Die Kinder ließen sie noch vorbei, dann überquerten sie eilig die Straße. Ein Torgang

nahm sie auf. Es roch stark nach Maultieren und Eseln und die Kinder hörten sie auch schnauben.
»Mach leise«, zischte Branko und sie schoben sich am Stall vorbei. Der alte Dragan, der Maultiertreiber, sprach mit seinen Tieren. »Oton«, er nannte seine Esel beim Namen, »du Luder, wie hast du geschlafen?« Und als habe er keine Zeit, auf eine Antwort zu warten, fuhr er fort: »Du wirst schon gut geschlafen haben. Aber komm jetzt. Wir müssen heute nach Susak. Das ist eine weite Reise für uns.«
Etwas weiter hinten hörten sie jemanden summen. Es war der Köhler, der hier seine Holzkohlen lagerte und sich nun damit bepackte, um sie in der Stadt auszurufen.
Der Gang führte in ein schmales Hofgeviert. Es war der Hof eines alten Uskokenpalastes. Von allen Seiten konnte man aus mit zierlich gemeißelten Säulen geschmückten Fenstern in den Hof sehen. Eine breite Freitreppe führte auf der linken Seite in den Palast hinauf. Wo die Treppe in den Palast mündete, standen zwei große, steinerne Löwen. Der Hof war jetzt das Lager des alten Susic, des Lumpenhändlers. Alles, was niemand mehr in Senj gebrauchen konnte, lag hier herum. Altes Eisen, Töpfe, kaputte Matratzen, Papier, leere Konservenbüchsen und was es sonst an ähnlichen Dingen gab.
Der alte Susic, sein rotes Käppchen über dem bärtigen Gesicht und den alten Kaftan über dem dünnen Leib, stand vor einem großen Haufen und sortierte Knochen in einen Sack.
Die Kinder warteten, bis Susic den Sack gefüllt hatte und ihn in einen Keller zog. Seine rote Kappe war kaum darin verschwunden, da jagten sie die Freitreppe hinauf, an den Löwen vorbei und kamen in einen großen Saal.
Auch hier hatte sich der alte Susic niedergelassen, aber in dem Saal war seine »bessere« Ware, alte Öfen, Kessel, die noch zu gebrauchen waren, Stühle, die man wieder leimen konnte, Kleiderfetzen und bunte Bilder.
Branko war an eines der Fenster getreten, die an der Hinterseite des Saales nach einem anderen Hof gingen. Er winkte Nicola, der sich noch recht erstaunt die Bilder und die verschiedenen Möbel besah.
»Siehst du«, Branko zeigte in die Tiefe, »das ist Brozovics Hof.«
Der Hof war genauso ein Geviert wie das, durch welches sie eben geschlichen waren, er war nur ein wenig schmaler und viel länger.
Auf der vorderen Seite ragte Brozovics Haus in die Höhe, auf der

hinteren war ein Lagerraum. Im Hof selber lagen Körbe und Berge von Kisten.
Sie blickten eine Weile schweigend in den Hof hinunter.
Nicola stieß Branko an. »Was wollen wir nun tun?«
»Ich weiß nicht. Wir sollten doch nur nachsehen, ob Brozovic im Haus ist.«
Da hörten sie Stimmen.
»Das kann er sein«, flüsterte Nicola und die Kinder duckten sich.
Tatsächlich, da kam dieser kleine Bursche mit seinem Fuchsgesicht und er zog noch einen anderen Gymnasiasten hinter sich her.
»Komm! Komm!«, sagte Brozovic leise.
»Ich komme schon«, brummte der andere, der viel größer und wohl auch älter als Brozovic war.
»Schrei doch nicht so.« Der Kleine legte einen Finger an den spitzen Mund. »Du weißt doch, mein Vater darf es nicht wissen.«
Der Große nickte nur mürrisch und verzog sein langes, bleiches Gesicht.
»Kennst du ihn?«, flüsterte Branko Nicola zu.
»Ich glaube, es ist der junge Karaman«, antwortete Nicola. »Jedenfalls habe ich ihn oft mit dem alten Karaman zusammen gesehen.«
Branko nickte. Ja, das musste er sein. Er hatte die gleichen Schweinsaugen wie der Alte, auch den schweren, gedrungenen Körper, die schweren Hände und Karamans langsamen, erdhaften Gang. Mit den kurzen, borstigen Haaren und dem käsigen Gesicht ähnelte er einem übergroßen Igel.
Der junge Brozovic schob jetzt an einem der Stapel einige Kisten auseinander, sodass sich eine Öffnung bildete, und kroch hinein. Der junge Karaman schien keine rechte Lust zu haben, Brozovic in das Loch zu folgen, und erst als ihn das Fuchsgesicht noch einige Male rief, kroch er ihm nach. Gleich danach schob Brozovic die Kisten wieder vor.
»Was sie wohl dadrin machen?« Nicola blinzelte Branko an.
»Wir können ja horchen.« Branko saß schon auf dem Fenstersims und ließ sich vorsichtig hinunter. Nicola folgte ihm.
Sie gingen auf den Kistenberg zu.
Branko legte sein Ohr an die vorderste Kiste, aber er hörte nur ein heiseres Flüstern.
Nicola kroch um den Stapel herum. »Hier hört man es besser.«

Die Lauscher konnten jetzt sogar jedes Wort verstehen.
»Ich gebe dir zwölf Bonbons für die deutsche Fünfzig-Pfennig-Marke, Franjo«, hörten sie Brozovic flüstern, »und für die englische Zweieinhalb-Penny bekommst du eine halbe Tafel Schokolade.«
»Was willst du mir für die zwei Holländer geben?«
»Zeig sie mir einmal.«
Karaman schien sie ihm zu zeigen, denn sie hörten Brozovic schnalzen.
»Vielleicht auch eine halbe Tafel Schokolade?«
»Für die Holländer will ich wie neulich für die beiden Franzosen eine Büchse Ölsardinen«, sagte der junge Karaman.
»Bist du verrückt?«
»Billiger lasse ich sie nicht.«
»Ich kann doch nicht schon wieder eine Büchse Ölsardinen stehlen«, jammerte das Fuchsgesicht.
»Da hast du ja noch drei.«
»Die habe ich Skalec für ein paar Norweger versprochen.«
»Dann gib ihm nur zwei«, entschied Karaman.
»Meinetwegen«, seufzte Brozovic, »aber nun steck alles gut ein, damit mein Vater nichts merkt.« Branko und Nicola sahen sich an.
»Ich glaube, jetzt kommen sie wieder heraus«, flüsterte Nicola.
Branko blinzelte nur und schob sich ganz hinter die Kisten. Nicola duckte sich tiefer und so blieben sie regungslos liegen.
Brozovic tauchte als Erster wieder auf. Er pfiff laut, als ob nichts geschehen sei. Dann kam der junge Karaman. Sie schlenderten langsam über den Hof in das Haus zurück.
»Was machen wir nun?«, fragte Nicola, als die beiden durch die Hoftür verschwunden waren.
»Schafskopf, jetzt sehen wir nach, was Brozovic alles in seinem Versteck hat«, antwortete Branko und schob die Kisten auseinander.
Der kleine Krämersbub schien sich eine Räuberhöhle gebaut zu haben. Hinter den ersten Kisten kam ein schmaler, langer Gang zum Vorschein, der aus zwei weiteren Kisten bestand, aus denen Boden und Deckel entfernt waren, dann kamen sie in eine größere Kiste, in der die Jungen sitzen konnten.
»Siehst du was?«, fragte Nicola.
Branko verneinte. »Sie müssen aber vorhin hier Licht gehabt haben«, meinte er. »Sie haben sich doch die Marken angesehen.«

Nicola klaubte ein Streichholz aus der Tasche. Es flammte auf. In der großen Kiste standen verschiedene kleine Kisten und auf einer entdeckten sie eine Öllampe. Nicola zündete sie an. Nun sahen sie sich weiter um.
Als Erstes entdeckten sie in einer Kiste vier Tafeln Schokolade. In einer anderen fanden sie die beiden Büchsen Ölsardinen, von denen Brozovic gesprochen hatte.
»Sieh!«, jauchzte Nicola auf, »hier hat er auch Zigaretten und Tabak und da ist eine Angelschnur.«
Branko hatte zur gleichen Zeit Bonbons, Marzipanstangen, Pfefferminzdrops, eine Tüte mit Mandeln und eine mit Rosinen erwischt.
»Dieser Spitzbub«, knurrte er. »Er hat ja seinem Vater den halben Laden ausgeräumt.«
In einem Karton fanden sie noch Kerzen, Streichhölzer, eine Taschenlampe und zwei kleine Messer. Sie rafften alles zusammen, stopften es in die Taschen und unter das Hemd und krochen vorsichtig wieder aus dem Kistenberg heraus.
Im Haus war noch alles still, sie kamen genauso schnell wieder in den Lumpenhof und ein paar Minuten später waren sie am vereinbarten Treffpunkt. Pavle, Zora und Duro waren schon da.
»Seht, was wir haben!« Branko fasste in die Taschen und zog alles heraus.
Nicola zeigte seine Ölsardinen und auch den Tabak und die Zigaretten. Zora sprang auf. »Ich glaube, ihr habt Brozovic den ganzen Laden gestohlen.«
»Nein«, lachte Nicola, »seinem Sohn.«
»Seinem Sohn?«
Nun erzählten sie, dass der kleine Brozovic in den Kisten seines Vaters ein Diebeslager hätte. »Und das haben wir ein wenig ausgeplündert.«
»Großartig«, rief Pavle und schlug sich auf die Schenkel.
Sogar Duro lobte sie.
»Habt ihr auch hingeschrieben, dass ihr es wart?«, fragte Zora.
Nicola schlug sich an den Kopf: »Das haben wir vergessen.«
Zora war ärgerlich. »Jetzt wird er sonst irgendwen verdächtigen.«
»Wir können ja noch einmal hingehen«, schlug Branko vor, »wir finden sicher auch noch mehr.«
»Gehen wir«, sagte das Mädchen nur.

Auf dem Weg durch den Wassergraben erzählte Zora von ihrer Erkundungsreise.
»Es scheint tatsächlich schlimm zu sein, dass wir den Teich ausgelassen haben. Überall schimpft man auf uns. Oben an der Allee suchen sie noch mit Netzen und Kannen nach den Fischen. Der Müller hat Begovic und drei andere Männer aufgeboten und sie scheinen noch ziemlich viele im Bach und auf den Wiesen zu finden.«
»Es ist also doch besser«, meinte Branko, »wenn wir für eine Weile verschwinden.«
»Ich habe ja auch nicht dagegen gesprochen«, verteidigte sich Zora. »Ich bin nur dafür, dass wir uns erst an allen Gymnasiasten rächen, bevor wir ausreißen.«
Als sie aus dem Kanal in die Höhe stiegen, wären sie beinahe erwischt worden.
Eine Frau stand in dem Hof und hängte Wäsche auf die Leine. Sie war aber so erschrocken, als sich der Deckel hob und zuerst Zoras roter Schopf und dann Brankos schwarzer erschien, dass sie laut schreiend davonlief.
»Schnell! Schnell!« Branko ließ den Deckel wieder fallen und sie stürmten in den Keller.
Auch bei Brozovic mussten sie vorsichtig sein. Einmal kam der Gehilfe des Krämers und brachte eine neue Kiste aus dem Laden, ein anderes Mal kam Brozovic, die Hände in den Westenausschnitten, über den Hof, schnupperte mit seinem Fuchsgesicht überall herum, und erst, als er wieder verschwunden war, konnten sie in den Hof steigen und in den Kistenberg eindringen.
Zora fand noch eine Tüte mit getrockneten Pflaumen und zwei mit getrockneten Pfirsichen, auch einige Rollen Biskuits waren noch da und Cremestangen, die sie sich unter die Bluse stopfte.
»Wo schreiben wir unseren Namen hin?«, fragte Branko.
»Einfach an die Wand.« Zora holte ein Stück Kreide aus ihrem Rock und schrieb schon.
Als sie herauskrochen, hörten sie noch einmal Schritte, aber es war wieder nur der alte Brozovic, der ins Lager ging, und sie warteten, bis er zurückkam.
Pavle, Nicola und Duro hatten sich inzwischen über die Schokolade und die Ölsardinen hergemacht.
»So gut habe ich lange nicht gegessen.« Nicola leckte sich die Finger ab.

»Ich auch nicht«, echote Pavle, dem die ölige Brühe von Mund und Kinn auf das Hemd tropfte.
»Ich habe noch Pflaumen und Pfirsiche«, sagte Zora und zeigte sie, »aber die heben wir lieber auf, falls wir wirklich heute oder morgen fortmüssen.«
Die Kinder brachten nun alle Sachen in die Burg und Zora strich auf ihrer Tafel auch Brozovics Namen aus.
»Wen hast du denn noch alles?«, fragte Branko.
»Ivekovic, Marculin und Skalec.«
»Ivekovic haben wir doch die Aprikosen gestohlen«, wandte Nicola ein.
»Um sie ihm dann wieder an den Kopf zu werfen.« Zora schüttelte ihre Mähne. »Nein, das zählt nicht.«
»He!«, meinte da Pavle, »Marculin und Skalec sind aber getauft worden.«
»Das zählt auch nicht. Wir müssen sie so strafen, wie wir Vladimir und den dicken Müller gestraft haben. Wenn die Uskoken schon strafen, strafen sie richtig.«
Am Nachmittag verteilten sie sich wieder. Branko und Pavle sollten nach dem jungen Skalec Ausschau halten. Duro und Nicola beim Hotel »Adria« nach Marculin suchen und Zora wollte unten am Park aufpassen, wo die Gymnasiasten manchmal um diese Zeit zu finden waren.
Pavle und Branko lungerten zwei Stunden vor dem Haus des Doktors herum. Sie hatten lange kein Glück. Endlich trat der kleine Skalec heraus.
Sein bester Anzug blähte sich über dem prallen Bauch, auf dem kugligen Kopf saß wie ein roter Pilz seine Schülermütze und seine Stiefel glänzten, als hätte er sie mit Sonnenstrahlen gewichst.
Branko duckte sich sofort, als er ihn erblickte, aber Pavle war so erstaunt über den geputzten Skalec, der sich wie ein Pfau zierte und drehte, als er auf die Straße trat, dass er ihm verwundert nachstarrte.
Die Kinder warteten, bis Skalec hinter der nächsten Straßenbiegung verschwunden war, dann folgten sie ihm.
Der Knabe ging über den Quai nach dem Kastell hinüber, bog in eine kleine Gasse ein und war für einen Augenblick verschwunden. Als er hinter dem Häusergeviert wieder auftauchte, war der schmächtige Marculin zu ihm getreten, der dort auf Skalec gewartet hatte. Er

steckte auch in seinem besten Anzug und auf seinem kleinen Kopf saß ein neuer Strohhut.
Die beiden Gymnasiasten gingen über die Brücke, die über das Bachbett des Potoc führt, und stiegen in das kleine Gehölz, das sich hinter dem Kastell bis zur Burg hinzieht.
Hier war es gar nicht schwer, jemandem zu folgen. Überall standen Ginsterbüsche, Krüppelkiefern, dicke Wacholderstöcke, Brombeeren und anderes Gesträuch.
Die Gymnasiasten waren schon den halben Berg hinaufgestiegen, als sie stehen blieben und ihre Köpfe entblößten.
Pavle, der am weitesten vorgekrochen war, drehte sich um und grinste Branko an. »Sie haben ein Rendezvous«, kicherte er.
Branko kroch neben ihn. Tatsächlich, auf einer Bank, von der man eine weite Aussicht über die Stadt und das Meer hatte, saßen zwei Mädchen.
Branko kannte sogar die eine. Es war die Tochter der Wirtin aus dem Hotel »Zagreb«. Sie war schmal, bleich und trug schwarze Kleider; ihr Vater war erst vor einigen Monaten gestorben. Die andere war größer und älter, beinahe schon eine junge Dame.
Marculin hatte sich nach seiner Verbeugung neben die Mädchen gesetzt, während der junge Skalec wie ein Hahn vor ihnen auf und ab stolzierte.
Branko stieß Pavle in die Seite. »Kriechen wir näher.«
Sie schoben sich leise zu einem Haselnussgebüsch, sprangen dann hinter einige Himbeerstauden und schlängelten sich zu einem Ginsterbusch, von wo aus es kaum noch zehn Schritte bis zu der Bank waren.
Jetzt konnten sie die Gymnasiasten und die Mädchen auch hören. Skalec war der Lauteste. Er sprach von ihnen.
»Ihr glaubt, wir haben Angst vor der roten Zora und ihrer Bande? Ha, ha!« Er drückte seinen Bauch noch stärker heraus. »Wenn ihr meint, dass Skalec Angst hat, dann täuscht ihr euch.«
Der junge Marculin sagte etwas leiser: »Nein, wir haben keine Angst.«
Das ältere Mädchen sah die beiden Jungen spöttisch aus ihren großen, hellen Augen an. »Sie haben euch doch ins Wasser geworfen«, meinte sie.
»Sechs gegen einen!«, krähte Skalec laut. »Sechs gegen einen! Ist es dann eine Schande, wenn man ins Wasser geworfen wird?«

»Nein«, antwortete das schwarze Mädchen und sah den dicken Skalec bewundernd an.
Skalec sprach lauter und spreizte sich weiter: »Ich habe es ihnen außerdem, als ich wieder aus dem Wasser heraus war, ordentlich gegeben. Den einen«, seine kurzen, dicken Arme schossen hin und her, »habe ich an der Brust genommen und ihn auch ins Wasser geworfen, zwei andere hinten am Hals gepackt, sie so lange mit den Köpfen zusammengeschlagen, bis sie wie zwei angestochene Schweinsblasen zusammensanken, und die drei Übrigen haben gar nicht gewartet, bis ich über sie hergefallen bin; als ich sie gleichfalls packen wollte, waren sie schon verschwunden.«
»Oh«, sagte das schwarze Mädchen nur.
Da ließ sich auch der kleine Marculin vernehmen, dem es zu viel wurde, wie der dicke Skalec aufschnitt. Er sprang auf. »Sie sind nicht vor dir davongelaufen. Ich habe sie in die Flucht geschlagen. Dem einen habe ich die Hand herumgedreht, dem anderen mit der Faust ins Gesicht geschlagen, der Dritte wollte mich packen, aber ich konnte ihn noch gegen das Schienbein treten, und als du mit deinen dreien fertig warst, war ich auch mit den meinen fertig. Und«, er spreizte sich noch mehr als der dicke Skalec, »sie haben einen so heillosen Schrecken vor uns bekommen, dass wir sie bis heute noch nicht wieder zu Gesicht bekommen haben.«
»Oh«, staunte das schwarze Mädchen wieder und machte den Mund auf. Das große Mädchen lächelte aber und sah die beiden Hähne spöttisch an.
Auch Branko und Pavle lächelten. »Hast du das gehört?«, fragte Pavle. »Solche Aufschneider!«
Branko nickte.
»Wie findest du es, dass Skalec behauptet, wir hätten ihn zu sechst in den Brunnen geworfen?«
Branko lächelte wieder: »Marculin hat ja noch viel mehr geschwindelt.«
»Ich möchte am liebsten vorspringen und die beiden Kerle noch einmal ins Wasser werfen.«
Branko legte Pavle die Hand auf die Schulter. »Wart nur. Ich möchte erst hören, was sie den Mädchen noch erzählen.«
Die Größere war aufgestanden. »Nun«, meinte sie, und ihr Gesicht wurde noch spöttischer, »so groß kann aber ihr Schrecken nicht ge-

wesen sein. Sie haben doch gestern Vladimir und Ivo auf dem Teich eingeschlossen und mein Vater hat mir erzählt, dass sie der Müller erst gegen Abend wieder herausholen konnte.«

Skalec brachte das nicht aus der Ruhe. »Vor mir haben sie eben mehr Angst als vor dem dicken Müller und vor Vladimir.«

»Du meinst wohl vor uns«, mischte sich Marculin wieder ein.

Skalec musterte den mageren Marculin, der immer etwas ängstlich auf seinen zu dünnen Beinen stand. »Ich weiß nicht, wie stark du bist«, sagte er dann, »aber ich weiß, dass ich die ganze Bande, wenn sie jetzt hier wäre, genauso an den Hälsen packen würde wie gestern, und ich würde sie so lange hin- und herschütteln, bis kein Knochen mehr an ihnen ganz wäre.«

»Und ich«, flötete der kleine Marculin, so laut er flöten konnte, »würde ihnen einfach einen Tritt geben, dass sie durch die Luft bis hinunter nach Senj flögen.«

Das war zu viel für Pavle, und bevor ihn Branko zurückhalten konnte – denn er hätte gern noch eine Weile zugehört –, war er vorgesprungen und stand zwischen ihnen.

Es war lustig und zugleich komisch, wie das Auftauchen des großen Pavle unter der kleinen Gesellschaft wirkte.

Skalec schreckte zusammen, als habe ihn jemand auf den Kopf geschlagen. Marculin wurde weiß wie eine Wand und zitterte. Auch die Mädchen bekamen einen leichten Schreck. Die Schwarze machte große, ängstliche Augen, während sich bei dem kleinen Fräulein der Schreck bald in eine leichte Neugier verwandelte. Jedenfalls sah sie den großen, zerlumpten Pavle ruhig an.

Pavle tippte Skalec gegen die Brust, was Skalecs Angst noch vermehrte. »Uh«, jammerte er. »Uh.«

»Du wolltest mich doch packen und hin- und herschütteln«, sagte Pavle und trat noch näher an den Gymnasiasten.

Skalecs Jammern wurde zu Stöhnen.

Pavle wandte sich deswegen an Marculin. »Und du wolltest mich in den Hintern treten.« Er drehte sich halb herum: »Tu's doch.«

Der kleine Marculin jammerte noch lauter als Skalec: »Das habe ich nicht gesagt. Nicht wahr«, er wandte sich an die Mädchen, »das habe ich nicht gesagt!«

Das kleine Fräulein starrte Skalec und Marculin nur an. »Ihr Feiglinge«, sagte sie dann verächtlich und lachte laut auf.

Skalec schien diese Verachtung einen Augenblick aus seiner Angst zu reißen, jedenfalls jammerte er weniger heftig; als nun aber Branko hinter dem Ginster hervortrat, wurde sein Jammern sofort wieder lauter. Pavle sah Branko an und kratzte sich dabei unschlüssig am Hals. »Was machen wir mit diesen Jammerlappen?«
»Tut ihnen nichts!« Auch das schwarze Mädchen war aufgesprungen und versuchte, sich zwischen Skalec und Pavle zu schieben.
Pavle fasste sie vorsichtig an den Schultern und schob sie auf die Bank zurück. »Wenn sie nur aufgeschnitten hätten«, sagte er, »würde ich sie vielleicht laufenlassen, aber sie haben gelogen. Ich habe sie ganz allein in den Brunnen geworfen.«
»Du bist ein Lügner!«, schrie da Skalec und im gleichen Augenblick machte er einen Sprung, aber nicht auf Pavle zu, er schoss und kegelte den kleinen Hang hinunter, kam wieder auf die Beine und raste davon. Branko wollte ihm nach, aber Pavle hielt ihn fest. »Nein, bleib bei dem Kleinen, mit Skalec muss ich abrechnen«, und er rannte dem dicken Buben nach.
Branko war mit den beiden Mädchen und Marculin allein. Er stieß den schmächtigen Gastwirtssohn gegen die Brust, dass sein Strohhut auf die Erde rollte. »Was soll ich nun mit dir anfangen?«
Marculins Augen wurden immer größer. Er hatte schon Tränen darin. »Wenn du mich schlägst, schreie ich.«
»Schrei nur!« Branko hob ihn hoch und legte ihn über die Bank.
Da packte ihn jemand fest an der Schulter. Er drehte sich um. Es war das große Mädchen.
Sie blinzelte ihn an. »Du bist wirklich noch gemeiner als die anderen.«
»Warum?«
»Siehst du nicht, dass der kleine Rista vor Angst beinahe stirbt!«
Branko versuchte die Hand des Mädchens abzuschütteln. »Als sie alle zusammen über unseren Freund Stjepan hergefallen sind, hatte er keine Angst. Wir müssen uns dafür rächen.«
Das Mädchen hielt fest. »An Schwächeren rächt man sich nicht.«
»Auch wenn sie mit Steinen nach uns werfen?«
»Dann straft man sie höchstens.«
»Das will ich doch gerade.« Branko versuchte wieder ihre Hand abzuschütteln.
»Siehst du nicht, dass er schon gestraft genug ist. Er macht ja vor Angst in die Hose.«

Branko, der den kleinen Marculin während der ganzen Zeit festgehalten hatte, damit er nicht auch davonlaufen konnte, sah an ihm hinunter. Wirklich, an seinen gebügelten Hosenbeinen bildeten sich nasse Streifen und liefen auf die blankgewichsten Stiefel. Branko lachte und ließ Marculin los. Der Arme erhob sich mühsam und trottete Skalec und Pavle nach.
»Bist du nun zufrieden?« Branko sah das Mädchen an.
»Ja, aber du könntest ›Sie‹ zu mir sagen. Ich werde im Herbst siebzehn.«
»So?« Branko verzog seinen Mund. »Na, meinetwegen.«
Das Mädchen musterte ihn auch. »Bist du der Junge, der aus dem Gefängnis geflohen ist?«
Branko nickte. »Zora hat mich befreit.«
»Das ist das Mädchen mit den roten Haaren?«
Branko bejahte wieder.
»Nehmt euch in Acht«, fuhr das Mädchen fort. »Mein Vater hat gestern dem Müller versprochen, dass er alles tun wird, um euch beide zu fangen.«
Branko versuchte zu lächeln. »Uns fängt man nicht so leicht.«
Das Mädchen blitzte ihn wieder an. »Was mein Vater verspricht, hält er auch.«
Branko wollte gerade fragen, wer denn eigentlich ihr Vater sei, da hörte er aus der Richtung, in die Skalec geflohen war, ein lautes Geschrei.
Er horchte genauer hin. Es waren mehrere Stimmen, die so schrien. Jetzt konnte er sie auch unterscheiden. »Haltet ihn!« – »Haut ihn!« – »Schneidet ihm den Weg ab!«
Die Mädchen horchten ebenfalls.
»Es scheint eine ganze Horde zu sein«, sagte die Größere.
Branko bestätigte es und trat ein paar Schritte vor. Nun sah er, was da unten geschah. Pavle war, gerade als er Skalec erwischt hatte, von einem halben Dutzend Gymnasiasten überrascht worden. Er versuchte zu fliehen, während sie von allen Seiten über ihn herfielen.
Branko wollte gerade hinunterstürzen, als Pavle die Jungen von sich abschüttelte und davonrannte, aber die Gymnasiasten blieben ihm auf den Fersen.
Der eine, es musste der junge Karaman sein, der am Morgen bei Brozovic seine Marken verkauft hatte, war sogar schneller als Pavle und versuchte ihm den Weg abzuschneiden.

Pavle keuchte heran. »Lauf!«, schrie er Branko zu. In dem Augenblick hatte ihn Karaman erreicht und warf sich mit seiner ganzen Schwere über ihn.
Branko sprang dazwischen und riss die klotzigen Hände von Pavle ab, sodass Pavle weiterfliehen konnte. Als sich Branko aber nun gleichfalls zur Flucht wandte und an den beiden Mädchen vorbeischoss, stellte ihm die Schwarze ein Bein, sodass er, so lang wie er war, auf die Erde schlug.
Er musste sich sehr wehgetan haben, denn er wachte davon auf, dass er den dicken Skalec sagen hörte: »Es ist sicher nur eine Ohnmacht. Ich kenne das von meinem Vater.«
Ein anderer, es musste Smoljan, der Sohn des Försters sein, meinte: »Er kann sich auch verstellen. Auf jeden Fall wollen wir ihn fesseln.«
»Seid ihr verrückt?«, hörte er da die Stimme des großen Mädchens. »Er ist ja ganz grün im Gesicht.«
»Das ist unsere Sache«, antwortete darauf eine vierte Stimme, die wohl von dem jungen Ivekovic kam, und im gleichen Augenblick spürte Branko, dass sie ihm einen Strick um die Beine zogen.
Als er das zweite Mal zu sich kam, hoben ihn die Gymnasiasten gerade auf die Bank. Er fühlte sich bis auf einen dumpfen Schmerz im Kopf so leicht wie eine Feder. Er versuchte nach seinem Kopf zu fassen, da merkte er, dass auch seine Hände zusammengebunden waren.
»Er hat sich bewegt«, sagte in diesem Augenblick Skalec und stieß ihn zu gleicher Zeit gegen den Fuß. Branko spürte den Stoß ziemlich heftig und öffnete die Augen.
Sieben oder acht Gymnasiasten standen um ihn herum und sahen ihn mit teils freudigen, teils hasserfüllten Augen an.
»Seht ihr!«, rief der Dicke triumphierend. »Ich hatte recht. Es war eine Ohnmacht.«
»Na, du«, sagte darauf der junge Ivekovic und schlug ihn auf den Kopf, »jetzt haben wir dich.«
Branko spürte den Schlag, als habe ihn jemand mit einem Hammer auf die Hirnschale geschlagen, und er hätte am liebsten geschrien, aber er presste die Zähne zusammen und verbiss den Schmerz.
Auch die anderen kamen nun näher.
»Das ist der«, Danicic wälzte sich gegen ihn, »der den Teich aufgemacht hat!« Und er stieß ihn in die Seite.
»Er war sicher auch mit dabei, als sie meine Tiere herausließen.«

Das große, kühne, aber von Hass verzerrte Gesicht von Smoljan tauchte vor Branko auf und er schlug ihm ins Gesicht.
Da schob sich das fuchsige Gesicht des kleinen Brozovic vor. »Er war sicher auch bei denen, die mich heute Morgen bestohlen haben«, geiferte er unmittelbar vor Brankos Gesicht und fuhr ihm mit allen zehn Fingern darüber.
»Sie haben dich bestohlen?«, fragten der junge Karaman und Marculin zu gleicher Zeit.
»Alles, was da war, haben sie weggeschleppt«, jammerte Brozovic laut, »und an die Wand haben sie ›Die Bande der roten Zora‹ geschrieben.«
»Das stand auch an meinem Stall«, sagte Smoljan und schlug wieder nach Branko.
Der Arme ertrug alles, so gut es sich ertragen ließ, obwohl ihm jeder Puff und jeder Schlag doppelt wehtat. Er fühlte sich auch schon wieder so kräftig, dass er heimlich an den Fesseln zu rütteln versuchte, aber sie waren fest, wenigstens die an den Händen.
»Was machen wir nun mit dem Kerl?«, fragte der junge Ivekovic, schob die anderen wieder auf die Seite, stellte sich groß vor Branko auf und funkelte ihn durch seine Brillengläser an.
»Ich will vor allem meine Sachen von ihm wiederhaben«, keifte Brozovic und versuchte sich Branko aufs Neue zu nähern.
»Vor allem werden wir ihn erst einmal gründlich verprügeln«, sagte Smoljan und suchte sich eine Gerte.
»Ja«, schrie der dicke Skalec, der seinen Mut wiedergefunden hatte, »verprügeln wir ihn.«
Die ganze Rotte umringte Branko und der Junge hatte schon die Augen geschlossen, um alles über sich ergehen zu lassen, da hörte er aufs Neue die Stimme des großen Mädchens.
»Wie viele seid ihr! Acht gegen einen. Schämt ihr euch nicht!«
»Du sollst dich nicht um unsere Sachen kümmern!«, rief der junge Ivekovic laut und versuchte das Mädchen zurückzudrängen.
»Doch«, sagte sie, »und ehe ich zulasse, dass ihr alle über den einen herfallt, müsst ihr erst mich verprügeln.«
»He!«, machte Skalec, »vorhin hat sie nichts gesagt, als sie über mich hergefallen sind.«
»Schweig lieber«, höhnte das Mädchen laut, »sonst erzähle ich in ganz Senj, wie du dich benommen hast.«

»Wie denn?«, wollten der junge Ivekovic und Karaman wissen.
»Jedenfalls waren die beiden anständiger als ihr«, sagte das Mädchen hart.
»Ich habe nichts davon gemerkt«, knurrte Skalec.
»Du auch nicht?« Das Mädchen wandte sich an Marculin.
Der Kleine stotterte nur. »Ich habe ihm ja auch noch nichts getan.«
»Das wollte ich dir auch nicht geraten haben«, knurrte das Mädchen.
Branko zerrte während des Streites weiter an seinen Fesseln, aber sie saßen wirklich fest. »Ach«, stöhnte er, »wenn nur wenigstens Pavle käme.« Er konnte sich nicht vorstellen, warum ihn Pavle in dieser Patsche sitzenließ. War er einfach weitergeflohen? Das machte doch Pavle nicht. Er drehte sich um. Vielleicht war er sogar in seiner Nähe und wartete nur auf einen günstigen Augenblick, um ihm zu Hilfe zu kommen.
Aber er sah niemanden und senkte traurig den Kopf.
»Wenn Zlata kein Blut sehen kann«, mischte sich jetzt Smoljan in den Streit, »bringen wir den Burschen in euren Garten.«
»Ja«, schrie Skalec begeistert, »und dann schließen wir ab und lassen die Mädchen draußen.«
»Dort können wir ihn sogar an unsern Marterpfahl stellen!«, schrie Brozovic auf und geiferte wieder.
»Ich schieße mit unsern Pfeilen nach ihm«, sagte Marculin.
»Wir können auch unsere Äxte nehmen«, jauchzte der dicke Müller.
»Ja, ja, in den Garten«, schrien nun auch die anderen. Sie waren von Smoljans Vorschlag begeistert.
»Ich gehe inzwischen zu Begovic«, sagte das schwarze Mädchen, »und erzähle ihm, dass ihr einen von der Bande habt.«
»Lass dir aber Zeit!«, rief ihr der junge Ivekovic nach. »Wir wollen ihn mindestens eine Stunde am Marterpfahl haben.«
Branko sollte gehen, er konnte aber nur kleine Schritte machen.
»Wir müssen ihm den Strick von den Füßen nehmen«, meinte der junge Karaman, »sonst kommen wir heute nicht mehr hin.«
Brozovic bückte sich und schnitt die Stricke auseinander. »Aber passt gut auf«, warnte er die anderen, »dass er uns nicht davonläuft.«
Karaman packte ihn an der rechten, der junge Smoljan an der linken Seite. »Wir haben ihn fest«, sagten sie und stießen ihren Gefangenen weiter.

Sie waren aber noch nicht dreißig Schritte gegangen, da hörte Branko das laute »Kiwitt!« einer Elster.
Endlich! Er atmete auf. Das war die Bande, und sicher waren außer Pavle auch die anderen dabei, denn so gut und laut konnte nur Zora die Elster nachmachen.
Er schritt langsamer vorwärts und stöhnte, als fiele ihm das Gehen schwer.
»Was hast du?«, fragte Smoljan.
»Ich weiß nicht«, ächzte er, »mein Bein.«
»Ich trete ihn in den Hintern«, krähte der dicke Skalec, »dann wird er schon schneller laufen!« Er tat es. Im gleichen Augenblick flog er auf die Seite.
Die Bande war da, Zora an der Spitze. Der Zweite, der nach dem dicken Skalec den Hang hinunterkugelte, war Marculin, dann stürzte sich Zora auf Smoljan. Inzwischen waren Pavle, Nicola und nach einer Weile auch Duro gekommen.
Diesmal waren die Gymnasiasten tapferer als sonst, besonders der junge Karaman schlug wild um sich. Zuerst hatte sich Nicola an ihn gehängt, aber er packte Nicola, hob ihn hoch und schleuderte ihn auf die Seite. Auch Duro wurde einfach von ihm hochgehoben und Nicola nachgeworfen.
Die beiden kugelten gegen Skalec und Marculin, die gerade wieder nach oben klettern wollten, und sie balgten sich nun am Fuß des Hanges weiter.
Zora prügelte sich immer noch mit Smoljan, der, groß und stark, wie er war, sich tapfer zur Wehr setzte, während sich an Pavle der junge Ivekovic, Brozovic und der junge Müller gehängt hatten. Der junge Karaman sah sich nach einem neuen Gegner um, und da er sah, dass schon drei an Pavle hingen, warf er sich auf Zora.
Er packte das Mädchen von hinten und presste sie fest an sich. Zora, die eben noch mit einer gewissen Ruhe gegen Smoljan geboxt hatte, bekam ein wütendes, wildes Gesicht. Sie versuchte sich loszureißen, spuckte, kratzte, biss und stieß den bleichen Jungen gegen die Schienbeine, aber Karaman hielt fest.
Jetzt wandte sich auch Smoljan wieder gegen sie.
Branko sah das alles aus einigen Metern Entfernung. Er zerrte heftig an den Fesseln. Er versuchte seine Hände zu bewegen. Er wollte die Stricke zersprengen, aber es war vergeblich.

Er sah, wie Zora immer hastiger keuchte, wie Karaman sie mit seinen schweren Händen fester und fester an sich presste, wie Smoljan die Hände des Mädchens packte, um sie mit seinem Gürtel zusammenzubinden, und er wollte sich schon mit den gefesselten Händen auf Smoljan werfen, als er eine Stimme hinter sich hörte.
»Halt still!«
Wer war das?
Nicola und Duro prügelten sich immer noch mit Skalec und Marculin, und Pavle war mit den drei anderen beschäftigt. Er versuchte sich umzudrehen, aber die Stimme flüsterte wieder: »Du sollst stillhalten.«
Branko hielt viel zu gern still. Auf einmal spürte er, wie seine Hände freier wurden, dass er sie ballen konnte, und in der nächsten Sekunde waren sie ganz frei.
Es war allerhöchste Zeit. Zoras wilde Augen waren schon halb geschlossen. Sie keuchte nur noch und Smoljan hatte ihr seinen Gürtel bereits fest um die Arme gezogen.
Branko sah sich aber doch rasch um, ehe er Smoljan auf den Rücken sprang: Es war das große Mädchen, das sie Zlata nannten, das ihm geholfen hatte.
Smoljan stürzte durch Brankos Sprung über den Haufen. Im gleichen Augenblick hatte Branko den Gürtel von Zoras Händen gerissen und hängte sich nun mit ganzer Kraft an den jungen Karaman. Karaman ließ Zora gleichfalls los, aber nur, um Branko zwischen seine starken Arme zu nehmen.
Branko war noch recht schwach, und Karaman hob ihn genauso leicht hoch, wie er Duro hochgehoben hatte, aber ehe er ihn wieder auf die Erde werfen konnte, packte ihn Pavle.
Ja, Pavle war endlich mit seinen Gegnern fertiggeworden. Brozovic und der dicke Müller wanden sich auf der Erde. Brozovic hielt sich die Nase und heulte und Danicic lief, sobald er wieder auf den Beinen stand, schreiend davon. Ivekovic aber hatte einen Schlag gegen die Brust bekommen, lehnte an einem Baum und stöhnte.
Pavle hatte auch mit Karaman Mühe. Der große, starke Knabe war beinahe so kräftig wie er selber und Pavle musste ihn erst zweimal zu Boden werfen, bis er sich ergab.
Inzwischen hatte Zora Duro und Nicola geholfen und Branko hatte sich Smoljan noch einmal vorgenommen und wälzte sich mit ihm am Boden.

»Dort kommen Begovic und Dordevic«, sagte da das große Mädchen, das noch immer in der Nähe der Streitenden stand und der Rauferei interessiert zugesehen hatte.
Die Kämpfe hörten sofort auf. Alle sahen hinunter. Tatsächlich, das schwarze Mädchen kam zurück und hinter ihr Begovic und Dordevic und ein paar andere Männer.
»Jetzt müssen wir verduften«, sagte Nicola.
Branko und Zora waren auch der Meinung, nur Pavle konnte immer noch nicht von den Gymnasiasten lassen.
»Komm!« Zora riss ihn von Smoljan los, auf den er sich gestürzt hatte, nachdem Karaman den Kampf aufgegeben hatte.
»Er soll auch noch meine Fäuste spüren«, rief Pavle.
»Du sollst kommen!« Zora wurde wütend.
Duro und Nicola waren schon hinter den ersten Büschen verschwunden. »In den Turm!«, rief Zora ihnen nach. Da kam Pavle endlich. Branko hatte noch immer Mühe zu gehen und Zora und Pavle mussten ihn stützen.
»Warum seid ihr eigentlich so spät gekommen?«, wandte er sich an Pavle.
»Duro wollte nicht.«
»Duro?«, fragte Branko erstaunt. »Wir waren doch nur zwei.«
»Als du den großen Kerl von mir weggerissen hattest«, erzählte Pavle hastig, »bin ich einfach weitergelaufen. Ich dachte, du folgst mir, und erst als ich oben auf die Höhe kam, merkte ich, dass ich allein war. Ich wollte sofort wieder zurück, da kam Duro hinter einem Busch hervor und sagte: ›Du bleibst hier.‹«
»Warum denn?«
»Das habe ich auch gefragt, aber Duro sagte nur: ›Es sind zu viele und es ist besser, wenn sie nur einen haben‹.«
»Das ist eine schöne Kameradschaft.«
»Ich war auch wütend, aber was sollte ich machen? Auch Nicola wollte nicht.«
»Und dann seid ihr doch gekommen?«
»Ja, plötzlich war Zora da und fragte nach dir. Ich habe ihr alles erzählt. Sie nannte uns Feiglinge und rannte los. Duro wollte noch immer nicht, aber als ich und Nicola mitgingen, kam er auch.«
»So«, keuchte Branko, aber mehr zu sich selber als zu den anderen, »das werde ich mir merken.«

»Du musst dir gar nichts merken«, sagte Zora.
»Warum nicht?«
»Weil es ganz richtig war, dass Duro wartete, bis wir alle zusammen waren.«
»Meinst du?«, antwortete Branko zögernd.
»Ich meine es nicht nur, ich weiß es. Du hast doch selber gesehen, dass wir auch zu fünft kaum mit ihnen fertiggeworden sind.«
Die Kinder liefen nun eine Weile schweigend nebeneinanderher.
»Warum bist du mir eigentlich so lange nicht zu Hilfe gekommen?«, begann Zora wieder. »Karaman hätte mich um ein Haar erdrückt.«
Branko zeigte ihr seine Hände, um deren Gelenke breite, rote Streifen liefen. »Die Gymnasiasten hatten mich gefesselt.«
»Gefesselt! Wie hast du dich dann wieder frei gemacht?«
»Das große Mädchen hat mir die Stricke durchgeschnitten.«
»Oh«, machte Pavle, »die schöne Zlata.«
»Kennst du sie?« Zora wandte sich an Pavle.
Pavle nickte eifrig. »Sie ist die Schwester von Ivekovic.«
»Also eine Tochter des Bürgermeisters?«
Pavle nickte wieder.
»Und ist sie wirklich so schön?« Zora sah gleichzeitig Pavle und Branko an.
Pavle grinste nur und hob die Achseln.
»Ich weiß es auch nicht.« Branko konnte es wirklich nicht sagen. Er wusste nur, dass sie große, blitzende Augen hatte und ein tapferer Kerl war.
Die Kinder waren inzwischen in einem Bogen um den ganzen Hügel gelaufen und näherten sich nun dem Turm »Nehajgrad« von hinten. Duro und Nicola waren schon in dem Loch verschwunden. »Schnell«, sagte Zora und kroch auch hinein.
Branko hatte aber kaum den Stein wieder vorgeschoben, da hörte er die Gymnasiasten kommen.
»Sie sind hier hinunter«, sagte Smoljan laut.
»Hier?« Karaman und Brozovic sprangen in die kleine Schlucht.
»Seht einmal dort im Gestrüpp nach!«, rief der Sohn des Bürgermeisters.
»Da ist nirgends ein Versteck«, quäkte die heisere Stimme Brozovics.
»Aber sie sind hier hinein«, behauptete Smoljan wieder, »und ich habe sie nicht wieder herauskommen sehen.«

»Wartet einen Augenblick«, schrie der dicke Skalec von oben herunter. »Dordevic bringt einen Hund mit. Der wird sie schon finden.«
Branko kroch eilig den anderen nach. Verdammt, das konnte schlimm werden. Ein Hund würde sicher nicht nur den Stein, sondern auch ihre Höhle finden. Er konnte auch zu ihnen hereinkommen.
Als er in den Schacht kam, war nur noch Zora da.
»Ich glaube, sie kommen gleich«, stammelte er.
»Wie ist das möglich? Haben sie dich gesehen?«
»Nein. Aber sie haben einen Hund mit.«
Zora überlegte eine Weile.
»Komm«, sagte sie dann. »Wir stellen uns direkt neben das Loch, wenn er seinen Kopf hereinstreckt, schlagen wir ihn tot.«
Sie hörten den Hund kommen.
»Pass auf!«, rief Zora. Bevor Branko oder das Mädchen aber zuschlagen konnten, schoss der Hund an ihnen vorbei.
Er stürzte sich aber nicht auf sie, wie es die Kinder erwarteten, er bellte nicht einmal, er beschnupperte sie nur und wedelte dann mit dem Schwanz.
»Das ist ja Karamans Hund«, lachte Zora.
Jetzt jaulte das Tier leise und sprang freudig an ihnen in die Höhe.
»Was machen wir mit ihm?« Branko kratzte sich den Kopf.
Zora lockte ihn, setzte sich einen Augenblick neben ihn und streichelte über das Fell. Dann sagte sie: »So, Leo, jetzt musst du wieder zurückgehen. Ja, geh wieder zurück.« Sie streichelte ihn noch einmal und schob ihn in das Loch hinein.
Der Hund kam aber wieder zu ihnen.
»Ich werde mitgehen«, sagte Branko, und als Zora den Hund das zweite Mal in das Loch schob, kroch Branko hinter ihm her. Diesmal konnte das Tier nicht umkehren.
Die Gymnasiasten, die beiden Mädchen, Begovic und Dordevic und die anderen Männer, es waren der Bürgermeister und der alte Karaman, die zufällig auf die beiden Gendarmen gestoßen waren, warteten inzwischen auf den Hund. Als er herauskam, sprang er sofort am alten Karaman hoch.
»Hm«, meinte Karaman und wehrte das große Tier ab. »Ich glaube, die Bande ist nicht darin, sonst hätte der Hund anders angeschlagen.«

»Ich habe aber genau gesehen, dass sie nicht wieder aus der kleinen Schlucht herausgekommen sind«, beharrte der junge Smoljan.
»Der Gang geht wohl in den Turm?«, fragte Doktor Ivekovic die Gendarmen.
Sie salutierten und sagten: »Ja, Herr Bürgermeister.«
»Dann scheinen sie doch im Turm zu stecken. Er ist ja ein ideales Versteck für eine solche Bande.«
»Das glaube ich auch«, meinte Begovic.
»Gibt es einen Schlüssel?«, fragte der Bürgermeister weiter.
»Der ist im Rathaus.«
»Hm.« Doktor Ivekovic zupfte an seinem Bärtchen. »Dann wird es wahrscheinlich für heute zu spät.« Er sah Begovic energisch an. »Stellen Sie die Nacht über eine Wache vor das Tor, Begovic, und morgen in der Frühe werden wir die Füchse aus ihrem Bau räuchern.«
Branko hörte noch, wie Begovic »Zu Befehl, Herr Bürgermeister« sagte, dann kroch er eilig zurück.
Er erzählte Zora, was er gehört hatte.
»Wir wollten ja sowieso morgen gehen«, antwortete Zora, »nun gehen wir eben schon heute Nacht.«

12

Die Reise zu Stjepan

Die Bande benutzte die ganze Nacht, um ihre Sachen zu verstecken. Pavle wusste für alles einen Platz.
Er brach Steine aus der Mauer und schob Duros Schmetterlingsbrett hinein.
Nicolas Bilder kamen unter eine lockere Treppenschwelle, die seinen drehte er zu einer Rolle zusammen und steckte sie in ein altes Eulenloch.
»Was machen wir mit den Decken?«, fragte Branko.
»Bringt sie nach oben, in den Raum, wo der Uhu sitzt. Da liegen noch mehr davon. Dort haben wir sie auch geholt.«
Nicola hatte die Töpfe und Pfannen zusammengetragen.
»Wollen wir die mitnehmen?«
»Du bist ja verrückt«, antwortete Zora.
»Wo sollen wir sie denn hintun?«
»Wir lassen sie in den Brunnen hinunter«, schlug Pavle vor.
Er brachte von irgendwoher einen Draht, knüpfte sie alle daran und ließ sie in das Brunnenloch hinunter. Den Draht verankerte er in einer Rille, sodass er nicht zu sehen war.
»Hoffentlich entdecken sie meine Tauben nicht«, jammerte Nicola. Er weinte beinahe.
»Und die Falken«, meinte Zora. »Die Jungen sind in zwei, drei Tagen flügge.«
»Ich glaube nicht, dass sie sich so hoch hinaufwagen«, tröstete sie Pavle. »Außerdem lässt sie der Uhu sicher nicht vorbei.«
»Smoljan wird auf ihn schießen«, warf Duro ein.
Zora lachte. »Bis der schießt, hat ihm der Uhu schon die Augen ausgekratzt.«
Als der erste Sonnenstrahl über dem Meer erschien, waren sie fertig.
»Tritt noch die Asche auseinander«, sagte Duro zu Nicola.
Nicola tat es.
Nun sahen sie alle noch einmal in den großen Raum hinein. Es war ihnen wehmütig zumute, weil sie ihn so plötzlich verlassen mussten.

»Ach was«, sagte Zora laut, »die Uskoken sind auch geflohen, wenn ihre Feinde zu zahlreich waren.«
»Gehen wir in den Falkenhorst?«, fragte Branko, der an Zoras Erzählungen von den Uskoken dachte.
»Ich weiß noch nicht«, antwortete das Mädchen. »Vielleicht später. Jetzt wollte ich erst einmal nach Stjepan sehen.«
»Ho!«, jauchzte Nicola. »Dann gehen wir nach Brinje.«
Zora nickte.
»Durch den großen Wald?«
Zora nickte wieder.
Nicola klatschte in die Hände. »Ich freue mich schon.«
»Ich auch«, sagte Branko. »Ich bin noch nie durch den großen Wald gegangen.«
»Es ist schön«, versicherte Pavle, »und wenn ich nicht im Turm bin, möchte ich immer im Wald sein.«
Die Kinder sahen sich erst vorsichtig um, ehe sie ihre Burg verließen. Vor der Tür war niemand. Vor ihrem Gang schien auch niemand zu sein, aber Zora traute dem Frieden nicht. »Vielleicht haben sich die Posten versteckt.«
Pavle wusste noch einen dritten Ausgang. Er war unmittelbar an der Mauer. Um da hinauszukommen, müsste man nur einige Steine aus der Mauer nehmen.
Es war sehr gut, dass sie diesen Weg wählten. Als sie hinter den ersten Ginsterbüschen waren und sich noch einmal umsahen, bemerkten sie eine Gestalt, die zwischen dem Tor und ihrem Gang auf und ab ging.
Branko sah genauer hin. »Ob es Begovic ist?«
Zora schüttelte den Kopf. »Für Begovic ist er zu groß.«
»Dann kann es nur Dordevic sein«, meinte Branko, »ja, es ist Dordevic. Er hat ein Bärtchen.«
Es war noch kalt, als sie in das Tal des Potoc tauchten. Auf den Wiesen stand dick wie eine Wand der Nebel und die Büsche und Gräser hingen voll blitzender Tauperlen.
Je höher sie stiegen, umso heller und wärmer wurde es, und als sie am Pfad standen, der zur Försterei führte, brannte die Sonne schon mit ihrer ganzen Kraft auf sie nieder.
Einige Hundert Meter höher rasteten sie. Alle hatten großen Hunger und es war ein Glück, dass sie am Tag vorher Brozovics Lager ausge-

räumt hatten, sonst wäre nichts da gewesen, um ihren Hunger zu stillen.
Erst kauten sie ein paar von Curcins alten Wecken und aßen Ölsardinen dazu.
Darauf gab ihnen Zora, die die Vorräte verwaltete, Biskuits und getrocknete Pflaumen.
Pavle strich sich über den Magen. »Wie das schmeckt!« Nicola schnalzte auch, und als Zora gar am Schluss noch eine Tafel Schokolade verteilte, waren sie ganz glücklich.
Gleich hinter ihrem Rastplatz fing der große Wald an, der sich das ganze Jahr wie eine erst grüne, dann bunter werdende Raupe über die Höhen von Senj zieht.
Zuerst kamen sie gut vorwärts. Da stand ein Baum, dort ein Strauch und dahinter eine Anhäufung von Buchen oder Eichengestrüpp, aber je tiefer sie in den Wald eindrangen, umso dichter und undurchdringlicher wurde er.
Um die dicken, viele hundert Jahre alten Eichen, deren untere Äste wieder mit dem Boden verwachsen waren, mussten sie einen Bogen machen; durch das Tannengeäst – die stachligen Bäume standen oft wie eine Mauer zusammen – mussten sie kriechen. Aber noch schlimmer schienen ihnen das Haselnussgestrüpp, die Himbeer- und Brombeerranken, die zu einer so dichten Hecke zusammengewachsen waren, dass sie beinahe nicht mehr vorwärtskamen.
Auch riesige Tannen hielten sie auf. Manchmal waren die Bäume so hoch und standen so eng nebeneinander, dass die Kinder kaum den Himmel sahen.
Hie und da hatten sie das große Glück, unverhofft auf eine Lichtung, eine Schneise oder einen Holzschlag zu kommen. Heckenrosen blühten da, würzige Blumen und Kräuter und Nicola entdeckte auch Erdbeeren.
Als sie wieder in ein dichtes Eichengehölz eindrangen, hörten sie vor sich einen schweren Körper durch die Büsche brechen.
Duro blieb stehen und spähte gespannt geradeaus. »Es soll hier Wölfe geben«, sagte er.
»Auch Bären«, nickte Zora. »Im vorigen Jahr haben sie noch zwei geschossen.«
Es war aber nur ein Rudel Hirsche, das einen Augenblick sichtbar wurde und gleich darauf wieder im Unterholz verschwand.

Die Sonne kletterte immer höher. Die Kinder sprangen, krochen und schoben sich noch immer durch den Wald. Es musste schon Mittag sein, da plätscherte auf einmal ein Bach vor ihnen durch die Stämme. Er gurgelte um die Wurzeln der hohen Eichen, stürzte über kleine Felsen und sammelte sich zu einem tiefschwarzen See, dann floss er weiter. An dem immer schneller dahinfließenden Wasser merkten die Kinder, dass sie den Kamm bereits überschritten hatten und wieder bergab gingen.

Manchmal sahen sie durch eine Lichtung auch schon das Tal vor sich. Der Wald zog sich wie ein breiter, schwarzer Strom hinein. Die Hügel darüber waren kahl. Sie bestanden aber nicht wie die Hügel um Senj aus Stein und Geröllhalden, die ärmlich und unbelaubt ins Meer stürzten, sondern es waren Felder darauf, fette Wiesenflächen und große Äcker.

Auf einer Waldschneise betraten die Kinder die ersten Felder. Ja, es war ganz anders hier als in Senj. Die hohen Berge schienen das Land in zwei Teile geteilt zu haben, in einen fruchtbaren und einen unfruchtbaren. Hinter den schwarzscholligen Äckern stand hoch aufgeschossener Weizen. Die Kinder fassten nach den Ähren, brachen sie ab und zogen sie durch den Mund. Die harten Körner knirschten zwischen ihren Zähnen, die Spreu spuckten sie aus.

»Ich habe noch nie so schöne Äcker gesehen«, staunte Branko.

»Ich noch nie solchen Weizen«, sagte Nicola.

»Das macht der Wald«, erklärte Zora.

»Der Wald?«, wiederholte Branko.

»Er hält die Bora ab und macht das Land fruchtbarer.«

Der Wald verschwand immer mehr, nur noch ein paar Tannen und Eichen standen zwischen den Feldern, als habe sie jemand stehengelassen. Dafür nahmen die Felder einen immer größeren Raum ein. Hohe, kräftige Maisstauden mit den ersten Blüten wechselten mit fetter Gerste, dicke Sonnenblumen mit großblättrigen Kartoffeln, über denen eine weiße Blütenwolke lag. Große, gelbe Melonenblüten krochen aus den Maisfeldern, und über den Kartoffeln wehten wie weiße und rote Fahnen sich an dicken Stangen hochrankende, blühende Bohnen.

In der Ferne tauchte auch der Ort auf, in dem Stjepan wohnte. Die Häuser schimmerten gelb, blau und rot, ein spitzer Kirchturm stach in den Himmel. Es lagen aber noch viele Äcker, Hügel und Wald-

flecken zwischen dem Turm und den wandernden Kindern. Ein Bauer mit einer Leiter und einem Korb kam ihnen entgegen. Es war ein großer, grimmig aussehender Mann. Auf dem verwitterten, etwas gallig aussehenden Kopf saß eine rote Kappe mit einer schwarzen Quaste. Über dem hageren Körper hing eine bunte Weste, die von einer gelben Schärpe abgeschlossen wurde. Die Hose war von derbem Stoff und um die dünnen Beine hatte er Wickelgamaschen geschlungen, die die dürren Stelzen noch dünner machten.
Die Kinder grüßten. Der Bauer sah sie aber nur grimmig aus seinen verkniffenen Augen an.
Branko blickte ihm nach. »Warum hat er uns nicht gegrüßt?«
Nicola lachte: »Weil er Kirschen im Korb hat und weil er sicher fürchtet, wir wollen uns auch welche holen.«
»Gibt es denn hier Kirschen?« Pavle sah sich erstaunt um.
Duro rannte schon auf einen Baum zu. Der ganze Hain, der sich durch das Tal erstreckte, war ein Kirschenhain. Es waren große, starke Stämme und die Äste hingen bis auf die Erde.
Duro pflückte schon. »Sie sind noch etwas sauer.«
»Kommt«, sagte Pavle, »wir probieren auch.«
»Und wenn der Mann wiederkommt?«, warf Branko ein.
»Lass ihn nur. Das ist die Strafe. Warum hat er uns nicht gegrüßt.«
»Es ist auch keine Sünde, dass man Kirschen isst, wenn man Durst oder wenn man Hunger hat«, setzte Zora hinzu. »Besonders, wenn so viele da sind und man sonst nichts zu essen und zu trinken hat.«
Sie aßen jetzt, was sie essen konnten. Sie mussten aber vorsichtig pflücken. Duro hatte recht. Die meisten der großen Früchte waren noch sauer. Nur die an den Spitzen der Zweige waren saftig und reif.
»Da kommt der Mann wieder!«, rief Nicola.
Die Kinder drehten sich herum. In großen Sprüngen kam er angerannt. Er hatte die Leiter noch immer über der Schulter und den Korb auf dem Rücken.
»Wollen wir nicht ausreißen?«, meinte Duro.
Zora schüttelte den Kopf. »Wir bleiben hier, und aufgepasst, was er auch sagt, keiner antwortet.«
Der Mann jagte heran. Er keuchte richtig. »Bande!«, schrie er dabei. »Spitzbuben! Wollt ihr aus meinen Kirschen!«
Die Kinder taten aber gar nicht dergleichen. Sie pflückten geruhsam ihre Kirschen und steckten die Früchte in den Mund.

Den Bauer machte das schon stutzig, aber jetzt schoss er auf Pavle zu: »Dieb!«, rief er. »Willst du wohl das Stehlen lassen!« Und er packte Pavle an der Schulter und schüttelte ihn hin und her.
Pavle nahm die Hände von der Schulter, spuckte einen Kern aus und pflückte weiter.
Der Bauer sperrte nur den Mund auf, dann raste er auf Branko zu. »Elender Wicht!« Er packte Branko und schüttelte ihn. »Willst du gleich aufhören!«
Branko war es ängstlicher zumute, aber da sah er, dass Zora ihm zublinzelte, und er schüttelte die Hände des Mannes ab und steckte eine neue Kirsche in den Mund.
Der Bauer wurde ganz rot im Gesicht. Die Leiter noch immer auf der Schulter, der Korb hüpfte schwer auf seinem Rücken, stürzte er sich auf Nicola.
»Kleiner Bandit!« Er versuchte Nicolas Hände zu fassen, aber der bückte sich, entglitt ihm und spuckte dabei gleich drei Kerne aus.
Zornentbrannt jagte der Mann auf Zora zu. »Lausemädchen, elende Dirne, willst du wenigstens aus meinen Kirschen gehen?«
Zora machte aber nur einen Bogen um ihn, und ehe sich der Mann mit seiner großen Leiter umgedreht hatte, pflückte sie schon an einer anderen Stelle.
Das dürre Männchen keuchte jetzt wie eine Dampfmaschine. Sein Gesicht war roter als eine Tomate, er zitterte und steigerte sich immer mehr in seine Wut.
»Ich erschlage euch! Ich erwürge euch!« Er war nun wieder bei Pavle. Aber der große Junge behandelte ihn wie Luft.
Auch Branko war diesmal tapferer, und als der Bauer gar Nicolas lachendes Gesicht sah, zersprang er beinahe vor Wut. Er versuchte es wieder mit Zora. Er schoss noch einmal auf Pavle zu, aber als er merkte, dass alles nichts nützte, dass keines der Kinder auch nur eine Spur von Angst zeigte und alle stillschweigend weiter von seinen Kirschen aßen, bekam er es selber mit der Angst zu tun.
»Entweder bin ich verrückt oder ihr«, sagte er und blickte die Kinder noch einmal an. Als sie auch diesmal nicht antworteten und nur schneller aßen, schulterte er seine Leiter fester, rückte den Korb in die Mitte und ging fort.
»Ha, ha!«, lachte Nicola auf.
Auch Duro und Pavle lachten.

Zora sagte nur: »So muss man es machen. Jetzt hat er sicher vor uns mehr Angst als vor dem Teufel.«
»Oder vor seiner Großmutter. Seht nur, wie er springt.« Nicola lachte am lautesten.
Der Bauer kam tatsächlich ins Laufen, und ehe sich die Kinder versahen, war er hinter der nächsten Talbiegung verschwunden.
Die Kinder pflückten jedes noch einige Hände voll, dann gingen sie gleichfalls.
Das Tal wurde weiter und öffnete sich und sie gelangten auf eine breite Straße. Überall stiegen kleine Rauchwolken auf, zerstoben wieder und es kamen Menschen und Tiere dahinter zum Vorschein.
Das Erste war eine Kuhherde, die langsam nach dem Dorf getrieben wurde. Die schweren, großen, buntscheckigen Tiere zogen langsam dahin, blieben manchmal stehen, bis ihr Treiber sie mit einem dicken Knüppel hart auf den Rücken traf, dann rannten sie eine Strecke und blieben wieder stehen.
Dahinter kam ein Pferdefuhrwerk. Die Pferde waren mit bunten Bändern und kleinen Glocken behängt, der Wagen war eine zierliche Kutsche, in der zwei Burschen und zwei Mädchen saßen, dahinter trotteten zwei weitere Pferde, die an den Wagen angebunden waren.
Nach den Pferden tauchte eine Schafherde auf. Runde, stämmige Tiere, deren gelbliche Wolle die Erde streifte. An der Spitze trippelte ein stinkender Bock, der die Kinder giftig aus seinen rötlichen Augen anglotzte.
»Wie der Mann mit der Leiter«, spottete Nicola und lachte. Auch die anderen lachten.
»Was gibt es denn über meine Schafe zu lachen?«, sagte ein junger Bursche, der genauso zerlumpt war wie die Kinder und als guter Hirte hinter seiner Herde hertrottete.
»Wir haben nur über den Bock gelacht«, antwortete Branko. »Er hat uns genauso giftig angesehen wie ein Mann, dem wir eben begegnet sind.«
»Er ist auch giftig«, bestätigte der Bursche, »und falsch und boshaft ist er außerdem.«
Branko lachte wieder. »So war der Mann auch.«
Die Kinder halfen dem Burschen, der ihnen gefiel, die große Herde immer in der Mitte der Straße zu halten, und so waren sie, ohne es recht zu merken, nach Brinje hineingekommen.

Das Dorf war groß und lang gestreckt. Es bestand in der Hauptsache aus einer breiten, von hohen Platanen und Linden beschatteten Straße, deren Ende sie nicht einmal sehen konnten.
Die Häuser umsäumten die Straße. Flach und strohbedeckt sahen sie unter den Bäumen hervor.
Noch mehr interessierten die Kinder aber die vielen Menschen, die auf der breiten Straße standen.
»Was ist denn hier los?«, fragten sie den Hirten.
»Wisst ihr das nicht?«
Die Kinder verneinten.
»Viehmarkt, wie immer an diesem Tag.«
Da tauchten sie schon in die Menge hinein. Es war eine bunt zusammengewürfelte Schar von Menschen, die alle in kleineren und größeren Gruppen zusammenstanden.
Die meisten waren Bauern aus der nächsten Umgebung. Ihre großen, hageren, aber sehnigen Gestalten mit den ernsten, wie aus Holz geschnitzten Gesichtern ragten hoch über die anderen hinaus. Sie waren bis auf wenige so bunt angezogen wie der Bauer, dem sie vorhin bei den Kirschen begegnet waren. Die rote Kappe saß gerade oder schief auf dem Kopf. Die Westen waren bestickt und die derben Hosen mit bunten Borten umsäumt.
Einige sprachen. Wenn sie den Kopf bewegten, flogen die schwarzen Troddeln, die an ihren roten Mützen hingen, hin und her, aber die meisten sahen vor sich hin oder lauschten den Sprechenden.
Zwischen diese Bauern waren andere Menschengruppen eingestreut. Hier gestikulierten, klein und beweglicher, einige Serben. Dahinter sah man die bronzenen, langen Gesichter von einem Dutzend mit Fesen geschmückten Türken. Eine Gruppe Juden fiel den Kindern durch ihre langen Bärte und ihre schwarzen Kaftane auf. Ein großer Kreis von deutschen Bauern war aus der Umgebung gekommen und die laut lachenden Burschen gleich neben ihnen waren der Sprache nach Dalmatiner.
Nun sahen die Kinder auch die Tiere, die man hier zusammengetrieben hatte. Pferd reihte sich an Pferd. Ach, was waren das für schöne Tiere! Besonders Duro sperrte Mund und Augen auf. Da standen Rappen und Braune und herrliche, schlohweiße Schimmel. Es gab große, stämmige Ackerpferde, die Beine wie Säulen hatten, daneben tänzelten, schlank und feinnervig, Reit- und Kutschpferde,

deren Beine so zierlich waren, als hätte sie ein Holzschnitzer gedrechselt.
Ein Türke führte eines der Reitpferde vor. Es war ein herrlicher Apfelschimmel. Er sprang auf das Tier und jagte mit ihm an den anderen Pferden vorbei. Zwei Bosniaken sahen einem groben Gaul ins Maul, ein kleiner Deutscher tätschelte ein anderes Pferd und sah sich dessen Hufe an. Den Pferden gegenüber standen die Kühe, eine Reihe Ochsen und auch vier Stiere, die mit schweren Ketten zwischen zwei Pfählen festgebunden waren.
Die Kühe hatten alle Farben. Es gab schwarz- und braungescheckte, bräunliche und solche, die beinahe weiß waren. Sie reihten sich stumpf und mit halbgeschlossenen Augen nebeneinander. Manchmal brüllte eine dumpf auf, dann brüllte eine andere mit. Die Ochsen waren wacher und lebendiger. Die Stiere waren groß und breit, sie stampften den Boden unter ihren Füßen, als wollten sie sich und das ganze Dorf in die Erde stampfen.
Die Kinder blieben vor den Stieren stehen.
»Ist der groß!« Duro zeigte auf den mächtigsten.
»Und sicher auch stark«, meinte Pavle.
»Und gefährlich«, warnte sie Nicola.
Branko lief es kalt über den Rücken, als ihn das große Tier aus seinen rot umränderten Augen einen Augenblick anstarrte und gleich darauf furchtbar zu brüllen begann.
Da war es bei den Ziegen, die in großen Herden weit in die Wiesen hinein lagerten, schon angenehmer und lustiger.
Es mussten tausende sein. Die Herden wurden von Hirten und ihren Hunden zusammengehalten.
Die meisten Tiere lagen und käuten wieder. Nur manchmal stand ein Zicklein auf, äugte zu der Nachbarherde hinüber und versuchte den Kreis zu überschreiten.
Von beiden Seiten schossen die Hunde heran und trieben das neugierige Tier zurück, dann sahen sie sich selber an, wedelten mit den Schwänzen oder zeigten die Zähne. Manchmal bekämpften sie sich auch gleich danach und die Schäfer mussten sie mit ihren Stöcken trennen.
Lustig war auch, wie die allerkleinsten Ziegen ihre Hörner probierten, wie sie, die Köpfe gesenkt, aufeinander zustürmten, sich überschlugen und darauf verdattert wieder aufstanden.

Neben den Ziegen lagerten die Schafe. Hier trafen sie auch ihren Hirten wieder. Er stand mit anderen Hüterbuben zusammen, rauchte, spuckte aus und kam ihnen plötzlich viel erwachsener vor. Die Bande blieb in einiger Entfernung stehen.
»Kommt nur näher!«, rief sie der Bursche an. »Oder habt ihr Angst?«
Die Kinder schüttelten die Köpfe und kamen näher.
»Das sind alles meine Kameraden«, sagte der Bursche und zeigte auf die anderen Hirtenbuben. »Wir treffen uns immer hier.«
Die Kinder lächelten die Burschen an.
»Raucht ihr?« Einer der jungen Hirten brach eine Zigarette auseinander und wollte Duro und Nicola eine Hälfte geben.
Da erinnerten sich die Jungen, dass sie selber Zigaretten hatten. Duro fasste in die Tasche und brachte eine der gelben Schachteln heraus. »Nehmt von unseren.«
»Oh«, sagte ihr neuer Freund, »ihr raucht eine gute Sorte«, und all die Hirtenbuben nahmen sich zwei Zigaretten, steckten eine in den Mund und die andere hinter das Ohr.
»Habt ihr schon alles gesehen?« Der älteste wandte sich an Zora.
»Die Pferde und die Kühe, auch die Stiere und die Ziegen.«
»Dann müsst ihr noch die Schweine und die Maulesel sehen. Kommt!« Er nahm seinen Stecken und sie schlenderten weiter.
Die Schweine waren in viereckigen, großen Gattern; mehrere Hundert lagerten hier nebeneinander.
Den Kindern gefielen vor allem die Muttersäue mit ihren Ferkeln.
»Sieh, Zora«, rief Branko, »da hat eine acht Stück.«
Duro lachte. »Das ist noch gar nichts. Hier ist eine mit zehn.«
Aber Pavle hatte schon eine Sau mit elf und Nicola eine mit zwölf Ferkeln entdeckt.
»Seht nur«, Nicola zeigte auf die Ferkel, »sie haben nicht alle Platz. Das eine stößt immer das andere fort.«
Es waren auch acht Eber da, schwere, bösartige Kerle. Jeder war allein in seinem Gatter und die Gatter waren noch besonders geschützt.
Die Maulesel und die Esel waren am Ende der langen Straße. Man hatte sie an Stangen gebunden und ihnen Gras und Disteln vorgeworfen. Die Maulesel waren bissig und störrisch und schlugen oft aus. Die Esel waren freundlicher und netter. Man konnte sie sogar streicheln.

Die Esel erinnerten Zora daran, warum sie eigentlich nach Brinje gekommen waren.
»Jetzt müssen wir endlich nach Stjepan fragen«, sagte sie.
Der junge Hirte kannte ihn nicht. Er war selber fremd in Brinje und kam nur zum Viehmarkt in das Dorf. Auch eine Bäuerin schüttelte den Kopf, als sie nach Stjepan fragten.
Sie trotteten langsam die Straße zurück, sahen hier noch einmal in eine Gruppe Menschen, fragten dort einen Bauern oder eine Bäuerin nach ihrem Freund, aber keiner kannte Stjepan.
Pavle war schon recht verzweifelt, da antwortete eine alte Frau auf seine Frage: »Ach, meint ihr den Buben, der immer mit seinen Eseln nach Senj geht?«
»Ja, den«, nickte Pavle eifrig.
»Ich glaube, er wohnt dort unten in einer Scheune.« Die Alte zeigte auf einen kleinen Weg, der von der Straße in die Wiesen hinabführte und an dessen Ende ein kleiner Ziegelbau stand.
Die Kinder gingen hin.
»Stjepan!«, schrie Pavle und klopfte an das alte, brüchige Tor. Es hörte ihn aber niemand.
»Stjepan!«, schrie Pavle lauter und öffnete das Tor.
Der leichte, niedrige Bau war voll Stroh. In der einen Ecke standen Ackergeräte, in der anderen ein Karren und ein Leiterwagen.
Die Kinder hörten wieder nichts. Oder hatte sich oben im Stroh doch etwas gerührt?
»Stjepan!«, rief Pavle das dritte Mal.
»Ach, ihr seid es«, hörten sie plötzlich Stjepans Stimme und zur gleichen Zeit tauchte sein struppiger Kopf aus dem Stroh auf.
»Wer, dachtest du wohl, sei da?« Nicola blinzelte zu ihm hinauf.
»Oh, Ristic«, antwortete Stjepan, »oder sonst einer aus dem Dorf.«
»Kommst du nicht herunter?«, fragte Zora. »Oder willst du ewig dort oben bleiben?«
»Ich kann ja nicht«, jammerte Stjepan leise.
»Warum? Hat dich Ristic so geschlagen?«
»Wenn es nur das wäre. Ja«, fuhr er nach einer Pause fort, »geschlagen hat er mich auch, als er hörte, dass mir die Gymnasiasten seine Aprikosen gestohlen haben, aber das war nicht das Schlimmste. Gestern war er da und hat mir den Gürtel und die Hose genommen.«
»Den Gürtel und die Hose?«, lachte Nicola.

»Ja, und er hat gesagt: ›Du bekommst beides erst wieder, wenn ich das Geld für meine Aprikosen habe.‹«
»Traust du dich deswegen nicht herunter?«, lachte nun auch Duro, packte Stjepan bei der Hand, und bevor sich der Junge versah, hatte ihn Duro aus dem Stroh auf die Tenne gezogen.
Wirklich, der arme Stjepan war im Hemd. Er hatte über seinem sehnigen, braungebrannten, mageren Körper nur einen gelben, zerschlissenen Wollfetzen und machte ein so verzweifeltes Gesicht, dass auch Branko und Zora lachten.
»Warum lacht ihr denn alle so?«, sagte da Pavle grob und riss Duros Hand los, sodass Stjepan wieder ins Stroh zurücksank.
Zora beruhigte sich zuerst. »Weil er so unglücklich aussieht.«
»Du würdest kein besseres Gesicht machen«, brummte Pavle noch grimmiger, »wenn man dich ohne Rock in Senj auf den Markt stellte«, und nach einer Pause fuhr er fort: »Denkt lieber darüber nach, wie wir ihm seine Hose wieder besorgen können.«
»Ich könnte ihm ja meine geben«, sagte Nicola.
»Lass sie dir einfach von Ristic zurückgeben«, sagte Pavle.
»Ich habe es schon versucht. Ristic hat aber gesagt: ›Bevor ich das Geld nicht habe, bleibt die Hose in meiner Truhe.‹«
»Hm«, brummte Pavle und strich sich über das Gesicht, »wir können ihn ja noch einmal fragen gehen.«
»Ja«, Nicola sprang auf. »Das wollen wir. Wohnt er weit von hier, Stjepan?«
»Wenn ihr oben auf der Straße steht, müsst ihr nach rechts gehen. Der sechste Hof mit dem Strohdach und dem breiten Tor. Dort wohnt er.«
»Er wird wahrscheinlich auf dem Markt sein«, meinte Zora.
»Dann ist sicher seine Frau zu Hause. Vielleicht gibt sie euch die Hose sogar noch eher.«
Das breite Tor war aus schweren Eichenplanken. Sie stießen es auf. Ein Hund bellte sie an. Er war aber an einer Kette.
Rechts war das Wohnhaus. Das Dach war frisch gedeckt und das Stroh leuchtete wie ein überzuckerter Pfefferkuchen. Daneben lag die Scheune; sie hatte auch ein Strohdach. Gegen die Wiese zu erhoben sich die Ställe, der ganze Hof war außerdem noch von einer Mauer umgeben. Die Kinder liefen an dem alten Ziehbrunnen vorbei auf das Wohnhaus zu und klopften an.

Eine Frau, ein buntes Kopftuch um das vergrämte Gesicht, trat heraus. »Was wollt ihr?«, fragte sie mit einer brüchigen Stimme und sah die Kinder erstaunt an. Branko drängte sich vor. »Wir kommen wegen unseres Freundes Stjepan.«
»Stjepan?«, wiederholte die Frau.
Branko nickte eifrig. »Euer Mann hat ihm die Hose und den Gürtel weggenommen.«
Die Frau erinnerte sich. »Ich weiß es, aber mein Mann ist nicht da.«
»Stjepan braucht aber seine Hose und seinen Gürtel. Er muss morgen wieder nach Senj. Könnt Ihr sie uns nicht geben?«
»Ich tät es gern«, antwortete die Frau, »aber ich kann es nicht.«
Nicola drängte sich vor. »Warum denn nicht?« Er zeigte hinter die Frau. »Ihr müsst nur die Truhe aufmachen. Da sind sie drin.« Die Frau versuchte zu lächeln. »Macht sie nur auf.«
Branko und Nicola hoben schon an dem Deckel. Er saß aber fest. Die Frau lächelte wieder. »Ja, er hat sie zugesperrt.«
»Oh«, machte Zora, »aber Ihr habt doch sicher den Schlüssel?«
Die Frau schüttelte den Kopf. »Ristic hat ihn in der Tasche.«
»Ist er auf dem Markt?«, fragte Branko schnell.
»Nein. Er ist in den Kirschen.«
»In den Kirschen!«, schrien die Kinder. »Ist er vielleicht so ein großer Hagerer?« – »Hat er eine rote Kappe?« – »Hat er Gamaschen um die Beine?« – »Hat er nicht ein sauertöpfisches Gesicht?« Alle fragten durcheinander. »Und«, setzte Nicola noch hinzu, »sieht er nicht aus wie ein Nussknacker?«
»Das ist er«, bestätigte die Frau.
»Dann haben wir ihn schon gesehen«, sagte Zora. »Er hat eine Leiter und einen Korb mit.«
Die Frau nickte wieder.
»Kommt!«, rief Zora. »Er ist sicher dort.«
»Nehmt euch aber in Acht vor ihm«, rief ihnen die Frau nach. »Er sieht nicht nur wie ein Nussknacker aus, er ist auch einer.«
»Wir sind ziemlich harte Nüsse«, lachte Nicola, »und er hat sich schon heute Mittag ein paar Zähne an uns ausgebissen.«
Die Kinder rannten unter allerlei Späßen wieder durch das Menschen- und Tiergewimmel auf die große Straße.
»Meinst du, dass uns der Alte die Hose gibt?«, fragte Pavle Zora.

»Die Hose muss er uns gar nicht geben. Wenn wir nur den Schlüssel von ihm bekommen.«
»Du glaubst, die Frau schließt uns dann die Truhe auf?«
»Bestimmt. Sie hat ein besseres Herz als dieser Geizhals.«
Sie mussten das ganze Tal wieder hinauf, bis sie den Bauern fanden. Seine Leiter stand an einem alten Kirschbaum und er selber auf der obersten Sprosse und pflückte sich mühsam die reifen Kirschen aus der Krone.
»Macht jetzt leise«, flüsterte Zora, »er darf uns erst sehen, wenn wir direkt unter ihm sind.«
»Warum?«, fragte Duro.
»Das wirst du schon sehen. Halt jetzt den Mund.«
Wie die Indianer schlichen sie sich an den Baum heran.
»Ristic!« Zora rüttelte an der Leiter.
Der Bauer blickte herunter. »Ihr seid es wieder, ihr verdammte Bande!«, rief er laut.
»Sagt mal«, flötete Zora freundlich, »Ihr habt unserem Stjepan die Hose weggenommen?«
»Der gehört auch zu euch? Das hätte ich mir denken können.« Der Bauer lachte böse auf und sah dann wieder nach seinen Kirschen.
Zora rüttelte erneut an der Leiter.
»Seid ihr verrückt?«, schrie der Bauer lauter.
»Nein, Ristic. Wir wollen Euch nur bitten, dem Stjepan seine Hose wiederzugeben.«
»Nicht, bevor ich mein Geld habe«, antwortete der Bauer grob, »und außerdem habe ich jetzt keine Zeit. Ich muss Kirschen pflücken.«
»Oh«, meinte Zora, »Ihr könnt ruhig ewig da oben bleiben. Wir wissen, wo die Hose ist. In der Truhe. Ihr müsst uns nur den Schlüssel geben.«
»Einen Dreck gebe ich euch!« Ristic wandte ihnen erneut den Rücken.
Jetzt rüttelte Zora so fest, dass die Leiter hin- und herschwankte und Ristic sich erschrocken an einen Ast klammerte. »Verdammte Bande!«, schrie er auf. »Ich komme herunter.«
»Nein, nein«, fuhr Zora fort, »bleibt ruhig bei Eurer Arbeit. Wir wollen nichts weiter als den Schlüssel.«
»Nie bekommt ihr ihn, nie! Ich schwöre!« Der Bauer umklammerte mit der Linken die Leiter und versuchte die Rechte zu heben.

»Schwört nicht zu früh«, warnte das Mädchen. »Es könnte Euch sonst gereuen«, und sie ließ die Leiter immer stärker schwanken.
»Ich, ich! Hilfe! Hilfe!« Der Bauer bekam es auf einmal mit der Angst zu tun.
»Schreit nur!«, lachte Zora. »Ihr seid der Einzige hier. Die anderen sind alle auf dem Markt.«
»Was wollt ihr eigentlich, Satansbrut? Wollt ihr, dass ich mir das Genick breche?«
»Nein, nein, das wollen wir nicht«, beruhigte ihn Zora. »Wir wollen den Schlüssel, nur den Schlüssel.«
»Ich gebe ihn euch nie«, wollte der Alte gerade wieder sagen, da packte auch Pavle die Leiter und sie schwankte so stark, dass Ristic beinahe heruntergestürzt wäre.
»Da!«, stieß er hervor, tastete mit der einen Hand in seine Tasche und warf den Schlüssel zu Boden.
»Schönen Dank, Herr Ristic, schönen Dank«, rief Zora, bückte sich und hob ihn auf. Dann stieß sie Branko und Pavle in die Seite. »Jetzt fort mit uns, damit er uns nicht wieder einholt, bevor wir die Hose haben.«
Wie eine Windsbraut stürmten sie über die Wiesen, jagten die Straße zurück und es waren noch nicht fünf Minuten vergangen, da betraten sie wieder Ristics Hof.
Die Frau kam gerade mit einem Milchkübel aus dem Stall.
»Wir haben den Schlüssel!«, jauchzte Zora und zeigte ihn.
»Ihr habt ihn?« Die Frau stellte den Eimer hin und starrte die Kinder an.
»Ja, und Euer Mann lässt Euch sagen, Ihr möchtet die Truhe aufschließen und uns die Sachen geben.«
Sie schüttelte den Kopf, aber sie steckte den Schlüssel ins Schloss.
»Da sind sie.« Sie hob Stjepans Hose in die Höhe.
»Hier ist auch der Gürtel.« Nicola zog ihn heraus.
»Habt auch noch schönen Dank.« Zora lächelte die Frau an und versuchte einen Knicks, dann jagten sie weiter zu Stjepan.
Stjepan hatte sich wieder im Stroh verkrochen und er wusste gar nicht, was er sagen sollte, so freute er sich, als die Kinder ihm seine Sachen brachten.
»Ich danke euch«, stammelte er nur. »Ich danke euch«, und er schlüpfte in die Hosen hinein.

Zora musste wieder lachen. »Du musst uns gar nicht danken. Es hat uns ja so viel Spaß gemacht«, und sie erzählten ihm alles.
Stjepan lachte mit. »Nun, hoffentlich lässt er mich jetzt in Ruhe.«
»Das wird er schon«, meinten die Kinder.
Sie strolchten noch eine Weile mit Stjepan auf dem Markt herum und sahen sich auch die kleinen Buden an, die man überall aufgestellt hatte. Es gab die bunten Kappen zu kaufen, die alle trugen, bestickte Westen, rot umsäumte Röcke und sonst vielerlei. Auch Peitschen, Peitschenschnüre, verzierte Riemen, Kummete, Glöckchen, sodass jeder, der ein Pferd, einen Esel oder eine Kuh erworben hatte, auch gleich das nötige Zaumzeug kaufen konnte.
Stjepan holte nun seine Esel und ließ sich von den Bauern alles geben, was sie in Senj verkaufen wollten.
Er bekam Butter und Körbe mit Eiern. Man brachte ihm herrliche Pfirsiche und große Tomaten, allerlei Frühgemüse und eine kleine Bäuerin brachte ihm einen Korb Erdbeeren.
Sie wollten sich gerade an dem Gehöft von Ristic vorbeischleichen, als auch Ristic vor das Tor trat. Er war also heimgekommen.
Stjepan, der sich noch immer vor dem Bauer fürchtete, versuchte sich hinter Pavle und Zora zu verstecken.
Ristic hatte ihn aber bereits gesehen. »He!«, rief er, so laut er rufen konnte. »Willst du heute nicht zu mir kommen?«
Stjepan zögerte. »Habt Ihr denn etwas für mich, Bauer?«
»Kirschen! Kirschen!«, rief der Alte. »Die ersten Kirschen!«
»Ihr gebt sie mir wirklich mit?«
»Dummkopf! Meinst du, ich will sie selber auf den Markt tragen?«
Stjepan war noch misstrauisch, aber Pavle sagte: »Geh nur. Wir sind ja dabei.«
Da brachte Ristic sie schon. Es waren zwei gehäufte Körbe voll. »Sie werden sie dir in Senj sicher aus den Händen reißen«, sagte er noch, dann ging er wieder in seinen Hof zurück.
Stjepan hatte die Körbe schon in der Hand. Er konnte es noch immer nicht glauben, dass sie ihm der Alte gegeben hatte. »Habt ihr ihn angesehen?«, sagte er zu Pavle und Zora. »Er sah wie verwandelt aus.«
»Wir haben ihn auch tüchtig geschüttelt«, lachte Zora.
»Vielleicht ist ihm dabei das Herz in den Kopf und der Geiz aus der Hose gerutscht«, setzte Nicola lustig hinzu.
Sie trieben die Esel wieder in Stjepans Scheune.

»Wann gehst du morgen?«, fragte ihn Zora.
»Ganz früh«, sagte Stjepan. »So gegen zwei.«
»Vielleicht gehen wir ein Stück mit.«
»Dann gehen wir über die Krebsteiche«, sagte Stjepan, »und ich zeige euch, wie man Krebse fängt, und auch, wie man sie isst.«
»Gern, gern«, antwortete Zora und warf sich ins Stroh.
Auch die anderen Kinder häuften Stroh und Heu um sich, nur Branko hatte noch keine Lust zu schlafen.
»Ich will noch einmal auf die Straße«, sagte er. Er hatte Musik gehört und wollte sich die Musikanten ansehen.
Die Musik kam aus einer kleinen Kneipe.
Branko starrte durch das Fenster. Er sah erst nichts als Staub, Dunst, Tabakwolken, dann einige Bauern, die sich nach dem Takt der Musik drehten. Es waren wohl alles Bauern, die ihr Vieh gut verkauft, noch einen Schnaps getrunken hatten und nun einmal tanzen wollten, bevor sie wieder heimgingen.
Es waren Deutsche und Bosniaken, junge Dalmatiner und ein paar Türken. Sie drehten sich immer schneller und zwischen ihnen drehten sich Bäuerinnen und junge Mägde.
Jetzt sah er auch die Kapelle. Es waren drei Zigeuner. Zwei spielten Geige, während der dritte an einer Gitarre zupfte. Der eine Geiger war groß und das schwarze Haar fiel ihm weit ins Gesicht. Er sah beinahe wie Milan aus, nur dass Brankos Vater schlanker und schöner war.
Branko drückte sein Gesicht fester an die Fensterscheibe. Der große Geiger spielte schneller und schneller. Die Männer drehten sich immer wilder und die Frauen und Mädchen wirbelten wie Eichkatzen um die schweren Gestalten der Männer herum.
Die eine war so schlank und groß wie die Tochter des Bürgermeisters. Sie blitzte auch so mit den Augen.
»Zlata«, sagte er leise und spürte erst jetzt, wie schön der Name war.
Da stieß ihn jemand in die Seite. »Was starrst du so?« Es war Zora. Sie war aufgestanden und ihm nachgegangen.
»Ich habe den Geigern zugesehen«, antwortete Branko.
»Dabei hast du ›Zlata‹ gesagt.«
»Habe ich das? So hieß das Mädchen, das mich befreit hat.«
»Du denkst immer noch an sie?«
Er zeigte auf eine Tänzerin. »Das Mädchen dadrin ähnelt ihr.«

Nun starrten sie beide durch die Scheiben.
Die Geiger spielten noch schneller, die Bauern drehten sich noch geschwinder und von den Mägden sah man nur noch die bunten Röcke.
»So möchte ich auch spielen können«, sagte Branko und zeigte auf den ersten Geiger.
»Du musst es lernen.«
»Das würde ich schon, wenn ich nur eine Geige hätte.«
Auf einmal stand Stjepan neben ihnen. »Kommt jetzt«, sagte er. »Ihr müsst noch eine Weile schlafen. In drei Stunden wollen wir gehen.«

13

Der Kampf mit dem Luchs

Branko war gerade erst eingeschlafen, da weckte ihn Stjepan schon wieder. Auch die anderen waren bereits wach und reckten und streckten sich im Stroh.

Als die Kinder aus der Scheune traten, war es noch stockdunkel. Stjepan trieb die Esel aus dem Stall, belud sie und einige Minuten später wanderte die kleine Karawane durch das noch schlafende Dorf.

Sie gingen heute nicht den Weg, den sie gestern gewandert waren. Stjepan führte sie über die Wiesen.

Über dem Gras stand eine dicke Nebelwand, die die Sicht sehr behinderte, aber die Esel wussten den Weg und die Kinder brauchten sich nur an ihnen festzuhalten.

Nach einer Stunde kamen sie in den Wald. Es fröstelte sie, so kalt war es, und die hohen Tannen sahen in dem nächtlichen Dunkel drohend und finster aus.

Erst ganz allmählich wurde es im Osten heller. Aber als sie an die Teiche kamen, wo ihnen Stjepan die Krebse zeigen wollte, war es noch immer so dunkel, dass sie kaum einige Meter weit sehen konnten.

»Nehmt euch in Acht«, warnte sie Stjepan, »das Wasser ist tief.«

Er band seine Esel fest und führte die Bande vorsichtig näher an die Teiche.

»Sind die Krebse so früh wach?«, fragte Duro.

Stjepan nickte. »In der Nacht fängt man sie eigentlich am besten. Aber wir werden sicher auch jetzt noch einige erwischen.«

»Wie fängt man sie?«, wollte Branko wissen.

»Ihr müsst es so wie ich machen.« Stjepan streifte seine Ärmel hoch und fasste ins Wasser. »Sie sitzen um diese Zeit direkt am Ufer unter einer Wurzel oder in kleinen Höhlen.«

Die Kinder hockten sich nieder und versuchten es.

Das Wasser war kalt, aber so tapfer sie auch hineingriffen, das Einzige, was sie fassten, war Schlamm und Laub.

»Au!«, schrie Zora. »Mich hat etwas gebissen.«

Stjepan lachte und kam gesprungen. »Das wird ein Krebs gewesen sein.«
Er fasste vorsichtig unter die gleiche Wurzel und einen Augenblick später schleuderte er den Krebs hinter sich ins Gras.
Die Kinder liefen alle herbei. Es war ein dicker, schwarzer Geselle. Er lag auf dem Rücken, strampelte mit den Beinen und zeigte seine Scheren.
Duro wollte ihn packen.
»Vorsichtig«, warnte ihn Stjepan, »sonst zwickt er dich auch.« Er warf seine Kappe über das Tier und hüllte es ein.
Die Kinder suchten weiter, aber erst, als sie näher an den kleinen Bach kamen, der den Teich speiste, fing Branko und darauf auch Nicola einen Krebs.
»Vielleicht haben wir im Bach selber mehr Glück«, meinte Stjepan und sie suchten nun das Bachufer ab.
So war es auch. Bald hatten auch Pavle und Duro Erfolg. Stjepan brachte sogar zwei unter einer Wurzel hervor und ein paar Meter weiter fand er noch einmal zwei.
Die Kinder suchten so eifrig nach den Krebsen, dass sie gar nicht merkten, wie es heller wurde. Erst schoben sich nur die Schleier, die über dem Wasser lagen, zurück, dann traten die großen Tannen feierlich hervor und bald konnte man auch die kleineren Büsche sehen. Die Vögel erwachten und begannen zu singen. Finken, Drosseln, Stare und Meisen, ein Birkhahn kollerte, zwei Elstern flogen kreischend durch den Wald, über ihnen in den Bäumen gurrten Wildtauben.
Plötzlich schimmerte auch das erste Licht durch die Stämme.
»Die Sonne!«, rief Zora, die, vom vielen Bücken müde, sich aufrichtete und die Arme in die Luft streckte.
»Was!«, schrie Stjepan erschrocken. »Die Sonne ist schon da. Um Gottes willen! Sonst bin ich um diese Zeit bereits auf der Höhe.«
Er band eilig seine Esel zusammen und trieb sie auf den kleinen Weg, der dem Bach entlangging, dann verabschiedete er sich von seinen Freunden.
»Soll ich jemandem in Senj etwas von euch ausrichten?«, fragte er noch.
Zora schüttelte den Kopf. »Aber frag Ringelnatz oder sonst jemanden, ob Begovic und der Bürgermeister noch immer hinter uns her

sind. Wir werden gegen Mittag an dem kleinen Weg sein, der zur Försterei geht, und auf dich warten.«
Die Esel verschwanden schon hinter den Bäumen, da rief Pavle, der gerade seinen zweiten Krebs gefangen hatte, Stjepan noch nach: »Aber was machen wir nun mit den Krebsen?«
»Ihr müsst sie einfach in kochendes Wasser werfen«, antwortete Stjepan. »So schmecken sie am besten.«
Sie fingen noch zwei und hatten nun im Ganzen siebzehn und Pavle bettete sie alle in eine kleine Sandgrube.
Die Kinder sahen auf das krabbelnde Durcheinander.
»Kochen, hat Stjepan gesagt.« Pavle sah sich nach allen Seiten um. »Sollen wir denn unter dem Teich Feuer machen?«
»Ich habe vorhin eine Büchse gesehen.« Duro sprang davon. Es war eine große Konservenbüchse, in der früher Karotten und Erbsen gewesen waren. Wahrscheinlich hatten sie Fremde liegenlassen.
Die Kinder bauten aus Steinen einen Herd, sammelten Holz, stellten die Büchse darüber, zündeten das dürre Geäst an, und als das Wasser das erste Mal aufkochte, warfen sie zwei Krebse hinein.
»Die werden ja rot!«, rief Branko aufgeregt.
»Das werden alle Krebse, wenn man sie in kochendes Wasser wirft«, sagte Nicola.
»Ob sie wohl lange kochen müssen?«, fragte Duro.
»Sicher so lange wie Fische«, meinte Zora. »Lass sie nur noch darin.«
Pavle, der großen Hunger hatte, nahm aber schon einen Stecken und angelte sich den obersten heraus. Er blies darauf und schnupperte an ihm herum.
»Schmeckt er?« Zora sah ihn an.
»Vorläufig ist er noch heiß«, prustete Pavle, »und hart wie ein Stück Stein.«
»Zeig einmal.« Nicola nahm ihm das Tier aus der Hand. »Du musst ihn auseinanderreißen.« Er presste die Schalen auf und schlürfte das Fleisch mit Schmatzen hinunter.
»Du Tagedieb, du wolltest ihn doch nur zerreißen.« Pavle packte ihn hinten am Nacken.
»Oh«, stöhnte Nicola, »war das gut«, und er langte nach dem zweiten, aber Duro war ihm zuvorgekommen.
Sie steckten nun nach und nach alle Krebse in die Büchse, ließen sie kochen und Zora verteilte sie. Duro und Pavle suchten sogar noch

einmal, aber es war, als seien die Krebse mit der Sonne verschwunden. Sie fanden nur noch zwei kleine und gaben das Suchen auf. Die Bäuche gefüllt, wanderten auch sie den schmalen Weg in die Höhe, und als sie auf eine kleine Lichtung kamen, auf die die Sonne bereits voll schien, legten sie sich hin, um noch einige Stunden zu schlafen.

Es war aber zu unruhig im Wald. Erst hämmerte ein großer Specht in ihrer Nähe, bald darauf hörten sie Auerhähne balzen, etwas später fiepte ein Rehbock, der sogar einen Augenblick auf ihre Lichtung trat. Die Sonne schien auch bereits zu heiß und sie machten sich wieder auf die Beine.

Der Weg führte am Bach entlang. Manchmal erweiterte sich das kleine Wasser zu einem Tümpel, in dem Wasserrosen und Gräser schwammen. Die Tümpel waren tiefschwarz und sie sahen auch Fische darin.

Je höher sie hinaufkamen, umso enger wurde das Tal. Der Pfad wurde schmaler und die Bäume – es waren meist Tannen – stellten sich ihnen mehr und mehr in den Weg.

Es waren wahre Riesen. Manche konnten die Kinder, auch wenn sie sich alle fünf die Hände reichten, kaum umspannen, und wenn sie hinaufsahen, schwindelte ihnen, denn es sah aus, als wüchsen sie in den Himmel.

»Von solchen Tannen hat man früher Schiffsmasten gemacht«, erzählte Zora, »als die Schiffe noch mit den Winden segelten und man noch keine Dampfmaschinen kannte.«

»Das war sicher damals, als die wahren Uskoken noch lebten?«, sagte Pavle.

»Ja«, nickte Zora. »Sie sind große Schiffsbauer und tapfere Kapitäne gewesen und sind mit ihren Schiffen bis Venedig, bis Istanbul, ja bis Ägypten und noch weiter gefahren.«

»Schade«, sagte Pavle, »dass wir das nicht können. Ich würde sicher auch ein guter Schiffsbauer und vielleicht auch ein tapferer Kapitän werden.«

Die Kinder blickten noch eine Weile an den hohen Bäumen hinauf, dann fragte Branko: »Was macht man jetzt aus ihnen?«

»Man macht immer noch Schiffsmasten«, erzählte Zora weiter, »aber die meisten nimmt man zu Baugerüsten oder schneidet Bretter und Balken aus ihnen.«

Die Schlucht endete plötzlich in einer Mulde, in die das Wasser aus einer kleinen Höhlung schoss.
»Die Quelle«, sagte Duro und trank von dem Wasser.
Rings um die Quelle stiegen die Felsen wie Mauern in die Höhe.
Nicola verzog sein Gesicht. »Müssen wir da hinauf?«
»Wir müssen wohl.« Zora begann schon zu klettern.
Es dauerte ungefähr eine Stunde, bis sie die Felsen erklommen hatten und in einen Laubwald traten.
Die Bäume waren weniger hoch als in der Schlucht, aber so mit Dornen und Gestrüpp verwachsen, dass die Kinder nur schrittweise vorwärtskamen.
Sie hatten sich ungefähr hundert Meter durch das Dickicht geschlagen, als sie ein lautes Gekreisch und darauf ein furchtbares Fauchen hörten.
»Was war das?« Duro blieb ängstlich stehen.
»Ich weiß nicht«, sagte Zora, aber schon riss Pavle die nächsten Büsche auseinander und stürmte auf das Kreischen zu. Die anderen rannten ihm nach.
Sie kamen auf eine Lärchenlichtung und sahen sich einer großen Wildkatze gegenüber, die einen Fasan niedergeschlagen hatte.
Die Katze hatte sie bereits erspäht, starrte zu ihnen herüber und kreischte noch lauter.
»Was ist das?« Auch Branko war ängstlich geworden.
»Ein Luchs«, warnte Duro. »Ich kenne diese Biester. Sie sind gefährlich. Bleibt stehen.«
Branko blieb nur zu gern stehen, aber Pavle war schon weitergerannt. Jetzt duckte sich der Luchs, ließ den Fasan los und sprang Pavle an.
Die große Katze sprang ihm gegen die Brust und warf den Jungen zu Boden. Im gleichen Augenblick stellte sie sich auf ihn und zeigte ihre Zähne.
»Drauf!«, rief jetzt Zora, hob ein Stück Holz hoch und stürmte auf den Luchs los.
Auch Branko ermannte sich, raffte einen Stein auf und warf ihn gegen das Tier.
Der Luchs richtete sich auf, sträubte die Haare, zeigte seine Zähne noch mehr und fauchte Zora und Branko an.
Die Kinder wichen aber nicht zurück, und als Duro auf das Tier ein-

stürmte, wandte es sich, allerdings immer noch mit Fauchen, langsam zur Flucht.
Es wandte sich aber gerade nach der Seite, auf der Nicola stand.
Erst versteckte sich der Kleine hinter einer Lärche; als er aber merkte, dass das Tier näher kam, kletterte er wie ein Affe auf den Baum hinauf.
»Er klettert ihm nach!«, schrie Zora entsetzt.
Das große Tier, das keinen anderen Ausweg sah, sprang gewandt von Ast zu Ast und folgte Nicola.
Nicola schrie verzweifelt, kletterte aber genauso schnell weiter. Jetzt bog sich die Lärche schon. Nicola schrie nochmals, dann ließ er sich fallen.
Er stürzte direkt an dem Luchs vorbei in ein Ginstergebüsch. Zora zog ihn behutsam heraus.
»Hast du dir wehgetan?«
Nicola betastete sich. Er starrte immer noch auf den Luchs, der fauchend in dem Geäst saß.
»Nein«, sagte er nach einer Weile und versuchte wieder zu scherzen. »Außer meiner Hose ist noch alles ganz an mir.«
Zora kümmerte sich nun um Pavle, der noch auf der Erde lag. Der arme Bursche sah schlimmer aus. Der Luchs hatte ihm mit der Pranke ins Gesicht geschlagen. Drei große Risse gingen vom Ohr bis zum Kinn und aus all den Wunden lief Blut in kleinen Bächen in den Hals.
Zora beugte sich über ihn: »Hast du Schmerzen?«
Pavle versuchte zu lächeln. »Am Kopf nicht, aber am Bein.«
Jetzt sah Zora erst, dass auch Pavles Bein blutete. Sie streifte die Hose in die Höhe. Der Luchs hatte ihn gebissen und die Wunde sah recht gefährlich aus.
»Diese Kanaille!« Sie schielte noch einmal zur Katze hinauf, dann riss sie Pavles Hemd in Streifen und band es um die Wunde.
Branko und Duro warfen inzwischen weiter mit Steinen und Holzstücken nach dem Luchs, auch Nicola hatte seine Angst wieder verloren und beteiligte sich an dem Werfen.
Der Luchs saß nun auf dem gleichen Ast, auf dem Nicola gesessen hatte, und fauchte und maunzte noch fürchterlicher zu ihnen herunter.
Zora fasste Branko leicht an der Schulter: »Pavle ist gebissen worden. Ich glaube, wir müssen ihn tragen.«

»Erst müssen wir den Luchs verjagen«, meinte Branko, »sonst fällt er noch einmal über uns her.«
Da trat ein Bauer aus den Büschen, er sah erst auf Pavle und dann auf Branko und Zora. »Was macht ihr denn hier?«, sagte er.
Zora zeigte ihm den Fasan und dann den Luchs, der sich gerade wieder duckte, als ob er herunterspringen wolle.
Der Bauer, ein kleiner Mann mit einem genauso kleinen, verkniffenen Gesicht, sah den Luchs einen Augenblick durchdringend an, plötzlich holte er einen Gewehrlauf unter seinem Rock hervor, schraubte ihn an den Kolben, den er aus dem Hosenbein zog, und eine Minute später krachte ein Schuss durch den Wald.
Der Luchs kreischte noch einmal wild auf, richtete sich in die Höhe und fiel dann durch die Äste.
Duro und Nicola wollten auf ihn zustürzen.
»Langsam, langsam«, warnte sie das Bäuerchen. »Diese Katzen sind zäh, und wenn sie angeschossen sind, noch gefährlicher als sonst.«
Er lud erst wieder, ehe er näher kam.
Der Luchs war wirklich tot.
Er lag auf der Seite, alle vier Beine von sich gestreckt, nur das Maul war noch offen und jetzt sahen die Kinder, was für große, gefährliche Zähne er hatte.
»Du Biest«, knurrte Nicola und trat die Katze in die Seite.
Der Bauer hatte sich inzwischen nach Pavle umgesehen. Er band die Lappen wieder ab. »Das sieht böse aus. Kommt, wir wollen ihn in mein Haus bringen.«
Der Mann fällte eine kleine Birke, band dem Luchs die Beine zusammen, hängte ihn daran und Duro und Branko mussten ihn tragen. Nicola bekam den Fasan und Zora und der Bauer stützten Pavle.
»Geht da rechts.« Das Bäuerchen zeigte auf eine große Tanne. »Dort kommt ihr auf einen Pfad, und wenn wir uns beeilen, sind wir in einer Stunde bei mir.«
Die Kinder kamen nur langsam vorwärts. Das schwere Tier verfing sich in den Ästen. Auch Pavle musste immer stärker gestützt werden, seine Wunden brannten wie Feuer und schmerzten bei jedem Schritt.
Als sie den kleinen Pfad erreichten, ging es besser. Bald trat der Wald weiter zurück und sie gelangten auf eine große Lichtung, auf der einige Obstbäume und eine alte Scheune standen. Hinter den Obst-

bäumen tauchten Felder auf und die Stunde war noch nicht vorbei, da sahen sie einige Häuser.
Der Bauer wies hinüber. »Dort wohnen wir.«
Die Gehöfte lagen im Schatten riesiger Nussbäume. Es waren langgestreckte, unverputzte Steinhäuser. Der vordere Teil war mit schweren Platten, der hintere mit Stroh gedeckt. Einige Hühner liefen herum, zwei Gänse schnatterten, als sie die kleine Gesellschaft zu Gesicht bekamen, und irgendwo hinter den Häusern bellte ein Hund.
»Mila!«, rief der Bauer.
Eine große Frau trat aus der Tür des ersten Hauses.
»Was gibt es?«
»Ich bringe Gäste«, sagte der Bauer, »und das da.« Er zeigte auf den Fasan und den Luchs.
»Du warst wieder wildern«, bemerkte die große Frau, die wie eine Säule neben dem Bäuerchen stand, nicht sehr freundlich.
Der Bauer schüttelte den Kopf. »Ich kam gerade dazu, wie der Kerl da«, er stieß den Luchs in die Seite, »einen der Knaben niederschlug, und den Fasan hat er auch getötet. Aber lass uns eintreten, wir sind müde.«
Die Frau trat zur Seite und ließ die Kinder und den Bauern vorbei. Als sie Pavles blutiges Gesicht erblickte, wurde ihre Miene weicher.
»Ist es schlimm?«, fragte sie den Knaben.
Pavle nickte.
Sie waren inzwischen ins Haus getreten. Die Tür führte in eine große, halbdunkle Küche. An der hinteren Wand stand ein mächtiger Kamin, über dem ein eiserner Kessel hing. Um die anderen Wände zogen sich schwere Bänke, sonst war nur ein Tisch, ein eingebautes Regal und ein aus groben Steinen zugehauener Spülstein in dem Raum.
Der Bauer legte Pavle in die Nähe des Kamins.
»Hast du kein Feuer?«, fragte er die Frau. »Man muss die Wunden sofort mit warmem Wasser auswaschen.«
Die Frau verneinte. »Ich habe es ausgehen lassen.«
»Dann hole Feuer vom Nachbarn.«
Die Frau nahm einen Kienspan und wollte gehen.
Branko hielt sie auf. »Habt ihr keine Streichhölzer?«
»Die sind für einen Waldbauern zu teuer«, sagte sie.
»Ich habe welche.« Branko zog eine Schachtel aus der Tasche.

»Die rote Zora«

Filmfotos von Gordon Timpen

Regie
Peter Kahane

In den Hauptrollen
Mario Adorf
Ben Becker
Linn Reusse
Jakob Knoblauch

Jakob Knoblauch als Branko und Linn Reusse als Zora

Die rote Zora und ihre Bande vor der Uskokenburg

Vor der Uskokenburg

Zora (Linn Reusse), Branko (Jakob Knoblauch), Duro (David Berton), Pavle (Woody Mues) und Nicola (Pascal Andres)

David Berton als Duro

Ben Becker als Karaman

Mario Adorf als Fischer Gorian

Dominique Horwitz als Bürgermeister Ivekovic

Hilmi Sözer und Badasar Calbiyik sind die Polizisten Dordevic und Begovic

Branko wird von Karaman beim Stehlen erwischt

Branko muss ins Gefängnis

Zora und Branko helfen dem verletzten Hund Leo

Begovic und Dordevic verfolgen die Bande

Branko wird von den Gymnasiasten gefesselt

Die Gymnasiasten verfolgen Zora

Der Sohn von Karaman hat Pavle mit einem Messer verletzt

Der Fischer Gorian versorgt den verletzten Pavle

Branko sucht die Bucht nach Tunfischen ab

Zora hilft beim Fischen

Die Bande ist gern bei Gorian und unterstützt ihn beim Fischen

Duro spioniert hinter Branko her

Zlata (Nora Quest) bringt Branko das Geigenspiel bei

Karaman hat von Gorians Tunfischen gehört

Karaman und Bürgermeister Ivekovic

Karaman als Festredner

Das Dorf feiert den erfolgreichen Fischfang

Karaman und die Polizisten suchen die Bande bei Gorian

Karaman spricht vor der Magistratsversammlung

Zora darf beim Fischer Gorian bleiben

Späne und kleines Holz lagen schon bereit und einen Augenblick später brannte ein großes Feuer unter dem eisernen Kessel.
Indessen hängte der Bauer den Luchs an einen Pfosten und zog ihm das Fell vom Leib, während seine Frau die Lappen von Pavles Bein löste.
»Hoffentlich kommt nicht Brand hinein.« Sie tupfte die Wunden vorsichtig mit warmem Wasser ab, in das sie noch eine Handvoll Kamille geschüttet hatte.
Pavle biss die Zähne zusammen, aber manchmal wimmerte er doch.
Zora, Duro und Nicola sahen sich inzwischen im ganzen Haus um. Von der Küche, die der einzige Wohnraum war, kam man direkt in den Stall. In dem langgestreckten, luftigen Bau, der zur Hälfte Scheune war, standen zwei Kühe, vier Schafe und eine Ziege. Außerdem wühlten sieben schwarze Schweine herum, die aufschnüffelten, als die Kinder in den Stall traten, und gleich darauf durch ein Loch ins Freie stoben.
Die Kinder sahen jetzt auch den Hund, einen grimmigen, dicken Köter, der sie wütend anfuhr und seine Zähne zeigte.
Sie waren hinter das Haus getreten und blickten zu den anderen Gehöften hinüber. Das nächste war kleiner als das, in dem sie waren, das dritte schien unbewohnt zu sein, denn dem vorderen Teil fehlten die Ziegel, und eine Mauer war eingestürzt.
Duro wollte gerade wieder in das Haus zurückgehen, da rief Nicola: »Dort kommt ein Jäger!«
»Ein Jäger?«, wiederholte Duro erschrocken.
Die Jungen sahen hin. Genau an der Stelle, an welcher sie den Wald verlassen hatten, erschien eine grüne Gestalt zwischen den Bäumen und nun erblickten sie auch seinen Hund.
Duro war recht erschrocken. »Um Gottes willen. Wenn er das Gewehr findet, nimmt er den Bauern mit. Wir müssen es ihm gleich sagen«, und er wollte losrennen.
Branko hielt ihn fest. »Geh nur langsam, sonst schöpft er erst recht Verdacht.«
Nicola war aber bereits durch den Stall zurückgerannt, und als Branko und Duro in die Küche traten, wusste der Bauer bereits alles. Er kratzte sich aufgeregt am Kopf: »Das kann mich Hals und Kragen kosten. Der Förster ist schon lange hinter mir her.«
»Schimpf nicht«, sagte die Frau ruhig. »Denk lieber darüber nach, was wir machen können. Vorläufig ist er ja noch nicht da.«

»Vor allen Dingen muss das Gewehr weg.« Der Mann riss es vom Nagel und wollte damit hinaus.
Die Frau nahm es ihm wieder fort. »Wenn er dich mit dem Gewehr sieht, hat er dich gleich.«
»Er hat mich auch so«, knurrte der Bauer, »oder meinst du, er hat nicht das Blut von der Katze gesehen«, und er zeigte auf den Luchs.
»Es kann doch auch von dem Buben sein«, beruhigte ihn die Frau. »Oder hat der Bub kein Blut verloren?«
»Sehr viel sogar«, bestätigte Zora.
Der Bauer wurde ruhiger. Er gab Branko das Gewehr. »Du gehst damit in den Stall, und wenn der Jäger an der Tür ist, verschwindest du damit in den Wald.«
Duro lud er den abgebalgten Luchs auf den Rücken. »Du wartest auch, bis der Förster in die Küche eintritt, dann wirfst du das Tier in die Jauchegrube.«
Die Frau stopfte inzwischen das Fell in einen Sack und schob es unter Pavle. Dann streute sie Asche über das Luchsblut und kehrte beides sorgfältig zusammen. »Den großen Buben lassen wir wohl liegen?«, sagte sie nun zu dem Mann.
Der Bauer nickte. »Das Mädchen kann auch bei ihm bleiben.«
»Aber was sagen wir, wer sie sind?«
»Die Wahrheit«, meinte der Bauer. »Ich habe sie im Wald getroffen, als gerade der Luchs über sie herfiel, denn dass den Knaben nur ein Luchs so zugerichtet haben kann, sieht der Förster auch.«
»Sag lieber, es sind die Kinder meiner Schwester und sie haben Schwämme gesammelt.« Die Frau wies auf eine Schüssel mit Steinpilzen. »Ich habe heute Morgen welche gesucht. Da liegen sie noch.«
»Gut, gut.« Der Mann war einverstanden.
Da sah die Frau den Vogel. Er lag noch auf dem Stuhl. »Willst du nicht auch den Fasan wegschaffen?«
Der Bauer schüttelte den Kopf. »Der Luchs ist feig und greift den Menschen nur an, wenn er in Gefahr ist. Wir müssen dem Förster schon sagen, dass wir der Katze den Fasan wegnehmen wollten und dass sie deshalb den Buben so zugerichtet hat.«
Die Frau horchte auf. »Da kommt er.«
Es war aber nur der Hund, der an der Tür scharrte.
»Was soll ich denn machen?«, meldete sich da Nicola.
»Du bist auch noch hier?« Der Bauer dachte nach. Plötzlich lachte er.

»Lass unseren Karo los. Aber beeil dich.« Er schob Nicola gleichfalls in den Stall.
»Warum?« Die Frau sah ihn an.
»Wenn Karo diesen Schnüffler sieht«, er wies auf die Tür, wo der Hund des Försters noch immer bellte und kratzte, »stürzt er sich sicher auf ihn, und bis der Förster die beiden Köter getrennt hat, haben die Buben Zeit und kommen sicherer in den Wald.«
Es war gar nicht so einfach, Karo loszumachen. Der dicke Köter kläffte Nicola genauso bissig an wie vorher. Nicola wollte es schon aufgeben, da schoss der große Försterhund um die Ecke. Jetzt stürmte Karo auf ihn zu und Nicola schnitt einfach den Strick durch, mit dem der Hund an seine Hütte gebunden war.
Karo schnellte wie ein Pfeil auf den hageren Jagdhund los und warf ihn über den Haufen. Der Jagdhund schien zu erschrecken und rannte davon. Karo folgte ihm.
Der Bauer blinzelte seiner Frau zu, als er das grimmige Gebell der Hunde hörte, gleichzeitig erscholl auch die wütende Stimme des Försters.
»Verdammte Köter!«, schrie er und schlug auf die beiden Hunde ein, aber er erreichte nur, dass die Hunde weiterjagten und sich nun im Feld ineinander verbissen.
Der Bauer war vor die Tür getreten: »Karo!«
Auch der Förster rief seinen Hund.
Karo kam endlich zurück. Auch der Jagdhund schlich langsam näher. Die beiden Männer nahmen ihre Tiere an die Leine und der Förster band den seinen vor dem Haus fest.
Der große Mann mit der breiten Schirmmütze, unter der braun und wie gegerbt ein zu langes Gesicht, eine spitze Nase und drohende, blitzende Augen saßen, drängte grob durch die Tür. »Heute habe ich Euch erwischt, Polacék«, sagte er.
»Mich?« Der Bauer blickte zu ihm auf.
»Wagt nicht zu lügen.« Die großen Augen blitzten Polacék wütend an. »Ich habe einen Schuss gehört und auch die Spur gefunden. Der Hund hat sie aufgenommen und sie führte gerade zu Euch.«
»Eine Spur könnt Ihr gefunden haben«, meinte der Bauer. »Ich will Euch sogar ihr Ende zeigen, aber von einem Schuss weiß ich nichts.«
Der Förster musste sich erst an die Dunkelheit gewöhnen, bis er Pavle und Zora sah.
»Das ist das Opfer.« Polacék wies auf Pavle.

»Was hat der Knabe?« Der Förster beugte sich zu Pavle nieder.
»Ein Luchs hat ihn angefallen.«
»Ein Luchs!« Seine feste, breite Hand fuhr über Pavles blutendes Gesicht, sodass Pavle laut aufstöhnte.
»Er hat ihm auch das Bein zerbissen«, fuhr Polacék fort und zeigte auf die tiefen Wunden.
»Habt Ihr die Wunden gut ausgewaschen?«, fragte der große Mann freundlicher.
Polacék nickte. »Mit heißem Wasser. Meine Frau hat noch eine Handvoll Kamillen hineingeschüttet.«
Der Förster stand auf, strich sich den Bart und dachte anscheinend nach. Da sah er den Fasan liegen. »Und was ist das?« Seine Stimme wurde wieder grob und er blickte den kleinen Polacék giftig an.
Polacék behielt seine Ruhe. »Das zweite Opfer. Der Luchs schlug ihn nieder, und als ihn der da«, er wies wieder auf Pavle, »bei seinem Fressen störte, warf er sich auf ihn. Ich kam gerade zur rechten Zeit, sonst hätte er ihn noch übler zugerichtet.«
Der Förster betrachtete inzwischen den Fasan. »Ihr scheint die Wahrheit zu sagen. Die Wunde am Hals ist von einer Katze.«
Polacék lachte dumpf auf. »Und von einer großen. Das könnt ihr mir glauben.«
»Ich habe aber auch einen Schuss gehört«, fing der Förster wieder an und sah sich misstrauisch um.
»Es wird jetzt viel in den Wäldern geschossen«, meinte der Bauer und setzte sich.
»Was habt Ihr denn überhaupt im Wald gesucht?«, fragte der Förster aufs Neue.
»Sie haben Pilze gesucht.« Die Frau trat jetzt zwischen die Männer. »Da sind sie.« Sie hielt sie dem Förster unter die Augen.
»Und Ihr habt keinen Schuss gehört?«, fragte der Förster hartnäckig weiter. Der Bauer schüttelte diesmal nur den Kopf.
»Du auch nicht?« Der Förster stieß Zora, welche die ganze Zeit still neben Pavle gesessen hatte, mit dem Fuß in die Seite.
Zora wechselte wieder den Umschlag. »Ich habe nur zwei Schreie gehört, einen von dem Luchs und den zweiten von Pavle. Sonst nichts.«
Der Förster sah Zora genauer an.
Auf einmal strich er ihr das Haar in die Stirn. »Das Mädchen hat ja rote Haare?«

Zora wusste schon lange, dass der große, schöne Mann mit der spitzen, kühn geschwungenen Nase und dem Bärtchen darunter der Förster Smoljan war, der Vater von Vladimir, und hatte auf die Frage gewartet.
»Warum soll ich keine roten Haare haben?«, antwortete sie ruhig und strich sie wieder zurück.
Jetzt mischte sich die Frau das zweite Mal ein: »Meine Schwester hat auch rote Haare.«
»Eure Schwester?«, wiederholte Smoljan.
»Das Mädchen ist mein Geschwisterkind. Sie ist mit dem Buben seit vierzehn Tagen auf Besuch.«
»In Senj sucht man ein Mädchen mit roten Haaren«, fuhr der Förster fort, »und wenn sie nicht Eure Nichte wäre, hätte ich sie mitgenommen.«
»In Senj?«, fragte der Bauer. »Warum denn?«
Der Förster lachte grimmig auf. »Weil ganz Senj sie in die Hölle wünscht und ich ganz besonders.«
Er schritt langsam auf die Tür zu, sah sich aber noch immer nach allen Seiten um.
»Wollt Ihr noch etwas?«, fragte ihn Polacék. »Vielleicht einen Schnaps? Oder ist Euch unser Schnaps zu gering?«
»Ein andermal.« Der Förster trat endlich ins Freie. Auf einmal kam er wieder zurück. Er fasste nach dem Fasan. »Den muss ich leider mitnehmen.«
Polacék nickte nur:
»Ich hätte ihn Euch ohnehin gebracht.«
Diesmal lachte Smoljan laut auf. »Wenn ich Euch alles glaube, Polacék, das glaube ich Euch nicht.«
Polacék hob verlegen seine Hände. »Wie Ihr wollt, Herr.«
Der Förster band schon seinen Hund los. »Wisst Ihr übrigens, nach welcher Seite der Luchs geflüchtet ist?«
»In die Schlucht hinunter. Ich habe ihn da unten auch schon früher gesehen.«
»Danke.« Der Förster fasste nach seiner Kappe. »Und pflegt den Burschen gut. Luchswunden sind gefährlich.«
»Wir werden es tun, Herr.« Polacék zog auch seine Kappe. »Und gute Jagd und hoffentlich erwischt Ihr den Kerl.«
Das Bäuerchen blieb so stehen, bis der Förster im Wald verschwun-

den war, und erst als sich auch der Hund zwischen den Bäumen verlor, trat er wieder in sein Haus.
Die Frau hatte inzwischen den Tisch gedeckt. Holzteller standen darauf und eine tiefe, bunte Schüssel, in der eine Brotsuppe dampfte. Sie drehte sich um. »Ist er fort?«
Polacék nickte.
»Da haben wir Glück gehabt«, sagte die Frau.
»Großes Glück.« Der Bauer setzte sich wieder.
Die Frau schenkte den ersten Teller voll. »Gib es dem Kranken«, sagte sie zu Zora, »und dann rufe die anderen.«
Duro und Nicola kamen schon.
»Der Luchs ist gleich untergegangen«, erzählte Duro triumphierend, und nach einer Pause: »Sollen wir ihn wieder herausholen?«
»Lasst ihn nur darin. Die Hauptsache ist das Fell und das haben wir ja gerettet.«
Jetzt kam auch Branko.
Der Bauer sah ihn an. »Wo hast du mein Gewehr?«
»Ich habe es im Wald gelassen. Ich dachte, es ist besser so. Soll ich es holen?«
»Lass es nur noch dort«, sagte die Frau. »Jetzt wird erst gegessen«, und sie schob die Bänke um den Tisch.
Die Jungen setzten sich und wollten ihre Löffel nehmen, da stieß sie Zora an.
Der Bauer hatte seine Hände gefaltet und sprach ein Gebet. Die Frau betete mit und auch die Kinder versuchten die Worte nachzusprechen.
Nun sah der Bauer wieder auf. Er blinzelte alle noch einmal mit seinen kleinen, listigen Augen an, dann sagte er: »Lasst es euch schmecken«, und tauchte seinen Löffel in die Suppe.

14

Im Hexenhaus

Als die Kinder und der Bauer am nächsten Morgen nach Pavle sahen, war sein Gesicht rot und er fieberte.
Polacék wickelte das Bein aus. Die Wunde brannte immer noch wie Feuer und der obere Teil des Schenkels war dick angeschwollen. Polacék kratzte sich, dann sah er die Kinder an. »Ich glaube, ihr müsst noch einen Tag hierbleiben.«
Die Kinder hatten nichts dagegen. »Wenn Ihr uns dabehaltet«, sagte Zora, »bleiben wir gern. Wir werden Euch auch helfen.«
Polacék nickte. »Hilfe kann ich immer gebrauchen.«
Duro fuhr den ganzen Tag mit den Kühen Mist auf die Wiese und Branko, Nicola und Zora verteilten ihn. Am nächsten und am übernächsten Morgen ging es aber noch immer nicht besser; so hackten sie noch einen Tag mit der Frau Unkraut aus den Kartoffeln und am dritten Tag fuhren sie mit Polacék ins Holz.
Am vierten Morgen ging es Pavle endlich besser. Die Wunden im Gesicht hatten sich bereits geschlossen. Das Fieber war gefallen, allerdings eiterte der Schenkel noch und auch die Schmerzen hatten nicht sehr nachgelassen.
»Ich glaube, es geht wieder«, sagte Pavle tapfer und lächelte Zora an.
»Schone dich nur noch einen Tag«, meinte die Frau, die ihm die Suppe brachte. »Wir werden euretwegen nicht verhungern.«
Am sechsten Morgen brachen sie auf.
»Nein«, erklärte auch Duro, dem es bei dem Bauern am besten gefiel, »länger können wir nicht bleiben.«
Die Kinder hatten Sehnsucht nach ihrem Turm, dem Meer und nach allem, was sie in Senj gelassen hatten.
Sie bedankten sich bei Polacék und seiner Frau. Polacék winkte ab. »Lasst nur. Ihr habt mir geholfen, und wenn Branko mein Gewehr nicht so schnell in den Wald gebracht und Duro den Luchs nicht in die Grube geworfen hätte, hätte mich der Förster sicher mitgenommen und ich wäre heute in Senj im Gefängnis.«

Die Frau packte den Kindern noch allerlei ein. »Kommt bald einmal wieder«, sagte sie. »Im Sommer können wir immer jemanden auf dem Feld brauchen.«
Es war Mittag, als sie den kleinen Weiler verließen. Der Bauer hatte ihnen ungefähr die Richtung angegeben, die sie nehmen sollten, und sie wanderten tapfer drauflos.
Die erste Zeit stampften sie noch durch Wald und Gestrüpp. Um Pavle, der noch blass und spitz aussah, nicht zu sehr zu ermüden, gingen sie langsam.
Gegen drei lichtete sich endlich der Wald. Sie atmeten auf, ja Nicola streckte die Arme in die Luft vor Freude, und als sie plötzlich von einer Höhe das erste Mal das Meer sahen, dieses unendliche Blau, das im Westen mit dem Himmel verschwamm, kannte ihr Glück keine Grenzen.
»Sieh doch«, sagte Branko zu Zora, »wie schön.«
Zora starrte aber nur mit großen Augen in die doppelte Bläue, dann warf sie wie Nicola beide Arme in die Luft und galoppierte in sie hinein. Ein paar Hundert Meter weiter senkte sich das Plateau steil nach unten und sie sahen Senj wieder.
Von hier oben sah die kleine, winklige Stadt wie ein etwas verschobenes Dreieck aus, das man in das spitze, sich wie ein Keil ins Meer schiebende Tal hineingepasst hatte.
»Dort ist unser Turm!« Nicola zeigte hinüber.
»Ja, er steht noch!«, jubelte Zora.
Duro sah sie belustigt an. »Hast du geglaubt, Begovic würde ihn wegtragen?«
Zora lachte. »Nein. Aber es ist doch schön, dass er noch da ist.«
Erst jetzt sahen sie, dass Pavle zurückgeblieben war, und sie warteten, bis er heranhumpelte.
Der große Junge stöhnte. »Ich muss noch langsam gehen. Wenn ich laufe, platzen die Wunden wieder auf.«
Duro sprang auf. »Wollen wir nicht weitergehen?«
Zora zeigte nur in die Tiefe. »Senj!«
Pavle versuchte zu lächeln. »Ich freue mich auch.«
»Ob sie unseren Turm wohl noch bewachen?«, fragte Duro.
Zora zuckte die Achseln.
»Ich glaube, schon«, meinte Zora. »Nach allem, was der Förster gesagt hat, suchen sie uns noch.«

Die Kinder blickten eine Weile still hinunter. Das Meer wechselte langsam aus seiner tiefblauen Farbe in ein sattes Grün und hob sich deutlicher vom Himmel ab. Auch der weiße Schimmer über Senj verzog sich und die Häuser und Straßen traten deutlicher hervor.

Zora war dagegen. »Warten wir lieber, bis es Abend wird. Wenn uns jemand sieht, haben wir morgen wieder Begovic und die Gymnasiasten auf dem Hals.«

Die anderen schlossen sich Zora an und so krochen sie in ein Kieferngestrüpp und warteten, bis es dunkler wurde.

Die Sonne verschwand schon hinter ihnen, als sie wieder aufbrachen. Es ging ziemlich steil hinab und Branko und Nicola mussten Pavle helfen.

Auf einmal schüttelte es den großen Jungen aufs Neue und ihm wurde schwindlig. »Ich muss mich setzen«, stöhnte er.

Branko legte seinen Arm um ihn und auch Zora versuchte ihn zu wärmen, aber es wurde nicht besser, Pavle zitterte immer heftiger. Er sah sie kläglich an. »Ihr müsst mich hierlassen.«

Zora schüttelte den Kopf. »Nein. Im Freien kannst du nicht bleiben. Da erkältest du dich und es wird noch schlimmer mit dir.«

»Was machen wir aber mit ihm?«, fragte Nicola.

Branko sah sich um. Hier in der Nähe wohnte doch seine Großmutter. Sicher, ihre Hütte musste dort unten in der Schlucht sein. »Wenn wir recht leise sind«, sagte er, »können wir Pavle zu meiner Großmutter bringen.« Er wies in die Schlucht. »Sie hat einen Stall hinterm Haus. Aber ihr müsst wirklich still sein, sonst wirft sie uns hinaus.«

Pavle richtete sich auf. »Dahinunter komme ich noch.«

Sie stützten Pavle und nach einer halben Stunde waren sie unten.

»Da ist es«, sagte Branko.

Das Haus war kaum noch dreißig Schritte von ihnen entfernt. Der Schuppen war aber verschlossen.

»Wartet«, sagte Branko. »Ich kann ihn öffnen.«

Er kletterte durch das Fenster und schob den Riegel zurück.

Sie traten leise ein und betteten Pavle auf das Stroh.

»Was machen wir nun?«, fragte Duro.

»Ich bleibe bei Pavle«, sagte Zora.

»Ich bleibe auch bei ihm«, meinte Branko.

»Ich gehe zu unserer Burg«, sagte Nicola. »Ich muss wissen, ob Begovic noch Wache steht.«
Duro wollte mitgehen. »Aber seid vorsichtig«, warnte sie Zora, »damit er euch nicht erwischt.«
Die beiden kicherten nur, dann schlichen sie leise aus dem Schuppen.
Zora wandte sich wieder Pavle zu. »Liegst du gut?«
Pavle versuchte zu lächeln. Da er aber weiter stöhnte, auch noch immer fröstelte, legten sie ihm einen Sack um die Schultern und schoben ihn tiefer ins Stroh.
Branko horchte indessen auf die Geräusche aus der Hütte. Die alte Kata war da. Er hörte sie mit schlurfenden Schritten hin und her gehen. Auf einmal sagte eine helle Stimme: »Herein!«
»Wer ist das?« Zora hatte sich neben ihn gesetzt.
»Ein Papagei.«
»Ein Papagei?«
»Er ist schon uralt und heißt Koko.«
Der Papagei sagte noch einmal: »Herein.«
Nun hörten sie auch die Stimme der Alten. »Ist denn jemand da?«, fragte sie.
Der Vogel kreischte: »Der gute Onkel Jacova ist wieder hier.«
»Verdammtes Biest!«, knurrte die Alte. »Bist du still!« Sie ging jedoch nach der Tür, öffnete sie und sah hinaus.
»Ha, ha, ha, ha!«, machte der Papagei. »Gleich kommt er. Ach, wie sich Koko freut.«
Die Alte kam zurück. »Niemand ist da, du dummes Vieh«, und im gleichen Augenblick knallte die Tür wieder zu.
»Ha, ha, ha, ha!« Der Vogel lachte so lustig, als lache er die Alte aus. »Natürlich ist er da.«
Die Alte schien sich aber nichts aus dem Gelächter zu machen. Sie hatte sich hingesetzt, sie hörten sie hantieren und auch der Vogel sagte nichts mehr.
»Was macht deine Großmutter hier?«, fragte Zora.
»Sie soll eine Hexe sein. Hast du noch nichts von der schwarzen Kata gehört?«
Zora sperrte den Mund auf. »Das ist deine Großmutter?«
»Ja«, nickte Branko.
Sie horchten atemlos, aber sie hörten nur, dass die Alte einen Topf nahm, manchmal etwas murmelte und hin und her ging.

»Ich möchte einmal hinübersehen«, sagte Zora.
Branko war ganz erschrocken. »Und wenn sie uns erwischt?«
»Ach, sie wird uns schon nicht erwischen.«
Die Kinder probierten es zuerst an der Tür, aber es war nicht einmal ein Schlüsselloch in den dicken Brettern, die Tür wurde durch einen Riegel zugehalten.
»Vielleicht können wir von oben hineinsehen«, meinte Branko und zeigte auf den kleinen Boden.
Das Mädchen zog sich schon hinauf. Auf den dünnen Brettern lagen Holz und Reisig. Sie krochen vorsichtig darauf weiter.
Da hörten sie den Papagei wieder. Diesmal trompetete er noch lauter: »Herein!«
»Was hast du denn heute?« Die Stimme der Alten war richtig bös.
»Es ist der gute Onkel Jacova«, antwortete der Papagei.
»Blöder Kerl.« Die Alte stand auf. »Seitdem dieser Branko da war, siehst du den ganzen Tag deinen alten Onkel Jacova.«
»Ha, ha, ha, ha! Koko sieht ihn. Der gute, liebe Onkel Jacova. Koko hat ihn lieb.«
»Wenn du nicht still bist, haue ich dir eins über den Kopf.« Die Alte musste näher gekommen sein, denn die Kinder hörten ihre Stimme direkt unter sich.
Der Vogel flatterte auch fort und sie hörten sein »Ha, ha, ha, ha« aus einer anderen Ecke der Hütte.
»Ist er vielleicht im Stall, der Lausejunge?«, hörten sie die Alte sagen, die die Beharrlichkeit des Papageis stutzig machte.
Sie schob den Riegel zurück und riss die Stalltür auf.
»Komm her, du verdammter Vogel«, sagte sie einen Augenblick später, »und schau selber. Hier ist auch niemand.«
»Bück dich!« Branko drückte Zoras Kopf hinter ein Reisigbündel, denn der Vogel flatterte gehorsam in den Stall und sein »Ha, ha«, gemischt mit einem »Ki, ki«, kam immer näher.
»Such! Wo ist er?«, fragte die Alte lauter.
»Ha, ha! Ki, ki!« Der Vogel flatterte sogar auf den Giebel hinauf.
»Hoffentlich sehen sie Pavle nicht«, flüsterte Branko.
Zora beruhigte ihn. »Ich glaube nicht, dass man ihn sehen kann.«
Das Mädchen behielt recht. Nach einigen Minuten sagte die Alte: »Glaubst du nun, dass niemand da ist?«, und sie schlurfte wieder in die Hütte zurück.

Der Vogel folgte ihr, aber er schien noch immer nicht überzeugt, denn er plapperte weiter: »Der gute Onkel Jacova! Der gute Onkel Jacova! Er wird schon irgendwo sein.«
Zora benutzte die kurze Zeit, in der die Alte vom Stall in ihre Hütte zurückging, um ein paar Reisigbündel auf die Seite zu schieben; gleich darauf stieß sie Branko an. »Sieh, es wird hell.«
Unter dem Bündel war ein breiter Lichtstreifen. Sie schoben die Bündel noch mehr auf die Seite und ein Spalt wurde sichtbar, durch den sie die Hütte übersehen konnten.
Das Erste, was Zora erblickte, war der Rabe. »Da sitzt noch ein Vogel«, flüsterte sie.
Branko legte sein Gesicht neben das ihre. »Sie hat viele Tiere. Siehst du, dort am Kamin hocken zwei schwarze Hühner.«
»Auf dem kleinen Stuhl ist auch ein Kater.« Zora schüttelte sich. »Wie groß und gräulich er ist.«
»Er schaut zu uns herauf«, sagte Branko. »Wir kennen uns schon. Wenn man ihn streichelt, sprüht er Feuer.«
Jetzt sahen sie die Alte, wie sie langsam zum Kamin humpelte.
»Puh!« Zora versteckte ihr Gesicht hinter den Armen. »Sieht die böse aus.«
Branko war weniger erschrocken. Er hatte die Alte ja schon einmal gesehen. Er spürte aber auch einen leichten Schauer über seinen Rücken kriechen, als er sie so unmittelbar unter sich sah.
Ihr Gesicht wirkte von oben noch spitzer. Die lange Nase hing wie ein Geierschnabel über dem zusammengepressten Mund und die Augen saßen so versteckt unter den großen Deckeln, dass sie wie zwei feurige Funken aussahen, wenn sie aus den tiefen Löchern hervorblitzten.
Die Flammen des Feuers bedeckten das lange Gesicht manchmal mit einer roten Lohe und dann wieder mit einem gelblichen Schimmer. Es sah aus, als brenne die faltige Haut und der dünne Hals darunter.
Die Alte setzte sich an den Kamin, und kaum hockte sie in ihrem großen Stuhl, so flogen der Rabe auf die rechte und der Papagei auf ihre linke Schulter.
Zora sah wieder auf. »Was macht sie jetzt?«
»Ich weiß nicht«, flüsterte Branko.
Die Alte stocherte im Feuer und hob den Deckel von dem großen Topf, der über den Flammen hing. Ein dichter Dampf stieg heraus.

Sie nahm ein großes Stück Fett und ließ es hineinfallen, darauf warf sie noch einige Kräuter hinein. Es roch nach Pfefferminze, Arnika, Thymian und anderen Kräutern.
Die Alte ließ alles eine Weile aufkochen, griff dann mit ihren spitzen, knochigen Fingern nach einem Löffel und langte sich etwas aus dem Topf heraus. Es war ein zäher, gelblicher Brei geworden. Sie hielt ihn unter die Nase und roch daran, dann hob sie den Löffel höher und sagte: »Na, ist es gut?«
Der Rabe flatterte auf, als ihm der würzige Duft in die Nase stieg, während der Papagei krächzte: »Der gute alte Onkel Jacova konnte es besser.«
»Dummes Vieh«, brummte die Alte, »dein guter alter Onkel Jacova verstand höchstens etwas vom Schnaps, aber nichts von Kräutern.«
Sie hatte jetzt ein wenig von dem Brei zwischen Daumen und Zeigefinger genommen und zerrieb es. Anscheinend war sie aber auch nicht mit der Mischung zufrieden, denn sie schüttete noch mehr Kräuter in den Topf und legte den Deckel wieder darüber.
»Was kocht sie wohl?« Zora hatte vor Neugier ihren Schreck schon wieder vergessen.
Branko zuckte mit den Achseln. »Wahrscheinlich eine Salbe. Sie verkauft Salben und allerlei Tränke.«
Es dauerte eine ganze Zeit, bis die Alte den Deckel erneut hob. Diesmal schien sie zufriedener, denn sie goss den Brei langsam in ein paar tönerne Töpfe, die sie, nachdem sie gefüllt waren, hinter sich auf ein kleines Regal stellte. Sie war kaum mit dieser Arbeit fertig, da schrie der Papagei zum dritten Mal: »Herein!«
»Hältst du mich wieder zum Narren?«, knurrte die Alte, aber da hörte sie es selber. Es hatte geklopft. Sie lauschte noch einen Augenblick, dann stemmte sie sich hoch.
Es sah so grotesk aus, wie die Alte, auf ihren Stock gestützt, zur Tür humpelte, dass die Kinder einen Augenblick den Atem anhielten.
»Wer kommt da wohl?«, fragte Branko.
»Vielleicht der Teufel«, flüsterte Zora.
»Vielleicht ist es auch nur ein Ziegenbock«, beruhigte sie Branko.
»Oder eine andere Hexe.« Zora hielt sich an Branko fest.
Die Alte drehte den großen Schlüssel zweimal um. Es war weder der Teufel noch eine Hexe, wie die Kinder erwartet hatten. Es war ein großer, stämmiger Fischer, der in der Tür stand.

Branko kannte das braungebrannte, gutmütige Gesicht, an dessen Ohren breite, goldene Ringe glänzten. Es war der Bräutigam von Elena, der Freundin seiner Mutter, der junge Rista.
»Ha, ha, ki, ki!«, begrüßte ihn der Papagei laut. »Der schöne Rista«, und gleich darauf pfiff er einen lustigen Marsch.
Der Fischer schob seine Mütze nach hinten und sagte: »Guten Abend, Mutter Kata.«
Die Alte nickte und schlurfte wieder zu ihrem Stuhl. »Na«, sagte sie, als sie sich gesetzt hatte, »was willst du?«
»Wir wollen morgen ausfahren«, erzählte der Fischer, der sich gleichfalls einen Stuhl genommen hatte, »und ich möchte wissen, ob wir lieber noch einen oder zwei Tage warten sollen.«
»Aus den Karten oder soll ich die Hühner fragen?«
»Frag die Karten, den Hühnern traue ich nicht.«
Die Alte, die sich nach dem Tisch wandte, hielt sie bereits in der Hand. Sie mischte sie langsam, dann rief sie Koko und Koko musste sie abheben.
»Heb sie auch noch einmal ab.« Sie schob sie dem jungen Rista zu. Dann legte sie die Blätter vorsichtig auf den Tisch. Die einen mit dem Bild nach oben, die anderen deckte sie darauf.
Zuerst hob sie das Blatt in der Mitte auf. »Morgen, habt Ihr gesagt?«
Der Fischer nickte.
»Ich würde noch einen Tag warten.« Sie hob langsam die anderen Blätter ab. »Ja«, wiederholte sie, »wartet lieber noch einen Tag. Übermorgen ist es besser.«
»Wie steht es mit dem Fang?«
Die Alte hob wieder ihre Karten. »Gut, Rista, gut. Ihr könnt zufrieden sein.« Plötzlich lachte sie auf. »Sogar sehr zufrieden. Hier ist ein ganzer Schwarm und große Fische.« Sie lachte wieder: »Aber«, sie schob ihre Karten zusammen, »fahrt wirklich erst übermorgen.«
»Wir werden es machen.« Der junge Rista stand auf. »Und schönen Dank, Mutter Kata.« Er warf einen Zehn-Dinar-Schein auf den Tisch. »Schönen Dank, und wenn wir wirklich einen guten Fang haben, sollt Ihr auch ein paar Fische bekommen.«
»Ha, ha! Ki, ki!«, krächzte der Vogel. »Von den großen, mein Herz, von den großen. O du süßer Rista!« Und er pfiff wieder seinen Marsch.
Der Fischer lachte. »Ich werde es nicht vergessen, Koko«, und im gleichen Augenblick schlug die Tür hinter ihm zu.

Die Alte blieb eine Zeit lang still sitzen, da klopfte es wieder.
Diesmal riefen der Papagei und die Alte zu gleicher Zeit: »Herein.«
Durch die Tür trat ein stämmiger, großer Mann. Er klopfte sich den Staub von den Schuhen, dann kam er näher.
Zora stieß Branko in die Seite. »Karaman!«
Branko machte runde Augen. Die schwarze Kappe, das rote, aufgedunsene Gesicht, die kleinen Schweinsaugen, die wie zwei schwarze Knöpfe neben der Nase saßen, der massige Körper, die schweren Hände, es war wirklich der reiche Karaman.
Karaman trat an den Tisch.
»Ho, ho!«, schrie Koko laut und schlug mit den Flügeln. »Ho, ho!« Dann kreischte er einen Vers, den Branko und Zora schon in Senj gehört und mitgesungen hatten:

»Da kommt der reiche Karaman,
der will nur immer Dinar ha'n!«

»Verdammtes Biest!«, schrie der Bauer, noch bevor er die alte Kata begrüßt hatte, und schlug mit seiner Kappe nach dem Papagei. Koko scherte sich aber gar nicht darum und kreischte schriller:

»Zehntausend hat er schon gestohlen.
Drum wird ihn auch der Teufel holen.«

»Könnt Ihr dem Vieh nicht den Schnabel zubinden?«, knurrte Karaman noch wütender.
»Wer soll Euch dann weissagen?«, brummte die Alte, und als der Bauer weiter nach dem Vogel starrte, fügte sie hinzu: »Da ist ein Stuhl, setzt Euch.«
Karaman setzte sich, zog ein rotes Taschentuch aus der Hose, schnäuzte sich umständlich und sah die Alte an. Die Alte tat aber gar nicht dergleichen, sie strich dem Papagei über die Federn und sagte auch nichts.
»Hm«, machte Karaman endlich.
»Hm«, äffte ihn der Vogel nach.
»Ich wollte ...«, fing Karaman an.
Jetzt wurde es der Alten zu viel. »Sagt schon, was Ihr wollt«, brummte sie. »Ich habe meine Zeit nicht gestohlen.«

»Ich wollte wissen, ob ich meinen Mais verkaufen oder ob ich noch warten soll?«
Die alte Kata schielte ihn an. »Ihr wollt wissen, ob er teurer wird, nicht, Bauer?«
»Ihr könnt es auch so nennen, Mutter Kata.«
»Zehn Dinar kostet es«, sagte die Alte und streckte ihre Finger aus.
»Zehn Dinar für einen Rat!« Der Bauer schrie es beinahe heraus.
»Ho, ho!«, krächzte der Papagei wieder und fügte ganz ernst hinzu: »Der arme Karaman.«
»Das Vieh macht mich noch verrückt!« Der Bauer sprang auf.
»Zahlt«, lachte die Alte, »dann ist er still.«
Karaman zog umständlich einen Beutel aus der Tasche und zählte mit seinen dicken Fingern in lauter Parastücken das Geld auf den Tisch. Als es neun Dinar waren, sagte er: »Ihr macht es nicht billiger?«
Die Alte sah ihm böse in die Augen. »Jetzt kostet es schon elf, und wenn Ihr das Geld nicht gleich auf den Tisch legt, sage ich Euch nie, ob der Mais teurer wird.«
Diesmal brachte der Alte seine Paras schneller aus dem Sack. »Gott«, maulte er, »ich finde sie auch nicht auf der Straße.«
»Ho, ho!«, krächzte Koko zum dritten Mal. »Ho, ho!« Die Alte hielt ihm aber den Schnabel zu, bevor er sein Lied wieder beginnen konnte.
Die Kinder hatten alles genau beobachtet.
»Sieh nur –«, Zora stieß Branko in die Seite, »was die Alte jetzt macht.«
»Diesmal nimmt sie nicht die Karten, sie sagt es ihm aus dem Kaffeesatz«, flüsterte Branko.
Die Alte hatte tatsächlich aus einer Tasse Kaffeesatz auf den Tisch geschüttet, dann rief sie: »Putt! Putt! Komm, Brutta!«
Die Hühner saßen auf ihrer Stange und schliefen. Sie regten sich auch jetzt nicht.
»Putt! Putt!«, lockte die Alte lauter, und als das nichts half, rief sie noch einmal: »Brutta!«
Die Hühner schliefen aber weiter, wenigstens taten sie so, als ob sie die Alte nicht gehört hätten.
»Faule Gesellschaft«, krächzte Koko da. »Faule Gesellschaft. Ho, ho! Koko kommt!« Er flatterte zu den Hühnern hinab.
Das eine Huhn hob den Kopf, aber der Papagei musste es noch in die Seite picken, bevor es von der Stange zur Alten hinüberflog.

»Gute Brutta. Beste Brutta«, sagte die Alte weich, kraulte das Huhn am Hals und hob es in den Satz hinein.
Das schwarze Tier kratzte die feinen Kaffeereste nach allen Seiten, pickte auch zweimal in den Satz, darauf setzte es die alte Kata vorsichtig wieder vom Tisch herunter.
Sie wartete noch, bis Brutta auf ihre Stange zurückgekehrt war, darauf stützte sie ihren Kopf in beide Arme und starrte, die Augen groß geöffnet, eine Weile über die Kaffeereste hin.
»Was findet Ihr?«, fragte Karaman, der aufgeregt auf seinem kleinen Stuhl hin- und herrutschte.
»Stört mich nicht«, knurrte die Alte und blieb weiter still.
»Seht Ihr noch immer nichts?«, fing Karaman erneut an.
»Von Mais habt Ihr gesprochen?«, antwortete die Alte nur.
»Von meinem Mais. Es ist herrlicher Mais. Er war lange nicht so gut wie in diesem Jahr.«
»Nein«, sagte die Alte mit einer gewissen Härte in der Stimme, »wenn es Weizen wäre. Der Weizen steigt dieses Jahr, aber der Mais nicht«, und sie schüttelte langsam ihren Kopf hin und her.
»Oh!«, schrie Karaman auf. »Ich bin ein geschlagener Mann. Der Weizen steigt, sagt Ihr, der Weizen, und ich hatte dieses Jahr zweihundert Zentner mehr als im vergangenen und ich habe allen verkauft und kaum noch genug für die Saat.«
»Ihr hättet eben früher kommen müssen, Karaman«, meinte die Alte.
»Ja, früher«, wiederholte der Papagei.
»Oh, oh!«, stöhnte Karaman. »Um wie viel wird er steigen, Mutter Kata? Sag mir noch, um wie viel.«
»Um viel, Karaman. Wenn mich nicht alles täuscht«, sie sah noch einmal auf die Zeichen in ihren Kaffeeresten, »um dreißig Prozent!«
»Oh, oh!« Karaman schlug sich mit der Hand gegen die Brust. »Ich habe sechstausend Dinar verloren. Sechstausend Dinar, Mutter Kata. Ich bin ein armer Mann.«
»Ein armer Mann«, wiederholte der Papagei. »Oh, oh, der arme Karaman«, und Koko schluchzte noch lauter als der Bauer.
»Ich schlage den Vogel noch tot!«, schrie Karaman und sprang auf, im gleichen Augenblick stöhnte er aber und sagte: »Ach, meine Gicht.«
»Hat Euch die Salbe nicht geholfen?«, fragte die Alte.
»Schon, schon. Aber sie ist zu Ende.«

Die Alte lachte dumpf auf. »Da müsst Ihr Euch neue kaufen.«
»Könnt Ihr sie mir diesmal nicht billiger lassen?« Karaman blickte sie an.
Die Alte schüttelte den Kopf: »Keinen Para, Bauer.«
»Wo Ihr wisst, dass ich gerade sechstausend Dinar verloren habe«, jammerte Karaman.
»Ihr hättet mir ja auch nichts davon gegeben, wenn Ihr sie gewonnen hättet.«
Karaman holte eine Büchse aus der Tasche. »Packt mir aber heute nur ein Viertelpfündchen ein. Ich kann wirklich nicht mehr bezahlen.«
Die Alte holte einen Topf, den sie eben gefüllt hatte, vom Regal herunter und strich etwas von der gelblichen Masse in Karamans Büchse. Karaman packte schon zu.
»Erst das Geld!« Die Alte hielt die Büchse fest und Karaman zählte wieder seine Parastücke auf den Tisch.
»Gute Nacht.« Der Bauer nahm sich kaum Zeit, die Büchse in eine seiner vielen Taschen zu stecken, da fasste er bereits nach der Tür und war genauso schnell verschwunden, wie er gekommen war.
Die Alte rückte nun ihren Stuhl näher ans Fenster und starrte schweigend in die Flammen. Manchmal schien es den Kindern, sie sei eingeschlafen. Auch die Tiere schlossen die Augen. Die Hühner hatten schon lange die Köpfe wieder unter den Flügeln, nun tat es ihnen der Rabe gleich. Koko putzte sich noch, er ließ auch noch einige Male sein »Ho, ho!« und sein »Ki, ki!« vernehmen. Er konnte den armen alten Karaman einfach nicht vergessen, dann verschwand aber sein spitzer, buntschillernder Kopf gleichfalls unter den Flügeln.
»Sollen wir nicht auch schlafen gehen?«, gähnte Zora.
Branko wollte gerade nicken, da klopfte es ein drittes Mal.
Koko war sofort wieder munter. Auch die Alte schlug die Augen auf.
»Wer kommt denn da noch?«, brummte sie.
»Der gute Onkel Jacova«, krächzte Koko laut.
»Der soll lieber draußen bleiben«, knurrte die Alte, aber sie humpelte doch auf die Tür zu.
Es war eine Frau, die mit der Mutter Kata an den Ofen kam. Zuerst sahen die Kinder nur ihren bunten, großgeblümten Rock und das dunkle, bestickte Mieder. Um die Schultern hatte sie ein Tuch, auch ihr Kopf war in ein Tuch gehüllt.
»Die Curcin«, sagte Branko laut.

»Die Frau vom Bäcker?«, fragte Zora zurück.
»Ja, die.«
Zora zappelte vor Neugier und drückte ihr Gesicht näher an den Spalt. Jetzt sah sie die Frau auch. Ihre üppige Gestalt, das runde, breiige, aber noch recht frische Gesicht, die hervorstehenden Augen, die plumpe Nase, die roten Backen und das etwas dickliche Kinn.
»Wie eine Kuh sieht sie aus«, kicherte Zora.
»Bist du still!« Branko schlug sie leicht auf den Mund.
Die Curcin hatte ihren Rock etwas gehoben und sich umständlich gesetzt. Nun sah sie die Alte misstrauisch und ängstlich an, schnäuzte sich, sah wieder in das lange, runzlige, unbewegliche Gesicht, schnäuzte sich erneut und brachte doch kein Wort heraus.
»Was habt Ihr?«, ermunterte sie die Alte.
»Könnt Ihr schweigen?«, fragte die Curcin zurück.
Mutter Kata senkte nur die Augen.
»Wie das Grab«, antwortete der Papagei für sie.
Die Curcin begann aber noch immer nicht. Sie schob ihre Hände ineinander, rückte auf dem Stuhl hin und her, strich sich das Haar zurück und keuchte und stöhnte.
»Was ist denn?«, ermunterte sie Mutter Kata zum zweiten Mal.
»Ich«, fing die Curcin wieder an, aber als wäre ihr schon zu viel entschlüpft, schlug sie sich auf den Mund.
»Es betrifft Euern Mann«, sagte die Alte.
»Woher wisst Ihr das?« Die Curcin erschrak.
Die Alte verzog den Mund. »Ich weiß alles.«
»Alles«, wiederholte Koko.
»Nun, wenn Ihr's wisst. Ja, ich liebe einen anderen«, und als schäme sie sich, hüllte sie ihr Tuch ums Gesicht.
»Was wollt Ihr nun von mir?«, fragte die Alte weiter.
»Ich will wissen, ob es Curcin schon weiß.«
»Hm«, machte die Alte und zog ihre Karten hervor, »wir können ja einmal die Karten fragen.«
Ihre spitzen Finger mischten sie lange und sorgfältig, darauf breitete sie die Blätter fächerartig aus und rief Koko.
Der Papagei flatterte von ihrer Stuhllehne auf ihre Schulter, kam langsam den Arm heruntergeklettert, sah die ausgebreiteten Karten erst nachdenklich an, bog dabei seinen Kopf einmal nach rechts und einmal nach links, dann zog er eine heraus.

Die Alte legte sie auf den Tisch. Es war der Schellen-Unter. »Das ist Euer Mann«, bemerkte sie.
Sie mischte die Karten zum zweiten Male, ließ Koko wieder ziehen und diesmal war es der Herz-Unter, den sie auf den Tisch legte. »Das ist Euer Herzbub. Nun wollen wir sehen, ob Euer Mann von Euerm Herzbuben weiß.«
Die Alte mischte die Karten zum dritten Mal. »Zieht Koko ein Herzblatt, so weiß er nichts. Zieht Koko ein Schellenblatt, so weiß er es und Ihr seid verloren.«
Koko bedachte sich noch länger als die ersten Male. Er hob seinen Kopf und senkte ihn wieder. Er machte einmal »Ho, ho!« und einmal »Ki, ki!«. Er lachte auch mehrere Male laut und umschritt die Karten.
»Ob er eine Herzkarte zieht?« Branko war aufgeregt.
»Wart's nur ab«, beruhigte ihn Zora.
Der Papagei zog. Es war die Herz-Sechs. Die Curcin, deren Gesicht vor Angst, Neugier und Schrecken erst weiß und dann rot wurde, atmete auf. »Er weiß noch nichts«, jauchzte sie.
Die alte Kata schien nicht so zuversichtlich, jedenfalls ließ sie ihre Unterlippe hängen, als dächte sie nach. »Ja, er weiß noch nichts«, sagte sie, »aber seht die Karten genauer an, es ist nur die Herz-Sechs. Ihr müsst mit Eurem Herzbuben sehr vorsichtig sein.«
»Was kann ich tun?« Die Curcin machte wieder Froschaugen.
»Sorgt vor allem dafür, dass er keinen Verdacht hegt, und wenn er schon welchen hegt, versucht ihn zu zerstreuen.«
»Habt Ihr kein Mittel, welches mir dabei helfen könnte?« Die Curcin brachte eine Tasche zum Vorschein. »Es soll mir nichts zu teuer sein.«
»Ein Mittel hätte ich schon.« Die Alte griff nach dem Topf, aus dem sie Karaman die Gichtsalbe gegeben hatte, schabte den Rest, der noch darin war, in einen hölzernen Napf und band das Ganze mit einem Tuch zu.
»Das ist Fett von einem toten Hund und Schleierkraut«, sagte sie geheimnisvoll. »Ihr müsst es Eurem Mann unter die Schuhe streichen.«
»Das hilft?«, fragte die Curcin erstaunt.
»Das Hundefett macht ihn träg und das Schleierkraut trübt die Augen.«
Die Curcin packte es bereits ein. »Curcin läuft aber den ganzen Tag in Holzpantinen herum. Hilft es bei Holzpantinen auch?«
»Ihr müsst es nur doppelt streichen.«

»Was kostet es?« Die Curcin nestelte an ihrer Tasche.
»Gebt mir zwanzig Dinar, dann ist alles bezahlt.«
»Alles«, krächzte Koko. »Ich auch«, und er drehte seinen Kopf übermütig nach allen Seiten.
»Ich danke Euch auch vielmals, Mutter Kata«, sagte die Curcin und legte das Geld auf den Tisch, darauf band sie ihr Tuch umständlich fest, bat noch einmal: »Aber schweigt wirklich«, und huschte aus der Hütte hinaus.
»Ich glaube«, sagte die Alte, die sich wieder in ihren Stuhl zurückgelehnt hatte, nach einer Weile, »nun kommt niemand mehr. Was meinst du, Koko?«
Koko nickte. »Nicht einmal der gute alte Onkel Jacova«, krächzte er.
»Schafskopf.« Die Alte löschte die kleine Lampe aus, die neben dem Kaminfeuer die Hütte leidlich erhellt hatte. »Ich habe dir schon hundertmal gesagt, dass der versoffene Kerl sicher längst gestorben ist.«
Der Vogel kreischte aber nur auf: »Koko hat ihn neulich erst gesehen.«
Die Alte rückte ihren Stuhl näher an das Feuer. »Dummer Kerl, das habe ich dir auch schon hundertmal erzählt, es war nicht der alte Jacova, sondern sein Enkel.«
Der Papagei plusterte sich auf und schlug mit den Flügeln. »Der alte Koko liebt sie beide.« Darauf steckte er seinen Kopf unter die Flügel und sagte nichts mehr.
Die Alte sagte auch nichts mehr, sie drückte sich noch tiefer in den Stuhl hinein und schloss die Augen. Das Feuer beleuchtete von unten ihr langes, eingefallenes Gesicht. Die Kinder betrachteten die alte Frau noch eine Weile. Sie sah jetzt, wo die schweren Augendeckel über ihren Augen lagen, gar nicht mehr geheimnisvoll und hexenhaft aus. Ja, nachdem sich ihr Gesicht entspannt hatte und ihr Atem regelmäßig und in kleinen Stößen aus dem halbgeöffneten Mund kam, sah sie aus wie alle Schlafenden in ihrem Alter und war nichts als eine müde, achtzigjährige Frau.
»Ich glaube, sie ist keine Hexe«, flüsterte Zora, als sie zurückkroch.
»Aber sie kann doch zaubern«, meinte Branko. »Hast du es nicht gesehen?«
Zora schüttelte den Kopf. »Zaubern nennst du das? Das konnte meine Mutter auch.«
»Aus den Karten die Wahrheit sagen?«

Das Mädchen kicherte: »Das kann ich sogar.«
»Du?« Branko starrte sie an.
»Man muss dazu nur wissen, was die einzelnen Karten für eine Bedeutung haben. Meine Mutter hat es mir einmal erklärt.«
Die Kinder ließen sich wieder in den Stall hinab und betteten sich in das Stroh.
»Hast du aber nicht gesehen, dass auch Koko gezaubert hat?«, fragte Branko weiter.
»Der Papagei?«
»Er hat doch erst Curcin und darauf den Liebhaber seiner Frau aus den Karten gezogen.«
Zora kicherte wieder: »Ja, und als dritte Karte die Herz-Sechs. Ich habe es sogar sehr genau gesehen, und wenn du besser aufgepasst hättest, wüsstest du es auch.«
»Was denn?«
»Die alte Kata hat immer ihren Daumen auf die Karte gehalten, die Koko ziehen musste. Es war also gar nicht schwer für ihn, die richtige aus den anderen zu holen.«
»Das hast du alles gesehen?«
Zora nickte. »Das und noch viel mehr.«
»Dann glaubst du auch, dass ihre Salben gut sind?«
»Warum nicht, Karaman hat ja sogar gesagt, dass ihm die Salbe nützt.«
»Hilft dann der Curcin auch ihr Hundefett mit Schleierkraut?«
»Schafskopf. Du warst doch dabei, als es gekocht wurde. Es ist genauso wie Karamans Gichtsalbe nichts als Schweineschmalz, Kamille und Arnika.«
Branko, der in diesem Augenblick nur an Curcin dachte, sagte: »Es hilft ihr also nichts?«
»Doch«, bemerkte Zora altklug, »wenn der Mensch, der es kauft, daran glaubt, hilft alles, sogar falsches Hundefett.«
»Curcin weiß doch aber nichts davon.«
»Curcin soll es ja auch gar nicht glauben, seine Frau soll es glauben und du hast ja gesehen, sie glaubt so sehr daran, dass sie zwanzig Dinar dafür bezahlt hat. Aber nun schlaf«, beendete das Mädchen das Gespräch. »Es ist sicher schon Mitternacht.«
Zora hatte recht. Die Kinder waren kaum eingeschlafen, da schlug es von der Kirche des heiligen Franziskus zwölf.

15

In der Mehlkammer

Ein Stein flog ins Stroh. Er traf Branko gegen die Brust. Gleich danach kam noch einer.
Branko richtete sich auf. »Pst!«, machte jemand am Laden. Es war Nicola.
»Was ist denn?« Branko rieb sich die Augen.
»Es ist schon fünf. Ihr müsst aufstehen.«
Auch Zora schlief noch fest. Branko rüttelte sie wach, dann holten sie Pavle aus dem Stroh.
Auch Pavle hatte noch geschlafen. Er gähnte und machte die Augen auf.
»Wie geht es dir?«, fragte Zora.
»Besser«, sagte Pavle.
»Wirst du weiter gehen können?«
»Bestimmt. Bestimmt.« Pavle stemmte sich hoch.
Sie hoben ihn vorsichtig auf das Fensterbrett. Duro und Nicola packten ihn von der anderen Seite und er ließ sich hinunterfallen.
»Leise!«, zischte Branko, aber es war schon zu spät. Pavle hatte sich beim Fallen gegen das Bein geschlagen und schrie laut: »Au!«
Im gleichen Augenblick hörten sie in der Hütte die Alte aufstehen. »Mach schnell«, sagte Branko zu Zora, »sonst erwischt sie uns noch.«
Zora sprang Pavle schon nach, aber Branko rutschte zweimal aus, und als er endlich die Beine auf das Fensterbrett schwang, stand die Alte in der Tür.
»Lausejunge«, sagte sie. »Koko hat also recht gehabt«, und sie hob ein Stück Holz hoch.
Bevor sie aber warf, hatte sich Branko abgestoßen und das Holz flog gegen die Wand.
Die anderen waren bereits die Schlucht hinuntergestürmt und Branko holte sie erst in der Nähe der Allee ein. Sie krochen in ein Gebüsch, um zu verschnaufen.
»Nun?«, fragte Zora. »Ist Begovic noch am Turm?«

Duro nickte. »Begovic und Dordevic. Sie lösen sich alle zwei Stunden ab.«
»Was machen wir dann?«
»Wir können eine Weile in unser Brombeerversteck gehen.«
Das Mädchen sah auf Pavle. »Für Pavle wäre es schon besser, er hätte ein Dach über dem Kopf.«
»Wir können auch wieder zu Stjepan wandern«, schlug Nicola vor.
»Oder zu Polacék zurück«, meinte Duro.
»Können wir nicht auch in den Falkenhorst?«, fragte Branko.
Sie überlegten hin und her.
Da sagte Pavle auf einmal: »Ich habe vor allen Dingen Hunger, und wenn ich etwas gegessen habe, können wir meinetwegen auch in die Hölle gehen.«
»Hast du von deiner Hexe noch nicht genug?«, lachte Duro.
»Ich habe nichts gesehen und gehört. Ich habe die ganze Nacht geschlafen.«
»Und ihr?« Duro sah Zora und Branko an.
»Karaman war da«, sagte Branko.
»Der reiche Karaman?«, wiederholten Nicola und Duro.
»Er wollte wissen, ob er seinen Mais verkaufen soll.«
»Curcins Frau war auch da«, sagte Zora.
»Der Mehlsack«, lachte Nicola.
»Sie hat einen Liebhaber und wollte eine Salbe haben, damit Curcin nichts merkt.«
»Hat sie sie bekommen?«
Zora nickte. »Hundefett mit Schleierkraut, aber es war Schmalz mit Kamille und Arnika.«
Die Kinder lachten.
»Das müssen wir Curcin aber sagen«, meinte Nicola.
»Warum denn?«, fragte Branko.
»Wir sind doch seine Freunde.«
»Ja«, forderte auch Pavle, »das müsst ihr sagen. Geht gleich«, fuhr er fort, »und bringt mir dabei etwas zu essen mit.« Zora und Branko sprangen auf.
»Wo treffen wir uns wieder?«, fragte Zora noch.
»Hier oder in den Brombeeren«, antwortete Duro.
Die Kinder machten einen weiten Bogen um die Stadt und krochen am Potoc durch den Kamin in den alten Backofen.

»Hier liegen nur ein paar ganz harte Semmeln«, sagte Zora enttäuscht.
»Wir waren ja auch sechs oder sieben Tage nicht da. Wahrscheinlich hat es Curcin gemerkt und keine neuen in den Ofen gesteckt.«
»Was machen wir aber?« Das Mädchen biss in eine Semmel hinein. »Sie sind hart wie Stein.«
»Wir werden es Curcin sagen, dass wir wieder hier sind.«
Die Kinder kletterten aus dem Ofen heraus, schlichen durch die Mehlkammer und öffneten die Tür.
Wo der Bäcker wohl war?
Seine Schritte klapperten durchs Haus.
Branko rief: »Curcin!«
Der dicke Curcin, der einen Korb mit dampfenden Broten in den Laden brachte, drehte sich um. Er erkannte Branko, aber er sah ihn mit einem grimmigen Gesicht an.
»Der ist heut böse«, meinte Zora.
»Vielleicht weiß er es schon«, sagte Branko.
»Was?«
»Nun, die Sache mit seiner Frau.«
Der Bäcker kam zurück. Er wusste aber noch nichts und sein grimmiger Blick galt den Kindern.
Er polterte, seine schwammigen Hände gegen den dicken Leib gestemmt: »Ihr seid ja schöne Früchtchen geworden. Ja«, schimpfte er, »ich hätte euch besser mit Prügeln als mit meinem Brot füttern sollen.«
»Was haben wir denn gemacht?«, stotterte Branko erschrocken.
»Jetzt fragen sie auch noch, was sie verbrochen haben«, höhnte der Bäcker laut, »dabei weiß es die halbe Stadt, dass ihr dem Förster alle Tiere gestohlen und dem Müller den Teich abgelassen habt, oder seid ihr das vielleicht nicht gewesen?«
»Hat man das noch immer nicht vergessen?«, stotterte Branko weiter.
»Ihr Tagediebe!« Curcin wurde richtig böse. »Meint ihr, dass man dreitausend Dinar so schnell vergisst? Es waren einige Hundert fünfjährige Karpfen und genauso viel gemästete Schleien darunter.«
»Wisst Ihr auch, Meister Curcin«, versuchte sich Zora zu verteidigen, »warum wir das gemacht haben?«
»Aus irgendeinem spitzbübischen Grunde wird es schon geschehen sein«, sagte Curcin nur.

Zora schüttelte ihre roten Haare und erzählte Curcin nun von Stjepan und den Gymnasiasten.
»Den Gymnasiasten habt ihr es stecken wollen«, brummte Curcin etwas ruhiger, »aber deswegen lässt man doch nicht einen Fischteich ab.«
»Wir wollten ja nur, dass die beiden an Land kamen. Nur deswegen haben wir das Wasser abgelassen.«
»Nun«, brummte Curcin wieder lauter, »wie es auch sei, jedenfalls würde ich euch raten, so schnell wie möglich wieder aus Senj zu verschwinden. Wenn sie nur einen von euch hier sehen, werden der Bürgermeister und die Gendarmen nicht eher Ruhe geben, bis sie euch alle haben, und wenn sie euch hier finden, sperren sie auch mich mit ein.«
»Wir wollen ja gleich wieder gehen«, sagte Branko. »Wir wollten uns nur noch ein paar Brote holen.«
»Also nehmt sie und verschwindet«, knurrte der Bäcker und schob ihnen einige Brote zu.
Die Kinder bedankten sich und gingen wieder zur Mehlkammer, da sagte Zora: »Ach, wir wollten Ihnen noch etwas erzählen.«
»Mir?« Der Bäcker sah sie an.
»Eure Frau war die letzte Nacht bei der alten Kata.«
»Bei der Hexe?«
»Ja, und Kata hat ihr Fett gegeben.«
»Fett?« Curcin lachte auf. »Wir haben doch genug Fett im Haus.«
»Sie soll es Euch unter die Schuhe schmieren.«
»Diese Kanaille.« Curcin hob einen seiner schweren Pantoffeln hoch. »Deswegen rutschte ich heute immer aus.«
»Es ist nicht deswegen«, fuhr Zora fort. »Ihr sollt nichts merken.«
»Ich soll nichts merken? Was denn!«
Diesmal antworteten beide: »Dass Eure Frau einen Liebhaber hat.«
»Was!«, brüllte Curcin, dessen bleiches Gesicht auf einmal rot wurde. Im gleichen Augenblick legte er aber einen Finger auf den Mund. Im Hause hatte eine Tür geschlagen. »Wisst Ihr auch, wer es ist?«, fragte er leiser.
Die Kinder schüttelten den Kopf. »Sie hat nur erzählt, dass er immer kommt, wenn Ihr in der Backstube seid.«
»Diese Bestie!«, schrie Curcin wieder, riss seine Kappe vom Kopf und warf sie auf den Boden, dann horchte er erneut, denn die Tür knallte zum zweiten Mal. »Wahrscheinlich kommt sie jetzt«, flüsterte er zwischen Wut und Pfiffigkeit. »Ich bringe euch wieder in die Mehl-

kammer, aber lauft mir nicht davon. Für diese Nachricht sollt ihr heute sogar frische Brötchen bekommen.«
Er horchte noch einmal; da es ruhig blieb, schob er die Kinder selber in die Mehlkammer und schloss hinter ihnen ab.
Branko und Zora standen eine Weile still hinter der verschlossenen Tür, dann sahen sie sich an.
»Wir hätten den Teich wirklich nicht aufmachen sollen«, sagte Zora.
»Ich habe dich gewarnt«, meinte Branko, »aber Duro wollte es.«
»Ich wollte es auch«, gab das Mädchen offen zu.
»Duro wusste aber, dass es eine Dummheit war.«
Zora schüttelte den Kopf, dass ihre Haare nach allen Seiten flogen. »Er wusste es genauso wenig wie ich.«
Branko stampfte ärgerlich auf. »Du nimmst ihn immer in Schutz.«
»Ich will nur nicht, dass du ungerecht bist.«
Branko wollte antworten, da hörten sie das dritte Mal eine Tür schlagen und gleich darauf eine Stimme.
»Sei jetzt still«, zischte Zora. »Ich glaube, da kommt sie.«
»Wer?«, fragte Branko.
»Nun, Curcins Frau.«
Im gleichen Augenblick hörten sie einen Mann sprechen.
»Das ist wohl ihr Freund«, sagte Zora aufgeregt.
Der Junge hatte die Stimme gleichfalls gehört. Er machte große Augen. »Das, das …«, stammelte er.
»Was ist denn?«
»Das ist ja Begovic!«, schrie er beinahe.
Sie hörten die Stimme deutlicher.
»Du hast sicher wieder die ganze Nacht am Turm Wache stehen müssen, du Armer. Warte, ich will dir einen Schnaps bringen«, sagte die Frau.
»Bring lieber gleich die Flasche«, knurrte Begovic. »Mir ist so schwach im Magen, dass ich sogar ein Fass austrinken könnte.«
Die Frau lief fort, und die Kinder hörten einige Minuten nur Begovic auf und ab gehen und vor sich hin brummen.
Da kam die Frau wieder. »Jesus und Maria!«, schrie sie. »Mein Mann kommt!«
»Das hat mir noch gefehlt«, knurrte Begovic. »Kann ich nirgends hinaus?«
»Nein«, flüsterte die Frau ängstlich. »Der Gang ist hier zu Ende.«

»Mila!«, dröhnte in diesem Augenblick die Stimme Curcins durch das Haus.
»O heilige Mutter Gottes«, jammerte die Curcin wieder, »gleich wird er hier sein.«
»Was ist denn hinter der Tür?«, fragte Begovic, der noch nicht alle Hoffnung verloren hatte.
»Die Mehlkammer«, flüsterte die Frau.
»Kann ich da nicht hinein?«
»Ja«, zischte die Frau wie erlöst. »Ich will inzwischen sehen, was Curcin will, und wenn er sich beruhigt hat, lass ich dich wieder heraus.«
Begovic schloss die Kammer auf. »Sperre aber lieber wieder hinter mir zu«, sagte er noch.
Sie nickte. »Und den Schlüssel stecke ich in die Tasche. Dann kann er nicht hinein.«
Begovic war kaum in der Mehlkammer verschwunden, da hörte man Curcins Stimme wieder. »Mila!«, schrie er noch lauter als vorher. »Wo steckst du?«
Die Curcin zog schnell den Schlüssel ab. »Hier«, antwortete sie. »Warum schreist du so?«
»Ich habe eben ein Mannsbild über den Hof gehen sehen«, sagte der Bäcker mit grimmiger Stimme, »und wenn ich den Kerl erwische, drehe ich ihm den Hals um, so wahr ich Curcin heiße.«
Die Frau war erstaunt. »Es wird der Geselle gewesen sein.«
»Den Gesellen habe ich vor die Tür gestellt und ihm befohlen, er soll jeden totschlagen, der in Hosen aus dem Haus will«, tobte Curcin weiter.
»Bist du verrückt geworden!«, schrie die Frau laut. »Was hast du denn überhaupt?«
»Komm mit!«, antwortete Curcin genauso grob. »Und lass mich den Kerl erst finden, dann werde ich dir und ihm schon zeigen, was ich habe!« Und Curcin packte seine Frau und zog sie mit.
Begovic lehnte während der ganzen Zeit an der Tür und lauschte. Es war lustig anzusehen, wie er, seine Kappe in der Hand, sein Ohr am Schlüsselloch, auf jedes Wort horchte. Nun drehte er sein großes Gesicht um, kratzte sich am Kopf und starrte vor sich hin. In diesem Moment sah er die Kinder und sein aufgedunsenes Gesicht, das eben noch recht verzweifelt ausgesehen hatte, verwandelte sich und wurde breiter und fröhlicher.

»Habe ich euch endlich«, sagte, nein, jauchzte er und blickte die Kinder triumphierend an.
Die Kinder wichen zurück.
Begovic folgte ihnen nicht. Er setzte sich im Gegenteil auf den Backtrog, baumelte mit den Beinen, richtete seinen nach unten hängenden Schnurrbart wieder auf und kostete seinen Erfolg aus. »In der Burg habe ich euch gesucht, in der Stadt habe ich nach euch gefahndet. Ha, ha«, er lachte und schnalzte mit der Zunge, »und ausgerechnet hier muss ich euch finden. Wisst ihr übrigens, was ich damit verdient habe? Hundert Dinar hat der Bürgermeister auf euren Kopf gesetzt.«
Branko wich noch weiter zurück. Zora gab sich nicht so schnell geschlagen. Sie ging sogar zum Angriff über.
»Dass wir nur nicht Euch haben, Begovic«, meinte sie.
»Mich!« Begovic schlug sich auf die Knie und lachte wieder.
Zora ging an ihm vorbei auf die Tür zu. »Meint Ihr«, sagte sie, »wir wissen nicht, warum Euch die Curcin hier eingesperrt hat? Ihr seid ihr Liebhaber. Ich werde den Bäcker gleich rufen.« Sie klopfte an die Tür. »Curcin«, sagte sie.
Begovics fröhliches Gesicht wurde wieder starr, sein Mund öffnete sich und seine Augen wurden groß und rund wie Froschaugen. Dann sprang er auf und schob das Mädchen auf die Seite. »Bist du verrückt«, zischte er, »wenn mich Curcin hier findet, schlägt er mich tot.«
Zora machte sich wieder frei. »Das soll er nur. Curcin!«, schrie sie laut.
Begovic hielt ihr den Mund zu. »Wenn du nicht still bist, geschieht ein Unglück.«
»Curcin!«, schrie es da neben ihm. Branko war Zora zu Hilfe gekommen.
Der arme Begovic versuchte nun einmal Zora und einmal Branko den Mund zuzuhalten, das aber war nicht einfach. Packte er Branko, so riss sich Zora los und rief, und fing er Zora, schrie Branko wieder. Den Kindern machte es auch mehr und mehr Spaß, Begovic zu entschlüpfen und nach dem Bäcker zu rufen, und die Jagd wurde immer hitziger. Einmal riefen sie vom Backtrog und einmal von der Tür aus, und wenn Begovic sie fangen wollte, waren sie schon auf den Mehlsäcken.

Der dicke Gendarm geriet in Schweiß und zu seinem Unglück schien Curcin auch wieder näher zu kommen, denn sie hörten seine Stimme.
»Lüg nicht«, sagte der Bäcker, »der Kerl ist sicher noch da, aber warte nur, ich werde ihn schon finden.«
Begovic schlotterte förmlich vor Angst, und statt den Kindern nachzujagen, hob er ganz verzweifelt seine Hände. »Seid still«, bat er sie, »seid still.«
»Wir sind nur still«, flüsterte Zora, »wenn Ihr versprecht, uns die nächsten vierundzwanzig Stunden in Ruhe zu lassen.«
»Ja«, fügte Branko hinzu, »und Ihr dürft auch in dieser Zeit niemandem erzählen, dass Ihr uns in Senj gesehen habt.«
»Ich, ich ...«, stotterte Begovic, »und meine hundert Dinar?«
»Entweder Ihr schwört es«, sagte Zora ganz laut, »oder ich rufe wieder. Curcin!«, setzte sie schon an.
»Ja, ja«, jammerte Begovic, er ließ sich sogar auf die Knie nieder. »Ich verspreche euch alles. Ich verspreche euch alles!«
»Schwört es!«, verlangte Zora noch einmal.
»Ich schwöre es!« Der Gendarm hob seine Hand.
Zora trat neben ihn. »Sagt, ich schwöre bei der Mutter Maria und allem, was mir heilig ist, dass ich das, was ich eben versprochen habe, auch halten werde.«
Begovics dicke Gurkenfinger zitterten. »Ich schwöre es«, sagte er noch einmal.
Die Stimmen verschwanden. Curcin schien Begovic in einem anderen Teil des Hauses zu suchen. Den Gendarm machte das wieder mutiger. Er erhob sich. »Ihr müsst nun aber schwören, dass ihr mich nicht verratet«, sagte er.
Zora sah Branko an. »Sollen wir das?«
Branko wiegte seinen Kopf hin und her. »Curcin ist unser Freund.«
»Ihr müsst es!«, forderte Begovic. »Ich habe auch geschworen. Sonst verliert mein Schwur seine Gültigkeit.«
»Gut«, nickte Zora. »Wir versprechen Euch, Curcin Euren Namen nicht zu sagen, aber, wie Ihr, nur für vierundzwanzig Stunden.«
»Schwört es«, beharrte Begovic, aber da ertönte Curcins Stimme von neuem und sie lauschten wieder.
Curcin sagte: »Jetzt war ich überall und der Kerl kann nur noch in der Mehlkammer sein.«

»Ich habe dir schon hundertmal gesagt«, schrie die Frau, »es ist überhaupt niemand im Haus.«
»Den Schnaps hattest du also für dich in die Stube gestellt und den Kuchen auch?«
»Nein, für dich, Curcin«, beschwor ihn die Frau. »Nur für dich. Ich wollte dir eine Freude machen.«
Curcin lachte böse, im gleichen Augenblick drückte er die Klinke zur Mehlkammer nach unten und Begovic und die Kinder hielten den Atem an.
»Wer hat denn die Mehlkammer abgeschlossen?«, fragte der Bäcker.
»Ich weiß es nicht«, antwortete die Frau.
»Du weißt es nicht!« Curcins Stimme schwoll wieder an. Und dann: »Ach so, ich habe ja vorhin den Schlüssel herumgedreht.«
Er tastete nach ihm, um die Tür aufzuschließen. »Nanu«, meinte er. »Er ist ja nicht mehr da!«
»Lass doch die Mehlkammer in Ruhe!«, jammerte die Frau ängstlicher. »Wenn überhaupt jemand im Haus ist, in der Mehlkammer wird er bestimmt nicht sein.«
Curcin ließ sich aber nicht irremachen. Er bückte sich und suchte den Schlüssel auf dem Boden. Er richtete sich wieder auf. »Unten liegt er auch nicht. Hast du ihn vielleicht?«
»Nein, nein, nein!«, jammerte die Frau, dass es einen erbarmen konnte. »Ich habe ihn nicht.«
»Pfft!«, pfiff der Bäcker. Etwas in der Stimme seiner Frau hatte ihn stutzig gemacht. »Du hast ihn nicht? Ich könnte jetzt schwören, dass der Kerl in der Mehlkammer steckt.«
»Du träumst. Ich habe dir außerdem schon hundertmal gesagt, es ist überhaupt niemand im Haus. Komm endlich und back dein Brot fertig.«
»Erst, wenn ich in der Mehlkammer war«, antwortete Curcin bestimmt; darauf rief er nach dem Gesellen.
»Was soll der Geselle nun noch?«, fragte die Frau.
»Er soll mir den zweiten Schlüssel holen«, sagte der Meister, »und dann werden wir ja sehen, ob jemand in der Mehlkammer ist.«
Der Geselle rannte herbei.
»Wisst Ihr, wo mein Rock hängt?«, fragte der Meister.
Der Geselle nickte.
»An dem gleichen Haken ist mein großer Schlüsselbund. Bringt ihn

her und bringt einen großen Stecken mit. Ich glaube, wir haben ihn.«
»Wo steckt er denn?«, fragte der Geselle.
»In der Mehlkammer.«
Begovics dickes Tomatengesicht war während des langen Gesprächs bleicher und bleicher geworden. Er schlotterte richtig, auch sein Schnauzbart hing wieder nach unten und der Schweiß stand ihm dick auf der Stirn.
Die Kinder hatten sich unmittelbar neben ihn gestellt und horchten mit. Sie waren auch nicht besonders beglückt von dem Ausgang der Sache. Einerseits freuten sie sich, dass Begovic wahrscheinlich erwischt wurde, andererseits fürchteten sie, der dicke Bäcker würde ein solches Geschrei machen, wenn er den Gendarmen entdeckte, dass die halbe Straße zusammenlief, und dann sah und erwischte man sie trotz Begovics Versprechen auch.
»Jetzt werden es sogar noch zwei«, jammerte Begovic, als Curcin nach dem Gesellen rief. »Ach«, stöhnte er. »Ich bin erledigt. Wenn mich Curcin hier findet und verprügelt, jagt man mich morgen aus dem Dienst, und was wird dann meine Frau, was werden meine Kinder machen?« Er schluchzte und das Wasser lief ihm aus den Froschaugen. Er wandte sich wieder an die Kinder: »Wisst ihr keine Hilfe?«
Die Kinder zuckten mit den Achseln. Der Gendarm wartete auch ihre Antwort gar nicht ab. Er sah und kroch in alle Winkel. »Ist da keine Tür?«, fragte er. Er starrte auch zum Fenster hinauf, meinte aber kopfschüttelnd: »Da komme ich nie hindurch.«
Die Kinder flüsterten miteinander.
»Sollen wir es ihm sagen?«, zischte Branko.
»Was denn?«, fragte Zora.
»Dass er durch den Backofen kann.«
Zora zog ihre Schultern hoch. »Kommt denn der dicke Kerl dort überhaupt durch?«
»Ich glaube es schon«, meinte Branko.
Begovic hörte ihr Flüstern. »Wisst ihr noch einen Ausweg?«, jammerte er.
Branko zeigte auf die Ofentür.
Begovic sah sie erst jetzt. »Kann man da hindurch?«
Branko nickte: »Wir sind schon manchmal hindurchgeklettert.«

Begovic machte die Tür auf. »Um Himmels willen«, stöhnte er, »das ist ja rabenschwarz.«
»Wenn Ihr hineinkriecht und Euren Kopf in die Höhe streckt, wird es wieder heller.«
»Und dann?«
»Müsst Ihr den Kamin hinauf, und wenn Ihr auf dem Dach seid, hockt Euch einfach hin und rutscht das Dach hinunter.«
»Es liegt eine alte Matratze unten«, setzte Zora noch hinzu. »Ihr fallt weicher, als Ihr's verdient.«
»Nein.« Begovic schauderte es. »Ich gehe lieber in die Hölle als da hinein.«
Unterdessen war der Geselle zurückgekommen.
»Habt Ihr die Schlüssel?«, hörten sie Curcin fragen.
Der Geselle klapperte mit dem Bund: »Da sind sie.«
»O Gott!« Begovic wurde wieder ängstlich und riss den Ofen aufs Neue auf. »Soll ich hinein?«
»Versucht es wenigstens«, ermunterte ihn Zora.
Begovic warf erst seine Mütze hinein, dann kroch er nach. Mit dem Kopf ging es gut, aber die Schultern schienen zu breit zu sein. »Helft mir doch«, jammerte er.
Zora fasste ihn nun am rechten und Branko am linken Bein und sie stießen den Mann tiefer in den Ofen.
»Ach!«, stöhnte er plötzlich. »Ich ersticke!«
Aber da war er durch die Tür hindurch und die Kinder schoben ihn noch so weit hinein, dass sie die Klappe hinter ihm wieder schließen konnten. Es war auch allerhöchste Zeit, im gleichen Augenblick steckte der Schlüssel im Schloss.
»Was machen wir nun?«, fragte Branko.
»Ich glaube, wir verstecken uns am besten auch«, meinte Zora.
»Und was sagen wir Curcin, wenn er hereinkommt?«
»Überlass das nur mir. Ich werde mir schon etwas ausdenken.«
»Du weißt«, sagte Branko, »wir haben Begovic noch nicht geschworen, dass wir schweigen wollen.«
»Wir haben es ihm aber versprochen«, antwortete Zora bestimmt, »und die Uskoken halten ihre Versprechen auch ohne Schwur.«
Die Kinder hatten sich gerade hinter ein paar Mehlsäcken verkrochen, da sprang die Tür auf, aber Curcin kam noch nicht herein, seine Frau hatte sich vor ihn gestellt.

»Du gehst nicht weiter«, kreischte sie.
»Ha, ha!« Curcin lachte. »Warum denn nicht!«
»Weil doch niemand darin ist!«, kreischte die Frau lauter.
»Das will ich ja gerade sehen.« Auch Curcins Stimme wurde grober und nun drang erst er und dann sie in die Kammer.
Die Frau stellte sich ihm nochmals entgegen. Ihr dickes Gesicht war ganz bleich geworden und ihre Augen waren so groß wie Mühlräder.
»Du tust ihm nichts!«, schrie sie diesmal.
Curcin, der seine größte Feuerzange in der Hand hatte, antwortete nur: »Geh aus dem Weg!«
»Nicht, bevor du mir nicht versprichst, ihn in Ruhe zu lassen.«
»Du sollst mir aus dem Weg gehen!« Curcin war so wütend geworden, dass er seine Frau an den Schultern packte. Er gab ihr einen Stoß und sie fiel auf die Mehlsäcke.
Jetzt fasste er seine Zange fester und sah sich um. Da sagte der Geselle, der schon jeden Winkel der großen Kammer untersucht hatte: »Es ist ja gar niemand hier.«
»Es ist niemand hier!«, rief die Frau erleichtert.
Auch der Meister drehte sich um. Die Mehlkammer war leer.
»Ein Mirakel!« Die Curcin schluchzte auf. »Mutter Maria, ich danke dir.« Sie sank neben die Mehlsäcke hin.
Curcin machte ein dummes Gesicht. Er steckte seinen Kopf in jede Ecke. »Die Kinder müssen doch wenigstens da sein«, brummte er.
Zora sprang schon hinter ihrem Mehlsack hervor. »Da sind wir!«
»Habt ihr niemand hereinkommen sehen?«, nahm sie Curcin ins Verhör.
Zora nickte. »Deswegen haben wir uns ja versteckt.«
»Und wo ist der Kerl hin?«
»Er kam nur herein und kroch in den Ofen«, erzählte Zora weiter.
Der Bäcker schlug sich gegen die Brust. »Dass ich dies vergessen konnte.« Er stürzte auf den Ofen zu.
Die Kinder – auch Branko war inzwischen hinter einem Sack hervorgekommen – hielten den Atem an. Saß Begovic noch im Ofen oder war er weitergekrochen?
Der Bäcker riss die Tür auf und blickte hinein, auch die Kinder bückten sich. Der Ofen war leer.
Der Bäcker sah ganz kläglich aus. »Er ist entwischt«, sagte er und ließ seine Zange fallen.

»Schade«, meinte der Geselle und wippte mit seinem Stock.
Curcin wandte sich wieder an die Kinder: »Wisst ihr wenigstens, wer es war?«
Die Curcin, die bisher eifrig weiter gebetet hatte, sah bei der Frage wieder ängstlich auf; aber Zora schüttelte den Kopf. »Wir haben uns gleich versteckt, als er in die Kammer kam.«
»Ihr habt nichts von ihm gesehen?«
Er blickte diesmal auf Branko.
Branko wusste zuerst nicht, was er antworten sollte. »Es war ein großer Mann mit einem Schnauz«, stammelte er. »Wenn ich ihn bei Tage sehe, erkenne ich ihn wieder.«
»Ein großer Mann mit einem Schnauz?« Der Bäcker dachte nach. »Ich glaube, es gibt viele solche Kerle in Senj.«
»Oh, ich erkenne ihn aber bestimmt wieder«, betonte Branko eifrig.
»Dann halte die Augen offen. Ich will den Bruder noch unter meinen Fäusten haben, und wenn du mir seinen Namen nennst, bekommst du den größten Kuchen, der in meinem Laden ist.«
»Ich vergesse es nicht«, sagte Branko. »Nein, ich vergesse es nicht.«
Die Kinder wollten sich verabschieden.
»Halt«, sagte da Curcin. »Ich hatte euch ja frische Brötchen versprochen.«
Der Bäcker ließ seine betende Frau allein und nahm die Kinder mit in die Backstube. Sie durften sich heute nicht nur die Taschen, sondern auch einen großen Beutel füllen.
»Schönen Dank, Meister«, knickste Zora und gab Curcin die Hand, »und seid uns bitte nicht mehr böse wegen der Fische.«
»Ich habe es schon vergessen«, sagte der Bäcker, »kommt nur morgen wieder.«
Sie waren bereits in der Mehlkammer und Zora saß schon im Ofenloch, da kam Curcin noch einmal herein.
»Ich soll euch einen Gruß vom alten Gorian bestellen.«
»Vom alten Gorian?« Die Kinder horchten auf.
Curcin nickte. »Ihr sollt euch wieder einmal sehen lassen. Er könnte euch gebrauchen.«
»Danke, danke«, sagte Branko, dann kroch auch er in das Ofenloch hinein.

16

Die Tunfische

Pavle, Nicola und Duro saßen recht niedergeschlagen in dem Brombeerversteck, als Zora und Branko kamen.
»Sie bewachen unsern Turm auch am Tage«, berichtete Duro. »Ich bin dort gewesen. Dordevic hat Begovic gerade abgelöst.«
Pavle sah Zora traurig an. »Ja, was machen wir?«
»Wir können zum alten Gorian gehen«, erzählte Zora.
»Zum Fischer!« Nicola sprang erfreut auf.
Das Mädchen nickte. »Er hat nach uns geschickt.«
»Er kann uns sogar brauchen«, bestätigte Branko. »Wahrscheinlich sollen wir ihm wieder fischen helfen.«
Die Kinder warteten noch bis zum Abend, dann krochen sie aus ihrem Versteck heraus. Pavle ging es noch immer schlecht. Sein Bein war wieder geschwollen. Sie mussten ihn sogar ein Stück weit tragen.
Vom Meer wehte mit kleinen Unterbrechungen ein kalter, rauer Wind.
Zora schüttelte sich: »Die Bora.«
»Es wird Sturm geben«, meinte Duro.
»Ach«, lachte Nicola, »was versteht ein Bauer von Sturm. So windet es beinahe jeden Abend.«
Die Wellen hatten kleine, weiße Kämme. Die Kinder saßen auf einem Stein und steckten ihre Füße ins Wasser. Wie schön und wie warm das war. Jetzt erst fiel ihnen ein, dass sie das Meer ja beinahe acht Tage nicht gesehen hatten.
Die Wellen wurden größer, eine spritzte immer höher als die andere.
»Puh!« Die Kinder lachten und schüttelten sich, da schlug ihnen die erste über den Kopf.
Branko sprang auf. »Kommt«, sagte er, »wir müssen weiter.«
Der alte Gorian stand groß wie ein Hüne in seinem Garten. Er begoss das Gemüse. Erstaunt, ja beinahe erschrocken strich er sich über seinen weißen Bart, als er die vielen Kinder sah. »Habt ihr euch vermehrt?«, bemerkte er.

»Sollten wir nicht alle kommen?«, fragte Nicola.
Er sagte das so kleinlaut, dass der alte Gorian sofort ein lustiges Gesicht machte. Er blinzelte ihm sogar zu und meinte: »Bleibt nur. Je mehr ihr seid, umso besser ist es.«
Er begoss sein Gemüse fertig, darauf setzte er sich mit den Kindern auf die kleine Bank, die unten am Wasser war.
»Nun erzählt, wo ihr die ganze Zeit gesteckt habt«, sagte er zu Branko.
Branko berichtete ihm alles. Das vom Müller wusste er schon. Er blinzelte wieder. »Wir Fischer sind nicht traurig darüber«, sagte er. »Da kaufen die Leute mehr Seefische.«
Als er die Geschichte von Pavles Verwundung erfuhr, ließ er sich das Bein zeigen.
»Das sieht noch recht bös aus«, meinte er. Er fasste nach Pavles Stirn. »Fieber hast du auch. Ich glaube, es ist das Beste, wir bringen dich gleich ins Heu.«
Die Kinder sollten ihr Lager bei der Ziege aufschlagen. Sie gingen hinüber.
»Na, Andja«, begrüßte sie der alte Gorian, »da bringe ich dir Gesellschaft. Du kennst sie ja schon.«
Das große Tier stand auf, blickte die Kinder an und meckerte.
»Meckere nicht gleich«, beruhigte sie der Alte. »Es sind keine Spitzbuben mehr, es sind brave Kinder geworden, die dem alten Gorian helfen wollen.«
Andja beruhigte sich. Sie ließ sich sogar von Zora Gras geben und streicheln.
Der Alte brachte unterdessen einen neuen Lappen für Pavle. Er streute Zucker auf die Wunden. »Das frisst den Eiter fort«, meinte er, »aber vier oder fünf Tage musst du sicher noch liegen.«
Zora sollte bei Pavle bleiben und die andern gingen wieder zu der Bank zurück.
»Ihr habt uns noch nicht gesagt, wobei wir Euch helfen sollen, Vater Gorian«, fragte Branko.
Der alte Gorian sah ihn an. »Das hätte ich beinahe vergessen. Es sind Tunfische gesichtet worden.«
»Tunfische!« Nicola klatschte in die Hände. »Sollen wir Euch Tunfische fangen helfen?«
Der alte Gorian sah den kleinen Nicola an. »Hast du das schon einmal gemacht?«

Nicola nickte. »Schon oft. Mein Vater war Tunfischer.«
»Das ist schön.« Der Alte schmunzelte. »Da habe ich ja einen richtigen Gehilfen, und«, fuhr er fort, »es ist jetzt so schwer, einen guten Gehilfen zu bekommen.«
»Warum?«, fragte Nicola neugierig.
»Die großen Gesellschaften nehmen uns alle fort.«
»Bezahlen sie besser?«
»Weniger. Weniger. Sie beteiligen die Leute auch nicht am Fang, aber sie bezahlen gleich, wenn sie sie einstellen, und sie bezahlen auch, wenn der Fang einmal nicht besonders gut war.«
»Die Fangplätze gehören aber doch Euch?«
»Das schon. Aber nur, solange wir frei sind und uns nicht an die Gesellschaften verkauft haben. Wenn wir bei ihnen arbeiten, müssen wir ihnen auch unsere Fangplätze geben und dann haben wir uns nicht nur selber, sondern auch unsere Fische an sie verkauft.«
»Sind dieses Jahr viele Schwärme gesichtet worden?«, fragte Nicola.
»Ich weiß nicht. Aber wenn mich nicht alles täuscht, sind in diesem Jahr die Schwärme besonders groß.«
»Oh!«, jauchzte Nicola auf. »Ich freue mich.«
Es war inzwischen ganz dunkel geworden, auch das Wasser, das vor einigen Minuten noch eine weißliche Färbung hatte, war auf einmal schwarz wie die Nacht.
Der alte Gorian stand auf. »Das Wichtigste beim Tunfischen ist, dass wir vor Sonnenaufgang aus dem Stroh sind. Wir wollen also auch früh hineingehen. Schlaft gut«, er gab ihnen die Hand, »um fünf wecke ich euch.«
Zora und Pavle schliefen schon, auch die Ziege hatte sich ins Stroh gelegt. Die Kinder betteten sich neben sie und ein paar Minuten später schliefen auch sie.
Es war noch nicht ganz hell, als sie der alte Gorian rief. »Aufstehen!«, trompetete er. »Aufstehen!« Und als das nichts half, rüttelte er die Kinder wach.
Im Garten standen außer dem alten Gorian noch drei andere Fischer. Vater Gorian stellte sie vor. »Das«, sagte er und zeigte auf einen großen, hageren, bartlosen alten Mann mit einem säuerlichen Mund, »ist Vater Orlovic.«
Vater Orlovic verzog seinen Mund zu einem Grinsen und hob eine der schweren, überlangen Hände hoch, um sie den Kindern zu geben.

»Das sind seine beiden Söhne.« Gorian stellte auch die anderen vor, hoch aufgeschossene junge Burschen, Zwillinge, die nach ihren verschiedenen borstigen Haarschöpfen Schwarzkopf und Gelbkopf hießen.
»He, und wie heißen deine Gehilfen?«, fragte der alte Orlovic.
»Willst du das auch wissen?«
»Natürlich.« Der alte Orlovic grinste wieder.
»Das ist Branko, der Sohn von Milan Babitsch. Das ist Zora. Das ist Duro, und das ist Nicola. Nicola«, fuhr der alte Gorian fort, »hat schon Tunfische gefangen. Er weiß also, wie es gemacht wird, und die anderen werden es lernen.«
»Gut, gut.« Vater Orlovic strich ihnen diesmal über den Kopf. »Habt ihr übrigens schon etwas im Magen?«, fragte er dann.
Die Kinder verneinten.
»Das sieht dem alten Gorian ähnlich«, stichelte Orlovic weiter, »viel Arbeit und kein Essen.«
»Woher weißt du das?« Vater Gorian führte die Gesellschaft zu dem großen Steintisch.
Unter dem breiten Feigenbaum war alles zu einem guten Frühstück gerüstet. Es gab eine warme Mehlsuppe, außerdem war ein Berg kleiner Gurken und Tomaten aufgeschüttet. Der alte Gorian hatte auch Brot geschnitten und zuletzt bekam jeder noch einen Becher Milch. Die Kinder vertilgten alles bis zur letzten Brotkrume, so ausgehungert waren sie. »Nun wollen wir anfangen«, sagte der alte Gorian, als sie auch die Tomaten gegessen hatten.
Zora und Duro brachten das Geschirr ins Haus, darauf begann die Arbeit.
Es war gar nicht so einfach, was die Kinder tun mussten.
Die große, tief in das Land eingeschnittene Bucht, auf deren rechter Seite das Anwesen des alten Gorian und auf deren anderer Seite, versteckt zwischen hohen Obstbäumen, das Gehöft des alten Orlovic lag, wurde von den beiden Alten in zwei Wachtbezirke eingeteilt. Auf jedem dieser Bezirke, unmittelbar am Wasser, ja eigentlich darüber, stand eine sogenannte Vedette, eine nach dem Meer geneigte, von zwei starken Drahtseilen gehaltene Holzleiter. Auf diesem Beobachtungsposten lauerten nun Tag und Nacht zwei Kinder oder einer der Männer, die sich alle zwei bis drei Stunden ablösten und nach den Fischen Ausschau hielten.

Branko und Nicola hielten die erste Wache. Sie kletterten langsam auf die hohe Leiter hinauf.
»Hast du keine Angst?«, fragte Branko, als die Leiter immer mehr schwankte, je höher sie stiegen.
Nicola lachte: »Die Seile sind fest. Und was kann uns überhaupt passieren? Wenn wir fallen, fallen wir ins Wasser.«
Oben waren zwei dünne Drähte über die Leiter gespannt.
»Wozu ist das wohl?« Branko rüttelte an den Drähten.
»Da ziehen die Fischer mittags, wenn die Sonne zu sehr scheint, eine Plane darüber.«
Die Kinder legten sich nebeneinander auf die Leiter, den Oberkörper über die oberste Sprosse gebeugt, die durch ein Stück Holz noch verbreitert war, sodass sie bequem lagen, und sahen aufmerksam auf das Wasser.
Das Meer lag wie ein großer, silberner Spiegel vor ihnen. Nichts rührte sich, keine Welle bewegte das Wasser, auch der Wind hatte sich gelegt und nicht der leiseste Hauch kam von den Inseln herüber.
»Siehst du etwas?« Branko strengte seine Augen an.
Nicola schüttelte den Kopf. »Nein. Ich glaube auch nicht, dass wir so bald etwas sehen. Mein Vater hat oft zehn Tage und manchmal noch länger auf die Fische gewartet.«
»Zehn Tage?« Branko sperrte den Mund auf.
Nicola nickte eifrig. »Ein Tunfischer muss Geduld haben.«
Die Kinder sahen aber dann doch allerlei. Möwen kreischten durch die Bucht, flogen hoch und stürzten sich auf das Wasser. Meistens hatten sie darauf einen Fisch im Schnabel.
Ein großer Fischadler flog von Krk herüber. Er bewegte seine gewaltigen Flügel so gleichmäßig, als schwämme er durch den Himmel. Die Möwen sahen ihn und flogen ihm mit wildem Gekreisch entgegen. Der Adler schraubte sich höher, bis er in der Himmelsbläue verschwand.
Ein Segelboot war weit, weit draußen zu sehen. Es sah aus wie eine riesige Libelle, die sich auf das Wasser gesetzt hatte und nun auf und ab wippte. Es segelte ganz langsam vorüber, sie konnten es beinahe eine Stunde lang sehen.
Ab und zu sahen sie auch einen Fisch springen. Die Tiere schnellten aus dem Wasser und glitten genauso eilig wieder hinein.
Branko legte sich bequemer. »Es ist schön hier«, sagte er. »Ich dachte, es wäre langweiliger.«

»Lass erst die Fische kommen«, meinte Nicola, »dann wirst du noch manchmal an die schönen Stunden hier oben zurückdenken.« Während die einen wachten, mussten die anderen die großen Netze für den Fang vorbereiten und die Fangvorrichtung aufbauen.
Die Netze waren aus Spagat und festen Rebschnüren gefertigt. Die Kinder hatten noch nie so starke Netze gesehen. Vater Gorian zog neue Schnüre ein, verbesserte schadhafte Stellen, Vater Orlovic kochte Teer und dann teerten sie die Netze.
Die Fangvorrichtung bestand aus festen und beweglichen Netzen. Die festen wurden in der Bucht verankert, während die beweglichen an die festen angeknüpft wurden. Man konnte sie dann wie große Schiebetüren von Land aus zuziehen.
Die Kinder wachten schon den vierten Tag und noch immer waren keine Fische gesichtet worden.
Manchmal kamen gegen Abend Fischer aus den benachbarten Buchten. »Wir haben wieder welche gesehen«, erzählten sie. »Sie sind aber zu weit draußen vorbeigezogen.«
Am fünften Tag ging der alte Orlovic in die Stadt, um einiges einzukaufen; als er gegen sieben zu Vater Gorian zurückkam, sagte er: »Auf dem Wege nach Fiume haben sie schon Fänge gemacht.«
»Sicher die Gesellschaften«, brummte Vater Gorian.
Orlovic nickte. »Große Tiere und eine große Menge. Radic«, er verzog den Mund, »hat mich wieder gefragt, ob ich ihnen nicht beim Fangen helfen will.«
Der alte Gorian lachte auf: »Was hast du ihnen geantwortet?«
»Nicht ohne dich.«
Der alte Gorian strich sich über den Bart. »Also nie.«
Der Gelbkopf mischte sich ein. »Sie zahlen diesmal noch höhere Preise als voriges Jahr.«
»Ja«, sagte der Schwarzkopf, »auch das Warten bezahlen sie wieder.«
»Das bekommt ihr hier auch bezahlt, wenn wir einen guten Fang haben«, sagte der alte Gorian grob.
»Wenn!«, meinten die Zwillinge und zogen an ihren Zigaretten. »Aber bis jetzt hat sich noch nicht einmal eine Schwanzspitze in unserer Bucht gezeigt.«
Am siebenten Tage trat Radic, eine feste Schirmmütze über dem schönen, bärtigen Gesicht, selber in ihren Garten. Er klopfte dem alten Gorian auf die Schulter. »Noch nichts?«

»Noch nichts«, bestätigte Vater Gorian.
»Ihr wartet schon lange?«
»Es ist nun beinahe schon eine Woche.«
»Die Gesellschaft kann sich vor den Schwärmen kaum retten«, prahlte der große Fischer.
»Da werden sich die Aktionäre freuen«, sagte der Alte trocken.
»Sie stellen noch Fangmannschaften ein«, fuhr Radic fort.
Gorian spuckte aus. »Kommst du deswegen?«
»Deswegen und auch so.« Radic zündete sich eine Pfeife an.
Als Gorian dann schwieg, fuhr er fort: »Direktor Kukulic hat mir gesagt, man würde Euch für Euren Platz eine besonders hohe Abstandssumme bezahlen.«
Gorian lachte auf: »Das kann ich mir denken. So einen Platz gibt es nicht so bald wieder.«
Es war wieder still. Ein paar Möwen kreischten über dem Feigenbaum. Ein Fisch sprang aus dem Wasser. Radic sog nervös an seiner Pfeife, während der alte Gorian über das Wasser sah.
»Wenn Ihr kommt, stellt man Euch sogar an die Spitze einer Fangmannschaft«, fing Radic wieder an.
Gorian sah ihn an. »Das stehe ich auch hier.«
Radic stand auf. »Ist das Euer letztes Wort?«
»Für heute bestimmt«, antwortete Vater Gorian. Er erhob sich auch.
Am nächsten Morgen standen Branko und Zora auf einer Vedette. Es waren noch immer keine Fische zu sehen.
»Warum sie nur nicht zu uns kommen?«, sagte Zora kläglich.
»Sie werden schon kommen«, tröstete sie Branko. »Nicola hat gesagt, sein Vater habe manchmal zehn Tage auf sie gewartet.«
Zora jammerte laut: »Zehn Tage!«
Branko nickte: »Und noch länger.«
Auf einmal starrte das Mädchen geradeaus. Sie stieß Branko in die Seite. »Was ist das?«
Auch Branko sah auf das Meer.
Das eben noch ruhige Wasser schäumte auf. Erst sahen die Kinder nur kleine Wirbel. Aber die Wirbel wurden größer, das Wasser schäumte, spritzte in die Höhe und dazwischen schossen große, schwarze Leiber hin und her.
Zora stieg die letzten Sprossen hinauf, stellte sich auf den Ausguck und hielt die Hand über die Augen.

»Branko!«, schrie sie. »Branko! Ich glaube ...«
»Das sind sie«, beendete Branko den Satz.
Das Wasser schäumte höher, die Wellen wurden zu kleinen Fontänen, Schaum, Wirbel und Wellen kamen näher und näher, auch die schwarzen Leiber wurden deutlicher. Es sah aus, als schnellten einige Tausend riesige, schwarzblaue Teufel zwischen dem Wasser hin und her.
»Sieh nur! Sieh nur!«, schrie Branko und stellte sich neben Zora. »Immer mehr! Immer mehr!«
»Jetzt drehen sie!«, schrie das Mädchen lauter.
»Ja«, jauchzte Branko, »sie biegen in die Bucht ein!«
Die langgestreckte, schäumende Welle bog auf einmal auf das Land zu.
Die Fische stießen nicht mehr vorwärts, sondern wandten sich wie auf Kommando in die Bucht hinein. Sie schwammen auch plötzlich schneller, als jage sie eine wilde Freude. Die Kinder konnten schon ihre unförmigen Schnauzen, die stachligen Flossen und die großen, halbmondförmigen Schwänze sehen.
»Da schießt einer aus dem Wasser!«, rief Zora und zeigte nach links.
»Dort auch!«, schrie Branko. »Dort wieder!«
Die dicken Teufel waren gedrungen und beinahe spindelförmig. Sie sahen furchterregend aus.
»Wie schwarze Schweine«, sagte Zora.
»Ja«, lachte Branko, »nur dass sie keine Beine haben.«
Jetzt brodelte das Wasser schon unter ihnen. Es kochte förmlich auf, so peitschten es die Fische.
»Sieh nur! Sieh nur!«, rief Zora wieder und zeigte hinunter, »alles ist schwarz.«
Das Wasser wimmelte von den großen, fetten Tieren, die neben- und übereinander tiefer in die Bucht drangen.
»Gott!«, schrie das Mädchen plötzlich. »Wir müssen es ja den anderen sagen.«
»Ich gehe schon«, sagte Branko. »Wenn die Letzten vorbei sind, hebst du die Hand.«
Er presste die Beine um die Leiter und rutschte nach unten.
Das Holz brannte sich wie Feuer in Schenkel und Hände, aber da schlug er schon unten auf und rannte davon.
Vor dem Haus des alten Gorian war es inzwischen beinahe zu einem Krach gekommen.

Die Zwillinge wurden immer nervöser. »Wir sollten doch gehen«, sagten sie zum alten Gorian. »Die Fische haben uns dieses Jahr vergessen.«
»Wenigstens einer von uns«, fügte der Schwarzkopf vorsichtig hinzu.
»Geht nur! Geht nur!«, schrie sie der alte Gorian an. »Wir werden auch ohne euch fertig.«
Der Gelbkopf stand bereits an der Tür, da schoss Branko durch das Tor in den Garten.
»Sie kommen!«, rief er. »Sie kommen!«
»Was!« Vater Gorian strahlte.
»Schnell! Schnell!«, stammelte Branko weiter. »Die ganze Bucht ist voll!«
Sie rannten ans Wasser.
Ja, auch vom Ufer sah man es schon. Hunderte von Wellen, Schaumkronen und Fontänen und dazwischen die dicken Leiber der Fische, das alles brauste, schoss und zischte wie eine Lawine gegen das Ufer heran.
»Mutter Maria«, sagte der alte Gorian und stützte sich auf die kleine Mauer, »ist das ein Segen.«
Der alte Orlovic nahm sogar seine Kappe ab.
»Hoffentlich kommen sie noch weiter herein«, meinte der Schwarzkopf.
»Sie kommen schon!«, schrie der Gelbkopf, der auf den Feigenbaum geklettert war. »Die Ersten sind bereits durch die Netze hindurch.«
Die anderen sahen es auch. Die Fische kamen immer näher an das Ufer. Es waren große, schwere, aber ungemein übermütige Gesellen. Sie spielten wie junge, tollpatschige Hunde miteinander, schossen in die Tiefe und wirbelten wieder in die Höhe, schlugen mit den Schwänzen und stießen mit den Köpfen aneinander.
Der alte Gorian war wieder ganz bei der Sache.
»Ist noch einer von euch auf der Leiter?«, fragte er Branko.
Der nickte. »Zora. Ich habe ihr gesagt, wenn die letzten Fische durch das Netz sind, soll sie winken.«
»Gut.« Der Alte wandte sich an den Gelbkopf. »Du nimmst Duro und das große Boot. Dein Bruder nimmt Nicola und das kleinere. Ich nehme Branko und kümmere mich um das rechte Netz. Du, Orlovic, läufst zu dem linken und lässt dir von dem Mädchen helfen.«

Alle jagten auf ihre Plätze.
»Ich komme mit Euch«, rief Branko erfreut.
»Ja, ja«, wiederholte der Alte, »beeil dich.«
Da waren sie schon am Netz. Der Alte rüttelte noch einmal an den Pfählen. Sie saßen fest. Er probierte auch, ob die Leinen richtig spielten. Es war alles in Ordnung.
Dann sahen sie zu Zora hinauf. Das Mädchen stand oben auf dem letzten Brett. Sie stand ganz frei und ihr roter Schopf leuchtete wie eine Flamme über dem Wasser. Es kochte, wirbelte und spritzte immer noch.
Gorian kratzte sich am Hals. »So viel Fische waren noch nie in der Bucht. Hoffentlich halten die Netze.«
Da winkte Zora.
»Komm.« Vater Gorian packte die Leine und zog sie an, drüben zog der alte Orlovic auch an seinem Strick.
»Was geschieht jetzt?«, fragte Branko, der genauso kräftig wie der alte Gorian an der Leine zog.
»Jetzt schieben sich die beiden beweglichen Netze vor die Löcher zwischen die festen Netze und die Fische sind gefangen.«
»Alle?«, stammelte Branko und starrte wieder auf das kochende, schäumende Meer.
»Alle«, nickte der Alte.
Während sich die Netze schlossen, waren die Zwillinge mit Duro und Nicola in die Boote gestiegen und fuhren mitten in die Fische hinein. Die Fische jagten noch immer durcheinander, als spielten oder haschten sie sich; auf einmal spürten sie wohl, dass sie überall gegen das Ufer oder gegen die näher kommende Netzwand stießen und eingeschlossen waren. Ihre Bewegungen wurden schneller, ihre Sprünge gewaltiger. Manche stießen gegen die Kähne und warfen die kleinen Fahrzeuge beinahe um. Einer zeigte auch seine Zähne. Der spitze Rachen war voll großer, kantiger Haken.
»Seht nur«, sagte Duro ängstlich zum Gelbkopf.
»Schlag lieber zu«, antwortete der und hieb mit seinem Ruder dem Fisch über den Kopf.
Die Kinder bekamen nun ebenfalls Knüppel oder Ruder, und sobald sich wieder ein Schwanz, ein Kopf oder ein Rücken aus dem Wasser hob, schlugen sie darauf.
Die getroffenen Fische waren einen Augenblick wie betäubt und

mussten nun schnell aus dem Wasser gezogen werden. Es gab schwere, gewaltige Kerle darunter und die Kinder brachten sie gar nicht heraus.
»Helft mir doch«, rief Nicola, der einen zwischen den Kiemen gepackt hatte.
Der Schwarzkopf fasste zu. Der Fisch wachte in diesem Moment wieder aus seiner Betäubung auf, schlug um sich, traf Nicola mit dem Schwanz gegen die Brust und den Schwarzkopf ins Gesicht.
»Au!«, schrie Nicola. Auch der Schwarzkopf fasste nach seiner Backe, und wenn sie sich nicht aneinander festgehalten hätten, wären sie ins Wasser gefallen.
Auch die anderen Fische wehrten sich mehr und mehr. Je näher die Netze rückten, umso verzweifelter, wütender und zorniger schossen und jagten sie hin und her, schlugen um sich, stießen gegen die Bootswände, bohrten sich in die Netze, stürmten gegen das steinige Ufer an, und wenn das alles nichts half, sprangen sie in die Höhe.
Ein gewaltiges Tier, das mitten in das größte Boot sprang, hätte das Boot beinahe zum Kentern gebracht.
»Kommt an Land!«, rief ihnen da der alte Orlovic zu. »Ihr habt sicher schon genug.«
Die Zwillinge stakten die Kähne an den Fischleibern vorbei und landeten. Der alte Gorian und der alte Orlovic standen am Steintisch, jeder ein großes Messer in der Hand, und warteten auf sie.
Die Kinder schleppten die Fische zum Tisch, während die Zwillinge wieder ins Netz fuhren.
Die Fische waren wirklich schwer. Manchmal mussten sie zu dritt, manchmal zu viert an einem schleppen. Jetzt sahen sie die Tiere auch genauer. Die gedrungenen, festen Leiber, die stahlgrauen, dicken, fleischigen Rücken, die helleren Bäuche und den herrlichen, ins Rötliche gehenden Metallglanz, der über den gerundeten Körpern lag.
»Der wiegt bestimmt vierzig Kilo«, stöhnte Branko, als sie den dritten auf den Tisch hoben.
»Es sind sicher noch schwerere dabei«, meinte der alte Orlovic und seine Augen glänzten vor Freude.
Die beiden Alten schlitzten die Fische auf, ließen die Eingeweide auf die Erde fallen, schnitten auch die Kiemenbögen heraus und machten sie zum Transport in die Stadt fertig.
Die Zwillinge brachten inzwischen noch eine zweite und eine dritte

Ladung an Land. Als sie die vierte brachten, sagte der alte Gorian: »Macht nun Schluss. Wir wissen ja sonst nicht, wohin mit den Fischen.« Der Gelbkopf sah zurück. »Dabei merkt man noch gar nicht, dass wir welche geholt haben, so viel stehen im Netz.«
»Freut ihr euch wenigstens, dass ihr geblieben seid?« Der alte Gorian sah sie an. Die Zwillinge nickten.
Die Fischer putzten sich nun etwas sauber. Sie sahen alle furchtbar aus, Gorian und Orlovic wie Schlächter. Alles an ihnen war voll Schuppen, Blut und Dreck. Auch den Zwillingen saß der Dreck an allen Körperteilen und die Kinder waren über und über damit bedeckt. Sie spürten auch plötzlich, dass sie müde waren, die Schlächterei hatte sie angestrengt.
Sie brachten die ausgenommenen Fische noch an eine versteckte Stelle, um sie vor den Möwen zu schützen, die – sie hatten die gute Mahlzeit wohl gerochen – in Scharen über der Bucht kreischten und sich auf den Abfall und die Eingeweide stürzten. Auch vor der Sonne mussten die Fischleiber geschützt werden und man deckte sie mit nassen Säcken und Zweigen zu.
Nachdem sie auch diese Arbeit hinter sich gebracht hatten, sagte der alte Gorian: »Einer muss in die Stadt. Wir brauchen einen Wagen.« Der Schwarzkopf ging schon.
»Geh zu Radic«, rief ihm sein Vater nach, »und sage ihm, so einen Fang hätten der alte Gorian und der alte Orlovic noch nie gemacht.«
Die Kinder traten noch einmal ans Wasser. Die Fische hatten sich etwas beruhigt. Sie standen wie eine schwarze Mauer, Tier neben Tier.
Der alte Orlovic trat zu ihnen. »Seht ihr den großen dort? Das ist der größte Tunfisch, den ich jemals gesehen habe.« Er legte Branko und Nicola seine schweren Hände auf die Schulter. »Ja, ihr habt uns wirklich Glück gebracht.«
Der alte Gorian hatte inzwischen mit Zora den Tisch gedeckt. Er stellte einen Krug zwischen das Brot. »Dafür gibt es heute auch Wein.«
Die kleine Gesellschaft begann gerade mit dem Essen, da traten ein paar Fischer in den Garten. Sie hatten durch den Schwarzkopf von dem großen Fang gehört und wollten sich die Fische ansehen. Auch andere Gäste stellten sich ein. Zu den Möwen kamen riesige Kormorane und schnappten nach den Fischresten, auch dicke Spitzmöwen ließen

sich nieder und hoch oben in der Luft kreiste wieder der Fischadler, den die Kinder schon einige Male gesehen und bewundert hatten.
Der alte Gorian und die Kinder räumten schon wieder ab. »Nun«, sagte er zum alten Orlovic und sah hinauf auf die Straße, »wo bleibt dein Junge?« Endlich glänzte sein schwarzer Schopf durch den Garten.
»Was hat Radic gesagt?«, fragte der alte Gorian.
Der Schwarzkopf schnaufte noch, so war er gerannt. »Er schickt keinen Wagen«, antwortete er dann.
»Was?« Die beiden Alten starrten ihn an.
»Er sagt, er hat keinen frei«, berichtete der Schwarzkopf weiter. »Er braucht alle für die Gesellschaft.«
»Hast du ihm erzählt, was wir für einen Fang haben?«, fragte ihn sein Vater.
Der Schwarzkopf nickte. »Er hat mir aber geantwortet: ›Das interessiert mich gar nicht.‹«
»Hast du auch sonst keinen Wagen bekommen?«, wollte der alte Gorian noch wissen.
»Ich war überall. Alle behaupteten, sie fahren für die Gesellschaft. Nur den alten Dragan und seinen Maulesel können wir haben.«
»Dann lauf noch einmal zu ihm hin. Er soll sofort mit seinem Maultier kommen.«
»Er kommt schon«, sagte der Schwarzkopf. »Er wollte sein Maultier nur noch füttern.«
Der alte Gorian war zornig. Er stampfte auf und ab. »So«, knurrte er, »Radic will unsere Fische nicht haben. Was steckt da wohl wieder für eine Teufelei dahinter?«
Ein alter Fischer trat ihm in den Weg. »Pass auf«, sagte er, »sie machen es mit dir genauso wie voriges Jahr mit dem alten Gruden.«
»Wie haben sie es denn mit dem gemacht?«, fragte Gorian.
»Hast du das schon wieder vergessen?« Der Alte nahm erst eine Prise. »Gruden wollte auch nicht in die Gesellschaft. Selbst um die himmlische Seligkeit nicht. ›Ich bin als freier Fischer geboren‹, erklärte er, ›und ich will als freier Fischer sterben.‹ Da haben sie ihm so lange nichts abgenommen und jeden Wagen requiriert, bis ihm seine Fische fast alle verfault oder verreckt sind und er klein beigeben musste.«
»Mich kriegen sie nicht klein«, brummte der alte Gorian böse.

»Das hat der alte Gruden auch gesagt.«
Da polterte Dragan mit seinem Maultier in den Garten.
Der alte Orlovic kratzte sich bedenklich hinter dem Ohr, als er den kleinen Karren sah. »Viel geht da nicht hinein.«
»Kommt nur«, sagte Vater Gorian, »besser wenig als gar nichts«, und sie luden die größten Fische auf.
Die Zwillinge setzten sich neben den alten Dragan.
»Lasst noch einen Platz frei.« Der alte Gorian nahm seine Jacke. »Ich fahre mit in die Stadt.«
Dragan machte »Hü!« und noch einmal »Hü!«, aber erst, als er mit seinem Knüppel drohte, setzte das Maultier einen Fuß vor den anderen und der Karren ratterte los.
Am Abend kam der Alte wieder.
»Wie war's?«, fragten ihn der alte Orlovic und die Kinder.
»Nicht gut«, brummte der alte Gorian, der ein ganz verbissenes Gesicht machte. »Radic, dieser Schuft, will wirklich nichts nehmen. Auch mit dem Glatzkopf Kukulic, den sie ihren Direktor nennen, habe ich gesprochen. ›Wir nehmen dir deine Fische nur ab, wenn du auch deinen Fangplatz und dich an uns verkaufst.‹«
»Was hast du dem Glatzkopf gesagt?«
»Ich verkaufe nur Fische. Nichts weiter.«
»Wo hast du die Tiere?«
»Wir hatten noch Glück. Einen Teil konnte ich nach den Inseln verkaufen. Ein paar hat das Hotel ›Zagreb‹ genommen. Zwei bringen deine Söhne in die Mühle. Der Müller will sie haben und den Rest will Dragan morgen auf dem Markt verkaufen.«
»Hm«, machte Orlovic, »und die Gesellschaft nimmt tatsächlich nichts?«
»Wir müssen eben warten«, tröstete ihn der alte Gorian. »Mal sehen, wer den dickeren Kopf hat. Wir oder sie.«
Der alte Orlovic spuckte aus. »Ich glaube, auf den dickeren Kopf kommt es nicht an.«
»Auf was denn?«
Der alte Orlovic legte seine schweren Hände zusammen. »Auf das dickere Portemonnaie.«
Gorian zog das seine aus der Tasche. »Vorläufig ist noch etwas darin.« Er zeigte auf den Garten und das Wasser: »Wir haben auch sonst noch zum Leben.«

»Na, gut.« Orlovic ging langsam aufs Meer zu. »Wir werden ja sehen.«
Der alte Mann hatte einige von den toten Fischen in kleine Stücke zerschnitten und warf sie ins Wasser.
Vater Gorian half ihm.
»Warum macht ihr das?«, fragten die Kinder, die den Alten erstaunt zusahen.
Vater Orlovic zeigte in die Wellen, wo die Fische wie wild über die Brocken herfielen und sie sich gegenseitig aus dem Maul rissen. »Die Fische müssen doch fressen.«
»Das ist ja furchtbar.« Branko machte große Augen, als er sah, wie die schweren Tiere sich um das Fleisch balgten. »Sie fressen ihre eigenen Brüder und Schwestern.«
Der alte Gorian, dem noch eine dicke Falte auf der Stirn stand, sah den Jungen aus seinen großen, hellen Augen halb belustigt, halb ernst an. »Warum regst du dich so auf?«, fragte er dann. »Die Menschen sind noch viel schlimmer. Die Menschen fressen ihre Brüder, weil es ihnen Freude macht, sie zu fressen.«
»Die Menschen?« Branko starrte den alten Gorian an.
»Hast du schon wieder vergessen, was der Schwarzkopf eben erzählt hat? Die Gesellschaft hat bereits hundertzwanzig Fangplätze an der Küste, aber dieser Glatzkopf Kukulic will nicht eher Ruhe geben, bis er auch uns und unseren Fangplatz in seinem großen Magen hat«, und er warf neue Fischstücke ins Wasser.

17

Es spukt in der Burg Nehajgrad

Die Nachricht von dem großen Fang hatte sich an der ganzen Küste herumgesprochen. Am nächsten Morgen kamen immer neue Fischer, um sich die Tiere anzusehen. Es kamen auch Leute aus der Stadt. Manche kauften wieder ein paar Fische. Der reiche Karaman kam sogar mit seiner Karre und lud einige Zentner auf.
Der alte Gorian schmunzelte und stieß Orlovic in die Seite. »Siehst du, es läppert sich langsam.«
Orlovic hob seinen großen Kopf. »Wenn es sich weiter so läppert«, knurrte er, »verkaufen wir Weihnachten die letzten.«
Am Nachmittag kam wieder eine böse Nachricht. Der alte Dragan ratterte mit seinem Karren in den Garten.
»Willst du neue Fische?«, fragte Orlovic.
Dragan schüttelte seinen kahlen Kopf, der wie eine Melone auf seinem dünnen Hals saß. »Ich bringe die alten wieder.«
Auch Gorian kam jetzt. »Warum?«
»Der Bürgermeister hat mir sagen lassen, es sei verboten, dass jedermann seine Fische auf dem Markt verkaufe.«
»Seit wann?«
Der kahle Kopf wackelte hin und her. »Seit heute. Heute Vormittag hat der Magistrat beschlossen, dass jeder, der in Senj Fische verkaufen will, dazu eine Verkaufslizenz braucht.«
Gorian biss die Zähne zusammen. »Das hat sicher die Gesellschaft vom Magistrat verlangt. Wenn die aber glauben, ich gebe nach, dann irren sie sich.«
»Vielleicht wollen sie das nicht einmal«, sagte Dragan.
»Was wollen sie denn?«
»Sie wollen Euch ruinieren.«
Die Fische wurden abgeladen und, da sie schon stanken, zerschnitten und verfüttert.
Am Abend kamen neue Leute. Auch der alte Karaman war wieder dabei.
Die Kinder hatten sich bisher immer versteckt gehalten, wenn je-

mand aus Senj in den Garten kam. Sie krochen zu Pavle, der noch im Ziegenstall lag, oder in die Büsche.
Diesmal saßen sie aber gerade mit den anderen beim Essen.
Der reiche Karaman hatte sie bereits erspäht. Er kam auf den Tisch zu. »Da ist ja die rote Zora«, sagte er.
»Warum nicht?« Der alte Gorian sah ihn an.
Karaman drehte seinen Kopf aber schon weiter. »Und da sitzt auch der Strolch, der den Fisch gestohlen hat.«
Der alte Gorian stand auf. »Wollt Ihr noch mehr von meinen Gästen beleidigen?«
»So, so«, meinte Karaman. »Eure Gäste sind das? Ich weiß nur, dass der Bürgermeister hundert Dinar Belohnung auf ihre Ergreifung gesetzt hat«, dann ließ er sich wieder einige Fische geben und ging.
Branko wurde ganz traurig. »Nun ist unsere schöne Zeit vorbei.«
»Warum?«, wollten die beiden Fischer wissen.
»Karaman wird sicher zur Polizei gehen und Ihr werdet es erleben, bevor eine Stunde vorbei ist, kommt er mit einem Gendarm zurück.«
Gorian ballte seine großen Hände. »Sie sollen nur kommen. Ich habe gerade Sehnsucht nach ihnen.«
Orlovic verzog seinen Mund zu einem Grinsen. »Was willst du gegen die Polizei machen?«
»Ich ...« Der alte Gorian bekam wieder seine Falte auf der Stirn und wurde puterrot.
»Nein«, Zora strich ihm darüber, »Ihr habt schon ohne uns genug Ärger. Es ist besser, wir gehen.«
»Wo wollt ihr aber hin?«, fragte er.
»Wir werden wieder in unsere Burg gehen.«
»Ich denke, da steht eine Wache?«
Zora lachte. »Ich habe mir etwas ausgedacht. Vielleicht werden wir sie los.«
»Was denn?«, wollten nun auch die anderen wissen.
Zora lachte weiter. »Das erzähle ich euch erst, wenn wir wieder im Turm sind.«
»Was machen wir aber mit Pavle?«, sagte Nicola.
»Pavle bleibt hier«, sagte Vater Gorian grob. »Ich bin froh, dass das Fieber endlich verschwunden ist und sich auch die großen Wunden schließen.«

»Aber wenn ihn Begovic findet?«, warf Duro ein. »Im Ziegenstall wird er sicher nachsehen.«
»Ich habe ein anderes Versteck. Kommt!« Vater Gorian stand auf. »Wir bringen ihn gleich hin.«
»Wo ist es?«, fragte Zora.
»Holt erst Pavle«, meinte der Alte. »Ich habe auch meine Geheimnisse.«
Branko und Zora gingen in den Stall. Pavle lag noch an der alten Stelle. Vater Gorian hatte ihm das Bein hochgebunden.
Die Kinder erzählten ihm, dass Karaman sie entdeckt habe und dass sie lieber wieder in den Turm wollten.
»Und ich?« Pavle, der noch immer sehr blass war, sah sie fragend an.
»Vater Gorian bringt dich in ein anderes Versteck.«
Der Alte hatte inzwischen mit Duro und Nicola ein Boot ins Wasser geschoben, und als Pavle mit Branko und Zora heranhinkte, brachte er noch die Ruder.
»Wir fahren mit dem Boot«, sagte Zora erstaunt.
Der Alte hob Pavle in das Boot. »Ihr werdet noch mehr staunen.«
Sie fuhren aber nicht weit. Hinter dem Haus war ein Felsen. Der Alte zeigte hinauf. »Seht ihr da oben das Loch? Da ist es.«
Die Kinder kletterten hinauf, es war eine tiefe Höhle, in der Vater Gorian seinen Wein und verschiedene andere Sachen aufbewahrte. Sie machten Pavle ein Strohlager und betteten ihn darauf.
»Hier soll ich bleiben?« Pavle sah sich um.
Der Alte nickte. »Wenigstens, bis die größte Gefahr vorüber ist. Ich bringe dir jeden Tag dein Essen.«
»Wir sehen auch jeden Tag nach dir«, meinte Zora. »Wir sind ja nicht aus der Welt.«
Vater Gorian packte den Kindern noch allerlei zum Essen zusammen, Brot und Früchte, Käse und Fisch.
»Wir kommen doch morgen wieder«, betonte Zora noch einmal und wollte die Sachen auf die Seite schieben.
»Nehmt es nur mit.« Der Alte bestand auf seinem Willen. »Es ist ganz gut, wenn ihr auch in eurer Burg einen Vorrat habt.«
Die Kinder waren kaum fort, da kam tatsächlich ein Gendarm auf das Gehöft zu. Es war aber nicht der versoffene Begovic, wie die Kinder erwartet hatten, sondern Dordevic.
Er ging auf die beiden Alten zu.

»Was sucht Ihr hier?«, fragte Vater Orlovic den Gendarmen und legte seine schweren Hände auf den Tisch.
»Spitzbuben«, meinte Dordevic.
»Seit wann sucht Ihr die Spitzbuben bei ehrlichen Leuten?«, fuhr ihn der alte Gorian an.
Dordevic kratzte sich verlegen. »Karaman hat mir erzählt, sie wären bei Euch zu Besuch.«
»Karaman hat Euch das erzählt?« Gorian lachte auf. »Seid ihr Gendarmen immer so leichtgläubig?«
»Ja«, sagte auch der alte Orlovic, »sucht die Spitzbuben lieber bei ihm. Aber nehmt Euch gleich einen Sack mit. Dort findet Ihr nicht nur die Diebe, sondern auch ihre Beute.«
Dordevic zog sich einen Stuhl heran. Er zwinkerte Gorian zu. »Sind die Kinder schon fort?«
»Über alle Berge«, antwortete der alte Gorian.
»Umso besser.« Dordevic zwirbelte seinen kleinen Bart. »Und wenn Ihr sie wieder seht, grüßt sie von mir und sagt ihnen, ich würde auch lieber den Karaman einsperren als sie.«
»Darauf trinke ich sogar mit Euch.« Der alte Gorian schob Dordevic ein Glas hin.
Die Gläser stießen klingend aneinander.
Die Kinder waren inzwischen am Fuß des Hügels angekommen. Es war schon recht dunkel und die Burg Nehajgrad stand wie eine große, drohende Faust in dem blauschwarzen Abend.
»Wir müssen uns beeilen.« Zora sah in die Höhe. »In einer halben Stunde kommt der Mond, da wird es wieder hell.«
Die Kinder krochen auf allen vieren den Hügel hinauf.
»Psst!«, machte Nicola plötzlich. »Da sitzt einer.«
Branko hatte ihn auch schon gesehen. »Direkt vor dem Tor.«
»Könnt ihr erkennen, wer es ist?«, fragte Zora.
Die Jungen schüttelten die Köpfe.
»Wartet«, flüsterte Nicola. »Ich krieche weiter.« Er kam gleich wieder zurück. »Es ist Begovic. Er sitzt neben der Tür und isst.«
»Kommt!«, sagte Zora. »Wir kriechen durch den Gang.«
Als sie aber durch den Ginster gekrochen waren, sahen sie, dass man ihren Gang zugestopft hatte.
»Diese Gauner«, schimpften die Kinder.
»Das waren sicher die Gymnasiasten«, meinte Nicola.

»Oder der Bürgermeister hat es machen lassen«, sagte Duro.
Zora rüttelte an den Steinen. »Nein. Sie sind nur hineingeschoben; wenn es der Bürgermeister angeordnet hätte, wären die Steine sicher vermauert.«
»Sollen wir sie wieder herausholen?« Branko packte schon zu.
Zora schüttelte den Kopf. »Wir haben ja noch Pavles Loch. Das ist einfacher.«
Sie krochen wieder zurück, umgingen den Turm, lösten die Steine aus der Mauer und zwängten sich hindurch.
Das Loch führte unmittelbar auf den Hof. Zora war als Erste hindurchgekrochen und schlich nun leise auf die Treppe zu. Die Jungen folgten ihr.
»Halt!«, warnte da Branko. »Das Tor ist offen. Begovic wird uns gleich sehen.«
Zora wollte aber gar nicht weiter.
Sie brachte etwas Rundes aus ihrer Bluse und sah sich um.
»Was suchst du?«, fragten die Jungen.
»Hier stand doch immer eine Stange.«
Duro reichte sie ihr schon. »Was willst du damit?«
»Wartet nur. Gleich werdet ihr es sehen.«
Das Runde war ein Kürbiskopf. Das Mädchen hatte ihn ausgehöhlt und ein Gesicht hineingeschnitten. Sie stellte eine Kerze in die Höhlung, drehte sich wieder zu Duro und flüsterte: »Nun brauche ich noch dein Hemd.«
»Mein Hemd?«
»Ja, mach schnell.«
Duro gab ihr sein Hemd. Zora steckte es über die Stange und bohrte die Stange in den Kürbis hinein.
»Ich möchte nur wissen, was das wird?«, fragte nun auch Branko.
»Merkst du es noch immer nicht?« Zora stellte die Stange auf. Branko schüttelte den Kopf.
»Ihr Schafsköpfe.« Das Mädchen wandte sich an alle. »Ein Geist.«
»Und was willst du damit machen?«
Zora kicherte. »Das werdet ihr gleich sehen.« Und nach einer Pause, in der sie den Kürbis und die Stange noch einmal einer Prüfung unterzogen hatte, fragte sie: »Wer ist der Mutigste von euch?« Ehe aber einer antworten konnte, drückte sie Nicola die Stange in die Hand und sagte: »Komm.«

Es war tatsächlich Begovic, der vor dem großen Tor saß. Eine Zeitung lag vor ihm ausgebreitet und auf der Zeitung standen eine Torte und eine Flasche Schnaps. Begovic brach ab und zu ein Stück von der Torte ab, tränkte es mit Schnaps und schlürfte es hinunter. Er schmatzte dabei wie ein Schwein, strich sich über den Bart und rülpste.
Als es aus der Stadt von allen Türmen Mitternacht läutete, lauschte Begovic einen Augenblick, zählte die Schläge gewissenhaft, dann trank er weiter. Plötzlich blickte er auf, ließ die Flasche fallen und seine runden Augen wurden immer größer. Mitten auf der Treppe, knapp zwanzig Meter von ihm entfernt, geisterte ein Gespenst. Er rieb sich die Augen, starrte weiter geradeaus, aber das Gespenst war noch immer da.
»Begovic«, sagte es jetzt sogar laut und kam langsam auf ihn zu, »was machst du hier?«
Das war zu viel für den armen Begovic. »Madonna!«, schrie er, schnellte in die Höhe und nestelte an seiner Revolvertasche. »Sagt, wer Ihr seid!«, schrie er lauter, als er den Revolver frei gemacht hatte. »Oder ich schieße.«
Das Gespenst schien aber keine Angst zu haben und kam unaufhaltsam näher. »Geister kann man nicht erschießen, Begovic.« Es lachte.
Begovic zitterte schon am ganzen Körper. »Ich schieße wirklich, wenn Ihr nicht stehen bleibt.«
»Schieß nur!«
Begovic drückte ab.
Der Schuss krachte wie hundert Schüsse durch den kleinen Hof, dann krachte es noch einmal lauter durch die Säle, bis sich das Krachen langsam in den oberen Räumen verlor. Es klang, als ob es in der ganzen Burg erst donnere, darauf schreie und zuletzt lache.
Begovic war wohl am meisten über die Wirkung seines Schusses erschrocken.
Er stand da, als sei jedes Echo ein Prügel und schlage ihn über Kopf und Rücken. Sein Gesicht wurde noch ängstlicher und verzweifelter, als er entdeckte, dass das Gespenst immer noch auf der Treppe geisterte.
Es hatte zwar einen Augenblick geschwankt, als er schoss, aber nur einen Augenblick, und jetzt kam es schon wieder näher.
Begovic hob seinen Revolver noch einmal. »Ich, ich …«, stammelte er.

»Begovic«, sagte das Gespenst lauter. »Lass das. Du wirst dich noch selber treffen.«
Das war für Begovic zu viel. Er ließ seine Pistole fallen, ließ auch sonst alles stehen, drehte sich um und rannte, als wäre der Teufel hinter ihm.
»Ha, ha, ha!«, lachte Zora, sprang hinter dem Gespenst hervor und sah Begovic nach.
Auch Duro und Branko kamen aus ihrem Versteck und lachten.
»So ist er noch nie gesprungen«, sagte Duro.
»Dass ein Mensch solche Angst haben kann«, wunderte sich Branko.
»Dabei war er tapferer, als ich dachte«, meinte Zora. »Ich hätte nie erwartet, dass Begovic auf ein Gespenst schießen würde.«
»Ja, es war fürchterlich«, stöhnte Nicola. Er trat jetzt erst zu den anderen.
Zora nahm ihn am Ohr. »Ja, Nicola wäre beinahe noch früher ausgerissen als Begovic. Habt ihr nicht gesehen, wie der Kürbis wackelte?«
»Doch«, nickte Branko. »Ich machte mir schon Sorgen um euch.«
Zora lachte. »Nein, nein. Es war nur Nicola. Er hatte Angst bekommen und wollte davonlaufen.«
»Ich habe die Kugel sogar pfeifen hören«, stöhnte Nicola lauter.
Zora lachte wieder. »Meine Mutter hat mich gelehrt: Wenn du eine Kugel pfeifen hörst, kann sie dich nicht mehr treffen.«
Duro bückte sich. »Seht einmal, was uns Begovic alles dagelassen hat.« Er hob den Kuchen und die Schnapsflasche hoch.
»Hier liegt auch seine Pistole.« Branko fasste nach der Waffe.
»Lasst lieber alles liegen«, riet Zora. »Geister essen keinen Kuchen und trinken auch keinen Schnaps. Wenn wir die Sachen mitnehmen, weiß man gleich, dass wir Begovic einen Streich gespielt haben.«
Die Kinder ließen also alles liegen und stiegen hinauf in ihr Versteck. Der schmale Raum war noch genau so, wie sie ihn verlassen hatten. Es war niemand in das Versteck eingedrungen. Sie fanden auch ihre Decken und Bilder wieder, und nachdem sie alle Ein- und Ausgänge noch einmal besonders verrammelt hatten, legten sie sich wie sonst auf ihre Lagerstätten und waren bald eingeschlafen. Sie zogen es aber vor, den Sonnenaufgang nicht im Turm zu erwarten. Bevor der rote Ball über die Berge kam, wanderten sie wieder hinunter zum alten Gorian.
Vater Gorian war schon in die Stadt gegangen. Die Kinder stellten

Nicola als Wache auf, um sich nicht wieder von Karaman oder Dordevic überraschen zu lassen, und besuchten Pavle.
Pavle hatte eine gute Nacht hinter sich, und als ihm die Kinder von Begovics Flucht erzählten, freute er sich noch mehr.
Sie schwammen eine Weile, fischten, Zora bereitete das Mittagessen und molk die Ziege.
Endlich kam der alte Gorian.
Er drohte ihnen lustig mit dem Finger. »Ihr seid ja eine schöne Gesellschaft«, sagte er. »Seit wann treten die Uskoken als Geister auf?«
Die Kinder waren recht erstaunt, dass der Alte schon von ihrem Streich wusste. »Wer hat Euch das erzählt?«, bestürmten sie ihn.
»Begovic ist gestern Nacht noch schreckensbleich zum Bürgermeister gekommen und hat ihm berichtet, dass es auf der Burg spukt, und jetzt spricht die halbe Stadt davon.«
»Dann werden sie uns wohl heute Abend in Ruhe lassen«, meinte das Mädchen.
»Im Gegenteil«, sagte der Alte. »Nach dem, was ich gehört habe, ist der Bürgermeister wütend auf Begovic und will heute Abend selber wachen.«
»Doktor Ivekovic?«, lachten die Kinder. »Der soll nur kommen.«
Vater Gorian kratzte sich seinen Bart. »Nehmt euch bloß in Acht«, warnte er.
»Sorgt Euch nicht, Vater Gorian«, sagte Zora. »Wir werden auch ihn das Laufen lehren.«
Die Kinder fütterten noch die Fische. Die Tiere standen unbeweglich zwischen der Mauer und den Netzen, als ob sie sich in ihre Gefangenschaft gefunden hätten. Erst als die großen Brocken zwischen sie fielen, schwammen sie wieder hin und her und wurden lebendiger.
»Können wir uns nicht ein paar Kürbisse nehmen?«, fragte Zora, bevor sie gingen.
»So viel ihr wollt.«
»Hättet Ihr vielleicht auch zwei alte Hemden?«, bettelte Zora weiter.
»Das ist schon schwieriger«, meinte der Alte. »Vor allen Dingen brauche ich sie wieder, sonst muss ich nächste Woche nackt gehen.«
»Oh«, versicherte Zora, »wir bringen sie schon morgen zurück.«
Der alte Gorian hatte richtig gehört. Doktor Ivekovic war wütend auf Begovic und wollte sich das Gespenst selber ansehen. Die Kinder waren noch nicht lange in ihrem Turm, da hörten sie ihn kommen.

Doktor Ivekovic kam aber nicht allein, es waren mehrere Männer, die im Schein einer Laterne den Hügel zur Burg heraufstiegen. »Hier stehen auch ein Kuchen und eine Flasche Schnaps«, sagte ein anderer, den die Kinder nicht kannten.
»Gebt mir einmal die Flasche«, rief Doktor Ivekovic und er hob sie in die Höhe. »Hm«, machte er. »Sie ist halb voll. Betrunken bist du gestern doch nicht gewesen, Begovic?«
»Nein, Herr Bürgermeister«, beteuerte der Gendarm. »So wahr ich hier stehe. Ich war nüchtern wie ein neugeborenes Kind.«
»Setzen wir uns«, ertönte die fremde Stimme wieder.
»Ja, am besten direkt ans Tor, Herr Brozovic«, antwortete Doktor Ivekovic. »Da können wir in die Burg und auch hinaussehen.« Er setzte sich schon.
»Hast du gehört«, flüsterte Branko dem Mädchen leise zu, »der fuchsige Brozovic ist mit dabei.«
»Ich sehe sogar einen vierten«, flüsterte Zora zurück.
»Wo denn?« Branko beugte sich vor.
»Dort, an der Mauer.«
Branko sah den Mann jetzt gleichfalls. Er trug wie Begovic eine Uniform. Da drehte er sein Gesicht. »Es ist Dordevic«, sagte er.
Brozovic und Doktor Ivekovic zogen ein Brett zwischen sich und stellten die Laterne darauf. »Setzt euch«, sagte der Bürgermeister zu den Gendarmen, »wir wollen, bis das Gespenst kommt, ein Spiel machen.«
Begovic und Dordevic setzten sich nieder. Doktor Ivekovic nahm ein Kartenspiel aus der Tasche, mischte die Blätter und verteilte sie.
Die Kinder waren so nahe, dass sie alles beobachten konnten. Brozovic schien die besten Karten zu bekommen, sein Fuchsgesicht verzog sich zu einem Grinsen, als er sie alle in der Hand hatte.
Sie spielten schon eine ganze Weile. Manchmal sah der Bürgermeister auf. »Begovic«, spottete er, »ich sehe noch immer nichts.«
»Ich auch nicht, Herr Bürgermeister«, antwortete der arme Begovic, »aber es wird schon noch kommen.«
»Wollen wir nicht anfangen?« Branko zuckte es bereits in allen Gliedern.
Zora schüttelte den Kopf. »Wir müssen bis Mitternacht warten. Die Geister erscheinen erst nach zwölf.«
Nach einer halben Stunde schlug es Mitternacht.

Der Bürgermeister gab gerade neue Karten aus. Er schob auch Begovic seinen Teil hinüber. »Begovic«, wiederholte er, »ich sehe noch immer nichts.«
In diesem Augenblick starrte Begovic entsetzt in die Höhe. »Dort, Herr Bürgermeister, dort! Ich habe Sie gewarnt. Dort ist es!«
Der Bürgermeister warf seine Karten hin und drehte sich um. Auch Brozovic und Dordevic starrten in die Höhe.
Tatsächlich, über ihnen stand ein Gespenst. Es sah noch schauerlicher als das gestrige aus. Der Kopf war beinahe doppelt so groß. Der Hals war in eine weiße Krause gehüllt. Um die Krause lief ein dicker, blutiger Streifen, der sich in roten Punkten und Strichen auf dem Hemd fortsetzte.
Der Bürgermeister schien einen Moment auch erschrocken, aber nur ein paar Sekunden, dann riss er Begovic die Pistole aus der Tasche, sagte: »So macht man das mit Gespenstern, Begovic!«, und schoss zweimal hintereinander auf das Gespenst, dass das ganze Schloss wie unter einer Explosion dröhnte.
Das Gespenst schien aber gegen Kugeln gefeit zu sein. Es blieb stehen, schüttelte nur unwillig den Kopf und sah weiter herunter. Im gleichen Augenblick erschien im gegenüberliegenden Fenster ein zweites Gespenst, sah auch herab und sagte mit einer hohen, piepsenden Stimme: »Wer schießt schon wieder in unserm Schloss?«
Der Bürgermeister drehte sich eilig herum und schoss auch auf diesen Kopf; aber als die beiden Schüsse in einem Gelächter erstarben, geschah nichts weiter, als dass auf der anderen Seite ein drittes Gespenst erschien.
Der unheimlich große Kopf sagte nur: »Wer schießt denn schon wieder in unserm Schloss?«, und nun sahen drei Gespenster auf die vier Männer herab.
Der Bürgermeister hatte seinen Mut noch immer nicht verloren. Er wollte ein fünftes und sechstes Mal schießen. Diesmal knallte aber nur ein Schuss aus der Pistole. Das Magazin war leer. Der einzelne Schuss rollte wie ein Grollen durch die Säle und Kammern der Burg, aber das dritte Gespenst verschwand nicht. Es nickte nur höhnisch herunter.
»Dort! Dort!«, schrie der kleine Brozovic und zeigte nach oben. »Dort! Dort!«
Diesmal entschwand selbst Doktor Ivekovic der Mut. Unmittelbar

über ihm erschien ein viertes Gespenst und im gleichen Augenblick sagte Branko, so dumpf er es sagen konnte: »Wer schießt denn schon wieder in unserm Schloss?«
Begovic war auch diesmal als Erster davongerannt. Er hatte es so eilig, dass er sich beim Tor überschlug. Dabei schrie er auf, als säßen ihm die Gespenster im Genick, sprang wieder in die Höhe und jagte noch schneller davon.
Der fuchsige Kaufmann dagegen war wie gelähmt. Er hatte vor Schreck seine Jacke hochgezogen und seine Mütze in die Stirn gedrückt, stand wie festgenagelt im Torbogen und starrte weiter nach oben.
Erst als ihn der Bürgermeister anpackte und sagte: »Kommt, Brozovic, hier ist es wirklich nicht geheuer«, ließ er sich mit fortreißen und setzte sich auch in Galopp.
Nun war nur noch Dordevic da.
Der große Gendarm zwirbelte an seinem Bart, sah erst auf die Ausreißer und dann zu den Gespenstern hinauf und knurrte: »Ich könnte schwören, dass unter dem einen Kopf ein lumpiger Stecken war.«
Als sich aber nun, wie als Antwort auf sein Gebrumm, eines der Gespenster etwas tiefer neigte und ihm zuzischte: »Dordevic, flieht, wenn Euch Euer Leben lieb ist«, packte ihn gleichermaßen die Angst und er setzte sich auch in Trab.
Die Kinder waren heute noch ausgelassener als gestern. Sie kamen erst in feierlichem Marsch, jeder mit seinem Kopf auf der Stange, auf die Treppe.
»Guten Abend, Herr Gespenst«, sagte Branko zu Zora. »Hat Sie der fürchterliche Mensch getroffen?«
»Danke für die Nachfrage«, antwortete das Mädchen, »nur durch die Backe.«
»Mir hätte er beinahe das Lebenslicht ausgeblasen«, kicherte Nicola, »aber Sie sehen, meine Herren, es brennt noch.«
»Mir hat er durch das Hemd geschossen«, sagte Duro. »Und«, fügte er hinzu, »es ist gut, dass es mein eigenes war.«
Sie schritten nun genauso feierlich die Treppe hinunter auf das Tor zu, traten sogar einen Augenblick hinaus und verneigten sich noch einmal nach allen Seiten.
Erst als die vier Gespenstertöter unten in der ersten Gasse von Senj verschwanden, kehrten sie wieder um.

»Ach, war das ein Spaß«, lachte Nicola. »Ich wäre beinahe herausgeplatzt, als auch der Bürgermeister Angst bekam.«
»Hast du Brozovic gesehen?«, sagte Duro. »Ich glaube, der wird uns nie vergessen.«
»Begovic auch nicht«, lachte Branko.
»Dordevic war am misstrauischsten«, sagte Zora.
»Er ist überhaupt der Klügste von der ganzen Senjer Polizei«, antwortete Nicola, »und es ist ein Glück, dass er auf unsrer Seite steht.«
»Warum wohl?«, fragte Zora.
»Er ist ein Freund meines Vaters«, sagte Branko.
Die Kinder gingen nun in ihr Versteck zurück und nahmen endgültig wieder von ihrer Burg Besitz.
Am nächsten Morgen stiegen sie wieder durch alle Säle und durch alle Räume, um ihre Freunde und Bekannten zu besuchen.
Die Fledermäuse waren noch alle da. Der Uhu saß in seiner Ecke und fauchte sie an. Die Falken waren ausgeflogen, wahrscheinlich hatten die Gymnasiasten sie aufgescheucht.
»Oh!«, schrie da Nicola, der schon zu seinen Tauben geklettert war.
»Was ist denn?«
»Kommt nur herauf«, sagte der Kleine weinerlich.
In dem Taubenschlag sah es allerdings schlimm aus. Die Nester waren herausgezerrt, einige Eier lagen auf dem Boden, und die jungen Tauben saßen nicht mehr darin. Einige fanden sie später unten am Turm, es waren die kleinsten, die noch keine Federn hatten. Die Gymnasiasten mussten sie direkt aus den Nestern hinuntergeworfen und dort liegen gelassen haben.
Die Kinder trösteten Nicola: »Die Alten werden schon zurückkommen, dann hast du auch neue Junge.«
Sie kletterten immer höher hinauf und standen nach langer Zeit wieder auf ihrer Zinne.
Es war noch sehr früh am Morgen. Über dem Meer lag ein leichter Nebel. Er lag auch über der Stadt. Nur die Berge leuchteten hell und wurden bereits von der Sonne beschienen.
Da läuteten aus dem Nebelmeer alle Glocken den Tag ein. Die Glocken von Sankt Franziskus fingen an. Die Glocken der Kathedrale folgten, einen Augenblick danach bimmelten die kleinen Glocken der Kirche des heiligen Ambrosius in das Gedröhne und noch etwas später gesellten sich die Glocken der Jungfrau Maria dazu.

»Hört nur«, sagte Zora, »wie schön.«
Branko hörte auch auf das Läuten der Glocken, dann sah er wieder über das Land. »Ach«, seufzte er, »wenn wir doch immer hierbleiben könnten.«
Zora lehnte sich an ihn. »Das kannst du ja.«
Branko sah wieder über das Land. »Wer weiß.«
Die Kinder wanderten nun wieder zu Vater Gorian.
Der Alte war auch heute bereits auf dem Weg in die Stadt, deshalb kümmerten sich Duro und Nicola um die Fische. Zora versorgte Pavle und bereitete das Essen. Branko musste wachen.
Es war schon beinahe Mittag und er lag noch immer hinter einem dichten Wacholderbusch neben der kleinen Straße. Er hatte sein Gesicht in die Hände gestützt und blickte über das Wasser.
Da kam ein Auto den holprigen Weg herunter.
Branko sprang auf. Es war ein kleiner, grünlackierter Wagen. Am Steuer saß eine junge Dame. Er konnte aber nur einen Teil ihres Gesichtes sehen, der andere war von einem Schleier und einer Brille bedeckt.
Der Wagen hielt und die Dame lehnte sich heraus.
»Geht die Straße hier weiter?«, fragte sie.
Branko schüttelte den Kopf. »Sie geht nur bis zum alten Gorian. Sie müssen zurückfahren.«
»Zurück?« Die Dame erhob sich ein wenig und sah sich genauer um. »Das wird schwer sein.«
»Fahren Sie noch ein Stück weiter«, meinte Branko. »Dort bei den Weidenbäumen können Sie kehren.«
Die Dame gab Gas. Branko sprang auf das Trittbrett und fuhr mit. Es war auch in den Weiden schwierig, den Wagen zu wenden, aber endlich glückte es. Die junge Dame wollte gerade »danke« sagen, da spürte sie, dass sich der Wagen auf der einen Seite senkte.
Sie blickte hinaus. »Was ist das?«
Auch Branko blickte neugierig nach vorn. »Ich glaube, ein Reifen ist platt.«
»Das hat mir noch gefehlt.« Sie sprang auf, öffnete den Wagen und kam heraus.
Der eine der beiden vorderen Reifen lag breit und wie auseinandergeschnitten unter den Speichen.
Die Dame ging einen Augenblick ärgerlich hin und her. Branko

konnte sie dabei beobachten. Die schlanke Person war so grün angezogen wie ihr Auto, nur war das Kleid, das sie trug, heller als das kräftige Grün des Wagens. Es war auch zarter und durchsichtiger und floss wie Wasser an ihr herunter.

Endlich blieb sie vor Branko stehen. »Kannst du mir helfen?«

Branko wollte gerade Ja sagen, als sie laut und fröhlich rief: »Aber wir kennen uns ja. Bist du nicht Branko Babitsch?«

Der Knabe nickte.

Sie lachte: »Und mich kennst du nicht?«

»Ich kann ja nichts von Ihnen sehen«, entschuldigte sich Branko, der nur auf ihre große Brille und den grünen Schleier schaute.

Sie lachte lauter und nahm Schleier und Brille ab.

»Zlata!«, sagte er erstaunt, um sich gleich darauf zu verbessern: »Fräulein Zlata.«

Branko verbesserte sich aber nicht, weil es das Mädchen einmal von ihm verlangt hatte; er sagte es, weil er es sagen musste.

Er hatte das große Mädchen kaum noch in Erinnerung. Damals war ihm an ihr nur aufgefallen, dass sie älter und verständiger als die anderen war und dass sie ihm gegen die Gymnasiasten und ihren Bruder beigestanden hatte. Erst als Pavle sie die schöne Zlata nannte, hatte er einige Male versucht, sich auch ihr Gesicht vorzustellen.

Nun sah er, dass das Mädchen wirklich schön war.

Unter dem welligen, bräunlichen Haar war eine hohe, weiße Stirn. Die Augen schienen gelb und von einer solchen Helle, dass er kaum in sie hineinsehen konnte. Die Nase war kühn und groß wie die Nase ihres Bruders. Sie war aber da, wo sie bei Slavko spitz und kantig war, mädchenhaft und rund. Der Mund war klein und die Zähne blendend weiß. Aber das allein war es nicht, was Branko so in Erstaunen versetzte und gleichzeitig so freudig betroffen hatte. Es war das ganze Gesicht. Das helle Rot der Backen, die bräunliche Schwärze der Augenbrauen, die roten Lippen, die leichte Bräune, die über dem Kinn lag und sich im Hals verlor.

Ja, Branko konnte sich nicht entsinnen, jemals etwas so Schönes gesehen zu haben. Er starrte das Mädchen noch immer an.

»Ich habe dich gefragt, ob du mir helfen willst«, sagte Zlata das zweite Mal.

Branko schüttelte jetzt seine Betroffenheit ab.

»Gern«, antwortete er. »Gern. Ich verstehe sogar etwas davon. Ich habe Ringelnatz vom Hotel ›Zagreb‹ schon oft beim Reifenwechsel geholfen.«
Zlata öffnete ihren Werkzeugkasten und nahm den Wagenheber und zwei Schraubenschlüssel heraus.
Zuerst schoben sie den Wagenheber unter die Achse und hoben den Wagen hoch.
Branko war wirklich tüchtig. Während Zlata das Ersatzrad vom Wagen holte, drehte er selber den platten Reifen ab. Er rollte ihn einmal nach rechts und einmal nach links.
Ein großer Nagel saß darin. Branko zog ihn heraus und hielt ihn in die Höhe. »Sehen Sie«, sagte er, »der war es«, und er steckte den Nagel ein. Sie schoben nun beide das Ersatzrad auf die Achse, und während es Zlata festdrehte, verstaute Branko das kaputte Rad. Den Wagen ließen sie wieder gemeinsam herunter.
Branko packte noch das Werkzeug weg. Das Mädchen sah nach Benzin und Wasser. Es war alles in Ordnung.
»Fertig?« Sie drehte sich nach Branko um.
»Fertig!«, antwortete Branko.
Das Mädchen sah nach der Uhr. »Genau sechs Minuten. Du bist ein tüchtiger Gehilfe gewesen. Was bin ich dir schuldig?« Sie holte einen kleinen Beutel aus ihrer Tasche.
»Nichts.« Branko schüttelte energisch seinen Kopf. »Sie haben ja auch nichts von mir verlangt, als Sie mich von den Stricken der Gymnasiasten befreiten.«
»Das kann ich ja noch tun«, sagte sie. »Jedenfalls erwarte ich, dass du dich dafür bedankst.«
»Ich hätte es schon getan«, antwortete Branko, »wir mussten aber damals ausreißen, und seitdem habe ich Sie nicht mehr gesehen.«
»Ich habe mich auch vergeblich nach dir umgeschaut.«
»Sie?« Branko war erstaunt.
Zlata nickte. »Immerhin hat es mich interessiert, wohin der Knabe verschwunden ist, den mein Vater und alle Polizisten von Senj wie eine Stecknadel suchen.«
»Wir waren«, begann Branko, aber plötzlich verstummte er. Er kannte das Mädchen ja gar nicht weiter.
»Ihr wart«, setzte Zlata schon seinen Satz fort, »auf der Burg Nehajgrad, bis euch die Polizisten vertrieben haben. Ich weiß alles.«

»Ja, und dann«, fuhr Branko fort, aber er stockte wieder, vielleicht wollte sie ihn nur ausfragen.
Das Mädchen spürte, was Branko dachte. »Du musst es mir nicht erzählen, wenn du nicht willst«, meinte sie, »aber das glaube mir, ich bin kein Verräter und ich werde besonders dich nicht verraten.«
Branko war noch immer recht verlegen. »Wir haben einen Schwur getan.«
Zlata lachte. »Ja, ja, auch das weiß ich. Ihr seid eine richtige Bande.«
»Wir sind keine Bande«, erwiderte Branko stolz. »Wir sind die Uskoken!«
»Die Uskoken?« Die junge Dame machte ein halb spöttisches, halb erstauntes Gesicht. »Und die rote Zora?«, fragte sie.
»Die rote Zora ist unser Kapitän.«
»Ihr Jungen gehorcht einem Mädchen?« Zlata schaute ihn an.
»Wir gehorchen niemandem. Zora ist aber die Tapferste von uns und auch bei den alten Uskoken gab es eine Frau, welche die Tapferste war.«
Zlata nickte. »Das habe ich gelesen. Aber ich hoffe, du weißt auch, dass die Uskoken Helden und Ritter waren.«
Branko reckte seine schmächtige Gestalt. »Das sind wir auch!«
»Und wovon lebt ihr?«
Branko wurde verlegen. »Von allem, was wir bekommen.«
»Ihr seid also wirklich Diebe und Spitzbuben, wie mein Vater behauptet?«
Branko biss sich auf die Lippen. »Ich bin kein Spitzbube«, sagte er.
»Dann stehlen die anderen mit für dich?«
»Ich weiß nicht.« Branko sah auf die Seite und nach einer Pause fuhr er fort: »Und wenn schon, von etwas müssen wir ja leben.«
Zlata sah auch auf die Seite. Sie war nachdenklich geworden. »Ja, das müsst ihr wohl!« Darauf blickte sie auf ihre Uhr. »Ach«, sagte sie, »ich muss nach Hause. Sehen wir uns einmal wieder?«, setzte sie noch hinzu.
»Vielleicht«, sagte Branko.
Sie öffnete die Wagentür. Während sie auf dem Trittbrett stand, griff sie noch einmal in ihre Tasche. »Wenn du durchaus kein Geld nehmen willst, nimm wenigstens das.« Sie zog ein Paket heraus. »Ich habe es für Slavko gekauft, nun sollst du es haben.« Sie warf ihm das Paket zu.

Zlata wartete aber weder, bis sich Branko bedankt noch bis er das Paket aufgemacht hatte, sondern sprang in ihren Wagen und ließ ihn an. Bevor sie aber davonfuhr, drehte sie sich noch einmal nach Branko um.
»Weißt du übrigens«, rief sie, »dass es in eurem Turm jetzt spukt?«
Branko, der das Paket immer noch unbeholfen in der Hand hielt, wusste wieder nicht, was er antworten sollte. »Oh«, meinte er dann und lächelte, »wir haben keine Angst vor Gespenstern.«
»Du kannst es mir glauben«, sagte sie dringender, »es müssen ganz gefährliche Gesellen sein. Mein Vater hat es mir erzählt. Er hat sie letzte Nacht gesehn.«
»Hat er das?«, antwortete Branko. Er lächelte.
Da lächelte das Mädchen auch. »Seid ihr das vielleicht selber?«, fragte sie.
Branko schwieg und zuckte mit den Achseln.
»Nun«, blitzte sie ihn an. »Ich werde auch das für mich behalten«, und im nächsten Augenblick schoss ihr Wagen davon.
Branko blickte ihr nach. Er sah, wie die junge Dame noch einmal ihre Hand aus dem Auto hob und ihm zuwinkte, dann bog der Wagen auf die große Straße ein und war in einer Staubwolke verschwunden.
Branko setzte sich wieder hinter seinen Strauch und packte das Paket aus. Es war recht fest verpackt. Erst kam ein dicker Strick, dann eine braune Hülle, nach dieser eine weiße und dann nochmals ein fester Kasten. Er klappte den Kasten auf und sein Gesicht verzog sich zu einem Grinsen. »Eine Mundharmonika! Eine Mundharmonika!« Er nahm sie heraus und hielt sie erfreut in seinen Händen.
Er musste schon sehr lange so gesessen haben, da saß auf einmal Zora neben ihm.
»Du sollst zum Essen kommen«, sagte sie.
Branko sah sie aber kaum, er starrte noch immer auf seine Mundharmonika.
Zora stieß ihn fest in die Seite. »Was hast du denn?«, fragte sie.
»Ich habe das Mädchen wiedergesehen«, antwortete Branko.
»Welches Mädchen?«
»Das mir damals im Kampf gegen die Gymnasiasten geholfen hat.«
»Die schöne Zlata?«
»Ja, die.«
»Und?«, fragte Zora weiter.

18

Der Sprung ins Meer

Was Branko die nächsten Stunden auch tat, ob er mit den anderen zusammensaß, ob er fischte oder bei Pavle war, der sein Bein auf den Rat des Alten schon stundenweise in dem salzigen Meerwasser badete, er musste beständig an Zlata denken.
Das Mädchen war viel schöner als alles, was er sonst in seinem Leben gesehen hatte.
Wenn er an ihre großen, hellen Augen, ihr frisches, gerötetes Gesicht dachte, konnte er ein so versonnenes und beglücktes Gesicht machen, als stände sie noch neben ihm. Er fasste dann wieder nach seiner Mundharmonika. Die ersten Töne hatte er schon zusammen. Ja, gegen Abend spielte er bereits das erste Lied.
Ob er es dem Mädchen wohl einmal vorspielen dürfte? Sie wollte ihn ja wiedersehen. Das hoffte er auch. Vielleicht konnte er sie schon morgen früh sehen. In der Eile, mit der sie abgefahren war, hatte er wieder vergessen, ihr für seine Befreiung zu danken, und jetzt musste er ihr noch für die Mundharmonika danken.
Er wollte ihr auch etwas mitnehmen. Aber was? Er ging hinunter ans Meer und tauchte nach Muscheln.
Viele Male musste er tauchen, bis er ein paar schöne in den Händen hielt. Die eine war rosarot und so zierlich und hauchdünn, dass man beinahe hindurchsehen konnte. Die andere war dunkler und gröber, dafür war sie größer und gewundener, und auf ihrem Rücken waren verschiedene Zacken.
Er rieb sie einige Male mit feinem Sand ab, dann steckte er sie in seine Tasche.
Gegen Abend kam Vater Gorian. Er war wieder den ganzen Tag in der Stadt gewesen und hatte mit Radic und Direktor Kukulic wegen seiner Fische verhandelt.
Die Gesellschaft wollte ihm noch immer keine Wagen geben, er hatte deswegen nach Susak telefoniert und mit einigen großen Konservenfabriken gesprochen, die die Tunfische verarbeiteten.
Die Fabriken schickten aber weder Fuhrwerke noch Wagen. Im

Gegenteil. Der alte Gorian schlug auf den Tisch. Einer ihrer Direktoren hatte erklärt: »Wir haben jetzt alle einen festen Kontrakt mit der Gesellschaft. Wir beziehen unsere Fische nur noch von ihr oder über sie. Also wenden Sie sich gefälligst an sie, wenn Sie einen großen Fang haben.«

Vater Orlovic ließ seinen Kopf hängen. »Sie haben sich also alle gegen uns verschworen.«

»Es scheint so.« Vater Gorian wischte sich den Schweiß von dem geröteten Gesicht.

»Willst du sie nun der Gesellschaft verkaufen?« Der alte Orlovic sah ihn an.

Gorian schüttelte den Kopf. »Noch nicht. Ich habe mir Dragans Wagen geborgt. Ich will einmal sehen, ob sie mir auch verbieten, meine Fische auf dem Markt zu verkaufen.«

Zora brachte das Abendbrot.

Es gab frisches, knuspriges Brot und dicke Milch. Pavle, der das erste Mal herumging, stellte außerdem einen Korb mit Tomaten auf den Tisch.

Die Kinder steckten die herrlichen roten Früchte erst in das körnige Salz und dann in den Mund.

Der alte Gorian, der durch das Essen seine gute Laune wiederfand, blinzelte die Kinder an. »Ihr seid inzwischen erfolgreicher gewesen, was?«

Die Kinder erzählten den beiden Alten unter Lachen, Prusten und Kichern, wie Begovic, Brozovic, Dordevic und sogar Doktor Ivekovic vor ihren Kürbissen davongelaufen waren.

Gorian lachte mit. »Ich habe es bereits gehört. Begovic sitzt im Hotel ›Adria‹ und trinkt einen Schnaps nach dem anderen, um die Gespenster wieder zu vergessen.«

»Der Bürgermeister ist auch gelaufen?«, fragte der alte Orlovic ungläubig.

»Und wie«, sagte Zora.

Der Alte wollte es noch immer nicht glauben.

»Doch, doch«, bestätigten alle.

»Er war mit seinen langen Beinen sogar am schnellsten wieder in der Stadt«, setzte Nicola hinzu.

»Nun«, schmunzelte Gorian, »jedenfalls werden sie euch jetzt eine Weile auf eurer Burg in Frieden lassen, wenn selbst der Bürgermeister davon überzeugt ist, dass es bei den Uskoken spukt.«

Nachdem die Sonne untergegangen war, trotteten sie wieder hinauf. Pavle marschierte das erste Mal mit. Er hatte Sehnsucht nach seinem alten Lagerplatz und vor allem nach seinen Bildern.
Es war niemand vor dem Tor zu sehen, auch auf dem Hügel sahen sie keine Menschenseele.
Der alte Gorian hatte wohl richtig prophezeit: Die Burg war für einige Zeit für alle Senjer tabu und man würde sie in Frieden lassen.
Die Kinder tollten die Treppe hinauf, versteckten sich in den Sälen, scheuchten die Fledermäuse auf, spielten wieder Geister und Gespenster, schrien »Uhu!« und machten die Falken nach. Sie knallten: »Piff, paff!«, freuten sich über das Echo, das tausendfach durch das Gemäuer hallte, und trieben diesen Unfug so lange, bis sie todmüde auf ihr Stroh fielen.
Branko dachte auch bei diesen Spielen unaufhörlich an Zlata und an seine Mundharmonika. Er lag kaum auf seinem Lager, da zog er sie aus der Tasche und spielte.
Er spielte auch bereits wieder, als ihn Duro wecken wollte, um mit ihm zu Curcin zu gehen.
»Du bist schon auf?«, fragte er erstaunt.
Branko nickte. »Schon eine gute Stunde.«
Curcin hatte ihnen außer dem alten Brot wieder ein frisches und sogar ein Stück Kuchen hingestellt. Er verwöhnte die Kinder richtig, seitdem sie ihm die Geschichte von dem Liebhaber seiner Frau erzählt hatten.
Duro wollte das Brot wie immer sofort auf den Turm bringen, aber Branko dachte wieder an Zlata. Vielleicht konnte er ihr die Muscheln schon jetzt geben.
»Kannst du allein gehen?«, fragte er Duro, der bereits im Ofenloch saß.
»Was hast du denn vor?«, fragte Duro zurück.
»Nichts weiter«, wich Branko aus, »ich möchte nur etwas mit meinem Freund Ringelnatz besprechen.«
»Gut, gut«, sagte Duro und tat, als kröche er weiter.
Branko schlich aus der Bäckerei hinaus, bog in einen Hof, überquerte ihn, kam in die Schmiede des alten Tomislav, die noch leer war, und stand jetzt dem Hotel »Zagreb« unmittelbar gegenüber. Er hatte nicht gelogen, als er Duro antwortete, er wolle mit Ringelnatz sprechen. Er wollte es tatsächlich, denn wenn ihm jemand helfen konnte,

Zlata zu treffen, war es Ringelnatz. Unmittelbar neben dem Hotel »Zagreb« stand nämlich das Haus des Bürgermeisters.
Ringelnatz schaute aus der Tür. Sein schmales Nussknackergesicht war über einen Mantel gebeugt. Er bürstete ihn vorsichtig ab.
»Pst«, machte Branko.
Ringelnatz sah ihn und kam herüber.
»Was machst du Himmelhund wieder in der Stadt?«, schalt er. »Weißt du nicht, dass die Gendarmen noch immer wie die Teufel hinter dir her sind?«
»Nichts weiter«, antwortete Branko leichthin. »Ich wollte Euch nur etwas fragen.«
Ringelnatz sah sich erst vorsichtig nach allen Seiten um. »Na, dann frag«, sagte er.
»Kennt Ihr Zlata?«
»Die Tochter des Bürgermeisters? Natürlich kenne ich sie.«
»Sie hat mir eine Mundharmonika geschenkt.« Branko zog sie aus der Tasche.
»Das ist doch kein Grund, jetzt hier herumzulaufen.«
»Ich habe vergessen, ihr zu danken.«
»Hm«, machte Ringelnatz und blickte Branko verwundert an, dann fuhr er fort: »Dazu kommst du aber bereits zu spät. Fräulein Zlata ist vor einer Viertelstunde ins Bad gefahren und sie wird wohl nicht vor Mittag zurückkommen.«
»Ins Bad?«, wiederholte Branko. Dann konnte er sie sogar bestimmt heute wiedersehen und vielleicht auch sprechen. »Danke. Danke.« Er nickte Ringelnatz noch einmal zu und genauso heimlich, wie er gekommen war, verschwand er.
Als er den Hang zur Burg hinaufkroch, sah er einen Schatten vor sich. Er duckte sich hinter einen Busch und blieb eine Weile liegen. War das vielleicht Begovic oder einer der Gymnasiasten? Erst nachdem alles wieder still geworden war, kam er hinter seinem Busch hervor und kletterte weiter zur Burg hinauf.
Im Versteck hatten die anderen inzwischen ein Feuer angemacht. Pavle briet ein paar Fische. Er wendete sie gerade um und goss noch einmal Öl darüber.
»Wo warst du so lange?«, fragte Zora.
Branko wurde rot. »Ich war in der Stadt«, stotterte er.
Duro verzog seine Lippen. »Er war bei seinem Freund Ringelnatz.«

»Bist du mir nachgestiegen?« Branko fuhr Duro wütend an.
Duro nickte. »Ich weiß auch, was du mit Ringelnatz gesprochen hast.«
»Was denn?«
Duro wandte sich an Zora: »Er hat nach einem Mädchen gefragt.«
Branko starrte ihn noch wütender an. Das war also der Schatten am Potoc gewesen. »Du Schnüffler«, knurrte er und drehte sich den Fischen zu.
»Hast du nach dem Mädchen gefragt, das dir die Mundharmonika geschenkt und dich gerettet hat?«, fragte Zora und blickte ihn an.
Branko wurde noch röter. »Ja.«
»Hast du sie getroffen?«
Branko schüttelte den Kopf. »Nein.«
Die Kinder legten sich den Fisch auf das Brot und aßen, dann räumten sie alles wieder auf, verrammelten die Eingänge und liefen zum alten Gorian.
Der Alte erwartete sie schon. Sie schleppten mit ihm das große Boot ins Wasser. Vater Gorian brauchte ein paar frische Fische für seinen Stand.
Es wurde immer leichter, die großen Tiere zu fangen. Der Fischer zeigte auf die, die er haben wollte und die kaum vor dem schweren Boot auswichen, Zora oder Nicola schlugen sie mit ihren Knüppeln auf den Kopf, und Branko, Pavle und Duro zogen sie heraus.
Vater Gorian nahm sie später aus und schleppte sie auf Dragans Karren.
»Könnt ihr das Stück bis zur Straße hinauf schieben helfen?«, bat er sie noch, als der Karren voll war.
Pavle und Zora nickten eifrig, auch Nicola und Duro schoben mit an dem Wagen; als Duro aber sah, dass Branko zurückblieb, blieb er gleichfalls zurück.
Branko wartete, bis alle hinter der ersten Wegbiegung verschwunden waren, dann setzte er sich nach der anderen Seite in Trab. Er wollte ja ins Bad und bis dorthin war es mindestens eine halbe Stunde.
Die Hälfte des Weges konnte er am Strand entlangrennen, dann stieg das Ufer steil und felsig in die Höhe. Von hier aus musste er schwimmen.
Branko war ein guter Schwimmer. Er schnellte wie ein Fisch von einer der kleinen Klippen ins Wasser und tauchte weit draußen im Meer wieder auf.

Von Rab kam ein leichter Wind. Die Wellen gingen hoch und immer höher. Einmal trugen sie ihn auf ihre höchste Spitze, dann rissen sie ihn in ihre tiefsten Tiefen hinab.
Der Knabe freute sich darüber, so konnte er beinahe ungesehen in die Nähe des Bades gelangen.
Branko war noch nie hinter der hohen Umzäunung gewesen, die die Senjer »unser Bad« nannten. Wenn er ins Wasser wollte, ging er überall hinein, wo es ihm Freude machte. Außerdem kostete es in diesem Bad Geld und man brauchte einen Wollzipfel, um sich zu bekleiden. Beides waren Dinge, die Branko weder kannte noch hatte.
Jetzt sah er das erste Mal, wie es hinter dem roten Zaun aussah. Rechts und links von dem kleinen Eingang zogen sich steinerne Balustraden hin, die in kleine Zellen eingeteilt waren. Unter ihnen war ein großer, freier Platz, davor befand sich ein Kasten für Nichtschwimmer. Rechts davon stieg ein Holzturm in die Höhe, von dem man ins Wasser springen und, wie Branko sah, auch rutschen konnte. Links davon war ein kleinerer Turm, von dem gerade ein Knabe ins Wasser schnellte.
Das ganze Bad war voller Menschen. Branko sah Kinder und Erwachsene. Er erkannte auch einige. Von den Frauen waren verschiedene Tabakarbeiterinnen und Freundinnen seiner Mutter. Der dicke Mann mit dem großen Bauch und den kurzen Beinen war der Doktor Skalec. Wie lustig er ohne seine weiße Weste aussah!
Er schwamm noch näher. Wo war Zlata wohl? Sie war weder im Wasser noch stand sie bei den Tabakarbeiterinnen. Sie war auch sonst nirgends zu sehen und Branko wollte schon wieder zurückschwimmen. Da sah er zwei Mädchen, die eine Treppe hinauf auf den Felsen stiegen, der, noch innerhalb der Umzäunung, weit in das Meer hinausragte.
Auf dem Felsen waren also auch Menschen. Branko sah einige Jungen und eine junge Dame. Das konnte Zlata sein.
Er schwamm vorsichtig an den Felsen heran. Ein schmaler Riss ging bis in das Wasser hinunter. Dort konnte er sich verstecken und einen Augenblick verschnaufen.
Inzwischen sah er sich um. Der Riss ging steil in die Höhe, aber wenn er seine Hände und Zehen geschickt gebrauchte, konnte er auf den Felsen hinaufkommen.
Er wartete, bis seine Sachen trocken waren, dann begann er den Auf-

stieg. Die Kletterei war, als er das erste Stück hinter sich hatte, leichter, als es von unten aussah. Er packte mit seinen Händen schon die Spitze des Felsens, schob sein Gesicht darüber und einen Augenblick später schwang er sich hinauf.
Er sah zuerst nur die Jungen, die sich auf den heißen Platten sonnten, aber ein Stück weiter nach rechts lag tatsächlich Zlata.
Das Mädchen lag auf einem großen, geblümten Bademantel, ihr Kopf unter einem gelblichen Sonnenschirm; sie hatte ein Buch vor sich liegen und las.
Branko schlich sich leise an sie heran.
»Guten Morgen«, sagte er.
Zlata blickte auf und machte große Augen. »Du?«, staunte sie.
Branko nickte. »Ja, ich.«
»Bist du oft hier?«
»Nein.« Er lachte. »Heute das erste Mal.«
»Das ist schön.« Sie blickte ihn wieder an. »Setz dich doch.«
Branko zog die Muscheln aus seiner Tasche. »Ich wollte Ihnen nur ein paar Muscheln bringen.«
»Oh, sind die schön.« Zlata nahm die kleinere in die Hand. »Wie ein Ohr, wie ein winziges Ohr.«
»Diese rauscht.« Branko reichte ihr die zweite.
Zlata horchte hinein. Ihr kleiner Mund wurde spitz. »Sie rauscht, als sei das ganze Meer darin.«
»Es ist auch darin«, nickte Branko ernst.
»Und was macht deine Mundharmonika?«, fuhr Zlata fort.
Der Knabe bekam helle Augen. »Ich kann schon ein paar Lieder.«
Er zog sie aus der Tasche.
Er musste erst alles Wasser herausklopfen, bis die Harmonika überhaupt einen Ton von sich gab, und auch dann dauerte es noch eine Weile, bis die Töne richtig ineinanderklangen.
Zlata setzte sich auf. »Was ist das für eine Melodie?«
»Die hat mein Vater immer gespielt.«
»Hatte er auch eine Mundharmonika?«
Branko lachte: »Mein Vater ist der beste Geiger von Senj.«
»Der beste? Dann muss ich ihn mir einmal anhören. Wo spielt er?«
Branko sah verlegen vor sich hin. »Jetzt ist er irgendwo in der Welt.«
»Und dich hat er ganz alleingelassen? Hast du wenigstens noch eine Mutter?«

Branko schüttelte den Kopf: »Meine Mutter ist gestorben.«
Das Mädchen sah ihn wieder an. »Schon lange?«
Branko musste erst nachdenken. Wie lange war es her, dass man seine Mutter zu Grab getragen hatte? Ihm schien es Wochen, ja Monate.
»Ich glaube, vor drei Wochen«, sagte er.
Das Mädchen sah jetzt erst, wie armselig und abgerissen der große Junge war. »Hast du denn wenigstens sonst jemanden, der für dich sorgt?«
Branko reckte sich in die Höhe. »Ich habe es Ihnen doch schon gesagt. Ich brauche niemand. Ich bin ein Uskoke.«
In dem Augenblick packte ihn jemand grob an den Schultern und zu gleicher Zeit sagte eine schrille Stimme: »Ein Uskoke willst du sein. Ha, ha. Ein Spitzbube, ein ganz gewöhnlicher Spitzbube bist du!«
Branko riss sich los und drehte sich wütend um.
Hinter ihm stand, groß und breit mit bleckenden Zähnen, der junge Karaman; aber er stand nicht allein da, vor und hinter ihm standen dieser Fuchs, der Brozovic, der dicke Müller, Skalec, Zlatas Bruder, Slavko, der Förstersohn, der dünnbeinige Marculin, verschiedene Mädchen und noch andere Kinder.
Der kleine Brozovic war der Erste, der Branko entdeckt hatte. Er war den Tönen der Mundharmonika nachgegangen, auf den Felsen geklettert, hatte Branko erkannt und war eilends zurückgelaufen, um die anderen zu holen. Nun standen sie alle höhnisch lachend und triumphierend um ihn herum.
Branko kam sich wie ein in die Falle gegangenes und von allen Seiten umstelltes Tier vor. Er ballte die Fäuste. »Wer hat mich einen Spitzbuben genannt?« Und er wollte sich auf den nächsten Gymnasiasten stürzen.
Karaman sprang wieder vor und auch Slavko und der junge Förster holten zum Schlag aus.
Da warf Zlata ihren Schirm auf die Seite, schnellte in die Höhe, stieß Karaman und ihren Bruder zurück und sagte: »Ihr lasst den Jungen in Ruhe.«
Das Mädchen sagte es so eindeutig und ihr Gesicht war dabei so ernst und zwingend, dass die Gymnasiasten einen Augenblick zurückwichen.
»Ich habe dir schon neulich verboten«, zischte Slavko böse, »dich in unsere Händel zu mischen.«

»Ich mische mich nicht in eure Händel«, antwortete das Mädchen genauso bestimmt, »aber der Junge hat mich besucht und steht unter meinem Schutz.«
»He!«, meckerte der kleine Brozovic. »Die schöne Zlata empfängt Besuch von Dieben!«
»Ja«, schrie auch der dicke Müller, »die schöne Zlata gibt sich mit Gaunern ab!«
Karaman war noch gröber. »Wahrscheinlich liebt sie diesen Spitzbuben sogar.« Sein bleiches Gesicht verzog sich zu einem Grinsen. Er lachte.
»Ich bin –«, begann Branko aufs Neue, aber die Worte blieben ihm vor Wut im Hals stecken und er konnte nur wieder seine Fäuste ballen.
»Antworte nur!«, höhnte der junge Smoljan.
»Ja, sprich nur, wenn du überhaupt den Mut dazu hast«, stichelte Brozovic.
»Sag es selber, was du bist«, spottete der dicke Müller.
Die Gymnasiasten kamen wieder näher und umringten ihn.
Branko keuchte laut. Ja, was sollte er den Anklägern sagen? Er konnte ihnen seine Wahrheit wirklich nur mit den Fäusten ins Gesicht schlagen.
Da spürte er, dass ihn Zlata fest ansah und auch eine Antwort von ihm erwartete.
»Ich habe es euch schon einmal gesagt«, erklärte er laut und mit einer fast beschwörenden Betonung in der Stimme. »Ich bin kein Spitzbube.«
»Dass du bei uns Aprikosen gestohlen hast, war also kein Diebstahl?« Slavko schob seine Brille hoch und geiferte Branko wütend an.
»Dass du meine Vorratskammer ausgeplündert hast, war auch keine Dieberei, was?« Der kleine Brozovic wurde vor Wut und Aufregung rot im Gesicht.
»Dass ihr meine Tiere herausgelassen habt, war sogar ein Verbrechen und ihr sollt es auch alle noch büßen!«, rief der junge Smoljan und trat nach Branko.
»Und dass ihr die Fische aus dem Teich gelassen habt, steht an allen Anschlägen«, trumpfte der dicke Müller auf, »und ihr werdet deswegen von der Polizei gesucht.«
»Ihr wisst ganz genau«, sagte Branko und er schrie es fast, so wütend

war er auf die Gymnasiasten, »dass wir das alles nur getan haben, um den Überfall auf Stjepan zu rächen.«
»Und die Sache mit dem Fisch?«, schnitt ihm Karaman das Wort ab. »Mein Vater hat dich doch schon lange vor der Sache mit Stjepan festnehmen lassen, weil du einen Fisch gestohlen hast.«
»Er war ja deswegen sogar im Gefängnis«, kreischte der kleine Brozovic auf.
Brankos Mut kam ins Wanken. »Ich habe den Fisch nur genommen, weil ich Hunger hatte.«
Die Gymnasiasten lachten.
Slavko höhnte: »Aus dem Grund stehlen alle Spitzbuben und deswegen kommst du auch wieder ins Gefängnis.«
Branko starrte ihn voll Wut an: »In der Bibel steht, wer Hunger hat, sättige sich; außerdem«, setzte er hinzu, »lag der Fisch auf der Erde!«
»Du kommst trotzdem wieder ins Gefängnis«, rief Slavko.
»Und vorher«, sagte der junge Smoljan, »schlagen wir dir noch alle Knochen entzwei«, und er stürzte zum dritten Mal auf Branko los.
Zlata warf sich wieder dazwischen.
»Ihr lasst ihn in Ruhe«, rief sie, »oder, bei Gott, ihr müsst mich mit verprügeln!«
»Du weißt doch«, sagte Slavko, »dass Vater sogar eine Belohnung auf seinen Kopf gesetzt hat.«
»Gut«, erwiderte Zlata, »und wenn er wirklich so gefährlich ist, sollen ihn meinetwegen auch Begovic oder Dordevic fangen, aber nicht ihr, und dass ihr alle miteinander über ihn herfallt, dulde ich gleichfalls nicht.«
Karaman drängte sich wieder vor. »Dann muss ich Sie eben festhalten, während die andern den Kerl verprügeln.«
Er fasste schon nach Zlatas Armen, da wurden die Jungen von zwei schweren Händen, die an ein paar langen, haarigen Armen hingen, auseinandergeschoben.
»Was ist hier los?«, fragte der große, hagere Mann, zu dem die haarigen Arme gehörten, und schob sein blasses Gesicht, das wie eine gläserne Scheibe aussah, und seine großen Kuhaugen vor.
»Wir haben Branko Babitsch gefangen, Herr Kukuljevic«, schrie der kleine Brozovic eifrig, »wissen Sie, den Jungen, den die Polizei sucht.«
»Hm, hm«, machte Kukuljevic, ein ehemaliger Fischer, den man in

eine weiße Hose und schwere Holzschuhe gesteckt hatte und der darin das nicht sehr leichte Amt eines Bademeisters versah.
»Und ich«, sagte Zlata und drängte sich neben ihn, »will nicht, dass ihn die Gymnasiasten verprügeln.«
Der Bademeister erkannte jetzt erst das junge Mädchen. »Fräulein Zlata.« Er verneigte sich, dann wischte er sich mit seiner großen Hand den Schweiß aus dem Gesicht und sagte: »Was machen wir da?«
Slavko schob seine Schwester auf die Seite. »Und ich verlange«, betonte er, »dass Sie sich nicht um die Worte meiner Schwester kümmern und den Kerl sofort festnehmen.«
Der Bademeister rang seine Hände. »Das ist sicher eine schwere Sache, junger Mann.«
»Warum?«
»Ich bin Bademeister und kein Polizist.«
Kukuljevic sah sich aber Branko immerhin einmal an.
Der Knabe glühte vor Zorn und hatte noch immer seine Hände geballt, dabei sah der Bademeister aber auch Brankos zerschlissenes Hemd und seine zerrissene Hose. Ihm kam ein Gedanke.
»Hast du eine Karte?«, fragte er.
Branko schüttelte den Kopf.
»Du bist also über den Zaun gestiegen?«
»Nein.«
»Wie bist du denn hier heraufgekommen?«
Branko zeigte auf den Felsen. »Erst durch das Wasser und dann bin ich den Felsen hinaufgeklettert.«
Die großen Kuhaugen vergrößerten sich. Der Bademeister verzog auch bewundernd seinen Mund. »Oh«, machte er. Darauf besann er sich aber wieder, worauf er hinauswollte. »Du hast also keine Karte?«
»Nein«, sagte Branko noch einmal.
»Dann muss ich dich leider mitnehmen, wenn auch Fräulein Zlata noch so sehr für dich bittet.«
Jetzt mischte sich das Mädchen wieder ein. Sie nahm aus ihrem Bademantel einen kleinen Beutel. »Wenn es nur daran liegt, eine Karte will ich gern für ihn kaufen.«
»Oho!«, schrien jetzt die Gymnasiasten wieder. »So leicht kommt er nicht davon! Nein, wir halten ihn!«
Und der kleine Brozovic schrie: »Haltet ihn wenigstens noch ein paar Minuten, ich hole Begovic!«

Der arme Kukuljevic wand sich unter dem Ansturm der Gymnasiasten wie ein Hund. »Aber ihr seht doch, Fräulein Zlata will, dass ihr den Buben in Ruhe lasst.«
Slavko stieß den großen Mann in die Seite. »Kukuljevic, mein Vater hat sogar eine Belohnung auf ihn gesetzt.«
»Was«, krähte Kukuljevic, »eine Belohnung!«
»Von hundert Dinar!«, berichtete Slavko weiter. »Und wenn Ihr ihn festnehmt, werden wir alle dafür sorgen, dass Ihr die Belohnung bekommt.«
»Hm, hm.« Kukuljevic betrachtete jetzt Branko mit ganz anderen Augen. Hundert Dinar waren für ihn beinahe ein Vermögen. Er wandte sich wieder an Zlata: »Wenn das wirklich der Fall ist, Fräulein Zlata, kann ich leider nichts machen«, und er watschelte nun selber auf Branko zu.
Der Knabe erschrak. Er war sich schon lange darüber klar, dass ihn Zlata nicht mehr retten konnte. Er sah auch – der Kreis der Gymnasiasten vergrößerte sich immer mehr –, dass ein Kampf mit ihnen aussichtslos war. So blieb ihm, wenn er sich überhaupt retten wollte, nur die Flucht.
Er hatte sich auch bereits nach einer Fluchtmöglichkeit umgesehen. Aber wo sollte er hin? Vor ihm im Halbkreis standen die Gymnasiasten, hinter ihnen war noch, groß und unübersteigbar, die Holzwand, auf der anderen Seite aber ging es steil ins Meer und unten schlugen die Wellen gegen den Felsen.
Der Bademeister legte die großen, schwammigen Hände auf Brankos Schultern. Er sah den Felsen hinunter. Hier konnte er nicht hinabspringen. Direkt unter ihm ragten ein paar Steine aus dem Wasser, aber weiter rechts schob sich der Felsen so weit über das Meer, dass er über die Steine hinwegspringen konnte.
Der Bademeister packte ihn fester, aber auch der junge Karaman fasste wieder nach ihm.
»Jetzt oder nie!«, sagte sich Branko. Er bückte sich, stieß Karaman mit dem Kopf gegen den Leib, sodass sich der lange Bursche nach hinten überschlug und wild in die Luft griff, im gleichen Augenblick sprang er über ihn hinweg, und bevor sich die anderen von ihrem Schreck erholten, stand er oben auf dem Vorsprung.
Branko sah ins Wasser. Es war weit, weit unten. Vielleicht acht oder zehn Meter tief. Einen Moment schauderte ihn und er machte ängstliche Augen.

Da kamen die anderen bereits heran. Der junge Smoljan war an der Spitze; gleich hinter ihm watschelte der Bademeister.
Branko stellte sich steil auf. Sein jugendlicher, brauner Körper stand wie eine bronzene Statue in der Sonne. Er machte schnell noch ein Kreuz über der Brust, dachte an seine Mutter und stieß sich ab.
Alle schrien auf, als Branko in der Luft schwebte und wie ein großer Fisch von dem Felsen ins Meer sprang. Branko hörte sogar im Fallen die Stimme von Zlata.
Es war aber gar nicht so gefährlich, wie es aussah. Branko hatte die Augen geschlossen, die Hände steil vorgestreckt und schon schlug das Wasser weich und warm über ihm zusammen. Er schoss bis auf den klaren Grund, stieß sich schräg wieder in die Höhe, schwamm aber zur Sicherheit noch eine Weile unter Wasser, und als er an die Oberfläche kam, war er schon weit draußen.
Es wäre ihm auch so niemand nachgesprungen. Die Gymnasiasten standen noch immer erstaunt oder wütend auf der Klippe und starrten zu ihm hinunter. Der Bademeister drehte seinen großen Kopf einmal nach rechts und einmal nach links. Er wäre Branko auch für tausend Dinar nicht nachgesprungen, denn noch mehr als vor dem Sprung selber fürchtete er sich vor dem Wasser.
Branko warf sich auf den Rücken und schaute zu dem Felsen hinauf. Zlata stand noch auf dem Stein. Sie stand ganz vorn, an der Stelle, wo er abgesprungen war.
Ob sie sehr erschrocken war? Er hatte ihren Schrei noch im Ohr. Branko hob eine Hand und winkte.
Zlata hob ihren Schirm und winkte zurück.
Eine Welle schlug über seinem Kopf zusammen und es dauerte eine Weile, bis er wieder an die Oberfläche kam. Zlata winkte noch immer.
Eine zweite Welle zog ihn noch tiefer. Er musste sich wieder umdrehen und nun schwamm er besser durch die Berge und Täler des Wassers hindurch. Diesmal hielt er direkt auf die Bucht zu und nach knapp einer Stunde erreichte er sie. Die Bande hatte ihn bereits vermisst und wartete auf ihn. Zora saß sogar am Ufer.
»Wo warst du schon wieder?«, fragte sie.
Branko schüttelte sich erst wie ein Hund die Tropfen aus Kleidern und Haaren. »Oh«, stotterte er verlegen. »Ich bin geschwommen.«
Da schielte ihn Duro von der Seite an. »Er lügt. Er war im Bad.«

Branko wurde wütend. »Kannst du das verdammte Spionieren nicht lassen?«
Duro lachte höhnisch auf. »Ich kann machen, was ich will, und ich tue, was mir Spaß macht.«
»Warst du wieder bei Zlata?« Zora hatte Falten auf der Stirn.
»Ja«, antwortete Branko diesmal ganz offen.
»Dann ist er ins Meer gesprungen«, warf Duro ein.
»Ins Meer?«, wiederholte Zora.
Branko nickte. »Die Gymnasiasten wollten mich festnehmen lassen. Sie hatten schon den Bademeister geholt.«
»Von wo bist du denn gesprungen?«, fragte Zora weiter.
Branko zeigte hinüber. »Von dem Felsen.«
Zora behielt den Mund offen. »Von dem Felsen?«, fragte sie noch einmal und sah Branko halb bewundernd, halb ärgerlich an.
»Ja«, antwortete Branko, »sie hatten alle anderen Wege verstellt.«
Nach dem Abendbrot setzte sich Branko noch einen Augenblick ans Wasser. Ob Zlata wohl alles glaubte, was ihr die Gymnasiasten erzählt hatten, und ob sie ihn wohl jetzt auch für einen Dieb und Spitzbuben hielt?
Er zog seine Mundharmonika hervor und spielte.
Auf einmal stand Zora wieder neben ihm. »Was hast du bei Zlata gemacht?«, fragte sie.
»Nichts«, wich Branko aus. »Ich habe ihr für die Mundharmonika zwei Muscheln geschenkt.« Er spielte weiter.
Nach einer Weile lehnte sich Zora an ihn.
»Liebst du sie?« Sie sah Branko an.
»Ich weiß nicht«, sagte Branko, und nach einer Pause setzte er hinzu: »Sie ist so schön.«

19

Der Krach auf dem Fischmarkt

Die Kinder waren die Nacht beim alten Gorian geblieben. Der Alte hatte den größten Teil der Fische, den er nach Senj gefahren hatte, verkauft und wollte gleich am Morgen mit den Kindern neue fangen und sein Glück noch einmal versuchen.
Als Vater Gorian den Tisch deckte, sah er, dass Branko fehlte. »Hat einer Branko gesehen?«, fragte er.
Die Kinder schüttelten den Kopf. Auch Zora vermisste Branko erst jetzt.
»Er ist sicher wieder bei seinem Fräulein«, grinste Duro hämisch und erzählte auch dem alten Gorian, was er wusste.
»So«, meinte der, »Branko interessiert sich für eine junge Dame. Nun«, setzte er lachend hinzu, »dann wird er schon wiederkommen«, und sie machten sich an ihre Arbeit.
Duro hatte recht, Branko war bereits auf dem Weg nach Senj. Die ganze Nacht hatte ihn der Gedanke beunruhigt, ob Zlata dem Geschwätz der Gymnasiasten Glauben schenkte und ihn für einen Dieb oder, wie Smoljan, für einen Verbrecher hielt. Er war deswegen schon vor dem ersten Hahnenschrei aufgestanden, um sie so früh als möglich aufzusuchen.
Hinter dem Gehöft des reichen Karaman blieb er stehen und sah nach den Aprikosen hinauf. Wie schön, wie samtig und rot sie waren. Er wollte Zlata einige mitbringen. Sicherlich aß sie das Mädchen genauso gern wie er.
Er kletterte den Hang hinauf, pflückte sich einige der schönsten, dann rannte er weiter.
Er war diesmal viel früher in der Stadt als das letzte Mal. Das Hotel »Zagreb« war noch geschlossen und auch in der Bürgermeisterei hörte man keinen Laut.
Nach einer guten Stunde öffnete Ringelnatz endlich das große Tor des Hotels und kam heraus. Er gähnte zweimal, streckte die Arme in die Luft und sah die Straße hinauf und hinunter. Im nächsten Augenblick war Branko neben ihm.

»Bist du schon wieder hier, du Tausendsassa«, knurrte ihn Ringelnatz an.
Branko nickte eifrig.
»Und wieder hinter dem Fräulein her?«
Branko klaubte seine Früchte aus der Tasche. »Ich möchte ihr ein paar Aprikosen bringen.«
»Sie schläft heute aber noch.«
»Noch lange?«
»Ich glaub schon. Aber komm mit.« Ringelnatz zog ihn durch das Tor.
Sie kamen in einen Wirtschaftshof, der von drei Seiten von den Fassaden des Hotels umschlossen wurde; auf der vierten war eine Mauer, über die man einen schmalen Hausgarten sah.
Ringelnatz blickte hinüber. »Siehst du dahinten das kleine Häuschen?« Er zeigte auf einen halbrunden Bau, der sich am Ende des Gartens an eine hohe Brandmauer lehnte.
»Ja.«
»Stell dich hier an die Mauer und pass auf. Dort frühstückt das Fräulein, und wenn sie hinübergeht, kannst du sie rufen und ihr die Früchte geben.«
Branko lehnte sich an die Mauer und passte auf. Es dauerte aber noch eine ganze Weile, bis sich in dem großen, langgestreckten Haus überhaupt etwas regte.
Erst als es von dem Turm der Kirche zum heiligen Franziskus sechs schlug, wurde ein Fenster aufgestoßen und eine mürrische Magd blickte heraus.
Ein paar Minuten später hörte Branko sie im Haus rumoren. Eine Tür klappte, Teller klirrten aneinander und jetzt kam sie tatsächlich mit einem Tablett und allerlei Tassen, Tellern und Krügen und ging auf den Pavillon zu.
Es dauerte aber noch einmal über eine Viertelstunde, bis sich auch Zlata sehen ließ.
Branko hatte aus Langeweile gerade zwei große, weiße Tauben beobachtet, die auf dem Haus majestätisch hin und her liefen, da war das Mädchen schon vorbeigestürmt und schlug die Tür des Pavillons hinter sich zu.
Dem Jungen blieb nichts anderes übrig, als über die Mauer zu steigen und ihr vorsichtig nachzugehen.

Er sah erst durch eines der großen Fenster. Das Mädchen saß schon an einem runden Tisch, goss sich Kakao in eine Tasse und trank. Branko klopfte an das Fenster. Im gleichen Augenblick stieß er es auf und sprang hinein.
»Hallo!«, machte Zlata, die erschrocken aufgesprungen war; gleich danach lachte sie. »Ach, du bist es, warum kommst du durch das Fenster und nicht wie alle sterblichen Menschen durch die Tür?«
»Weil man mich da sehen kann«, stotterte Branko, der wieder recht benommen vor dem Mädchen stand.
»Nun«, meinte sie, »jedenfalls freue ich mich, dass du noch lebst und nach deinem gestrigen Sturz schon wieder solche Sprünge machst. Gestern hatte ich nämlich Angst um dich.«
»Ich hatte auch Angst, als ich hinuntersprang«, gestand Branko ehrlich. »Aber was sollte ich machen? Wenn ich nicht gesprungen wäre, säße ich heute im Gefängnis und das wäre noch schlimmer.«
Zlata setzte sich wieder.
»Und was bringst du nun«, fragte sie freundlich weiter, »dass du so früh hier eingedrungen bist?«
»Ach«, stammelte Branko, »ich wollte ...«, aber er blieb stecken.
»Sag's nur.«
»Ich wollte Ihnen nur sagen, was die Gymnasiasten und Ihr Bruder von mir erzählt haben, ist nicht wahr.«
Zlata lachte. »Wenn ich das glauben soll, musst du es mir schon genauer berichten, und da ich gerade beim Frühstück bin«, sie zeigte auf den Tisch, »kannst du es mir ja beim Frühstück erzählen.«
Sie schob ihm einen Stuhl und eine Tasse hin.
»Ich soll mitessen?«, sagte Branko schüchtern, der einen bewundernden Blick über den Kaffeetisch geworfen hatte.
»Natürlich! Oder hast du schon gefrühstückt?«
Branko schüttelte den Kopf. Er war heute noch nicht einmal beim Bäcker gewesen und auch beim alten Gorian war er ohne einen Bissen im Leibe fortgelaufen.
Zlata schenkte ihm Kakao ein. »Also, setz dich. Und was willst du?« Sie wies auf die Brötchen, die Hörnchen und die Kuchenstücke, die auf dem Tisch standen, und schob sie ihm hin.
Branko machte große Augen vor all den schönen Sachen, die das Mädchen so verlockend vor ihn hinstellte, und er stopfte alles, was er erreichen konnte, in sich hinein.

Dem Mädchen machte sein Hunger Spaß. »Noch etwas Konfitüre?« Sie strich ihm ein Hörnchen. »Es gibt auch Honig. Du vergisst ja ganz die Butter und nimm doch noch etwas Kakao.«
Branko musste immer nur essen und er hatte schon vergessen, warum er eigentlich zu Zlata gekommen war.
»So«, erinnerte ihn Zlata, nachdem sie sich selber noch eine Tasse Kakao eingeschenkt hatte, »jetzt musst du mir aber sagen, was an den Geschichten, die mein Bruder und Karaman erzählt haben, nicht wahr ist.«
Branko erzählte ihr, was er ohne die Uskoken zu gefährden erzählen konnte.
Sie hörte ihm dabei gespannt zu, lachte auch hie und da oder machte eine ungläubige Miene, aber Branko erzählte, ohne sich stören zu lassen weiter.
»Hm«, machte sie, als sie alles wusste. »Verbrecher seid ihr wirklich nicht, wie dieser hochnäsige Smoljan behauptet, aber Diebe seid ihr schon, auch kleine Spitzbuben, und wenn sie euch oder dich so nennen und mein Vater seine Gendarmen hinter euch herschickt, müsst ihr es euch schon gefallen lassen.«
»Sie meinen, das ist Diebstahl, wenn man etwas nimmt, was eigentlich niemandem gehört?«
Zlata lächelte: »Ich habe gelernt, dass eigentlich nichts ›niemandem‹ gehört. Auf unserer großen Welt hat heute alles seinen Besitzer.«
Branko sah betroffen vor sich hin. Dann war er also tatsächlich ein richtiger Dieb geworden, obwohl er sich geschworen hatte, nie ein Dieb zu werden.
Da fielen ihm die Aprikosen ein, die in seiner Tasche waren. Er klaubte die beiden größten heraus. »Das hätte ich beinahe vergessen.« Er legte sie auf den Tisch. »Ich habe sie Ihnen mitgebracht.«
»Oh, sind die schön.« Zlata roch daran, strich behutsam über die samtenen Schalen und biss hinein. Auf einmal blinzelte sie ihn an: »Sind die auch gestohlen?«
»Nein!« Branko schüttelte energisch den Kopf.
»Wo hast du sie dann her?«, fragte sie ihn weiter.
»Daher, wo sie wachsen.«
»Also doch gestohlen?«
»Früchte stiehlt man nicht«, verteidigte sich Branko. »Außerdem gehört, was außerhalb der Stadt wächst, allen.«
»Wer sagt das?«

»Jeder, den ich kenne.«
»Auch derjenige, der den Baum gepflanzt hat?«
»Gott lässt die Früchte und die Bäume wachsen.«
Zlata lachte noch lauter, dann wurde sie wieder ernst. »Gut, du sollst recht haben. Gott lässt die Bäume und die Früchte wachsen, gepflanzt hat sie aber ein Mensch, und wenn sie nicht in einem Garten, sondern vor der Stadt stehen, hat sie der Mensch sicher mit viel mehr Mühe gepflanzt, als wenn sie in der Stadt gewachsen wären, und er hat sie gießen und pflegen müssen und einen Pfahl neben den jungen Stamm gestellt und er hat jedes Jahr reichlich Mist dahin getragen, und wenn er ein guter Bauer war, hat er das Erdreich jeden Herbst und Frühling noch umgegraben. Nein, glaube mir, gerade wenn der Baum, von dem du die Aprikosen genommen hast, außerhalb der Stadt steht, hat der Mann, der den Baum gepflanzt hat, ein doppeltes Recht auf seine Früchte.«
»Er hat ja noch viele«, wandte Branko wieder ein. »Ich habe nur drei genommen und es sind sicher Hunderte auf dem Baum.«
»Wenn aber hundert so denken wie du und jeder nimmt drei, hat der Mann eben keine mehr.«
Diesmal lachte Branko. »Hundert denken nicht so«, triumphierte er.
»Warum nicht?«
»Weil es sicher nicht hundert in der Stadt gibt, die keine Aprikosenbäume haben, und die welche haben, werden ja die Aprikosen nicht von fremden Bäumen nehmen.«
»Da hast du mich tatsächlich geschlagen«, gab Zlata zu, »aber das merke dir«, sagte sie noch, »auch wenn es nicht hundert Menschen in Senj gibt, die Aprikosen stehlen, so bleibst du doch ein Dieb, wenn du die Früchte von fremden Bäumen nimmst.«
Sie stand auf. »Ich bin dir deswegen aber nicht böse«, fuhr sie fort, »und bleibe auch weiter deine Freundin, und wenn du Lust hast, kannst du morgen oder übermorgen wieder kommen und wir können weiter über all das sprechen. Jetzt muss ich aber ins Bad, außerdem kann jeden Augenblick unsere Magd oder Slavko kommen. Es ist deshalb besser, du läufst so schnell wie möglich davon.«
Sie steckte ihm noch ein Stück Kuchen in die Tasche, und während Branko wieder durch das Fenster stieg, ging sie durch die Tür in den Garten. Branko kam auch ungesehen wieder über die Mauer, dann trottete er auf Umwegen zum alten Gorian zurück.

Da war inzwischen allerlei geschehen.
Vater Gorian hatte wieder einige Fische gefangen. Die Kinder brachten sie mit ihm bis in die Nähe der Stadt, dann waren sie umgekehrt; nur Pavle, der von der Bande am wenigsten gefährdet schien, begleitete den Alten bis auf den Markt.
Sie hatten gerade ihren Karren zwischen ein paar Verkaufsstände von Obst und Gemüse geschoben und wollten ihre Fische ausrufen, da trat Radic, der mit seiner Frau ein paar Schritte weiter seinen Stand aufgebaut hatte, hinter diesem hervor.
»Habt Ihr eigentlich eine Verkaufserlaubnis, Gorian?«, fragte er und stellte sich in seiner ganzen Größe vor dem Karren auf.
Vater Gorian lachte: »Mein Großvater hat hier seine Fische ohne Erlaubnis verkauft, mein Vater ebenfalls und ich werde sie hier auch ohne Erlaubnis verkaufen.«
»Ohne eine Lizenz vom Magistrat ist das aber nicht mehr möglich«, fuhr Radic fort.
Der alte Gorian verzog sein Gesicht zu einem bösen Grinsen. »Sage deinem Bürgermeister, ich pfeife darauf.«
»So«, machte Radic.
»Ja, so«, fuhr der Alte wütend fort, »und wenn du jetzt nicht verschwindest und mir meine Kunden weiter verscheuchst, komme ich und bringe dich selber weg.«
Radic ging auch. Er brummte aber: »Ich komme wieder.«
»Komm nur«, knurrte ihm der Alte nach und wog inzwischen einem Kunden zwei Kilo Fisch ab, »aber das nächste Mal nehme ich meinen Knüppel.«
Durch den Streit hatten sich verschiedene Leute um den Karren angesammelt.
»Das ist wieder ein neuer Trick der Gesellschaft«, sagte ein kleiner Fischer, der den alten Gorian kannte.
»Ja«, erwiderte der Alte böse, »die Großen wollen uns Kleine ganz fressen«, er lachte höhnisch auf, »jetzt wollen sie uns sogar verbieten, dass wir unsere Fische pfundweise verkaufen.«
»Gebt mir nur schnell noch ein Pfund«, sagte eine Tabakarbeiterin und hielt ihr Netz auf.
»Mir auch«, sagte eine andere. »Mir zwei«, eine dritte.
Der alte Gorian schnitt und wog und Pavle packte die abgeschnittenen Stücke ein.

»Ihr habt einen so großen Fang gemacht?«, sagte Pacic, der Tischler, der sich gleich vier Pfund geben ließ.
»Genug, um die ganze Stadt zu füttern, aber die Gesellschaft will ihn nicht abnehmen, bevor der alte Orlovic und ich nicht auch in der Gesellschaft sind.«
»So haben sie es mit uns allen gemacht«, klagte der kleine Fischer wieder.
»Mit mir werden sie es nicht so machen«, trumpfte Vater Gorian auf und schnitt einen neuen Fisch in Stücke.
Er hatte bereits die Hälfte seiner Fische verkauft und wollte gerade Ringelnatz einen besonders schönen für das Hotel »Zagreb« einpacken, als sich Radics große Gestalt zum zweiten Mal durch die Käufer drängte; er kam aber nicht allein. Hinter ihm kam dick und gewichtig Begovic.
»Das ist der Mann«, sagte Radic und zeigte auf den alten Gorian.
Begovic drängte mit seinem Knüppel die anderen auf die Seite, dann schnüffelte er leicht, strich sich seinen Bart nach hinten, gab seiner Mütze einen leichten Stoß und hob seinen Knüppel wieder.
»Ihr wollt ohne Lizenz verkaufen?«, knurrte er Gorian an.
Gorian wickelte Ringelnatz erst seinen Fisch ein, strich sich darauf seine Hände an den Hosen trocken und sah Begovic an. »Ja«, antwortete er, »ich verkaufe ohne Lizenz.«
»Wisst Ihr nicht, dass das seit einigen Tagen verboten ist?«
»Nein«, sagte der alte Gorian, »das weiß ich nicht.«
»Ich habe es Euch doch schon gesagt«, mischte sich Radic ein.
»Ich habe dir auch gesagt, dass du dich nicht wieder hier sehen lassen sollst«, knurrte der alte Gorian grob, »seit wann bist du der Magistrat?«
»Ich sag's Euch aber jetzt«, betonte Begovic und schwang seinen dicken Knüppel drohend vor dem alten Gorian hin und her.
Vater Gorian nahm einen Fisch in die Hand. »Nehmt Euren Knüppel weg, Begovic, sonst gibt es ein Unglück.«
Begovic trat vor dem schweren Fisch einen Schritt zurück. »Ihr wollt also nicht auf mich hören?«
»Ich will es schriftlich sehen, was Euer Bürgermeister da wieder gegen uns freie Fischer ausgeheckt hat, aber auch wenn ich es schriftlich sehe, das könnt Ihr oben im Amt gleich sagen, diese Fische hier«, er zeigte auf die letzten, die in seiner Karre lagen, »verkaufe ich noch

ohne Bewilligung, und wenn auch Euer Kollege Dordevic und der Bürgermeister selber erscheinen.«
»Bravo!«, schrie der kleine Fischer.
Auch Pacic schrie: »Bravo!«, und ein paar andere Senjer Bürger, die sich im Laufe des Streites um den Karren des alten Gorian versammelt hatten. Auch die Frauen und die Tabakarbeiterinnen, die noch da waren, stellten sich unverhohlen auf die Seite des alten Gorian.
Begovic wich vor der Menge zurück. »Gut«, knurrte er, »ich werde den Beschluss holen, aber«, er schwang seinen Knüppel aufs Neue, »dann gibt es Prügel und die Fische nehme ich Euch weg.«
Er verschwand eilig in der Richtung auf das Rathaus und Radic rannte ihm nach.
Pavle hatte in der Zwischenzeit tüchtig weiterverkauft. Auch jetzt verlangten die Leute noch heftiger nach Gorians Fischen, und als Begovic und Radic mit einem Magistratsbeamten zurückkamen, war der Karren fast leer.
Radic machte ein säuerliches Gesicht, als sein Blick den leeren Karren traf. Begovic traten seine großen Kuhaugen beinahe aus dem Kopf.
Der Magistratsbeamte störte sich aber nicht daran. Er stellte sich in Positur und las seinen Beschluss vor.
»Es wird hiermit allen Fischern von Senj und Umgebung kundgetan, dass sie Fische und andere Seetiere nur noch nach Erlangung einer Verkaufslizenz auf dem Senjer Markt verkaufen dürfen. Die Lizenz ist beim Bürgermeister zu beantragen. Über die Erteilung entscheidet der Magistrat.«
»So, so«, meinte der alte Gorian, »und wie lange muss man auf die Entscheidung warten?«
»Der Magistrat«, deklamierte der Beamte noch feierlicher, »tritt jeden Monat einmal zusammen. In diesem Monat«, fügte er hinzu, »ist er schon zusammengetreten. Ihr müsst also mindestens fünfundzwanzig Tage auf Bescheid warten. Außerdem müsst Ihr damit rechnen, dass sich die Entscheidung noch weiter hinauszieht. Es liegen bisher siebenundzwanzig Anträge vor.«
»Ich soll also so lange warten, bis ich klein beigegeben habe oder meine Fische verreckt sind! Ein schöner Magistrat, ein schöner Bürgermeister! Pfui Teufel!« Der alte Gorian spuckte vor Wut aus.
»Gorian!« Begovic schwang wieder seinen Knüppel. »Versündigt Euch nicht.«

»Wenn das Sünde ist«, schimpfte der alte Gorian laut, »will ich mich jeden Tag dreimal versündigen«, und er spuckte noch einmal auf das Pflaster.
Der Magistratsbeamte tat, als habe er von Gorians Antwort weder etwas gesehen noch gehört, er trat sogar nochmals an den Karren und sagte: »Der Magistrat lässt nebenbei die Fischer wissen, dass sie, solange ihre Lizenzgesuche laufen, die Fischer, die schon Lizenzen haben, mit dem Verkauf ihrer Fische betrauen können, wie zum Beispiel den Herrn Radic«, und er zeigte auf ihn.
»Das habt Ihr Euch ja wirklich fein ausgedacht!«, schrie der alte Gorian jetzt ganz erbost. »Aber das merkt Euch, ehe ich das tue, werfe ich lieber meine Fische umsonst unter die Leute«, und er packte die letzten beiden Fische, die noch in dem Karren lagen, an den Schwänzen und warf sie in die Höhe. Sie fielen klatschend neben Begovic und dem Magistratsbeamten auf die Straße.
Der Magistratsbeamte drehte sich nur um und ging wieder zurück, während Begovic so rot wie eine Tomate wurde und abwechselnd auf den alten Gorian und auf die toten Fische starrte. Weil aber noch immer ein halbes Hundert Leute auf dem Platz herumlungerten und hinter dem Magistratsbeamten herlachten, stieß Begovic die Fische nur wütend auf die Seite, schulterte seinen Knüppel und ging auch davon.
Radic war inzwischen wieder neben seine Frau hinter seinen Stand getreten.
Während nun der alte Gorian mit dem kleinen Fischer und Pacic in die Schankstube des Hotels »Adria« trat, um dort seine Wut in einigen Gläsern Rotem zu ertränken, war Pavle mit dem leeren Karren heimgefahren und hatte die ganze Geschichte den anderen erzählt.
»Wir sollten etwas gegen Radic unternehmen«, erklärte Nicola.
»Aber was?«, fragte Zora.
»Vielleicht weiß Branko einen Rat«, sagte Pavle.
»Ja, aber wo ist er?« Zora sah sich um.
Duro lachte. »Wo wird er sein. Er sitzt sicher noch bei seinem Fräulein.«
»Ich möchte nur wissen, was er so lange bei ihr macht.« Auf Zoras Stirn zeigten sich wieder Falten.
Duro lachte laut. »Er wird ihr etwas vorspielen.«
Da trat Branko zwischen die Kinder. »Ich wüsste einen Rat«, sagte er.
»Du bist hier?«, rief Zora erfreut und ihre Falten verschwanden.

»Schon eine ganze Weile. Ich habe dort hinter dem Baum gestanden und Pavles Erzählung gehört«, und mit einem Blick auf Duro, »auch was der da gesagt hat.«
Duro gab sich nicht so leicht geschlagen. »Es ist ganz gut«, meinte er grinsend, »wenn man einmal hört, was seine Freunde über einen denken.«
»Ich wüsste nicht, dass du mein Freund bist, außerdem haben die Uskoken nie hinter dem Rücken ihrer Brüder schlecht voneinander gesprochen und solche Schleicher wie du, die es doch getan haben, wurden gestäupt und zu allen Teufeln gejagt.«
»Hast du ›Schleicher‹ zu mir gesagt?« Duro wurde rot und ballte die Fäuste.
Branko nickte: »Ja, und ich will es gern noch einmal sagen.«
Zora trennte die Kampfhähne. »Wenn ihr euch durchaus prügeln wollt, so tut es heute Abend«, schimpfte sie. »Jetzt wollen wir dem alten Gorian helfen.« Sie sah Branko an. »Also erzähle uns deinen Plan.«
Die Kinder setzten sich zusammen und Branko sagte ihnen, was er sich ausgedacht hatte. Darauf holten sie ein paar der alten Fische, die Vater Gorian am Tag vorher zum Füttern der anderen Fische auf die Seite gelegt hatte, packten sie auf den Karren und fuhren zur Stadt zurück.
Pavle und Nicola brachten den Karren auf dem direkten Weg zum Markt, während Duro zu Curcin ging, Zora zu Ringelnatz und Branko zu Rista, dem Bräutigam von Elena, zu Elena selbst und noch zu ein paar anderen Tabakarbeiterinnen, die er von seiner Mutter her kannte.
Auf dem Markt waren inzwischen noch mehr Stände aufgebaut worden. Neben den Gemüseständen war ein Eismann mit seinem weißen Wagen. An dem Stand von Radic, der noch immer mit seiner Frau hinter seinen Fischen auf und ab ging und auf Kunden wartete, hatten sich einige Bauern mit Butter, Eiern und Quark angereiht. Die alte Marija schob ihr dickes, bärtiges Gesicht aus ihrer Zuckerwarenbude heraus, rechts von ihr verkaufte ein dünnes Männchen Bürsten, ein Stand mit Heiligenbildern war da, ein Korbflechter, eine Reihe Zwiebelverkäufer und ein Bäcker mit Brot und Kuchen.
Die Stände reichten beinahe bis ans Wasser. Zu den Senjern war inzwischen auch Volk von den Inseln gekommen, Bauersleute, Matro-

sen, und alle kauften oder verkauften, feilschten oder sprachen miteinander.
Der Krach zwischen Radic und dem alten Gorian war noch in aller Munde, und wenn auch Begovic immer wieder wie ein großer Wachhund mit seinem wippenden Knüppel von einem Menschenhaufen zum anderen schlich und seine großen Ohren wie Scheunentore aufsperrte, sprachen doch fast alle Leute noch davon und der größere Teil nahm weiter für den alten Gorian Partei.
Die Folge dieser Parteinahme war, dass Radic und seine Frau fast nichts verkauften, und Radic war richtig froh, als Curcin mit seinen Holzschuhen an seinen Stand polterte und ihn fragte, ob er Zeit zu einem Glas Wein habe.
Die beiden Männer setzten sich am Quai in eine kleine Kaffeestube, ließen sich eine halbe Flasche bringen und Radic hatte bald seinen Ärger und seine Wut vergessen.
Inzwischen zogen Pavle und Nicola ihren Karren auf den Markt. Sie fuhren zu Radics Stand und Pavle sagte: »Ihr Mann hat eben noch ein paar Fische erstanden. Wo sollen wir sie hintun?«
Die Frau, die gerade ein paar Makrelen abwog, antwortete: »Schüttet sie in den Kübel unter dem Tisch.«
Die Kinder taten es, dann trollten sie sich mit ihrem Karren wieder fort.
Es waren knapp zwei Minuten vergangen, da kamen Elena und eine Freundin von ihr an den Stand und wollten eine Goldbrasse kaufen.
Die Mutter Radic, eine kleine, rundliche, gar nicht üble Person, freute sich, dass sich endlich wieder mehr Kunden einfanden, und wog ihnen den Fisch ab.
Da schnupperte Elena mit ihrem großen Pferdegesicht, machte erstaunte, runde Augen und sagte:
»Ihre Fische stinken.«
»Meine Fische stinken?« Die Frau war empört.
Jetzt verzog auch die andere Arbeiterin ihr Gesicht. »Natürlich. Pfui Teufel!« Und sie warf die Goldbrasse wieder zurück.
Die Radic wurde wütend: »Ich habe noch nie stinkende Fische verkauft.«
Elena rief genauso zurück: »Riechen Sie doch selber.«
»Was ist denn los?«, fragte da Ringelnatz, der wie von ungefähr das zweite Mal mit seinem großen Korb über den Markt ging, und trat an den Stand.

»Riecht es hier nicht nach stinkenden Fischen, Ringelnatz?«, sagte die große Elena.
Ringelnatz schnüffelte mit: »Und wie!«
Die rundliche Frau wurde immer wilder. »Sehen Sie sich meine Fische an, da ist keiner dabei, der nicht gestern noch im Wasser war.«
Der alte Susic schlich vorbei. Die Frau kannte ihn. »Herr Susic! Herr Susic!«, flehte sie ihn an. »Helfen Sie mir. Ich soll stinkende Fische verkaufen!«
»Hm«, machte der alte Lumpensammler und zog eine Weile die Luft in kleinen Intervallen ein. »Hm, ich möchte es nicht glauben, Frau Radic, aber wenn es hier nicht noch mehr stinkt als bei mir, will ich nicht Susic heißen.«
Immer neue Leute strömten zusammen, schnupperten und schimpften über Radics Fische, und wer von den Leuten auf dem Markt es noch nicht wusste, erfuhr es von den Kindern.
Es musste nur jemand zu Radics Stand hinübersehen und fragen: »Was ist denn dort los?«, schon schossen Pavle oder Nicola, Duro oder Branko auf ihn zu und schrien: »Radic verkauft stinkende Fische! Radic verkauft stinkende Fische!«
Der Auflauf um Radics Bretterstand war nach fünf Minuten schon größer als der Kreis, der vor einer Stunde um Gorians Karren gewesen war, und die Leute, die die Sache mit Gorian bereits in eine erregte Stimmung gebracht hatte, wurden noch wütender und gereizter.
Überall hörte man jetzt: »Bei Radic stinkt's!«
»Dieser Kerl!«, schimpfte eine alte Frau. »Die Kleinen vertreiben sie und die Großen wollen uns dann vergiften.«
»Ja«, schrie die große Elena, »es ist eine Schande!«
Ein paar Matrosen mit dem jungen Rista an der Spitze näherten sich dem Stand.
»Was gibt es denn, Schatz?«, fragte Rista die große Elena.
»Die Frau hat uns stinkende Fische verkauft.«
»Ich habe es nicht getan! Ich habe es nicht getan!« Die Radic rang verzweifelt ihre Hände. »Meine Fische sind so frisch, als schwämmen sie noch im Wasser!«
Rista und die Matrosen schnupperten auch.
»Mutter Radic«, sagte Rista, »sie stinken wie die Pest und ich glaube, es ist das Beste, wir schütten sie aus.«

»Ja, schüttet sie aus!«, schrie die Menge. »Schüttet sie aus!«, und alle griffen zu, um den großen Kübel umzukippen.
»Meine Fische! Meine Fische!«, heulte die Frau. »Oh, meine Fische!«
Jetzt war endlich auch Begovic, der einen Augenblick ins Hotel »Nehaj« gegangen war, um seinen Ärger über den Streit mit dem alten Gorian in Schnaps zu ertränken, auf die neue Ansammlung aufmerksam geworden.
»Was ist denn da wieder passiert?«, brummte er wütend, knöpfte sich den speckigen Rock zu, fasste den Knüppel fester und rannte auf die Menge los.
Er brauchte ziemlich lange, bis er sich durch die Frauen und Matrosen geprügelt hatte, aber als er nach vieler Mühe am Stand der Mutter Radic angekommen war, lag der erste Kübel schon auf der Erde.
»Was ist denn hier los!«, knurrte er und hieb auf den jungen Rista, der noch immer der Anführer war, ein.
Rista rieb sich den Rücken und trat auf die Seite, dann sagte er: »Wenn die Gendarmen saufen, müssen eben die Matrosen Ordnung schaffen.«
»Was hier los ist, will ich wissen!«, kreischte Begovic lauter und sein Gesicht schien zu platzen, so rot war es angelaufen.
»Radics Fische stinken!«, schrie es jetzt von allen Seiten. »Radics Fische stinken!«
»Ruhe!«, befahl Begovic und schwang wieder seinen Knüppel, dann trat er neben die kleine Frau.
Die jammerte kaum noch, sie zeigte nur auf die schönen Tiere, die am Boden lagen, und sagte: »Da sind sie.«
Auch Begovic zog mit seiner dicken Kartoffelnase die Luft ein. Alle waren still geworden und sahen zu ihm hin. Er nahm die Mütze ab, strich das Haar nach hinten und schnüffelte noch einmal. Dabei machte er ein immer bedenklicheres Gesicht und der Schweiß trat ihm auf die Stirn.
»Sie stinken wirklich«, bestätigte er und trat zurück.
»Glaubt Ihr es nun?«, sagte der junge Rista zu der weinenden Frau, stürzte vor und kippte auch den zweiten Kübel um.
Die Fische fielen, rutschten, kugelten auf die Straße, glitschten unter die Leute, einige bückten sich und hoben sie wieder auf, andere traten darauf oder schleuderten sie mit den Füßen weiter. Ringelnatz

warf einen nach Begovic. Elena bombardierte Rista damit, einen Augenblick später bewarfen sich alle mit den schlüpfrigen Fischen.
Da wurde die Menge zum zweiten Male zerteilt. Diesmal war es Radic, der seiner Frau zu Hilfe kam.
Er hatte mit Curcin noch ein zweites Glas getrunken, sie hatten über das Wetter, den Fischfang und allerlei anderes gesprochen.
Als er gerade gehen wollte, war Karaman mit seinem Hund dazugekommen, und Radic musste noch ein drittes Glas trinken.
Er wollte sich noch ein viertes einschenken lassen, da rannte Nicola um die Ecke. »Radic!«, schrie der Kleine. »Radic! Sie stürmen Euern Stand!«
Radic warf beinahe den Tisch um, so schnell sprang er auf. »Wer denn?«, fragte er.
»Die Matrosen und die Frauen!«
»He, und warum?«
»Eure Fische stinken!«
»Meine Fische?« Radic jagte um die Ecke.
Als er die vielen Menschen erblickte und sah, wie seine Fische über ihren Köpfen hin und her flogen, blieb er erst entsetzt stehen, dann stürzte er sich in die Menge.
»Seid ihr verrückt geworden!« Er war mit einem Sprung neben seiner Frau und stellte sich vor sie.
»Ha!«, schrie Elena. »Da ist ja Radic selber!« Und bevor sich Radic versah, klatschte ihm der Fisch, den das Mädchen in der Hand hatte und der eigentlich für einen Matrosen bestimmt war, mitten in das Gesicht.
Die anderen bombardierten ihn jetzt auch mit seinen Fischen, und wie der Fischer auch schrie, die Leute beschwor, seine Fische stänken nicht, und sie bat, sie möchten um Gottes willen aufhören, und was auch Begovic und Karaman taten, die ihrem Freund immer wieder zu Hilfe eilten, die Matrosen und die Frauen hörten nicht auf, Radic mit seinen Fischen zu bewerfen und ihn und seine Gesellschaft Volksvergifter zu nennen, bis sie ihm den letzten Fisch an den Kopf geschleudert hatten. Einen Augenblick später war die Menge genauso schnell wieder zerstoben, wie sie zusammengelaufen war.
Radic und seine Frau standen nun verzweifelt neben den zertretenen, zerfetzten und beschädigten Fischen. Karaman, Begovic und einige andere Getreue scharten sich um sie. »Ihr könnt es mir glauben«, be-

schwor Radic seine Freunde. »Meine Fische stinken nicht. Ich habe noch nie alte Fische verkauft.«
Begovic hob nur seine Hände. »Es stinkt aber wirklich.«
Radic hob eine der Fischleichen empor. »Riecht doch selber.«
Begovic und Karaman rochen an dem Tier.
»Der«, bestätigte Begovic, »stinkt nicht, aber sonst«, Begovic schnupperte weiter, »stinkt es bei dir.«
Radic roch mit. Sein durch den Schrecken bleich gewordenes Gesicht wurde noch bleicher. Jetzt roch er es selber. Ja, es stank. Es stank furchtbar.
Er schnüffelte nach rechts und nach links. Er hob noch einen zweiten und einen dritten Fisch hoch. Da kam der Gestank nicht her. Er kam von unten. Er bückte sich. Da sah er drei große, schon halb verweste Tunfische in dem Kübel unter seinem Stand liegen. Er zog den Kübel hervor.
»Wer hat die Fische hier hineingetan?«, herrschte er seine Frau an.
»Du sicher«, sagte sie und fuhr sich über das gerötete, verweinte Gesicht.
»Ich? Nie! Und als mich Curcin zu einem Glas Wein holte, war der Kübel noch leer!«
»Ach ja«, erinnerte sich plötzlich die Frau, »zwei Kinder haben sie in einem Karren gebracht. Das eine sagte, du hättest sie gekauft, und da habe ich ihnen gesagt, sie sollten sie in den Kübel schütten.«
»Das waren die Übeltäter!« Radic knirschte mit den Zähnen. »Aber das schwöre ich, ich schlage sie tot, wenn ich sie erwische!«
»Wie sahen sie denn aus?«, fragte Begovic interessiert und zog sein Büchlein.
»Wartet einmal.« Die Frau wischte sich die Tränen aus dem Gesicht, als könne sie sich dadurch besser erinnern. »Ich glaube, der eine war groß und schwarzhaarig und der andere war klein und hatte struppiges Strohhaar. Beide waren außerdem recht zerlumpt.«
»Wenn mich nicht alles täuscht«, sagte da der reiche Karaman, »waren das zwei aus der Bande der roten Zora.«
Begovic horchte auf und blätterte darauf eilig in seinem Buch herum. »Groß, plump, schwarzhaarig. Klein, feingelbes, struppiges Haar, das könnte stimmen.«
»Sie treiben sich jetzt immer beim alten Gorian herum«, fuhr Karaman fort.

»Beim alten Gorian!«
Der Fischer schlug sich an den Kopf. »Der hat sie sicher auch hergeschickt. Das ist die Rache dafür, dass er seine Fische nicht mehr verkaufen kann.«
»Sachte, sachte«, meinte da Begovic und machte seine Froschaugen. »Ich habe den alten Gorian den ganzen Morgen nicht aus den Augen gelassen. Er sitzt seit seinem Krach mit Euch im Hotel ›Adria‹ und trinkt einen Roten.«
»Ich will aber einen Besen fressen«, rief Radic, »wenn es nicht die rote Zora mit ihrer Bande war.«
Da bellte Karamans Hund auf, zerrte an der Leine, bellte wieder und wollte davon.
Karaman sah in die Richtung, in welche sein Hund wollte. »Dort ist sie ja!«, schrie er.
»Wer denn?«, fragte Begovic.
»Die rote Zora!« Er zeigte zu dem Kastell hinüber. »Dort läuft sie um die Ecke und die Buben dahinter sind ihre Bande.«
Karaman und sein Hund hatten recht gesehen. Die Kinder hatten sich noch alles angesehen, was die Matrosen und die Frauen mit Radic und seinen Fischen machten. Sie beteiligten sich sogar mit an der Fischschlacht und jetzt rannten sie wieder davon.
»Kommt!«, schrie Radic und jagte hinter den Kindern her. Auch Karaman stürmte, gezogen von seinem Hund, über den Markt.
Begovic steckte erst seinen Bleistift in das Buch, das Buch in seine Rocktasche, drückte die Mütze fester, packte seinen Knüppel, dann folgte er Radic und Karaman.
Die Kinder erreichten das Tal des Potoc und huschten auf der anderen Seite zwischen die Ginsterbüsche, als ihre drei Verfolger in das Flussbett traten.
»Wo sind sie denn hin?«, fragte Begovic, der Radic und Karaman eingeholt hatte.
»Ich weiß nicht«, schnaufte Karaman.
»Lasst doch Euern Hund los!«, schrie Begovic. »Er wird sie schon wiederfinden.«
Karaman ließ das große Tier von der Leine.
Der Hund, der seine beiden Freunde erkannt und sich schon lange darauf gefreut hatte, sie wiederzusehen, jagte nun in großen Sprüngen durch den Graben und verschwand auch im Ginster.

Die Ausreißer, die erst zum Haus des alten Gorian wollten, aber gemerkt hatten, dass man sie verfolgte, und deswegen in ihr Brombeerversteck einbogen, sahen den Hund kommen.
Duro bemerkte ihn zuerst. »Oh«, stöhnte er, »diesmal erwischen sie uns. Begovic hat seinen Hund mit.«
Branko und Zora drehten sich um. »Ach«, lachte Zora. »Es ist ja Leo.« Da war der Hund auch bereits bei ihnen. Er sprang bellend an Branko und Zora in die Höhe und begrüßte sie.
»Leo!«, rief Branko und strich ihm im Springen über das Fell. Der Hund bellte lauter und jagte einmal vor und einmal hinter ihnen her.
»Fass!«, hörten sie da die Stimme Karamans, der sich endlich auch durch den Ginster gedrängt hatte: »Fass!«
Der Hund dachte aber nicht daran, seine Freunde zu fassen. Er sprang im Gegenteil noch eifriger neben den Kindern her, bellte hie und da lustig auf, rollte sich wie ein Ball über die Gräben und Sträucher oder setzte wie ein Kunstspringer über die höchsten Wacholderbüsche und Zwergkiefern hinweg.
Begovic und Radic waren stehen geblieben. Sie konnten nicht mehr.
»So ein Mistvieh«, knurrte Begovic und sah wütend nach dem großen, bellenden Tier.
»Einen Hund hast du«, maulte Radic. »Mit den schlimmsten Spitzbuben von Senj ist er auf Du und Du.«
Karaman blieb jetzt auch stehen: »Leo!«, rief er noch einmal, so laut er nur rufen konnte.
Der Hund sah sich das erste Mal wieder nach seinem Herrn um. Er war aber noch immer unschlüssig, wem er folgen sollte, den Kindern oder dem Bauer.
»Leo!« Karamans Stimme klang immer drohender.
Die Kinder waren gerade in eine kleine Kiefernwaldung eingedrungen. Der Hund wäre ihnen gerne weiter nachgesprungen, aber nun trottete er langsam zurück.
Er wusste, dass Karaman wütend auf ihn war. Deswegen schlug er einen großen Bogen um die Männer.
»Leo!«, schrie der Bauer das dritte Mal und der weiße Schaum lief ihm vor Wut aus dem Mund.
Der Hund kam jetzt ganz nahe.
Der Bauer stieß Begovic an. »Könnt Ihr mir Eure Pistole geben?«
Begovic kratzte sich. »Meine Pistole?«

Karamans großes, aufgedunsenes Gesicht war verzerrt vor Wut und Ärger. »Gebt sie schon her.«
Der Gendarm nahm sie aus der Tasche und reichte sie dem Bauern.
»Ist sie auch geladen?«
Begovic nickte.
Der Hund war dem Bauer vor die Füße gekrochen. Er hatte sich auf den Bauch gelegt, wedelte mit dem Schwanz und sah Karaman groß und bittend in die Augen.
Karaman verzog aber keine Miene. Er senkte den Revolver, zielte hinter das Ohr des Hundes und drückte ab.
Der Hund schreckte zusammen, sprang noch einmal in die Höhe und legte sich auf die Seite.
Karaman gab Begovic die Pistole zurück. »Einen Hund, der mit den Spitzbuben von Senj befreundet ist, kann der alte Karaman nicht brauchen.«
Die Kinder, die gerade das Wäldchen wieder verließen, hörten den Schuss.
Branko blieb stehen. »Was war das?«
»Sie haben geschossen«, sagte Duro.
Zora drehte sich um. »Sie gehen ja wieder zurück.«
Nun blieben alle stehen.
Die Kinder sahen es ganz genau, die Männer waren umgekehrt. »Aber wo ist der Hund?«, fragte Duro.
Plötzlich sagte Zora: »Ich glaube, sie haben auf ihn geschossen.« Branko machte große Augen. »Auf Leo?«
Zora nickte. »Dort, wo sie eben noch standen, liegt etwas. Das wird er sein.«
Die Kinder warteten, bis sich die Ginsterbüsche wieder hinter den Männern schlossen, dann schlichen sie sich vorsichtig zurück. Da lag der Hund.
Er hatte alle viere von sich gestreckt und aus seinem Maul floss Blut. Zora kniete nieder und hob seinen Kopf. Das Tier hatte die Augen noch offen und sah sie an.
»Armer Leo«, sagte das Mädchen und strich ihm über den Rücken.
Auch Branko streichelte ihn. Er hätte heulen können.
»Das schöne Tier«, klagte Pavle. »Karaman hat ihn sicher erschossen, weil er uns nicht fassen wollte.«
Zora nickte und nach einer Weile sagte sie: »Dafür wollen wir ihn wie einen Kameraden begraben.«

Duro stieß gegen die Erde. »Hier ist es zu hart.«
Zora versuchte dem Tier die Augen zuzudrücken. »Wir begraben ihn unten am Bach, wo wir ihn das erste Mal getroffen haben, oder beim alten Gorian.«
»Lassen wir ihn solange hier?«, fragte Branko.
»Hier könnte ihn jemand finden, kommt!« Zora versuchte den Hund hochzuheben. »Wir tragen ihn hinter den nächsten Busch.«
Pavle und Branko fassten an und sie schleppten das schwere Tier hinter eine kleine Eiche, deckten noch einige Zweige über den großen Körper, dann wanderten sie, wie sie zuerst beschlossen hatten, zum alten Gorian.
Vater Gorian war schon da. Der Alte hatte den Steintisch heute besonders feierlich gedeckt. Curcin und Ringelnatz hatten ihm erzählt, wie sich die Kinder an Radic gerächt hatten, und er wollte ihnen dafür danken.
»Das habt ihr großartig gemacht«, empfing er sie und schüttelte ihnen herzlich die Hände, »und das verspreche ich euch, solange ihr weiter so tapfer an meiner Seite gegen die Gesellschaft kämpft, streicht der alte Gorian noch nicht seine Flagge.«
Die kleine Gesellschaft saß eben am Tisch und ließ sich die großen Makrelen und die in Öl geschwenkten Kartoffeln schmecken, die der alte Gorian gebraten hatte, da hörten sie plötzlich Begovic und Dordevic vor dem kleinen Tor.
»Aufmachen! Aufmachen!«, schrien die Gendarmen.
»Ich hätte es mir denken können«, fluchte der alte Gorian, »dass sie nach eurem Streich heute Abend wieder kommen.«
Er blickte sich um. In die Höhle, in der Pavle die ganze Zeit gelegen hatte, konnten sie nicht mehr. Da sah er die beiden Kähne, die rechts vom Tisch im Wasser lagen.
»Schleicht euch hinunter«, sagte er, »und stoßt euch leise ab, aber macht kein Geräusch. Ich will versuchen, ob ich die beiden noch einen Augenblick aufhalten kann.«
Die Kinder schlichen hinunter und Gorian ging zum Tor.
»Macht auf!«, schrie Begovic lauter und rüttelte an dem leichten Tor. Auch Dordevic stieß es hin und her.
»Sucht ihr schon wieder Spitzbuben in meinem Haus?« Gorian kam langsam näher.
Begovic brüllte nochmals: »Ihr sollt aufmachen!«

Dordevic sagte etwas sanfter: »Heute müssen wir gründlicher suchen. Der Bürgermeister hat eine Wut auf Euch und auf die rote Zora und ihre Bande, dass er zerplatzt, wenn wir sie ihm nicht noch heute Abend bringen.«
»Dann sucht nur.« Gorian fasste nach dem Schlüssel. Er ließ ihn aber erst noch einmal fallen, bückte sich, hob ihn wieder auf, steckte ihn das zweite Mal ins Schloss und nun sprang es auf.
Die beiden Gendarmen stürmten herein.
»Sagt uns, wo die Bande steckt!«, schrie Begovic.
»Das müsst Ihr schon selber herausbekommen«, lachte der Alte. »Zum Verräter ist der Vater Gorian noch nicht herabgesunken.«
Begovic stürzte sich in das Haus, während Dordevic die Kinder im Ziegenstall suchte.
Der alte Gorian räumte unterdessen seinen Tisch zusammen und sah mit Vergnügen, wie die Kähne unbehelligt immer weiter aufs Meer hinausschaukelten.
Die beiden Gendarmen kamen zurück.
»Nichts gefunden?«, äffte sie der Alte.
Begovic zeigte seinen Knüppel. »Wir werden sie schon noch finden!«
»Ja«, meinte auch Dordevic, »diesmal ist es ernst.«
»Ich finde sie sogar bestimmt noch«, knurrte Begovic lauter, »und das sage ich Euch, Alter, wenn ich sie hier finde, nehme ich Euch auch mit.«
Der alte Gorian lachte: »Dann sucht nur weiter. Ich werde mich aber inzwischen ins Bett legen«, und er ließ die beiden Gendarmen stehen.
Die Kähne waren in der Zeit immer weiter hinausgeschwommen. Der Kahn, in dem Branko und Zora saßen, schwamm sogar schon im offenen Meer.
Branko zog seine Mundharmonika aus der Tasche und spielte.
Plötzlich unterbrach ihn Zora. »Warst du heute Morgen wirklich wieder bei Zlata?«, fragte sie.
Branko nickte.
»Warum eigentlich?«
»Ich muss sie immer ansehen.«
»Du liebst sie also doch?«
»Ich weiß nicht, ob das Liebe ist«, antwortete Branko, »mir ist immer erst wohl, wenn ich sie gesehen habe.«

»Hm«, machte Zora nur. Sie blickte an ihm vorbei. Ihr Gesicht war düster und voll Hass.
Branko sah es aber nicht. Er lächelte schon wieder vor sich hin und spielte weiter.

20

Die Uskoken werden reich

Am nächsten Morgen trieb Branko seine Sehnsucht, obwohl er sich dagegen wehrte und er wusste, dass Dordevic und Begovic hinter jeder Ecke auf ihn lauerten, wieder nach Senj zu der jungen Dame.
Er war aber noch vorsichtiger als sonst und äugte erst lange aus allen Toreinfahrten und Türen hinaus, bis er es wagte, eine Straße zu überqueren oder über einen Platz zu huschen.
Es schlug sieben, als er endlich vor dem Hotel »Zagreb« stand, und da hörte er von Ringelnatz, dass Zlata bereits im Bad sei.
Er kletterte wieder über die Höfe zurück und machte einen großen Bogen um die Stadt, bis er bei seiner alten Klippe ans Meer stieß.
Wie lange war er nicht hier gewesen? Seit dem Tod seiner Mutter. Und was war seither geschehen? Wie ein Märchen kam ihm alles vor. Die Freundschaft mit Zora, das Leben auf dem Turm. Die Begegnung mit Zlata. Und was würde alles noch kommen?
Er sah auf das Wasser und die Wellen. Ach ja, er wollte sehen, ob er Zlata wieder treffen konnte, und ohne sich lang zu besinnen, glitt er ins Wasser und schwamm immer weiter hinaus.
Branko schwamm diesmal von der Stadt aus auf das Bad zu. Es war nicht so weit, die Wellen gingen auch nicht so hoch und er kam bald näher.
Es war noch früh am Tag und im Bad waren noch nicht viele Leute. Er hatte Glück, das Mädchen war im Wasser.
Der Knabe tauchte unter und kam kurz vor ihr wieder in die Höhe. Er prustete und schüttelte sich.
Als er seine Augen öffnete, sah ihn Zlata erst erstaunt und dann belustigt an.
»Du bist es«, lachte sie. »Ich dachte schon, es sei ein Walfisch oder ein Seehund.«
Er schwamm eine Weile neben ihr her.
»Kannst du rasch schwimmen?«, fragte Zlata.
Branko bejahte.
»Siehst du den Felsen dort draußen?«

Es war ein großer Stein, der bei Ebbe aus dem Wasser ragte, aber wieder verschwand, wenn die Flut gegen das Land strömte.
Branko kannte ihn gut. Er war schon einige Male auf dem felsigen Block gewesen.
»Wir wollen sehen, wer ihn zuerst erreicht.« Zlata warf sich auf die Seite und kraulte auf ihn zu.
Branko versuchte, an ihrer Seite zu bleiben. Er stieß seine Hände und seine Füße immer schneller von sich, aber er konnte machen, was er wollte, das Mädchen ließ ihn Meter um Meter zurück. Als er endlich den Stein erreichte, saß sie schon oben.
»Ätsch«, lachte sie. »Springen kann ich zwar nicht so gut wie du, aber schwimmen kann ich besser.«
Er setzte sich neben sie und sah sich um. Das Bad war ganz klein, man konnte es kaum mehr erkennen. Auch Senj war weit entfernt und die breite Mole, die ins Wasser ging, sah wie ein schmaler Bootssteg aus. Sogar die großen Häuser waren zu winzigen Steinwürfeln geworden, und als die Glocken über das Wasser klangen, konnte man meinen, man sei weit, weit fort.
Zlata blickte zur Insel hinüber. »Hier ist es schön.«
Branko strahlte sie an. »Und so weit fort von den anderen.«
»Ja, hier können dich der Bademeister und die Gymnasiasten nicht fangen.«
»Auch Begovic und Dordevic nicht«, lachte Branko.
Zlata nickte. »Auch die nicht.«
»Und auch Ihr Vater nicht.«
»Sucht er dich immer noch?«
»Und wie«, sagte Branko, »und seit gestern noch viel mehr.«
»Habt ihr schon wieder etwas angerichtet?«, fragte das Mädchen.
Branko nickte und erzählte, was gestern alles auf dem Markt passiert war.
»Ich habe davon gehört. Das wart ihr also?«
»Wir haben es nur getan, weil der alte Gorian unser Freund ist.«
»So, der alte Fischer ist euer Freund.«
»Ja«, bestätigte Branko, »und der beste Mann der Welt.«
»Da kannst du nun aber nicht mehr zu mir in den Pavillon kommen.«
»Wir können uns ja jetzt immer hier treffen«, meinte Branko und zog seine Mundharmonika aus der Tasche.
»Gut«, nickte das Mädchen, »und immer um diese Zeit.«

Branko antwortete aber nicht mehr, er spielte schon.
Zlata legte sich zurück und hörte ihm zu. Branko spielte ein neues Lied, das ihm in den Sinn gekommen war.
Das Mädchen richtete sich auf. »Ist das auch von deinem Vater?«
Branko nickte.
»Wie heißt er eigentlich?«, fragte das Mädchen weiter.
»Milan.«
»Und wie hieß deine Mutter?«
»Anka.«
»Milan und Anka«, flüsterte sie leise. »Zwei schöne Namen.«
Zlata streckte sich wieder aus und Branko spielte weiter. Ein Wind hatte sich erhoben und das Wasser plätscherte leise zu seiner Melodie.
»Willst du immer ein Uskoke bleiben?«, fragte das Mädchen.
»Nein, ich möchte wie mein Vater Geiger werden.«
Zlata lächelte: »Ach, und ich Sängerin.«
Branko klopfte seine Mundharmonika auf dem Schenkel aus. »Das ist schön. Da können wir später von Schänke zu Schänke gehen. Ich spiele und Sie singen.«
»Nein«, Zlata schüttelte den Kopf, »so eine Sängerin will ich nicht werden. Ich möchte in großen Sälen, im Theater oder in der Kirche singen.«
»Könnte ich da auch spielen?«
»Wenn du ein sehr guter Geiger wirst, bestimmt.«
»Oh«, sagte Branko mit Nachdruck, »das werde ich schon.«
Sie sprachen jetzt eine Weile nichts. Sie sahen über das Wasser und freuten sich an der Sonne, die höher stieg und sie immer besser wärmte.
»Hast du eigentlich schon eine Geige?«, fragte Zlata wieder.
»Nein«, antwortete Branko.
»Ich hätte eine.«
»Sie haben eine?«
»Ich kann sogar darauf spielen.«
»Könnten Sie es mich nicht lehren?«
Branko sah sie bittend an.
Zlata überlegte. »Das könnte ich schon, aber dann müsstest du wieder in unsern Pavillon kommen.« Sie überlegte weiter. »Vielleicht in drei oder vier Tagen. Ich sage dir noch Bescheid.«
Sie lagen noch eine gute Stunde auf der Klippe, bis das Wasser immer

höher stieg und erst den Stein und dann ihre Körper überschwemmte. Als ihnen die ersten Wellen auch über den Kopf schlugen, sagte das Mädchen: »Nun müssen wir wohl Abschied nehmen«, und sie stieß sich ins Wasser.
Sie schwammen noch ein Stück nebeneinander.
»Bis morgen«, sagte Zlata noch, dann schwamm sie mit großen Stößen wieder zu dem Bad hinüber, während Branko nach rechts in die Bucht des alten Gorian schwamm.
Branko landete an der Spitze der Bucht und ging langsam und verträumt auf die Hütte des Fischers zu.
Am Steintisch schimpfte jemand. Wer war das? Etwa wieder die Gendarmen? Branko schlich sich vorsichtig vorwärts. Er hörte die Stimme Vater Gorians und des alten Orlovic, aber dazwischen waren noch andere Stimmen.
Jetzt sah er die Männer auch. Es waren nicht die Gendarmen, sondern die Söhne des alten Orlovic, die so laut und drohend auf den alten Gorian einsprachen.
Die beiden großen Burschen hatten sich die letzten Tage nur immer mittags zum Füttern der Fische eingefunden. Der alte Gorian zahlte ihnen dann einige Dinare aus, den Teil des Erlöses für den Verkauf der Fische, der den Zwillingen zustand. Heute wollten die Brüder aber mehr.
Branko hörte, wie der Gelbkopf sagte: »Ihr seid ein Starrkopf, Vater Gorian.«
»Ich?«, knurrte der Alte. »Die Gesellschaft ist einer.«
»Die Gesellschaft ist aber stärker als Ihr«, trumpfte der Schwarzkopf auf.
»Das ist sie höchstens, wenn ihr mir in den Rücken fallt.«
»Wir wollen nichts weiter als unser Geld«, sagte der Gelbkopf ungewöhnlich laut.
»Das habt ihr jeden Tag auf Dinar und Para bekommen.«
»Die paar Dinare nennt Ihr unseren Anteil?« Der Schwarzkopf lachte bös.
»Euer Anteil liegt ja noch im Wasser.«
»Dann verkauft ihn also der Gesellschaft«, setzte der Gelbkopf wieder ein.
»Ihr wisst genau, dass die Gesellschaft mir die Fische nur abnimmt, wenn ich meinen Fangplatz und mich mit verkaufe.«

»Das ist uns gleich«, meinte der Schwarzkopf grob, »dann verkauft Euch mit.«
Der alte Gorian sah die Zwillinge böse an. »Ich bin ein freier Fischer.«
Der Gelbkopf lachte dumm auf. »Davon werden wir nicht satt.«
»Ich auch nicht. Aber ich will lieber hungern, als ein Knecht der Gesellschaft zu sein.«
Die Zwillinge blieben starrköpfig. »Dann hungert ruhig, aber wir wollen essen.«
Branko trat jetzt zu den anderen Kindern, die alle dem Gespräch interessiert zuhörten.
Vater Gorian wandte sich an den alten Orlovic, der sich etwas abseits an den Feigenbaum gelehnt hatte.
»Was sagst du eigentlich dazu, Orlovic?«
Der alte Orlovic zog lange an seiner Pfeife.
»Was soll ich gegen die Burschen machen?«, antwortete er ausweichend.
»Gehorchen sie dir nicht mehr?«
Orlovic spuckte aus. »Dazu sind sie zu alt.«
Der alte Gorian ging eine Weile mit großen Schritten vor Orlovic auf und ab.
»Und was rätst du mir?«, fragte er dann.
Vater Orlovic dachte wieder lange nach, dann sagte er leise, aber bestimmt: »Ich würde nachgeben.«
Vater Gorian fuhr zornig herum. »Warum?«
»Weil ich auch glaube, dass die Gesellschaft stärker ist als wir.«
»Ach!«, knurrte Gorian. »Ich glaube das nicht.«
»Sie hat andere klein gemacht vor uns. Denk an die Fischer von hier bis hinauf nach Fiume.«
Der alte Gorian bekam zwei dicke Falten auf der Stirn, dann stampfte er wütend auf. »Ich gebe nicht nach«, drehte sich um und wollte ins Haus gehen.
Die Zwillinge vertraten ihm den Weg. »Wir aber auch nicht!«
»Was soll das heißen?« In die Augen des alten Gorian kam ein zorniges Leuchten.
»Wir haben ein paar Leute von der Gesellschaft bestellt. Sie müssen gleich kommen.«
Der Alte lachte auf. »Was sollen sie hier?«
»Wenn Ihr nicht verkauft«, sagte der Gelbkopf, »verkaufen wir.

Unser Anteil gehört ja uns, ob er nun auf dem Lande ist oder noch im Wasser.«
Der Alte blickte sie an. »Und ihr wollt euch auch selber verkaufen?«
Die beiden Burschen verzogen ihre Gesichter zu einem Lachen. »Wir haben uns schon verkauft. Der Kontrakt ist bereits unterschrieben.«
Der alte Gorian wandte sich noch einmal an Orlovic. »Und du?«, fragte er.
»Blut hält zu Blut, Gorian. Wenn meine Söhne unterschrieben haben, werde ich auch unterschreiben.«
»Dann hätten sie also schon die halbe Bucht«, sagte Vater Gorian langsam und nachdenklich.
Plötzlich lachte er auf. »Wenn ich euch nur nicht noch einen Strich durch die Rechnung mache.« Er blitzte die Zwillinge an, dann ging er endgültig ins Haus.
Kaum war die Tür hinter ihm zugeschlagen, donnerten ein paar Lastwagen den Weg zur Hütte des Alten herunter. Die Kinder sahen hinaus. Es waren drei große Fischwagen der Gesellschaft. Die Wagen hielten unmittelbar vor dem Gartentor und einige Männer sprangen heraus.
Es waren junge Fischer, die im Dienst der Gesellschaft standen, Kukulic, der Direktor der Fischgesellschaft, ein kleiner, dicker, etwas asthmatischer Mann mit einem Klemmer und einem Glatzkopf, und Doktor Frages, der Direktor einer der größten Susaker Konservenfabriken, ein schöner, junger Mann in einem weißen Anzug.
Direktor Kukulic und Doktor Frages kamen auf den alten Orlovic, seine Söhne und die Kinder zu.
»Ihr sollt einen großen Fang gemacht haben?«, sagte Doktor Frages, nachdem er alle begrüßt hatte.
Die Zwillinge und Vater Orlovic nickten.
»Kann man die Fische sehen?«
Orlovic führte die Gesellschaft zum Wasser. Da schwammen sie, die großen, fetten Tiere. Sie schwammen noch immer so dicht nebeneinander, dass das Wasser dunkel von ihrer kobaltfarbenen Schwärze war.
»Was für große Kerle«, entfuhr es dem jungen Mann.
»Hm«, Kukulic klemmte seinen Zwicker auf die Nase, »wirklich ein guter Fang.«
»Der größte, den wir jemals gemacht haben«, sagte Orlovic stolz.

Doktor Frages sah auf. »Wo geht das Netz zu Ende?«
»Dort drüben an der Esche und auf der anderen Seite am alten Wacholderbaum. Wenn Sie genau hinsehen, sehen Sie auch die beiden Pfähle.«
»Und bis dahinter ist das Wasser voller Fische?«
Der alte Orlovic nickte. »Dabei haben wir schon mindestens zweitausend Kilo verkauft und tausend Kilo verfüttert.«
Der junge Mann bot dem alten Orlovic eine Zigarre an. »Und Ihr wollt sie verkaufen?«
»Mit den Fangrechten«, fügte der dicke Kukulic eilig hinzu.
»Ja«, antworteten die Zwillinge schnell.
Der alte Orlovic machte nur: »Hm.«
»Was gibt's denn noch?«, fuhr ihn Kukulic an.
»Der alte Gorian will noch nicht«, sagte Vater Orlovic.
»Ihr wollt doch und Eure Söhne wollen auch, das sind schon drei«, antwortete der Dicke schnell.
»Dem alten Gorian gehört aber die Hälfte der Bucht«, erwiderte Orlovic leise.
»Wo ist denn der Mann?« Direktor Frages drehte sich um.
»Er ist vorhin ins Haus gegangen«, sagte Branko.
»Holt ihn her.«
Der alte Gorian war nicht mehr im Haus, er hatte den allgemeinen Wirrwarr benutzt, um sich aus Haus und Garten davonzuschleichen.
»Dort drüben ist er!«, rief Zora und zeigte auf den südlichen Teil der Bucht.
Tatsächlich, der alte Gorian schritt gemächlich vor sich hin. Er ging bis zu dem Pfahl unter dem Eschenbaum, an welchem das große Netz angebunden war, und setzte sich auf einen Stein.
»Der Alte ist ein Dickkopf«, sagte Kukulic und fuhr sich über die Glatze. »Ich glaube, wir müssen zu ihm hinüber.«
Der weiße Mann nickte. Er sah noch einmal auf die Fische. »Für den Fang lohnt es sich ja auch.«
Sie gingen dem Alten nach. Die Fischer und die Kinder gingen mit. Vater Gorian hatte sich seine Pfeife gestopft. Als der Zug herankam, zündete er sie gerade an.
»Guten Tag«, sagte der dicke Kukulic und schoss wie eine Kugel auf Gorian los. Vater Gorian grüßte zurück.
»Ihr wollt Eure Fische nicht verkaufen?«, sagte der Direktor hastig.

Der Alte sog an seiner Pfeife. »Wer das sagt, ist ein Lügner. Ich war sogar selber auf dem Markt damit.«
»Aha«, sagte Kukulic spitz, »Ihr wollt also bloß Euer Geld von uns einhamstern und nicht mit Eurem Fangplatz und Eurer Arbeitskraft in unsere Gesellschaft kommen?«
»Nein«, antwortete der Alte, »das will ich nicht.«
»Ja, da ist nichts zu machen«, meinte Kukulic grob, »da holen wir eben nur die Fische der drei Orlovics aus dem Wasser. Eure lassen wir darin, oder«, meckerte er, »wenn wir einen davon mit herausholen, werfen wir ihn wieder hinein.«
Der alte Gorian sah ihn an. »Kein schlechter Plan, Direktor, nur habe ich einen anderen.«
»So?« Der kleine Mann, der sich bereits umdrehte und wieder gehen wollte, schnellte herum. »Und der wäre?«
»Sobald Ihr einen Kahn ins Wasser lasst und Fische herausholt, schneide ich hier das Seil durch«, er zeigte auf den festen Strick, der die Netze zusammenhielt, »und lasse meine Fische hinaus.«
Der dicke Kukulic riss seine Augen auf und lief rot an. »Seid Ihr verrückt?«
Auch die Zwillinge machten erschrockene und dann grimmige Gesichter und sogar der alte Orlovic sperrte seinen Mund auf.
»Ich bin genauso wenig verrückt wie Ihr«, lächelte der alte Gorian, »aber hier sitze ich, hier ist mein Messer«, er zog es aus der Tasche, »und Ihr müsst Euern Leuten nur den Auftrag geben, in die Boote zu steigen, dann ist der Strick durch.«
Direktor Frages trat näher. Der junge, schöne Mann sah den alten Gorian eine Weile interessiert an.
»Aber, Väterchen«, sagte er, »Ihr vernichtet doch damit Euer Netz. Ihr fügt außerdem Euren Freunden und Euch selber großen Schaden zu. Der ganze Fang flüchtet wieder ins Meer. Das wäre ja beinahe gemein.«
Der alte Gorian hob sein Gesicht. »So, so, das scheint Euch eine Gemeinheit, aber dass ich meinen Fang nicht mehr verkaufen kann wie seit dreißig Jahren, dass mir die Gesellschaft alle Wagen stiehlt, dass sie mir sogar den Verkauf meiner Fische auf dem Markt verbietet, das ist keine, he, junger Mann?«
Der dicke Kukulic hatte seine Sprache wiedergefunden. »Ich muss so handeln«, sagte er, »die Gesellschaft und der Magistrat verlangen es so.«

»Ihr müsst gar nicht so handeln«, erwiderte der alte Gorian grob. »Ihr wollt so handeln. Ihr wollt uns Kleine alle kaputtmachen. Die Gesellschaft«, fuhr er nach einer Pause fort, »seid Ihr übrigens selber. Nein, Herr Direktor«, der alte Mann richtete sich auf, »Eure Gemeinheit ist viel größer als die meine.«
»Die Sache mit der Lizenz hat der Magistrat beschlossen«, begehrte der dicke Kukulic auf.
Der alte Gorian lachte. »Und Ihr seid darin, der Bürgermeister ist auch in Eurer Gesellschaft, Brozovic hat gleichfalls Aktien, auch Radic hat welche. Ha, ha, der Magistrat! Herr Kukulic, die Sache mit der Lizenz und dass wir armen Fischer unsere Fische nicht mehr auf dem Markt verkaufen sollen, stammt gleichfalls aus Eurem Glatzkopf.«
Jetzt wurde Kukulic deutlicher. »Wenn Ihr das alles wisst, wisst Ihr ja auch, dass Ihr nichts gegen die Gesellschaft machen könnt.«
»Das weiß ich. Da ich aber ein freier Fischer bleiben will, lasse ich meine Fische, wenn ich sie nicht ohne mich verkaufen kann, lieber wieder ins Wasser.« Er blinzelte leicht und zeigte auf einige der großen Tiere, die träg und stumm zu den Männern heraufsahen. »Übrigens schade um die Tiere. So große gibt es selten in Senj.«
Direktor Frages trat wieder zum alten Gorian.
»Ihr wollt also Ernst machen?«
»So wahr ich hier stehe«, sagte der alte Gorian feierlich.
»Nun gut«, meinte der junge Mann. »Ich mache einen dritten Vorschlag. Ich kaufe Euch Euren Anteil noch einmal ab, ohne dass Ihr Euch selber mit Eurem Fangplatz an die Gesellschaft verkaufen müsst, aber …«
»Herr Frages!«, rief der dicke Kukulic entsetzt.
Der junge Mann ließ sich nicht stören, er sprach weiter. »Aber das ist das letzte Mal. Im nächsten Jahr werdet Ihr ja sowieso klein beigeben müssen, denn Euer Nachbar ist bereits der Gesellschaft beigetreten, und entweder tut Ihr es dann auch oder Euer Fangplatz bleibt liegen, denn die Fischrechte in der Bucht gehören dann zur Hälfte der Gesellschaft.«
»Was im nächsten Jahr ist, darüber wollen wir im nächsten Jahr sprechen«, sagte der alte Gorian schlicht. »Ich bin ein alter Mann und vielleicht kann ich bis dahin doch noch als freier Fischer sterben.«
»Mein Vorschlag gilt also?« Doktor Frages reichte Vater Gorian seine

Hand. Der alte Gorian wollte gerade einschlagen, da sprang der dicke Kukulic noch einmal dazwischen. »Der Preis, Herr Frages, der Preis, Sie haben den Preis vergessen. Ich zahle nicht mehr als einen Dinar für das Kilo.«
»Ich habe immer einen Dinar und dreißig Para bekommen«, sagte der alte Gorian, »und ich habe nicht gehört, dass die Tunfischer in der letzten Zeit ihre Preise herabgesetzt haben.«
»Ein Dinar zehn ist das Höchste, was ich zahle«, knurrte der Glatzköpfige weiter.
Der alte Gorian blickte ihn an. »Ich bin ein Fischer und kein Händler, Herr Kukulic.«
»Gebt es ihm schon«, drängte der junge Mann. »Ihr bekommt ja die andere Hälfte sowieso halb umsonst und wir brauchen die Fische.« Er wandte sich zum Gehen.
Der dicke Kukulic sah zuerst auf den alten Gorian und dann auf den sich entfernenden Frages. »Na, meinetwegen«, knurrte er und schnaufte hinter dem weißen Mann her.
Die Fischer stellten noch zwei Tische neben den Steintisch, machten die Boote los und nun begann ein Schlagen, Töten und Schlachten, wie es die Bucht noch nie gesehen hatte.
Die Fischer prügelten einfach in das Wasser, fassten nach den getroffenen Fischen und versuchten sie in die Boote zu ziehen. Die Fische bäumten sich auf, manchmal schnellten sie wie Torpedos in die Höhe, überschlugen sich in der Luft und knallten wieder ins Wasser.
Die Kinder waren beim alten Gorian sitzen geblieben und sahen der Schlacht von weitem zu.
Es sah viel schlimmer aus als während der letzten Tage, wo sie selber die Fische betäubt und aus dem Wasser gezogen hatten.
Zora schloss die Augen und drückte sich an den alten Gorian. »Furchtbar«, klagte sie, »die armen Fische.«
Der Alte strich ihr über den Kopf. »Ja«, meinte er, »es ist schlimm. Aber was willst du machen. Die kleinen Fische fressen die Krebse und die Larven. Die großen Fische fressen die kleinen und die großen werden dafür von uns gefressen. Fressen oder gefressen werden, so ist das Leben.«
Es waren noch nicht zehn Minuten vergangen, da waren die Kähne das erste Mal voll. Orlovic und seine Söhne schnitten die Tiere auf, darauf wurden sie gewogen und auf die Lastwagen geschleppt.

Zwei Stunden dauerte das schauerliche Schlachten, dann waren alle Wagen voll.
»Kommt!« Der alte Gorian stand auf. »Jetzt wollen wir uns unser Geld geben lassen.«
Der alte Orlovic, Doktor Frages und der dicke Kukulic saßen schon unter dem Feigenbaum und rechneten die Gewichte zusammen.
»Das ist wirklich ein guter Fang.« Der junge Mann nickte dem alten Gorian zu. »So große und schwere Fische habe ich noch nie gesehen. Die meisten sind zwischen dreißig und fünfzig Kilo. Wir haben aber auch einige von siebzig, achtzig und neunzig Kilo darunter.«
»Dabei merkt man noch gar nicht, dass wir schon wieder drei Wagenladungen herausgeholt haben«, sagte der dicke Kukulic etwas freundlicher und fuhr sich vergnügt über die Glatze. »Ja, ich glaube, es sind bestimmt noch einmal drei Wagen darin.«
Der alte Gorian nickte nur, dann sagte er still: »Es ist beinahe so, als wollte mich der Himmel mit meinem letzten Fang noch einmal besonders segnen.«
Die Ziffern waren zusammengerechnet, der dicke Kukulic zog einen großen Beutel aus der Tasche und zählte Scheine, Silber und Nickel ab. Einen Teil schob er dem alten Orlovic und seinen Söhnen zu und den anderen dem alten Gorian.
»So«, sagte er dazu, »das gehört alles Euch, Vater Gorian.«
Der alte Gorian blinzelte nur.
Die Motoren ratterten und die Männer verabschiedeten sich. Der alte Orlovic und die Zwillinge fuhren mit. Sie sollten in Senj beim Umladen helfen.
So blieben der alte Gorian und die Kinder allein. Sie säuberten die Tische, warfen die Abfälle den Möwen zu, die wieder zu Hunderten das Haus und den Garten umflatterten, dann säuberten sie auch die Boote, und als alles fertig war, rief sie der Alte wieder zusammen.
»Nun bekommt ihr auch euren Lohn«, sagte er.
Die Kinder lachten: »Wir?«
»Natürlich.« Der Alte strahlte sie an. »Oder meint ihr, ich hätte nur meinetwegen um das Geld gekämpft? Nein, der alte Gorian könnte auch ohne den dreckigen Mammon leben. Kommt, setzt euch um den Tisch.«
Sie mussten sich ihm gegenüber setzen.
Der Alte teilte nun seinen Haufen in vier gleiche, kleinere Haufen.

»Es geht wie bei einer richtigen Fischverteilung zu«, erklärte er. »Den ersten Haufen«, er zog ihn näher, »bekommt der alte Gorian, weil er der Besitzer des Fangplatzes ist und weil ihm das große Netz gehört. Den zweiten Anteil bekommt auch der alte Gorian, das ist sein Anteil an dem Fang. Zwei Kinder zählen immer wie ein Erwachsener.« Er nahm den dritten Haufen und schob ihn Branko und Zora zu. »Ihr müsst das Geld unter euch teilen. Den vierten Haufen bekommen Nicola und Duro, so, und jetzt sind wir fertig.«
Die Kinder starrten ihre Geldhaufen noch immer ungläubig an. Da sagte Pavle traurig in die Stille hinein: »Und ich bekomme gar nichts?«
Der Alte zuckte mit den Achseln. »Du hast die ganze Zeit im Stroh oder in der Höhle gelegen. Halt«, sagte er dann, »die letzten Tage hast du ja die Fische mitgefüttert und mir den Karren in die Stadt geschoben.«
Er nahm ein paar Dinare von seinem Haufen. »Dafür musst du natürlich etwas bekommen.«
Die Kinder hatten ihr Geld inzwischen geteilt, und Branko, Zora, Nicola und sogar Duro schoben dem traurigen Pavle auch etwas von ihrem Geld zu.
Branko zählte sein Geld. »Ich bin ja ein reicher Mann«, sagte er. »Ich habe vierhundertfünfundachtzig Dinar.«
»Ich auch«, lachte Zora. »Was machen wir nun damit?«
»Ich kaufe mir morgen ein Messer«, sagte Duro. »Ich will schon lange ein richtiges Messer haben.«
»Ich gehe morgen ins Kino«, meinte Nicola. »Das habe ich mir schon immer gewünscht.«
Der Alte schmunzelte: »Für dein Geld kannst du dir fünfzig Messer kaufen«, sagte er zu Duro, »und für das deine kannst du hundertfünfzigmal ins Kino gehen. Ihr müsst euch etwas Besseres ausdenken.«
Branko sagte: »Ich kaufe mir eine Geige.«
Zora blinzelte ihm zu. »Ich weiß auch, was ich mir kaufe.« Aber sie sagte es nicht. Sie behielt es für sich.
Die Kinder setzten sich mit dem Alten noch eine Weile ans Wasser. Zora hatte Sauermilch und Brot geholt, der Alte fetten Ziegenkäse, den sie in Öl und Pfeffer tauchten. Die Sonne war untergegangen und von den Inseln kam ein kühler Wind. Die Kinder kauten mit vollen Backen, fühlten sich reicher denn je und waren voller Freude.

Zora lehnte sich an den Alten. »Vater Gorian«, fragte sie, »warum ist die Welt eigentlich nicht immer so schön wie heute?«
Der Alte sah sie an. »Ja, warum wohl?«
Branko beugte sich vor. »Wisst ihr es nicht, Vater Gorian?«
Der Alte fuhr sich über den Bart. »Ich weiß es schon, aber es ist eine lange Geschichte.«
»Wollt Ihr sie uns nicht erzählen?« Alle fünf Kinder sahen zu ihm auf.
»Wenn ihr still seid, will ich es versuchen.«
»Ja, ja«, riefen die Kinder und rückten näher um ihn zusammen.
Der Alte blickte in die Höhe. »Seht ihr da oben den Himmel, den Mond und die Sterne?«
Die Kinder nickten.
»Das ist die Mutter Welt, von der will ich euch erzählen.«
Der Alte schwieg wieder einen Augenblick, als müsse er noch einmal alles, was er erzählen wollte, überdenken; dann begann er: »Wie vor vielen tausenden von Jahren wohnt auch heute noch über der Erde die Mutter Welt. Die Mutter Welt hat zwei Söhne, der eine ist der geratene und der andere der ungeratene Sohn. Der eine ist gut und der andere schlecht. Den einen nennt sie deswegen ihren guten oder Gottessohn und den anderen nennt sie ihren schlechten oder Teufelssohn, der eine tut auch immer nur Gutes und der andere immer nur Schlechtes.
Sie spielten den ganzen Tag mit den Sonnen, Monden und Sternen ihrer Mutter. Der gute Sohn sorgte dafür, dass die Monde erst auftauchten, wenn die Sonnen verschwunden waren, und er bemühte sich auch darum, dass von den Millionen Sternen jeder seine Bahn zog und keiner auf den anderen stieß, aber wenn er einmal von seiner Arbeit aufstand und wegging, kam Teufelssohn und brachte alles durcheinander. Zwei Sterne stießen zusammen, platzten oder stürzten aus ihrer Bahn, einmal stand eine Sonne vor dem Mond und einmal ein Mond vor einer Sonne, einmal fiel sogar ein Stern in die Milchstraße und es gab ein großes Unglück. Es dauerte immer eine Weile, bis Gottessohn alles in Ordnung gebracht hatte und jedes Gestirn wieder seinen Weg ging.
Eines Tages sagte der gute Sohn zu seiner Mutter: ›Mutter, warum sind alle unsere Sterne kalt und tot? Ich möchte sie gerne warm und lebendig machen.‹

›Tu es, mein guter Sohn, wenn es dir Freude macht‹, sagte die Mutter Welt.
Gottessohn griff in die Sterne hinein und nahm sich unsere Erde heraus. Er machte zuerst ein Loch in sie, nahm eine der vielen kleinen Sonnen seiner Mutter und steckte sie hinein, damit die Erde warm würde. Dann nahm er eine große Sonne und stellte sie so auf, dass die Erde auch von außen gewärmt werden konnte, und das nannte er Tag, und damit sie nicht zu warm wurde, musste sie der Mond wieder abkühlen, und das nannte er Nacht.
Als er mit dieser Arbeit fertig war, legte er sich hin und schlief.
Da kam sein Bruder Teufelssohn und sah, was Gottessohn gemacht hatte, und sofort tat er alles, um das Werk seines Bruders zu zerstören. Zuerst stach er winzige Löcher in den Erdball, dass die Sonne an vielen Stellen wieder herauskochte. Darauf verstellte er die Bahn der Sonne und des Mondes, dass die Sonne über der Erdmitte ihrer Kruste zu nahe kam, das Wasser verdampfte und alles wieder trocken wurde, und an den beiden Seiten war sie dafür so weit von ihr entfernt, dass sich dickes Eis über die Erde zog und sie kälter wurde als je zuvor.
Gottessohn sah zwar, was sein böser Bruder, während er schlief, mit seinem Werk getan hatte, aber er konnte es nicht mehr ändern, er konnte sein Werk nur fortsetzen und so formte er seine Erde weiter. Er schuf Täler und Berge, er ließ Wasser fließen und befruchtete alles und die Erde war schöner anzusehen als die himmlische Welt.
Während er schlief, stand Teufelssohn wieder auf und er streute Sand über die fruchtbarsten Plätze, dass sie Wüste wurden, er warf Felsen in die Täler, dass sich die Wasser stauten und alles überschwemmten. Er zerhackte die Berge mit einem Messer, dass sie auf der einen Seite schön und sanft, auf der anderen Seite aber schroff und gefährlich waren, und in die Meere schüttete er Salz und das salzige Wasser tränkte den Boden nicht mehr, es erstickte ihn.
Gottessohn war zornig, als er sah, wie sich Teufelssohn wieder an seinem Werk versündigt hatte, und er versuchte das zweite Mal die schlechten Taten seines Bruders mit guten zuzudecken. Er streute Samen über die Erde und es wuchsen überall die herrlichsten Bäume und Sträucher, Gräser und Pflanzen, Beeren und Blumen, und wo es zu heiß war für die Blätter und Bäume, machte er anstatt Blätter Stacheln, und wo es zu kalt war, durften die Bäume im Herbst ihre Blät-

ter fallen lassen und bekamen im Frühjahr neue, und wo es ganz kalt war, bekamen sie Nadeln und denen machte auch die schlimmste Kälte nichts.
Teufelssohn sah mit scheelen Augen auf die Felder und Wälder, die Wiesen und die blumigen Hänge und er wartete kaum, bis sein Bruder die Augen geschlossen hatte, da streute er eilig allerlei schlechten Samen zwischen den guten. Efeu und Lianen gingen auf, wanden sich um die Bäume und erdrosselten sie. Moos kroch die Stämme hinauf bis auf die kleinsten Äste, saugte sie aus und das Holz wurde morsch und zerbrach. Hunderte von Giftpflanzen wuchsen zwischen den guten Pflanzen und erstickten sie. Tausenderlei Unkraut schoss neben den guten Kräutern aus der Erde und nahm diesen die Nahrung, die Sonne und das Wasser.
Gottessohn ließ sich aber auch durch diese Tat nicht von seinem guten Werk abbringen. Er schuf nun die ersten Lebewesen. Zuerst schuf er aus Erde und Wasser die Fische und ließ sie im Meer und in den Flüssen schwimmen. Er machte große und ganz große, kleine und ganz kleine. Er machte solche, die mit den Flossen, und solche, die mit den Schwänzen schwammen. Er malte sie bunt an, dass sie schön waren und alle Farben hatten, und die Fische tummelten sich in allen Flüssen und Bächen, in allen Seen und Meeren und er gab ihnen auch verschiedene Mägen, sodass die einen das salzige Wasser und die anderen das süße Wasser vertrugen, ja, er hauchte ihnen so viele Möglichkeiten ein, dass sie selbst aus dem süßen Wasser in das salzige und aus dem salzigen Wasser in das süße schwimmen konnten.
Teufelssohn sah das alles und wurde blass vor Neid. Darauf ging er hin und versuchte auch dieses Werk seines Bruders zu zerstören. Zuerst schärfte er einigen Fischen die Zähne, während er sie den anderen nahm. Den dritten machte er Stacheln auf den Kopf und den vierten auf den Rücken oder den Bauch, einigen machte er sogar das Maul zu einer Säge und anderen gab er die Kraft, dass sie schon durch ihre Berührung ihre größeren und kleineren Brüder töten konnten; dann ging er noch einmal unter sie und flüsterte den großen zu, sie sollten doch nicht nur vom Wasser und von der Luft leben, ihre kleinen Brüder schmeckten viel besser, und den kleinen sagte er, sie sollten sich ja nicht von den größeren einfach fressen lassen, sie sollten sich gegen sie wehren, deshalb habe er ihnen Zähne und Stacheln gegeben.

Als sich Gottessohn das vierte Mal von seinem Lager erhob, sah er sofort, was sein Bruder wieder angerichtet hatte. In allen Gewässern seiner Erde, ob sie nun stillstanden oder dahinflossen, tobte ein Krieg zwischen den Fischen und die großen versuchten die kleinen zu verschlingen und die kleinen versuchten die großen zu töten. Jeder stellte dem anderen nach und statt des fröhlichen Lebens im Wasser herrschte Neid, Feindschaft, Missgunst und Rache.
Gottessohn war traurig, aber er fasste schon wieder nach Erde und Wasser und an diesem Tage schuf er die Vögel. Er machte wieder große und kleine, leichte und schwere Vögel und den großen gab er große Schwingen und die kleinen machte er dafür bunter und bunter und den großen gab er gewaltige Stimmen und den kleinen gab er zartere, aber so schöne, wie man sie noch nie auf der Welt gehört hatte, und die einen lehrte er das Fliegen und die anderen das Laufen und die dritten das Fliegen und das Schwimmen und alles war wohlgeraten und alle Vögel freuten sich.
Die meisten erhoben sich auch gleich, um mit ihrer Stimme Gottessohn und seine Mutter, die Welt, zu preisen.
Als Teufelssohn den Gesang hörte, wurde er zum ersten Mal richtig wütend über seinen Bruder und er nahm sich vor, diesmal dessen Werk noch gründlicher zu zerstören als vordem. Einigen Vögeln schnitt er die Flügel ab, dass sie sich nicht mehr erheben konnten, anderen strich er ein schmutziges Grau über ihr buntes Gefieder, den dritten nahm er die schönen Stimmen und ließ sie dafür kreischen, den vierten schärfte er die Schnäbel, dass sie spitz und gefährlich wurden, den fünften gab er Krallen und feste Sporen an die Füße, dann sagte er zu den großen: ›Wisst ihr eigentlich, was die kleinen Vögel singen?‹ – ›Nein‹, antworteten die großen Vögel, ›das wissen wir nicht.‹ – ›Sie beschimpfen euch‹, sagte er ihnen, ›und nennen euch kreischende Missgeburten.‹ Da ergrimmten die großen Vögel, und wo sie einen kleinen singen hörten, stürzten sie sich auf ihn, und wenn sie ihn fingen, fraßen sie ihn oder brachten ihn zu ihren Kindern in ihre Nester, und als Gottessohn von seinem Schlaf erwachte und seine Vögel kaum noch singen hörte, wusste er schon, dass Teufelssohn sich wieder über sein Werk hergemacht hatte. Nur die größten und stärksten Vögel waren noch in den Lüften, die kleinen hatten sich in den Wäldern und Büschen versteckt, trauten sich kaum noch aus ihnen hervor und wagten nur noch heimlich, ihn zu loben und zu preisen.

Gottessohn setzte aber auch an diesem Tag sein Werk fort und diesmal schuf er die Tiere. Er formte den Wolf und den Bären, den Löwen und den Elefanten, den Hasen und das Rind, das Pferd und den Hund und einen schmückte er mit einem Rüssel und einen anderen mit einem Horn, den dritten mit starken Beinen und den vierten mit einer lauten Stimme und die Tiere tollten über die Berge und Täler, sie jagten sich und spielten miteinander und es war eine Freude, das alles anzusehen.

Sogar Teufelssohn hatte seine Freude daran, aber nur kurze Zeit, dann trieb er wieder sein böses Spiel. Die großen Tiere lehrte er das Brüllen und die kleinen das Zittern, und wenn die großen Tiere den kleinen begegneten, brüllten sie und die kleinen zitterten vor Angst und die großen stürzten sich über sie, zerrissen sie und fraßen sie auf. Das genügte aber Bruder Teufelssohn noch nicht. Er ging das zweite Mal unter sie und sagte zum Löwen: ›Der Wolf behauptet, er sei stärker als du‹, und zum Nashorn sagte er: ›Der Tiger erzählt, er könne dich mit einem Schlag seiner Pranke zu Boden schlagen‹, und es war noch nicht Abend geworden, da bekämpften sich auch die großen Tiere untereinander, brauchten ihre Krallen, ihre Zähne, ihre Hörner und ihre Rüssel und Teufelssohn freute sich.

Da beschloss Gottessohn, wenigstens noch ein Lebewesen auf die Erde zu senden, das sich nicht bekämpfen würde. Er sagte sich: ›Ich werde es nicht nur aus Erde und Wasser machen, wie die andern Lebewesen, ich werde ihm auch etwas von mir geben. So schütze ich es vor meinem Bruder, denn Teufelssohn wird keiner Kreatur etwas von sich schenken‹, und Gottessohn schuf den Menschen. Er machte ihm einen Kopf wie den Tieren, aber er tat auch etwas von seinem Kopf hinein. Er gab ihm ein Herz wie den Tieren, aber er tat auch etwas von seinem Herzen hinein. Er schuf einen Leib, wie er vorher einen Leib für alle Lebewesen geschaffen hatte, aber er gab auch diesem Leib etwas von seinem Leib, so wurde der Mensch ein Ebenbild von Gottessohn und Gottessohn freute sich und setzte ihn auf die Erde.

Gottessohn täuschte sich aber. Als Teufelssohn das neue Geschöpf über die Erde wandern sah und merkte, wie vollkommen es war und was sein Bruder ihm alles mitgegeben hatte, da tat er dasselbe, was Gottessohn getan hatte. Er nahm etwas aus seinem Kopf und tat es in des Menschen Kopf. Er nahm etwas aus seinem Herzen und tat es in des Menschen Herz, er nahm etwas aus seinem Leib und tat es in des

Menschen Leib, damit der Mensch nicht nur seinem guten Bruder, sondern auch ihm ähnlich sei, und als Gottessohn am andern Tag sein letztes Werk betrachtete, sah er, dass auch dieses missraten war. Die Menschen bekämpften, stritten und töteten einander schon genauso wie die Fische, die Vögel und die anderen Tiere, und wenn Gottessohn den Menschen auch sagte: ›Tut das nicht, das ist böse‹, so sagte Teufelssohn zu ihnen: ›Nein, das ist nicht böse, und selbst wenn es böse wäre, so tut es doch.‹«
Vater Gorian, der, während er seine Geschichte erzählte, immer versonnen über das Meer geblickt hatte, sah jetzt wieder auf die Kinder. »Deswegen«, fuhr er fort, »ist die Welt nicht immer so schön wie heute, weil sie nicht allein von Gottessohn, sondern auch von Teufelssohn geschaffen wurde. Deswegen ist auch der Mensch nicht immer gut, sondern genauso oft schlecht, weil wir ebenso viel Gutes wie Böses in unserem Kopf und unserem Herzen haben.« Die Kinder waren eine Weile still und sahen auf das Wasser. Ganz im Osten blitzte es einige Male auf und über Rab fuhr eine Sternschnuppe quer durch den großen Himmel ins Wasser.
»Das war wieder Teufelssohn«, sagte Pavle.
»Ja, er hat mit den Sternen gespielt«, meinte Nicola.
»Ich glaube, ich habe auch ein wenig vom Teufelssohn in mir«, sagte da Zora traurig.
»Ich habe es dir ja erzählt«, antwortete der Alte, »wir haben alle etwas in uns.«
»Kann man es denn nicht aus sich herausreißen?«, fragte das Mädchen.
»Das kann man nicht. Aber wir können uns Mühe geben, dass der Teufelssohn nicht zu groß in uns wird.«
Zora holte tief Luft. »Ich will es versuchen, Vater Gorian.«
Der alte Gorian sagte wieder: »Wir wollen es alle versuchen.«
»Ja«, meinte auch Branko, »das wollen wir.«
Vater Gorian legte seine Arme um die Kinder: »Und wir wollen von jetzt an noch fester zusammenhalten als in den letzten Tagen, das ist auch schon eine große Hilfe gegen den Teufelssohn in der Welt.«

21

Der Kampf mit dem Tintenfisch

Branko konnte kaum erwarten, dass es tagte. Am liebsten wäre er noch in der Nacht hinaus auf den Felsen geschwommen, um schon da zu sein, wenn Zlata kam.
Er musste ihr so viel erzählen. Er war reich geworden, konnte sich eine Geige kaufen und sicher bald ein richtiger Geiger werden.
Es war noch dunkel, als er das Wasser zerteilte, und der Nebel lag wie eine dicke Mauer auf den Wellen.
Der Stein war bereits aus dem Wasser aufgetaucht und er setzte sich darauf. Es war kalt und ihn fröstelte, er war deshalb froh, als die Sonne kam und ihn und den Stein wärmte.
Langsam tauchten auch die Berge, die Stadt und das Bad aus dem Nebel. Er sah, wie Kukuljevic die Kabinen auskehrte, das Bad öffnete und wie die ersten Leute kamen.
Es waren Tabakarbeiterinnen und Matrosen. Er sah auch ein junges Mädchen, aber Zlata war es nicht.
Von der Kirche des heiligen Franziskus schlug es acht und das Mädchen war noch immer nicht gekommen. Das Bad belebte sich von Minute zu Minute mehr, aber auch um neun erblickte der Knabe noch nirgends ihr grünes Badekostüm oder ihren bunten Bademantel.
Branko machte sich Sorgen. War Zlata krank geworden? War sie plötzlich verreist? Er wartete noch, bis es von allen Kirchen zehn schlug, dann schwamm er zurück.
Wie immer stieg er an der Spitze der Bucht aus dem Wasser und ging langsam auf das Haus des alten Gorian zu. Die Möwen schwebten wie kleine, weiße Wolken über das Dach, der Fischadler war auch wieder zu sehen, im gleichen Augenblick ratterten drei Lastwagen fort. Die Gesellschaft hatte neue Fische geholt.
Sonst war es still in dem kleinen Gehöft. Branko sah auch niemanden von der Bande. Halt, in dem kleinen Boot schaukelte eine Frau oder ein Mädchen.
Branko ging hinunter. Er blieb erstaunt stehen. Es war Zora. Im nächsten Augenblick schwang er sich zu ihr in den Kahn. Er erkannte

sie kaum. Über dem brandroten Haar saß ein viel zu großer, mit bunten Blumen bedeckter Hut. Um den schönen, schlanken Hals zogen sich dicke rote, blaue und grüne Ketten. Über dem festen, braunen Körper, der sonst in einem kurzen Hemd und einem bunten Rock steckte, hing wie ein zu großer Sack, in der Mitte gerafft, eine rötliche Fahne, und ihre festen, braunen, muskulösen Beine steckten in hohen Schuhen und dünnen Strümpfen.
Das Mädchen hatte sich auch geschminkt. Ihre Augenbrauen waren mit zwei schwarzen Strichen nachgezogen, auf ihren Backen leuchteten rote Farbkleckse, die wieder mit einem rosa Puder bestäubt waren, und die schmalen Lippen leuchteten so rot, als habe sie das Mädchen mit frischem Ochsenblut bestrichen.
Zora stellte sich vor Branko auf, bog ihren Kopf nach rechts und nach links, blitzte ihn an und sagte: »Jetzt bin ich so schön wie deine Zlata.«
Branko wusste nicht, was er antworten sollte. Weil sie so wie Zlata aussehen wollte, hatte sich Zora diese Fahne umgehängt, so scheußlich bemalt und einen so furchtbaren Hut auf den Kopf gesetzt. Deswegen war es ihr auch gestern so leicht über die Lippen gekommen: »Ich weiß, was ich mir von meinem Geld kaufe.«
Branko erholte sich von seinem Schreck und seinem Staunen. Er schüttelte den Kopf. »Nein«, meinte er unter Lachen, »du hast aus unserer stolzen roten Zora nur eine hässliche Vogelscheuche gemacht.«
Zoras Gesicht verzog sich und wurde hart und bös. »Verspotte mich noch«, sagte sie. »Aber das merke dir, deiner Zlata kratze ich morgen die Augen aus!«
»Was hast du eigentlich gegen sie?«, fragte Branko.
»Sie ist eine Hexe wie deine Großmutter Kata!«
Branko schüttelte den Kopf. »Das ist sie bestimmt nicht.«
»Doch, sie hat dich verhext.«
»Du Schafskopf.« Branko wurde ärgerlich. »Ich glaube, in dich ist der Teufel gefahren.«
»Oder in dich. Sonst würdest du nicht den ganzen Tag herumhocken, große Augen machen und auf deiner Mundharmonika blasen.«
»Oh«, sagte Branko, »sie will mir sogar das Geigenspiel beibringen.«
»Auch das noch!« Zora stampfte auf. Sie wollte laut schimpfen, da hörten sie ganz in der Nähe jemanden um Hilfe rufen.

Das Mädchen stellte sofort ihr Schimpfen ein. »Was war das?«, fragte sie.
»Ich weiß es nicht«, antwortete Branko. »Ich weiß nur, jemand hat ›Helft mir!‹ gerufen.«
Sie blickten sich um. »Dort, dort!«, rief das Mädchen.
Ungefähr fünfzig Meter vor ihnen tauchte ein zottiger Kopf aus den Wellen auf und rief wieder um Hilfe.
»Das ist ja Duro!«, rief Zora. Sie stieß eilig das Boot vom Ufer und griff nach den Rudern.
Auch Branko erkannte Duro. Sein dickes, tückisches Gesicht war blass und verzerrt, er schlug mit den Händen um sich und rief immer verzweifelter um Hilfe.
»Fass doch mit zu!«, schrie Zora Branko an.
Branko hatte keine Lust. »Nein, ihm helfe ich nicht. Der Schleicher ist mir sicher wieder nachgeschwommen.«
Die Kinder sahen jetzt auch, womit Duro kämpfte. Einer der Tintenfische, die sich, seitdem die Bucht voller Abfälle und Eingeweide war, in großen Scharen im seichten Wasser herumtrieben, hatte den Duro gepackt und versuchte ihn nach unten zu ziehen.
Ihr Boot schoss heran. Duro streckte schon seine Hand aus, um sich in das Boot zu ziehen, da schrie er noch einmal auf und im gleichen Augenblick zog ihn das Tier in die Tiefe.
Die Kinder konnten den Tintenfisch genau sehen. Wie ein angefüllter Sack hing das große, vollgefressene Tier unter dem Jungen, die schwarzen Saugarme hatte es um die Beine und den Leib des Jungen geschlungen.
»Du hilfst ihm also nicht!« Zora stieß Branko, der noch immer hinter Duro herstarrte, grob in die Seite.
»Nein«, sagte Branko, der Duro seine Spioniererei nicht verzeihen konnte, noch einmal.
»Bist du überhaupt noch ein Uskoke?«, schrie das Mädchen laut. »Hast du bei deiner Zlata schon verlernt, dass bei den Uskoken Kameradschaft bis zum Tod herrscht? Bist du schon so ein Schuft geworden, dass du vergessen hast, dass wir dich auf der Straße aufgelesen und aus dem Gefängnis geholt haben? Bist du schon so ein gemeiner Kerl geworden, dass du das alles nicht mehr wahrhaben willst?«
Die Augen des Mädchens blitzten zornig und drohend und im gleichen Augenblick tauchten auch ihre geballten Hände vor Branko auf.

Branko war richtig erschrocken über diesen Angriff, aber er machte noch immer keine Anstalten, um Duro zu helfen.
»Wenn du so falsch und feige geworden bist«, sagte Zora, die Brankos Schweigen falsch verstand, »dann werde ich Duro zu Hilfe kommen!« Und ehe sich Branko versah, riss sie ihren Hut vom Kopf und warf ihn ins Boot, zerrte das teure Kleid vom Leibe, zog Schuhe und Strümpfe aus und jetzt stand sie, nur noch ihr kurzes Hemd über dem braungebrannten Körper und ihre roten Haare wie eine Feuerlohe über sich, vor ihm und wollte an ihm vorbei.
Branko wachte endlich auf. »Halt! Ich gehe schon. Du wirst höchstens ertrinken.«
»Dann ertrinke ich eben!«, schrie Zora. »Aber ich will lieber mit Duro ertrinken, als dich Feigling noch länger sehen!«
Branko sah sich indessen bereits nach einer Waffe um. Im Boot lag ein festes Fischmesser. Er packte es, dann stellte er sich an die Spitze des Bootes.
Wo war der Tintenfisch?
Dort schwamm er. Das große Tier hatte sich einige Meter rechts von ihrem Kahn auf den sandigen Boden niedergelassen. Seine Fangarme schlangen sich immer dichter um Duros Leib und er zog den Jungen weiter und weiter vom Boot ab.
»Rufe inzwischen die anderen!«, sagte Branko noch, steckte das Messer zwischen die Zähne, schlug ein Kreuz, schloss die Augen, schnellte ins Wasser und schwamm hinter Duro und dem Tier her.
Branko hatte die Augen im Wasser sofort wieder geöffnet.
Er konnte auch hier unten alles deutlich sehen. Duro, das Tier, wenn auch durch die ständige Bewegung des Wassers alles verzerrt und vergrößert wurde.
Branko schwamm mit hastigen Stößen an die beiden heran. Jetzt galt es vor allem, schnell zu sein und sich nicht selber fassen zu lassen.
Das Tier sah ihn kommen. Es starrte ihn mit seinen großen, glasigen Augen an. Wie gräulich es aussah und wie drohend seine schwarzen Fangarme nach allen Seiten tasteten.
Mit einem blitzschnellen Griff zerschnitt er die beiden Arme, die um Duros Körper lagen. Nun fasste er nach den Armen, die um Duros Beine geschlungen waren. Ratsch! Auch die fielen nach unten.
Im gleichen Moment schob er sich mit einem Stoß unter Duros Leib und stieß ihn mit seinem Körper in die Höhe.

Die beiden Jungen schossen hoch und einige Sekunden später spürte Branko, dass es leichter über ihm wurde. Schwamm Duro wieder oder hatte ihn Zora gepackt und ins Boot gezogen? Gleich musste er es sehen. Er schnellte höher und sein Kopf schoss aus dem Wasser. Aber nur einen Moment, ein paar Sekunden darauf spürte er, dass er selbst festgehalten wurde. Es war, als ob sich ein sehniger, haariger Strick um ihn schlang, zur gleichen Zeit spürte er einen saugenden, scharfen Schmerz. Was war mit ihm geschehen? Im nächsten Augenblick wusste er es, der Tintenfisch hatte Duro freigelassen, dafür hatte er ihn gepackt.

Zuerst durchfuhr ihn ein furchtbarer Schreck, dann brachte er sich mühsam wieder zur Ruhe. Nein, Angst war jetzt das, was er am wenigsten brauchen konnte, er brauchte Schlauheit und Schnelligkeit, denn er war schon eine lange Zeit unter Wasser und fühlte bereits, wie sein Herz gegen die Brust und bis in den Hals hinauf hämmerte. Er packte sein Messer fester und tastete nach dem Arm, der sich um seine Brust ringelte und sich immer kräftiger am Leib festsaugte; im gleichen Moment sah er, wie noch ein zweiter und ein dritter Arm sich auf ihn zuschlängelten.

Branko schnitt rasch zu, aber da kamen die anderen Arme schon heran und legten sich um seinen Hals und seine Beine. Du Biest!, dachte er und einige Sekunden war er tatsächlich wie gelähmt. Er sah das Tier auch wieder. Es hockte rund und dick wie eine Teufelsfratze unter ihm und die großen Stielaugen starrten ihm ins Gesicht. Blitzschnell überlegte er, ob es nicht das Beste sei, sich gar nicht mehr um die einzelnen Arme zu kümmern, sondern sich einfach auf die Fratze zu stürzen und sie mit dem Messer zu zerfleischen. Es schien beinahe so, als ob das Tier Brankos Gedanken erriet, denn es spie eine dicke Flüssigkeit aus, die erst alles bläulich, später dunkel und zuletzt schwarz färbte, und die Fratze war darin verschwunden.

Branko stieß aber doch in die Tiefe und mitten in die dicke, aufgedunsene Fratze hinein. Dann riss er das scharfe Messer einmal von rechts nach links und wieder von links nach rechts und wieder von rechts nach links, immer durch den schwammigen Leib hindurch. Der Druck über der Brust wurde schwächer. Die Fangarme saßen nicht mehr so fest um seinen Hals, auch der saugende Schmerz am Leib ließ nach.

Es war Branko aber schon beinahe gleich, denn dafür hämmerte das

Herz immer toller in der Brust. Er spürte es wieder im Hals, es sauste ihm in den Ohren und er wurde ganz müde und schlapp. Er besaß gerade noch so viel Kraft, um sich noch einmal abzustoßen, dann verschwamm ihm alles vor den Augen und er wusste nichts mehr.

Er fühlte nur, dass er auf einmal leicht und wie durchsichtig wurde. Er schwamm auch nicht mehr, er schwebte. Er flog über eine Wiese und auf der Wiese waren große, bunte Blumen und blühende Sträucher und dann sah er auch das erste Mal seine Mutter wieder. Seine Mutter flog genauso wie er. Sie nahm ihn an den Händen und sie tanzten auf und ab. Ein Mann geigte dazu und der Mann war sein Vater und er spielte so schön, wie er noch nie gegeigt hatte, dem Knaben kamen dabei die Tränen. Mitten im Tanz merkte er plötzlich, dass er nicht mehr mit seiner Mutter tanzte, sondern die Frau neben ihm war Zlata. Zlata tanzte noch besser, beschwingter und feuriger als seine Mutter, dann sang sie und der Vater geigte und die Mutter sang mit und der Vater spielte noch schöner. Da zog er seine Mundharmonika aus der Tasche und begleitete ihn.

Zora hatte inzwischen, wie es ihr Branko geraten hatte, nach Nicola und Pavle geschrien. Sie kamen auch sofort angerannt, stürzten sich in das zweite Boot und fuhren zu ihr hinaus.

»Was ist denn passiert!«, schrien sie.

Das Mädchen zeigte ins Wasser. »Duro ist von einem Tintenfisch gepackt worden und Branko ist mit einem Messer hinuntergetaucht, um ihn zu befreien.«

Die Kinder konnten alles sehen. Sie sahen es sogar recht genau. Branko schwamm auf den Tintenfisch zu, sie verfolgten, wie er mit dem großen Tier kämpfte, sie sahen auch, wie Duro wieder vor ihnen auftauchte, aber es war nicht Zora, wie Branko angenommen hatte, die Duro aus dem Wasser zog, sondern Pavle.

Sie sahen auch Brankos schwarzen Schopf einen Augenblick, auch sein Gesicht, aber ehe Pavle das zweite Mal zufassen konnte, war Branko wieder verschwunden.

Die Kinder starrten angsterfüllt in das Wasser und beobachteten den Kampf weiter.

»Jetzt hat er Branko!«, rief Nicola.

»Ich sehe es.« Pavle zitterte am ganzen Körper vor Aufregung und Wut und wollte sich gleichfalls ins Wasser stürzen.

Zora und Nicola hielten ihn fest. »Du kannst ja gar nicht schwimmen.«
»Jetzt lerne ich es aber«, schwor Pavle laut, »und wenn ich dabei ertrinke.«
Inzwischen umschlang das fürchterliche Tier Branko immer fester und fester.
»Oh!«, stöhnte Zora. Sie wagte kaum noch hinzusehen.
Da schoss Branko auf das Tier zu und im gleichen Augenblick färbte sich das Wasser und die Kinder konnten nichts mehr sehen. »Was ist geschehen?«, fragte Zora in größter Angst.
»Ich glaube, der Kerl hat das Wasser aufgewühlt.«
»Und Branko?«
»Wir müssen warten.«
Das Wasser wurde noch dunkler und langsam quoll ein dicker, undurchsichtiger, schwarzer Brei aus der Tiefe.
»Das ist doch Blut!«, schrie Zora entsetzt.
Pavle nickte.
»Brankos Blut!«
»Ich glaube nicht«, sagte Nicola. »Es wird wohl eher von dem Tintenfisch sein. Er hat seine ›Tinte‹ verspritzt.«
Die Kinder starrten immer ängstlicher und verzweifelter in die bläulich schwarzen Wellen.
»Ich fürchte«, sagte Zora, »das Tier lässt ihn nicht wieder los.«
»Ich tauche doch hinunter«, meinte Pavle und streifte sich das Hemd über den Kopf.
»Da ist er ja!«, jauchzte plötzlich Nicola.
Es war so. Direkt neben ihnen schoss Brankos Kopf aus dem Wasser. Pavle und Zora griffen eilig zu und zogen Branko ins Boot.
»Schnell ans Ufer!« Pavle fasste nach dem Ruder, auch Nicola ruderte.
Zora beugte sich indessen über Branko.
»Gott«, jammerte sie, »er sieht schon ganz weiß aus.« Auf einmal schrie sie auf, aus Brankos Hemd ringelte sich, schwarz und wie eine Schlange, ein Stück Arm des Tintenfisches.
Da stießen sie bereits ans Ufer.
Am Strand stand der alte Gorian, den das Schreien der Kinder aus dem Haus gelockt hatte, und erwartete sie.
»Was ist denn passiert?«, fragte er aufgeregt.

»Duro ist von einem Tintenfisch angefallen worden und Branko hat ihn befreit«, riefen Pavle und Nicola zur gleichen Zeit.
Gorian sah jetzt die beiden Kinder. Sie lagen weiß und wie tot in der Mitte des Bootes.
»Packt sie an!«, kommandierte er; er hatte Angst bekommen und hob Branko schon in die Höhe.
Erst brachten sie ihn an Land, darauf trugen Pavle und Nicola auch Duro an das Ufer.
Vater Gorian sah Branko einen Augenblick an, dann fasste er mit einem Lappen in seinen Mund und zog die Zunge heraus. Nun drehte er ihn um, legte die Hände unter seinen Leib und hob ihn so hoch, dass der Kopf und die Beine nach unten hingen. Im gleichen Moment schossen Wasser und Schlamm aus Brankos Mund.
Der Alte drückte noch einmal leicht gegen den Bauch des Jungen, bis auch das letzte Wasser heraus war, darauf legte er Branko wieder auf den Rücken, packte seine Arme und schlug sie einige Male nach oben und nach unten.
Sein Gesicht erhellte sich. »Ich glaube, mit dem ist es nicht so schlimm«, sagte er und hob und senkte Brankos Arme weiter.
Jetzt kam schon etwas Farbe in Brankos längliches Gesicht und die Brust hob sich leicht.
»Er atmet wieder«, sagte der Alte freudig.
Auch die Kinder sahen es. Brankos Brust hob sich leicht, und im gleichen Augenblick bewegte er die Lippen. »Vater«, stammelte er und nach einer Pause: »Zlata.«
Einige Sekunden später öffnete er die Augen. Sein Vater und seine Mutter waren verschwunden, auch Zlata war nicht mehr da. Über ihn beugten sich das struppige, gute Gesicht des alten Gorian und daneben ängstlich und groß Zoras Gesicht.
»Er atmet wieder«, wiederholte der Alte noch einmal und sein Gesicht strahlte; auch Zoras Augen wurden freudig und hell.
»Wo bin ich?«, fragte Branko erstaunt.
»Noch bei uns«, antwortete der Alte, »aber beinahe wärst du woanders gewesen.«
»Ja, bei meinem Vater und bei meiner Mutter.«
»Oder im Himmel.« Der Alte tätschelte ihm die Wangen, dann überließ er ihn dem Mädchen und wandte sich Duro zu.
Mit Duro war es nicht so leicht wie mit Branko. Der Knabe hatte viel

mehr Wasser geschluckt, und erst als ihm der Alte eine ganze Zeit die Arme vor- und zurückgebeugt, das Herz beklopft und immer wieder die Hände dagegengestemmt hatte, kam ein rosiger Hauch auf seine eingefallenen, gelben Backen und ein leichtes Pochen aus seiner Brust.

Es kam aber immer nur für kurze Zeit. Zwischendurch fiel der bleiche Junge von neuem in Ohnmacht. Erst als ihm Vater Gorian außer einem Schnaps noch Kaffee einflößte, den Nicola eilig gekocht hatte, behielt er die Augen länger offen.

»Ein Tintenfisch hat mich gepackt«, flüsterte er leise und wie aus weiter Ferne.

Der Alte lächelte ihm zu. »Er hatte dich gepackt, jetzt ist er tot.«

»Tot?« Duro versuchte sich aufzurichten. »Und wer hat ihn getötet?«

»Branko«, antwortete der Alte und zeigte zu dem Jungen hinüber, der gerade von Zora mit Kaffee und Brot gefüttert wurde.

Vater Gorian, der von der Feindschaft der beiden Jungen wusste, sagte: »Es wird manchmal Schlechtes mit Gutem vergolten.«

Duro blickte Vater Gorian nur an, dann schloss er wieder für einige Zeit die Augen, aber diesmal blieben seine Wangen gerötet und bald behielt er die Augen ganz offen.

Er blickte jetzt zu Branko hinüber. »Du hast mich aus dem Wasser gezogen?«

Branko neigte leicht den Kopf.

»Weißt du, dass ich gerade wieder hinter dir her war?«

»Das habe ich mir gedacht.«

Duro fasste in seine Tasche und zog eine silberne Kette mit einem Kreuz heraus. »Ich wollte es eigentlich Zora schenken. Nun sollst du es haben.«

Branko winkte ab. »Ich will es nicht. Denn wenn Zora es nicht verlangt hätte, hätte ich dich bestimmt nicht aus dem Wasser geholt.«

Zora drückte Branko die Kette in die Hand. »Behalte sie nur«, bestimmte das Mädchen, »und wenn du sie siehst, denke immer daran, was uns der Vater Gorian gestern gesagt hat.«

»Was denn?«, fragte Branko.

»Wir sollen uns Mühe geben.«

Branko blickte sie an und das erste Mal lächelte er wieder. »Tust du das auch?«

Zora wurde ernst. Sie sprach aber nicht, sondern nickte nur.
Die beiden Halbertrunkenen bekamen nochmals Kaffee und nach einer weiteren halben Stunde waren sie wieder so weit, dass sie aufstehen und ein paar Schritte gehen konnten.
Sie wollten sich sogar schon ans Wasser setzen, aber der alte Gorian sagte: »Vorerst legt ihr euch ins Stroh und versucht zu schlafen. Durch einen guten Schlaf erholen sich das Herz und der Körper am schnellsten.«
Zora und Pavle führten Branko, der Alte nahm Duro, der noch immer am schwächsten war, auf die Arme.
Die Ziege sah sie erstaunt an, als sie alle in ihren kleinen Stall kamen.
»Da staunst du, Andja«, nickte ihr der Alte zu. »Beinahe wären zwei unserer Freunde ertrunken.«
Die Ziege machte noch immer ein erstauntes Gesicht, dann meckerte sie leise.
»Jaja«, berichtete der alte Gorian weiter, »aber wir haben Glück gehabt und hoffentlich bleibt es uns treu.«
Die Jungen wurden sorgsam aufs Stroh gebettet, aber es dauerte lange, bis sie richtig eingeschlafen waren. Duro kämpfte, sobald er die Augen schloss, immer noch mit dem Tintenfisch und Branko war es, als sähe er wieder seinen Vater und seine Mutter, auch Zlata, aber wenn er dann nach ihnen fasste, stand nur die Ziege neben ihm.
Es war schon Mittag, als sie endlich besser schliefen, und dann schlummerten sie tief und fest bis zum Abend.
Branko erwachte durch ein gleichmäßiges, festes Hacken.
Was war das? Er stand auf und ging aus dem Stall. Pavle stand neben dem Feigenbaum, unter dem sie am Abend immer saßen, und hackte ein Loch in die Erde.
Branko trat zu ihm. »Was machst du da?«
Pavle sah erschrocken auf. »Ach, du bist es. Geht es dir besser?«
Branko stieß seine Arme in die Luft und streckte sich. »So gut wie immer. Aber du hast mir noch nicht gesagt, warum du das Loch machst.«
Pavle zeigte auf eine Plane, die neben ihm lag. »Der Hund«, sagte er.
»Leo?«
Pavle nickte zustimmend.
»Ach«, besann sich jetzt auch Branko, »den haben wir ja über dem Fischfang ganz vergessen.«

Pavle nickte wieder. »Zora dachte plötzlich daran und wir haben den Karren genommen und ihn geholt.«
Branko hob die Plane in die Höhe. Leo lag groß und steif darunter. »Das arme Tier«, seufzte er.
»Nun«, meinte Nicola, der zu ihnen getreten war, »es ist wohl besser, dass wir ihn und nicht euch begraben.«
Pavle hackte eifrig weiter. Nachdem er durch die erste Erdschicht gedrungen war, stieß seine Hacke auf Lehm.
Sie suchten den alten Gorian auf, der mit Zora am Wasser saß und Netze flickte. »Wieder munter?«, begrüßte ihn der Alte. Auch Zora sah ihn strahlend an.
Branko lachte. »Und ganz gesund.«
»Und was willst du?«
»Wir brauchen eine Schaufel, um den Hund zu begraben.«
»Hm.« Vater Gorian strich sich über das Gesicht. »Ich habe keine. Da müsst ihr schon zum alten Orlovic gehen.«
Branko und Nicola schlenderten langsam zu der Hütte des Alten hinüber.
Der Alte war nicht da, nur der Gelbkopf.
»Vater Gorian schickt mich«, sagte Branko. »Wir sollen uns bei Euch eine Schaufel borgen.«
»Ho, ho!«, lachte der Gelbkopf und zeigte seine Zähne. »Will der Alte etwa sein Geld vergraben?«
»Nein«, antwortete Branko, »einen toten Hund.«
»Nimm sie.« Der Gelbkopf gab sie ihnen und sie gingen wieder zurück.
Mit der Schaufel ging es besser und nach einer Stunde war die Grube einen halben Meter tief.
Der alte Gorian schob das Netz auf die Seite. »Nun wollen wir euren Hund begraben.«
Pavle und Branko wickelten ihn noch fester in die Plane, dann legten sie ihn vorsichtig in die Grube hinein.
Zora streute Blumen über ihn. »Er war ein gutes Tier«, sagte sie.
»Er war ein Kamerad«, bestätigte Branko, »und er hat uns die Treue gehalten wie ein Uskoke.«
»Er soll auch wie ein Uskoke begraben werden«, sagte Zora.
»Und wie?«, fragten die Jungen.
»Wir geben ihm alle das, was wir am liebsten haben, mit ins Grab.«
Die Jungen dachten eine Weile nach.

»Ich hole morgen alle meine Bilder«, meinte Pavle, dem nichts weiter einfiel.
»Ich auch!«, rief Nicola eilig.
»Ich gebe ihm meine Mundharmonika«, sagte Branko.
Zora sah ihm erstaunt in die Augen. »Dann gebe ich ihm alles, was ich noch habe.«
Sie wollte die kleine Börse, die sie aus der Tasche zog, in die Grube werfen.
Der alte Gorian nahm sie ihr aus der Hand. »Das wäre Sünde und Dummheit. Nein, denk dir was Besseres aus.«
Inzwischen war auch Duro aufgestanden, und als er sah, dass die anderen Leo begruben und jeder dem toten Hund etwas opferte, sagte er: »Von mir bekommt er meinen schönsten Schmetterling.« Da aber die meisten Geschenke der Kinder noch im Turm waren, schlug Nicola vor, den Hund erst am nächsten Morgen richtig zu begraben.
»Gut«, entschied Zora, »bis morgen weiß auch ich, was ich ihm schenken kann.«
Es war unterdessen Abend geworden. Zora hatte Polenta gekocht und der alte Gorian ein paar große Makrelen gebraten, die ihm am Nachmittag ins Netz gegangen waren.
Als alle satt waren, setzten sie sich ans Wasser.
Es war ein schöner Abend und eine noch schönere Nacht begann. Der Mond ging über ihrer Burg auf und schwebte wie eine große, goldene Scheibe am Himmel. Langsam stieg er höher und höher und die Kinder sahen ihn nun zweimal, einmal mitten in dem großen, von dem gelben Licht erhellten Himmel und einmal auf dem silbrig schimmernden Wasser.
»Ist das schön!«, flüsterte Zora.
Auch Branko fand es schön und er freute sich plötzlich wieder, dass er nicht mehr mit seinem Vater, seiner Mutter und Zlata auf der Wiese war, sondern hier am Meer saß.
Auch Pavle, Nicola und Duro sahen andächtig in die Nacht. Da sagte Pavle: »Nun müsste uns Vater Gorian wieder eine Geschichte erzählen.«
»Ja!«, riefen auch die anderen.
Vater Gorian strich sich über das verwitterte, haarige Gesicht. »Aber was für eine?«
»Wisst Ihr keine von den Uskoken?«, fragte Branko.

»Ja«, fragte auch Zora, »wisst Ihr nichts?«
Der Alte dachte nach. »Vielleicht doch. Wartet einmal.« Und nach einer kurzen Pause: »Ich will euch die Geschichte von den Uskoken Posedaric und Desandic erzählen.«
Er lehnte sich gegen einen der dicken Feigenbäume und begann: »Es war im sechzehnten Jahrhundert, wenn ich mich recht entsinne, in den Jahren, wo die Türken mit Venedig, damals einer der reichsten und mächtigsten Republiken an der Adria, Krieg führten. Senj war in dieser Zeit eine kleine, aber wehrhafte Hafenstadt. Vom Wasser bis zu den Bergen standen hohe Mauern, viele Wachtürme, befestigte Tore und Kastelle, von denen ihr hie und da noch einige Reste seht, und dahinter wohnte eine tapfere Bürgerschaft. Senj hatte aber auch einen großen Hafen und eine berüchtigte Flotte, dazu eine zu allen Streichen geschulte Schiffsmannschaft, die von Ragusa bis hinauf nach Venedig gefürchtet war. Das alles unterstand dem Rat der alten Männer, der seinerseits wieder die Befehlsgewalt an Oberkapitäne abgab, die während vielen Jahren Uskoken und immer wieder Uskoken waren.
In jenen Jahren waren die Uskoken Posedaric und Desandic die Oberkapitäne von Senj. Gewöhnlich machte es der Rat der Alten so, dass einmal der eine und dann wieder der andere den Oberbefehl über die Streitkräfte bekam, je nachdem der Rat die beiden für die zu erledigenden Aufgaben befähigt hielt. Dabei geschah es meistens, dass man schwierige Aufgaben dem besonneneren Posedaric übergab, während einfache Streifzüge, Kämpfe und Räubereien dem draufgängerischen Desandic überlassen wurden. Der Rat der Alten wechselte die Kommandogewalt aber auch, damit sich keiner der beiden eine zu große Macht über die Truppe sichern konnte und dann dem Rat und der Stadt dadurch gefährlich wurde. Ja, durch die leichte Rivalität der beiden, die man außerdem noch geschickt verstärken oder vermindern konnte, blieben die beiden Kapitäne nichts weiter als die Heerführer der Stadt und der Rat der Alten hatte auf diese weise Art viele Jahre dafür gesorgt, dass ihnen keiner der Oberkapitäne über den Kopf wachsen konnte.
Nun waren in diesem Jahre die Kämpfe besonders zahlreich und hart. Die Türkei und die Republik Venedig bekämpften sich auf das Erbittertste und fast täglich fuhren die schweren Vollschiffe der Venezianer nach Süden, während die leichteren Schiffe der Türken nach Norden vorzudringen versuchten. Beinahe wöchentlich kam es auch

zu kleineren und größeren Gefechten. Einmal siegten die schnelleren Ruderboote der Paschas, das andere Mal die schönen, vielfarbigen, goldprotzenden Schiffe der venezianischen Dogen.
Senj war in diesem großen Kampf mit seinem gesamten Hinterland eigentlich neutral, aber wie es immer ist, wenn zwei sich ernsthaft schlagen, kommen auch andere und wollen sich an der Beute beteiligen. Die Beute der Senjer bestand darin, dass sie einmal über die türkischen und einmal über die venezianischen Schiffe herfielen, die einzeln oder in Geschwadern ihre Gewässer kreuzten.
Der Rat hatte zu diesem Zweck auf den Inseln Rab und Krk Beobachtungsposten aufgestellt, und wenn diese Feuer anzündeten, was man von der Burg Nehajgrad leicht sehen konnte, wussten die Senjer, dass jetzt entweder eines der türkischen Schiffe von Venedig zurückkam oder eines der venezianischen Schiffe wieder in seinen Heimathafen fuhr. Dabei war es meistens so, dass es sich bei den Türken um Schnellruderer handelte, die Beute nach Istanbul brachten, während die Venezianer havarierte Schiffe waren, die zur Reparatur in die Lagunen zurücksegelten. Die Senjer stießen ungemein überraschend gegen die Schiffe vor und es war meistens ein Leichtes, die nichtsahnende Besatzung zu überfallen, die Schiffe zu entern und zu berauben. Am Abend kehrten die Uskoken, mit reicher Beute beladen und die eroberten Schiffe im Schlepptau, in die Stadt zurück und unter dem Jubel der Bevölkerung wurden die Beutestücke auf dem Markt oder am Quai verteilt.
Die meisten dieser oft nur kleinen Überfälle führte Desandic aus, weil er sich besonders gut dafür eignete. Er hatte auch fast immer Glück dabei. Natürlich stieg sein Ruhm mit diesen Siegen, da jeder die Bevölkerung reicher machte. Desandic, der noch ein junger, aufbrausender Tollkopf war, stiegen diese Erfolge zu Kopf und er bildete sich mehr darauf ein, als für einen guten Kriegsmann nötig war. Er zeigte das auch öffentlich, indem er sich immer auffälliger kleidete, mit seinen Matrosen wie ein kleiner König durch die Stadt zog und sich bald den ›großen‹ Desandic und später den ›Sieger‹ nennen ließ. Der Rat der Alten lachte erst darüber; als man aber merkte, dass sich Desandic durch das Verschleudern der Beute und durch öffentliche Feste einer immer größeren Beliebtheit erfreute, begannen sie ihn zu fürchten, wurden vorsichtiger und ließen ihn weniger oft als Oberkapitän ausfahren.
Nun geschah es, dass gerade in diesen Tagen sowohl die Türken als

auch die Venezianer dahinterkamen, was für lose Geier hinter Krk und Rab saßen und welchen Schaden diese unter ihren Schiffen anrichteten. Sie wurden vorsichtiger, kreuzten nicht mehr allein an den gefährlichen Inseln vorbei, ja sie legten auch allerlei Fallen. Posedaric hatte das Pech, dass er auf die erste dieser Fallen stieß.
Ein venezianisches Schiff war gemeldet worden und dem Rauch und Feuersignalen entnahm man in Senj, dass es sich um ein schwerbeschädigtes, großes Vollschiff handelte. Posedaric ließ vier Schnellruderer bemannen und lief sofort aus. Das große Schiff fuhr langsam in der Nähe der Insel dahin. Die Segel hingen schlaff herab, der Mast war gebrochen, es sah auch so aus, als ob die Takelage überall zerrissen sei, und vor allem sah man auch nur wenig Ruderer auf den Ruderbänken. Das schöne Schiff erschien allen wie eine gute, leichte Prise, allerdings wie eine zu leichte, wie sich der vorsichtige Posedaric vernehmen ließ. Desandic, der mit auf dem Schiff war – denn das war das Wichtigste bei dem ständigen Wechsel des Kommandos zwischen den beiden Oberkapitänen, dass abwechselnd immer der eine unter dem anderen diente –, lachte über die Vorsicht Posedarics, sprach von der leichtesten Beute, die er jemals gesehen habe, und nannte schon jetzt jeden, der sie nicht nehmen würde, einen Feigling. Posedaric blieb trotzdem vorsichtig. Er ließ das Vollschiff nur durch zwei Ruderer einkreisen und hielt sich mit den beiden anderen Schiffen im Hintergrund. Die Ruderer hatten kaum an dem Vollschiff angelegt, ihre Enterhaken in die Brüstung gehauen und waren an Bord gesprungen, als das ganze Schiff von Bewaffneten wimmelte, die die überraschten Senjer niedermachten. Zur gleichen Zeit tauchten auch alle Ruderer auf ihren Bänken auf, die schlappen Segel gingen hoch und aus dem schwer havarierten Schiff war in wenigen Minuten ein gefechtsbereites Kriegsschiff geworden, neben dem sich die Senjer Boote wie Nussschalen ausnahmen. Das Schiff stieß sofort auf das eine Boot zu, bohrte es in den Grund und das zweite konnte sich nur dadurch vor der Vernichtung retten, dass es auf eine der großen Sanddünen lief, die der Insel Krk vorgelagert sind und auf die das große Schiff nicht folgen konnte. Posedarics erste Ausfahrt nach längerer Zeit endete so mit einer Niederlage, und wenn sie auch der kühne Desandic durch seine aufreizenden Reden mit verursacht hatte, war nicht dieser, sondern Posedaric der Schuldige.
Desandic nahm auch kein Blatt vor den Mund und beschuldigte

Posedaric offen dieser Niederlage. Ja, er ließ sogar durch seine Freunde verbreiten, dass, wenn er den Oberbefehl gehabt hätte, diese Schlappe unmöglich gewesen wäre. Desandic hätte gleich mit allen vier Schiffen den Venezianer angegriffen, ihn überwältigt und als gute Prise heimgebracht. Trotzdem musste Desandic erleben, dass auch bei der nächsten Ausfahrt Posedaric wieder zum Oberkapitän ernannt wurde. Diesmal waren drei größere türkische Schiffe gemeldet worden und die Senjer fuhren mit sechs kleineren aus. Wie die Spähboote mitteilten, waren die Türken vor einem kleinen Dorf auf der Insel Rab gelandet, hatten das Dorf ausgeplündert und waren im Begriff, mit der Beute und den weiblichen Einwohnern wieder abzufahren. Posedaric teilte seine Macht. Während er selber mit drei Schiffen die Türken von vorn angreifen wollte, sollte Desandic die Insel umschiffen und den Türken in den Rücken fallen.
Dies war der einzig mögliche Gefechtsplan, die Türken nicht nur anzugreifen, sondern ihnen ihre Beute wieder abzujagen. Desandic hieß das Manöver seines Oberkapitäns gut, aber in Wirklichkeit dachte er gar nicht daran, Posedaric einen so einfachen Sieg zu ermöglichen. Während Posedaric also kühn die Türken angriff, auch eines der türkischen Schiffe sofort überrannte, segelte Desandic erst ein Stück nach der Küste zurück, dann wieder ein Stück geradeaus, was er später mit Windflauten entschuldigte, und als seine Schiffe endlich im Rücken der Türken erschienen, war der Kampf schon beendet. Es war allerdings diesmal keine Niederlage geworden, wie Desandic gehofft hatte. Außer einem türkischen Schiff, das gerammt worden war, war ein zweites beschädigt, aber das größte und gerade das mit der Beute schwamm schon weit draußen auf dem Meer und es war unmöglich, ihm die Beute wieder abzunehmen; auch das zweite entrann und so mussten sich die Senjer mit dem gerammten begnügen, dessen Mannschaft sich aber fast vollständig auf das erste gerettet hatte.
Posedaric, der nicht ahnte, dass ihn Desandic im Stich gelassen, ja um seines persönlichen Ehrgeizes willen verraten hatte, kehrte so wieder ohne Beute nach Senj zurück. Der Empfang war noch lauer als das erste Mal, und da Desandic und seine Freunde wieder das Feuer gegen ihn schürten und sogar im Rat der Alten als Ankläger gegen ihn auftraten, wäre es beinahe geschehen, dass man dem tapferen Posedaric den Rang eines Oberkapitäns genommen und ihn wieder zum einfachen Uskoken degradiert hätte. Aber einer der ganz

Alten sprach so warm für ihn, dass man ihm auch ein drittes Mal das Kommando über die Senjer Flotte übergab.
Ungefähr zwanzig Fahrstunden von der Stadt entfernt war ein ummauerter Flecken, der Senj untertan war. Er lag so günstig vor einer größeren Bucht, dass er diese und das Hinterland völlig beherrschte. Die Venezianer, die an dieser Seite der Adria schon lange einen geschützten Platz suchten, wo ihre Schiffe auf der langen Reise von Venedig nach Korfu Unterschlupf und Schutz, auch eine Verproviantierungsmöglichkeit hätten, griffen ihn unverhofft an und blockierten ihn von der Seeseite her. Die gesamte Senjer Flotte lief diesmal aus, zwei Vollschiffe, ein ehemals türkisches und ein ehemals genuesisches, zwölf Ruderschiffe und viele kleinere Fahrzeuge.
Die venezianische Flotte, die vor dem Flecken lag, war viel kleiner. Posedaric, der das durch Späher erfahren hatte, wollte sie einschließen, ganz in die Bucht hineindrängen und dort vernichten. Der Plan war ungemein klug und auch gar nicht schwer auszuführen, wenn Posedarics Befehle alle befolgt wurden. Auch Desandic anerkannte sofort die überlegene Strategie des alten Seemannes, aber statt sie zu unterstützen, beschloss er, sie wieder zu durchkreuzen, denn er gönnte Posedaric keine Siege, sondern nur Niederlagen.
Der Alte, der ein steigendes Misstrauen gegen seinen Nebenbuhler hatte, war diesmal vorsichtiger. Er gab Desandic nur das Kommando über zwei Ruderboote, die sich zwischen zwei Inseln legen sollten, um einen Durchbruch der venezianischen Flotte zu verhindern, während er selber mit der Hauptmacht kühn auf die Venezianer zusegelte. Diese waren auch sehr erschrocken, als sie sich unversehens dieser stattlichen Flotte gegenübersahen, und es blieb ihnen tatsächlich nichts weiter übrig, als sich nach einem schweren und verlustreichen Kampf in die Bucht zurückzuziehen. Der Kommandant dieser kleinen Flotte vergaß aber nicht, zweien von den kleinen Schnellseglern, die seine Schiffe begleiteten, den Befehl zu geben, unter allen Umständen die Schiffskette der Senjer zu durchbrechen, das Meer zu gewinnen und Hilfe zu holen, denn er wusste, dass eine weit größere Flotte als die seine nach Korfu unterwegs war und in den nächsten Tagen oder sogar schon Stunden an der Bucht vorbeifahren musste. Einen der beiden Schnellsegler bohrte Posedaric mit dem ehemals genuesischen Vollschiff in den Grund, der andere schoss gegen die Inselgruppe vor, hinter der Desandic mit seinen beiden Ruderbooten lau-

erte. Was nun geschah, ließ sich nie genau ermitteln. Jedenfalls stießen die beiden Ruderboote zusammen, zwei Ruderreihen zerbrachen, und bevor die Boote wieder manövrierfähig waren, hatte der Schnellsegler das Meer erreicht und war am Horizont verschwunden.
Posedaric war wütend auf Desandic, aber er konnte auch diesmal nicht glauben, dass der Jüngere aus Tücke und um seines Ehrgeizes willen ein so frevelhaftes Spiel trieb. Es war ja auch noch nichts verloren. Man musste jetzt nur mit doppelter Kühnheit die venezianischen Schiffe tiefer in die Bucht treiben und sie dort entern, auf Grund setzen oder in Brand stecken. Um dabei vor allen Überraschungen gesichert zu sein schickte er die kleineren Schiffe, wieder unter dem Befehl, von Desandic, auf das offene Meer mit dem ausdrücklichen Befehl, nichts weiter zu machen, als nach allfälligen venezianischen Schiffen Ausschau zu halten, sie ihm zu melden, während er selber mit den beiden Vollschiffen und dem Rest der anderen Segel- und Ruderboote der eingeschlossenen Flotte das zweite Gefecht liefern wollte.
Es gelang ihm in einem trefflich geleiteten Kampf, der den tapferen Posedaric noch einmal auf der Höhe seiner Kriegskunst zeigte, zwei der venezianischen Schiffe zu entern, während die anderen auf den Strand aufliefen und von ihren Besatzungen verlassen wurden. Gerade als der Oberkapitän auf dem letzten dieser Schiffe die Flagge von Senj hochziehen ließ, sah er, dass Desandic auch diesmal seinem Befehl nicht Folge geleistet hatte. Seine Boote und ihre Mannschaften beteiligten sich an dem Kampf. Er stellte Desandic zur Rede, aber Desandic hatte wirklich den Befehl des Alten nicht einfach missachtet, er, vor allem aber die Mannschaften seiner Boote, wollten sich nur mit an dem allgemeinen Kampf und natürlich auch an der großen Beute beteiligen.
Er sagte das Posedaric offen, nicht ohne noch mit einem gewissen Spott hinzuzufügen: ›Ich habe es einfach lächerlich gefunden, dass der Oberkapitän die halbe Streitmacht auf einen Beobachtungsposten stellt, während sich doch mein jüngster Schiffsjunge ausrechnen kann, dass selbst der schnellste Schnellsegler wenigstens vier Tage braucht, bis er nach Venedig kommt, und auch die schnellste Flotte wiederum wenigstens vier Tage, um den eingeschlossenen Schiffen zu Hilfe zu eilen und sie zu entsetzen.‹
Das war allerdings die Wahrheit und Posedaric wollte Desandic schon

verzeihen, da hörte er plötzlich vom Mast die Stimme eines Matrosen: ›Schiffe! Von See her kommen Schiffe!‹ Er erbleichte; was er aber danach selber sah, machte seinen Schrecken noch größer. Der Schnellsegler war gleich nach seiner Abfahrt auf die venezianische Flottenmacht gestoßen, die zur Ablösung in die griechischen Gewässer fuhr. Die mächtigen Schiffe, die sonst, wenn sie der Schnellsegler nicht gesichtet hätte, wahrscheinlich, ohne die kleine Bucht zu beachten, an ihr vorübergesegelt wären, steuerten nun mit allen Segeln auf sie zu, und ehe sich der bestürzte Posedaric dessen versah, saß er mit all seinen Schiffen in der Falle.

Er beschloss, trotz der beinahe zehnfachen Übermacht wie ein echter Uskoke den Kampf mit den großen venezianischen Schiffen aufzunehmen. Wie kleine, bissige Kläffer stürzten sich die spitzen Uskokenschiffe auf die edlen venezianischen Doggen, und wenn sie auch bald, eines nach dem anderen, versanken, so konnten sie doch den großen Schiffen manche Schramme und manchen Riss zufügen. Posedaric gelang es sogar, mit einigen seiner besten Kämpfer auf dem größten der überaus prächtig geschmückten und gezierten Schiffe der Venezianer Fuß zu fassen und dieses, es war, wie sich später herausstellte, das Admiralsschiff, mit einer Lunte in Brand zu stecken. Wie eine riesige Fackel lohte das gewaltige Schiff auf und verkündete aller Welt, dass ein Uskoke noch immer zu sterben verstand. Allerdings konnte auch diese Tollkühnheit nicht verhindern, dass bereits nach zwei Stunden Senj weder eine Flotte noch eine Schiffsmannschaft mehr besaß, sie waren alle mit wehenden Fahnen untergegangen.

Halt, ein kleines Beiboot, in dem sich Desandic mit einigen Freunden gerettet hatte, war davongekommen. Er war es auch, der die Kunde von der schweren Niederlage nach Senj brachte, ohne natürlich von seiner doppelten Schuld zu sprechen. Er und seine Gefährten besaßen sogar die Dreistigkeit und Frechheit, den Rat der Alten zu beschimpfen. ›Ja‹, sagte er, ›ihr seid genauso am Untergang der Flotte schuld wie Posedaric, denn ihr habt ihn trotz meiner Warnung das dritte Mal zum Oberkapitän gewählt. Hättet ihr mich gewählt, so müsstet ihr jetzt nicht trauern, denn ich habe die Flagge von Senj immer nur von Sieg zu Sieg geführt.‹ Das Volk unterstützte Desandic bei seinen Angriffen und diesmal erreichte er wirklich, was er sich gewünscht hatte, er wurde der alleinige Oberkapitän von Senj und seinen gesamten Wasser- und Landstreitkräften. Das Schlimme

war nur, dass er sie schon alle seinem Ehrgeiz, seiner Tücke und seiner Ruhmsucht geopfert hatte.
Es zeigte sich bald, wie gefährlich das gewesen war. Schon nach zehn Tagen erschien die große Flotte der Venezianer vor der Stadt. Sie erzwang, da man ihr keinerlei Schiffe mehr entgegenschicken konnte, die Einfahrt in den Hafen und noch am gleichen Tage drangen sie in die Stadt selber ein. Den Senjern gelang es zwar, da der Feind keine Truppen im Rücken der Stadt gelandet hatte, durch die hinteren Tore auf die Berge zu fliehen, aber die Venezianer steckten die Stadt an allen vier Ecken in Brand, zerstörten die Mauern und Kastelle und es dauerte viele Jahre, bis die Bürger und die Uskoken die alte Feste Senj in der ehemaligen Größe und Stärke wieder aufgebaut hatten.«
Der alte Gorian hatte seine Geschichte langsam und mit größeren Pausen erzählt, jetzt griff er wieder nach seiner Pfeife und sah die Kinder an. Diese hatten ihm mit immer erregteren Gesichtern auf den Mund gestarrt, und als er nun schwieg, fielen sie mit allerlei Fragen über ihn her.
»Was ist aus Desandic geworden?«, fragte Branko.
»Hat man von seinem Verrat erfahren?«, wollte Zora wissen.
»Hat er seine Strafe bekommen?«, fragte Pavle.
»Hat der Rat der Alten ihm den Prozess gemacht?«, fragte Nicola.
»Ja, erzählt es, erzählt es!«, bettelten alle.
»Die Geschichte von dem Verrat des Desandic«, begann der Alte wieder, »hat man erst lange nach seinem Tod durch einen seiner Unterkapitäne erfahren. Aber wenn ihn der Rat von Senj auch nicht mehr bestrafen konnte, so hat er doch seine Strafe erhalten. Er war bei den Kämpfen um die Stadt verwundet worden, seine Gesellen brachten ihn zwar aus der brennenden Stadt, aber dann ließen sie ihn liegen. Er schleppte sich noch mehrere Tage siech und wund durch das Land, bis er eines Morgens elend und unter Schmerzen an der Straße nach Fiume starb.«
»Das ist ihm ganz recht geschehen«, meinte Pavle. »So soll es auch jedem von uns gehen, der die Sache der Uskoken verrät«, rief Nicola.
»Das möchte ich euch damit sagen, Kinder. Wenn ihr wirklich gute Uskoken bleiben wollt, begrabt eure großen und kleinen Fehden und seid einig untereinander.«
Er blickte sie alle noch einmal an. »Wollt ihr das?«
Die Kinder wollten es und reichten einander die Hand. Auch Duro und Branko gaben sie sich zum ersten Mal.

22

»Die stolze Stadt am schönen Meer ist auf den Hund gekommen«

Die Kinder erwachten davon, dass die schweren Lastwagen der Gesellschaft vor das Haus ratterten. Sogleich waren der Garten und der Strand wieder von Fischern und Fahrern überfüllt. Direktor Kukulic, der Glatzkopf, war auch mitgekommen.
Die Kinder ließen sich heute von dem Lärm nicht stören. Duro, Pavle und Nicola schliefen weiter. Zora molk unterdessen die Ziege, mit der sie sich angefreundet hatte, dann deckte sie mit Vater Gorian den Tisch.
Die vollen Wagen waren abgefahren, leer wiedergekommen und wurden das zweite Mal gefüllt. Der Fischreichtum wollte einfach kein Ende nehmen.
Da entstand ein großes Geschrei im Wasser.
Der alte Orlovic und seine beiden Söhne hatten das große Netz immer näher an das Ufer gezogen, damit die Fischer die Fische besser fangen konnten. Jetzt sahen sie einen wahren Riesentunfisch, der in dem kleinen Raum zwischen dem Netz und dem sandigen Strand wütend hin- und herschoss.
»Ich glaube, das ist ein Hunderter!«, schrie einer der Fischer.
»Der ist ja größer als ein ausgewachsener Hai!«, staunte ein zweiter.
Der alte Gorian, der gleichfalls ans Wasser getreten war, schätzte den schweren, schwarzen Gesellen auch ab. »Der kann sogar noch mehr als hundert Kilo wiegen.«
Auch der dicke Kukulic stürzte eilig herbei, machte Froschaugen und strich sich erregt über die Glatze, dann wandte er sich an den alten Gorian. »Habt Ihr ein großes Netz?«
Der Alte nickte. »Warum?«, fragte er.
Der kleine Mann rieb sich geschäftig die dicken Hände. »Wir fangen ihn lebendig und schenken ihn dem Bürgermeister.«
»Dem Bürgermeister?«, wiederholte der Alte erstaunt.
Der Dicke sah Gorian von unten an. »Warum nicht? Er hat sich so um das Gedeihen der Gesellschaft bemüht. Er verdient den Fisch.«
»Hahaha!« Der Alte lachte bitter auf. »Sagt einfach, er hat Euch so

gut dabei unterstützt, uns arme Fischer rechtlos zu machen, dass es Euch nicht schwerfällt, ihm aus unserem Fell auch noch ein Geschenk zu schneiden.« Und etwas patzig fügte er hinzu: »Nein, dazu bekommt Ihr mein Netz nicht.«
»Wir haben auch eins«, sagte da einer der Zwillinge und der andere sprang schon, um es zu holen.
Der Glatzköpfige nickte den beiden nur zu; er war so begeistert von seiner Idee, dass er immer aufgeregter hin und her ging. Als er wieder an dem alten Gorian vorbeimusste, schlug er ihm sogar auf die Schulter. »Weißt du, Gorian, wir machen eine große Sache daraus. Die Fischer müssen dem Bürgermeister den Fisch öffentlich überreichen.«
»Einen Dreck werden sie«, antwortete der alte Gorian grob, er spuckte aus und drehte sich wütend um.
Zora, die in der Nähe war, hängte sich an seinen Arm. »Was habt Ihr, Vater Gorian?«, fragte sie.
»Der Glatzköpfige will dem Bürgermeister einen unserer größten Fische schenken.«
»Dem Doktor Ivekovic?«
»Ja, so ist das, Kind«, fuhr der alte Gorian fort, »eine Krähe hackt der anderen die Augen nicht aus. Haha, und den größten Fisch«, er lachte wieder, »einen toten Hund sollten wir ihm schenken.«
»Warum einen toten Hund?«
»Weil man das früher mit jedem Bürgermeister gemacht hat, in dessen Stadt etwas faul war.«
Es war aber alles nicht so einfach, wie es sich der Glatzköpfige vorstellte. Zuerst musste man den Fisch fangen und dann brauchte man einen großen Bottich, um das Tier hineinzusetzen.
»Hm«, machte der alte Orlovic, »einen Bottich haben wir«, und er schickte seine Söhne, die gerade das Netz brachten, noch einmal zurück, um auch den Bottich zu holen.
Die anderen Fischer breiteten indessen mit dem alten Orlovic das Netz aus und rückten dem Fisch zu Leibe.
Der Fisch merkte wohl, dass man ihn fangen wollte. Erst ließ er sich immer in eine Ecke drängen, aber sobald er nicht mehr weiterkonnte, peitschte er das Wasser auf, tauchte und schoss unter den Fischern hindurch.
Gewöhnlich schoss er dabei einem der Männer so zwischen die

Beine, dass dieser umgeworfen wurde und ins Wasser plumpste, und es dauerte eine Weile, bis der Unglückliche wieder stand.
Der alte Orlovic, der seine langen Beine nicht mehr weit genug spreizen konnte, saß sogar plötzlich rücklings auf dem gewaltigen Tier und fuhr mit ihm nach rechts und nach links, bis es wie ein wütender Esel in die Höhe schnellte und den armen Vater Orlovic abwarf.
Der alte Gorian, der wieder am Wasser stand, lachte: »Hoffentlich nimmt das Tier morgen unsern Bürgermeister ebenso auf den Rücken und fährt mit ihm eine Weile über den Markt.«
Endlich hatten sie ihn wenigstens so weit, dass das Netz über ihm lag. Der grobe Kerl war aber noch im Netz gefährlich. Er schlug wütend um sich, zeigte den Männern seinen scharfen Schwanz oder seine festen Zähne und sie konnten ihn nicht bändigen.
Den alten Gorian, der im Grunde gutmütig war, dauerten mit der Zeit die schwitzenden, stöhnenden Männer. »Hebt doch das Netz hoch!«, schrie er.
Sie versuchten es. Jetzt merkten sie erst, wie schwer das Tier war. Vier Männer und der alte Orlovic brachten es kaum aus dem Wasser.
»Es ist wirklich ein Koloss«, ächzte der alte Orlovic und auch Vater Gorian sagte: »So einen großen Tunfisch habe ich noch nie gesehen.«
Die Zwillinge brachten inzwischen den Bottich, einen großen, länglichen Kübel, in dem Vater Orlovic seine Fische aufbewahrte, bevor er sie auf den Markt brachte.
»Schöpft schnell Wasser hinein!«, schrie der alte Orlovic. »Der Kerl drückt uns sonst tot.«
Die Kinder halfen den Zwillingen und der Kübel war bald voll. Nun stiegen alle ins Wasser und schleppten das Netz mit dem Fisch heraus. Das Tier schlug wild um sich. Als es ohne das Netz in dem Bottich lag, wurde es noch wilder. Das Wasser spritzte nach allen Seiten und einmal war der Kopf des Fisches und gleich darauf sein Schwanz über dem Bottichrand zu sehen.
»Den Deckel darüber!«, schrie der Glatzkopf aufgeregt.
Die Zwillinge brachten ihn. Aber auch der Deckel brachte das Tier nicht zur Ruhe. Die Männer mussten noch Seile um den Bottich binden und Steine auf den Deckel legen. Der Glatzkopf wischte sich den Schweiß von der Stirn. »Das war eine Arbeit.« Auch den Fischern tropfte das Wasser von den Stirnen.

Nun wurden die Wagen gefüllt und der erste ratterte davon.
»Wollt Ihr nicht mitkommen?«, fragte Kukulic den alten Gorian.
»Ich? Warum denn?«
»Es gibt noch allerlei zu besprechen wegen der Sache mit dem Fisch.«
Der Alte wurde wieder borstig wie ein Igel. »Ich habe Euch doch schon gesagt, Ihr sollt mich damit in Frieden lassen.«
Der Glatzköpfige ließ nicht locker. »Kommt nur mit. Ich stifte einen Extraschnaps. Außerdem muss ich Euch doch das Geld für den letzten Fang geben.«
»Das lässt sich eher hören.« Vater Gorian zog die Mütze über den Kopf und stieg in den letzten Wagen.
Der Wagen war kaum aus dem Hof gefahren, da tauchte Branko auf. Er sah enttäuscht aus.
Zora sah ihn an. »Warst du wieder bei deinem Mädchen?«
»Sie war nicht da«, sagte Branko.
»Sie will wahrscheinlich nichts mehr von dir wissen«, lachte Zora.
Branko hatte sich schon an Nicola gewandt.
»Was ist in dem Kübel?«
»Der größte Tunfisch, den es je gegeben hat«, antwortete Nicola und er berichtete Branko, was am Morgen geschehen war, auch was der Glatzköpfige mit dem Fisch machen wollte.
»Dem Bürgermeister will man ihn schenken?«, sagte Branko ungläubig. »Was sagt denn Vater Gorian dazu?«
»Er ist wütend darüber«, meinte Pavle.
»Er hat gesagt, man solle dem Bürgermeister lieber einen toten Hund schenken als den größten Tunfisch«, sagte Zora.
Die Kinder wollten gleichfalls wissen, warum.
»Weil man früher Bürgermeistern wie dem unseren einen toten Hund geschenkt hat«, wiederholte Zora die Antwort des alten Gorian.
»He!«, lachte Nicola spitzbübisch auf. »Nehmen wir doch den Fisch heraus und tun einen Hund hinein.«
Branko und Zora blickten Nicola an. »Wo sollen wir einen toten Hund hernehmen?«
»Wir haben doch Leo noch nicht begraben«, sagte der Kleine.
»Unseren Leo!« Branko schüttelte den Kopf. Auch Zora sagte: »Nein. Leo bleibt unter seiner Plane.«
Die anderen bestürmten aber die beiden weiter.
»Ach, lasst ihn uns doch nehmen«, bat Pavle.

»Ob wir ihn einen Tag früher oder später begraben, ist doch gleich«, meinte Duro.
»Ich weiß überhaupt nicht, was ihr dagegen habt«, sagte Nicola. »Glaubt mir, wenn Leo noch lebte, würde er mit Freude dem Bürgermeister einen Streich spielen.«
»Auch der Tote würde Ja sagen, wenn er noch sprechen könnte«, fügte Pavle hinzu.
»Meinetwegen macht es«, lachte Branko jetzt.
»Ich will es aber wenigstens nicht sehen«, sagte Zora, die noch immer nicht Ja sagen konnte, und trollte sich davon.
Ehe die Kinder den Hund aus der Grube holten, machten sie sich an den Bottich. Es war nicht leicht, den Fisch aus dem schweren Holzfass herauszubringen.
Branko band die Seile los und Pavle und Duro hoben den Deckel in die Höhe. Das große Tier lag gekrümmt in der länglichen Wanne. Es sah die Kinder aus seinen kleinen Augen bissig, ja giftig an.
»Dieser Satan!«, zischte Nicola.
»Man könnte sich beinahe fürchten«, sagte Branko.
Die Kinder wollten den Bottich mit dem Tier ans Wasser tragen, aber sie konnten ihn nicht einmal hochheben. Der Fisch war inzwischen lebendiger geworden und schlug um sich, dass ihnen das Wasser über Kopf und Körper spritzte.
Pavle holte zwei Stangen. Sie schoben sie unter den Bottich und rollten und stießen ihn langsam vorwärts. Am Wasser kippten sie ihn einfach um.
Das große, schwarze Ungetüm lag einen Augenblick erstaunt und wie erschrocken auf dem heißen, körnigen Sand, öffnete sein großes Maul und schloss es wieder. Dabei roch es wohl das Wasser und spürte auch, wo es war, denn gleich darauf schnellte es in die Höhe, und ehe sich die Kinder versahen, plumpste sein schwerer, unförmiger Körper in die Fluten und schoss davon.
Leer war der Bottich leichter zu tragen. Branko und Nicola füllten ihn wieder mit Wasser, während Pavle und Duro Leo holten und ihn hineinlegten.
Pavle lüpfte den Bottich. »Da muss noch mehr hinein«, erklärte er, »sonst merken sie den Schwindel.«
Nicola brachte zwei Steine. Auch Duro und Branko schleppten welche herbei.

Pavle probierte weiter. Er konnte den Kübel nicht mehr heben. »So«, meinte er, »jetzt ist es besser.«
Sie drückten den Deckel auf den Bottich und banden die Seile darum. »Lasst mich sie knüpfen«, sagte Zora, die zurückgekommen war. »Der alte Gorian hat es mich gelehrt«, und sie knüpfte die Seile kunstgerecht zusammen.
Die Kinder waren kaum mit der Arbeit fertig, da tauchte Vater Gorian wieder auf. Sein Gesicht war grimmiger als am Morgen und seine Augen blitzten wie kleine Feuer.
»Sie wollen ein richtiges Fest machen«, knurrte er. »Die Gesellschaft hat alle ihre Fischer aufgeboten, auch ein paar Mädchen aus der Tabakfabrik und die Kapelle aus dem Hotel ›Zagreb‹. Haha. Sie bauen sogar eine Tribüne. Der Glatzkopf will dem Bürgermeister den großen Fisch auf dem Markt überreichen.«
Den Kindern wurde es jetzt etwas angst bei dem Gedanken, dass anstelle des Fisches ihr braver Leo in dem Bottich lag.
»Sollen wir es Vater Gorian nicht lieber sagen?«, fragte Pavle leise.
Branko schüttelte den Kopf. »Nein, es ist besser, er weiß es nicht.« Da kamen auch schon die Fischer der Gesellschaft mit dem alten Orlovic, um den Fisch mit dem Bottich zu holen. Der Glatzkopf hatte die Fischer in weiße Marineblusen und feste, schwarze Hosen gesteckt, dass sie aussahen wie Matrosen.
Die Fischer kamen aber nicht mit einem Auto, sondern mit einem leeren Karren. Vor dem Karren gingen zwei stämmige Ochsen und ein dicker Knecht führte sie.
Zora stieß Branko an. »Das ist doch ein Knecht vom reichen Karaman.«
Einer der verkleideten Fischer drehte sich um. »Das sind auch seine Ochsen.« Er blinzelte den Kindern zu. »Der reiche Karaman hat ihnen zur Feier des Tages freigegeben.«
Unterdessen waren die anderen an den Kübel herangetreten. Der eine versuchte ihn hochzustemmen.
»Ist der schwer«, stöhnte der junge Mann.
Der alte Orlovic, der neben dem Kutscher stand, sagte: »Sechs Mann haben das Vieh kaum aus dem Wasser gebracht.«
Der junge Mann wollte den Bottich aufbinden.
»Bist du verrückt«, sagte der Gelbkopf, der auch unter den Matrosen war, »sei froh, dass das Tier nicht mehr herauskann.«

Die Matrosen stießen breite Stangen unter den Kübel und wollten ihn hochstemmen, aber erst, als auch der alte Orlovic, der dicke Knecht und der alte Gorian mit unter die Stangen fassten, brachten sie den schweren Kübel samt seinem Inhalt auf den Karren.
Der Knecht hob seine Peitsche und knallte. Die Ochsen zogen an. Zora musste wieder lachen. »Wenn der Alte wüsste, wen seine Ochsen ziehen müssen.«
Die Ochsen mussten dreimal ansetzen, bis sie den Karren aus dem Sand und dem Steinschutt brachten. Einen Augenblick später rumpelte er auf die staubige Straße.
Der alte Gorian hatte sich eine Jacke geholt und ging hinter dem Karren her.
»Ihr geht mit?«, fragte Branko.
Der Alte machte ein grimmiges Gesicht. »Die Gesellschaft will, dass der alte Orlovic und ich dem Bürgermeister den Fisch überreichen.«
»Und das tut Ihr?«, fragten Branko und Zora zur gleichen Zeit.
Jetzt lachte der Alte. »Sogar gern. Ich will ihm nämlich dabei ein Sprüchlein sagen, an dem er seine Freude haben wird.«
Die Kinder gingen ein Stück mit.
Der Wagen rumpelte langsam durch den gelben Sand, die Sonne brannte wie eine riesige Fackel und das ganze Land glühte wie ein großer Backofen.
An der Stadtgrenze warteten die Tabakarbeiterinnen, die Kapelle und der Glatzköpfige.
Die Mädchen sahen wie ein großer Blumenstrauß aus. Sie waren blass und mehlig betupft, lange, einfarbige Kleider hingen bis zu ihren Füßen, ihr Haar fiel offen über Hals und Schultern, Blumen und Muschelkränze rahmten es ein und auch um die Hüften schlangen sich Blumen und Muschelketten.
Genauso phantastisch war die Kapelle des Hotels »Zagreb« angezogen. Um die braunen, verklebten und verschwitzten Gesichter wanden sich hohe, weiße Kragen, um die Leiber gelbe, etwas verschossene Fräcke, die Hosenbeine waren wieder grün wie die Zylinder, die Strümpfe rot, während die Füße in übergroßen, platschigen, froschzehenähnlichen Schuhen steckten.
Der Wagen hielt an. Ein kleiner Maler, der neben dem Glatzköpfigen stand, schmückte nun auch die Ochsen, den Kutscher, die acht Matrosen, den alten Orlovic und Vater Gorian.

Den Ochsen versilberte der Maler die Hörner und über den Wagen wurde ein silberner Glanz gestrichen. Die Mädchen banden unterdessen bunte Girlanden und glitzernde, in allen Farben schillernde Glasperlen um alles, während der Kutscher in ein silbriges Gewand gesteckt wurde und anstelle seiner Peitsche einen Dreizack bekam.
Der alte Gorian und Vater Orlovic sträubten sich erst gegen den Firlefanz, aber als sie sahen, dass sich die Matrosen große Bärte ankleben ließen, spitze rote und blaue Nasen über ihre Nasen steckten und Schilf und Blumen über ihre Kleider hängten, ließen sie sich auch putzen, färben, umziehen und anstreichen.
Vater Gorian wurde von den Mädchen und dem Maler zu einem richtigen Wassermann gemacht. Man stülpte ihm eine rote Perücke über das weiße Haar, zog ihm auch eine spitze, lange, grüne Nase über seinen klumpigen, kleinen Knollen. Die Augen umränderte man mit einem dicken, knalligen Rot und dann streifte man ihm über den ganzen Leib bis hinauf zum Hals einen schlauchartigen grünen Anzug, der unten in zwei Flossenteile auseinanderging, sodass der alte Gorian, wenn er die Beine nebeneinanderstellte, wie ein vorsintflutliches Seeungeheuer aussah.
Der alte Orlovic wurde ähnlich ausstaffiert. Nur war alles, was er anhatte, im Gegensatz zum Vater Gorian blau und außerdem klebte man ihm noch einen langen, aus Hanffasern geflochtenen Bart unter das Kinn, der beinahe bis zu den Knien reichte.
Der Glatzköpfige rannte während der ganzen Zeit auf und ab und trieb die Mädchen und den Maler zur Eile an; hie und da verbesserte er auch etwas, riss es aber nach ein paar Minuten wieder ab und rannte weiter hin und her.
Endlich sagten die Mädchen: »Wir sind fertig.«
Auch der Maler war fertig und strich den Ochsen nur noch die Hufe mit Goldfarbe an.
Nun stellte Kukulic alle auf. Die Musikanten kamen an die Spitze, hinter sie die Hälfte der Mädchen, nach den Mädchen kamen die Ochsen, der Wagen und die Matrosen, der Rest der Mädchen bildete den Schluss.
Kukulic strich sich über seine Glatze und schrie zu den beiden Alten hinauf: »Wisst Ihr noch, was Ihr dem Bürgermeister sagen sollt?«
Vater Orlovic verzog nur seinen übermalten Mund. Vater Gorian sagte: »Nein.«

»Den größten Fisch unserem Wohltäter, dem Bürgermeister Doktor Ivekovic.«
»Gut, gut.« Der alte Gorian nickte.
»Vergesst es aber nicht und nichts anderes dürft Ihr sagen.«
»Jaja«, bestätigte der alte Gorian noch einmal und blinzelte zu den Kindern hinüber.
»Hü!«, schrie da der Kutscher laut und schwang seinen Dreizack. Im gleichen Augenblick stimmten die Musikanten einen Marsch an und der Zug setzte sich in Bewegung.
Der Nachmittag ging zu Ende. Die Sonne stach nicht mehr so heiß, das Meer kräuselte sich leise und von den Inseln wehte ein leichter Wind. Die Musikanten spielten immer lauter, die Ochsen schoben ihre schweren, geschmückten Leiber schneller vorwärts, die Matrosen gingen gravitätisch und stolz neben den Ochsen einher. Die Mädchen machten kleine Tanzschritte, lächelten und ließen ihre Schleier wehen.
Die Kinder trotteten bis zum Quai einmal hinter und einmal vor dem Zug.
Am Quai verschwanden sie in eine Nebenstraße und sahen nur noch verstohlen aus Toreinfahrten und Kellerlöchern nach dem festlichen Ereignis.
Am Quai flanierten wie sonst Bürger, Soldaten, Matrosen, einige Holzarbeiter, Tabakarbeiterinnen, ein paar Fremde, die mit dem Dampfer gekommen waren, Handwerker, Bauern und Gymnasiasten. Alle blieben stehen und horchten auf, als sie die Musik hörten. Als sie gar den Mummenschanz sahen, stürzten sie dem Zug entgegen.
»Ein Festzug!«, schrie der junge Skalec und schnaufte heran.
»Ja«, sagte der bleiche Karaman, der es von seinem Vater wusste, »eine Überraschung für den Bürgermeister.«
»Ho, ho«, sagten ein paar Seeleute, die auch herangekommen waren, »das sieht ja aus, als wäre der alte Poseidon höchstpersönlich nach Senj gekommen.«
»Und sieh nur«, lachte sein Nachbar, »seine Meerjungfrauen schminken sich auch bereits.«
Die Menschen bildeten eine Gasse und der Zug zog durch sie hindurch hinauf auf den Markt.
Die alte Marija, das Hökerweib, humpelte hinter ihrem Stand hervor und krähte: »Herrje! Jetzt bemalen sie sogar schon die Ochsen.«

»Warum denn nicht«, antwortete einer der Matrosen, »du lässt dir ja auch einen Bart stehen.«
Radic und seine Frau, die noch hinter ihrem Stand weilten, schlossen sich dem Zug an, auch einige Bauern und Bauersfrauen, die gerade ihre letzten Früchte verkauft hatten, gingen hinter den Mädchen her.
Vor dem Hotel »Adria« war das Gedränge bereits so stark, dass der Zug eine Weile stehen bleiben musste.
»Einen Schnaps gefällig, Herr Neptun!«, schrie der dicke Marculin und hob Glas und Flasche den beiden Alten entgegen.
»Wenn er gut ist«, brummte Vater Gorian, »dann gib ein Glas her.«
»Ein Glas!«, rief der Kutscher übermütig. »Die ganze Flasche. Wir kommen nur einmal im Jahr und auch das ist nicht ganz sicher«, und ehe sich der arme Wirt von seinem Schrecken erholte, hatte ihm der Kutscher Glas und Flasche weggenommen.
Brozovic steckte sein fuchsiges Gesicht aus dem Laden. Als er den Glatzkopf an der Spitze des Zuges sah, ließ er sich seine Jacke geben und folgte ihm.
Curcin stand, die Kappe in der Hand, die hochgestreiften Hemdsärmel über den schwammigen, weißen Armen, vor seinem Geschäft und rieb sich, erstaunt über den lustigen Aufmarsch, die Augen, dann fuhr er in seine Holzpantoffeln und marschierte mit. Der Schuster, der Schmied, der alte Pletnic, Susic in seinem Kaftan, der alte Dragan, der alte Jossip, Pacic und sein Geselle, alle kamen sie aus ihren Werkstätten, Kneipen, Läden und Häusern und der Zug wurde immer größer.
Zu den Gymnasiasten waren der junge Smoljan, der junge Marculin und der dicke Müller gestoßen, auch der kleine Brozovic kam hinter seinem Vater angerannt. Die Knaben bildeten eine Kette und gingen vor dem Zug her.
Die Musikkapelle bog auf den großen Platz ein. Vor dem Hotel »Zagreb«, aus dessen Fenstern einige Fahnen hingen, stand Ringelnatz. Er hatte zur Feier des Tages eine weiße Jacke an und eine neue Mütze auf, sonst aber blinzelte er wie alle Tage mit seinen kleinen, hellen Augen lustig unter dem großen Mützenschild hervor.
Der Platz lag im letzten Sonnenlicht und die leuchtenden, viereckigen Platten und der weiße Bewurf der Häuser strahlten das Licht hell und überweiß zurück.
Hinter dem großen Brunnen, direkt vor dem bischöflichen Palast,

ragte die Tribüne empor. Auf den schwankenden Brettern stand lächelnd und jugendlich, wieder ganz in Weiß, Direktor Frages. Der Bürgermeister stand blass und überlang neben ihm. Um die beiden gruppierten sich, dick und beleibt, die Hände in den weißen Westenausschnitten, Doktor Skalec, Brozovic, der Apotheker, der große, aufgedunsene Karaman und jetzt stellte sich auch Pletnic zu ihnen.
Rechts und links von den Honoratioren hatten sich die beiden Gendarmen aufgestellt. Begovic trug eine neue Jacke, die noch einen sauberen Eindruck machte. Der dicke, rote Gendarm schwitzte auch nicht so wie sonst und sah ernst und feierlich aus. Dordevic sah aus wie immer, er schwang seinen Gummiknüppel in der Hand und blickte mit kleinen Augen auf die Musikanten.
Um die Tribüne drängte sich bereits allerlei Volk. Buntbemützte Bauern, die sonst um diese Zeit auf dem Weg zu ihren Dörfern waren, Holzarbeiter, die noch vor dem Abendessen das Fest sehen wollten, Bürger mit ihren Frauen, barmherzige Schwestern, ein paar Offiziere, eine Gruppe Fremder, die mit einem Autobus gekommen waren, denn es hatte sich in der Stadt herumgesprochen, was der alte Gorian für einen großen Fang gemacht und dass heute die Fischereigesellschaft dem Bürgermeister den größten Tunfisch, der seit Jahrzehnten in der Adria gefangen worden war, öffentlich überreichen wollte.
Der Zug marschierte langsam auf die Tribüne zu. Die Gymnasiasten, die bunten Mützen keck über dem Ohr, gingen noch an der Spitze. Die Musikanten posaunten, als müssten sie den letzten Ton aus ihren Trompeten blasen, die Mädchen hoben ihre Schleier und drehten sich dabei, die als Matrosen verkleideten Fischer versuchten trotz ihrer großen Schuhe den Takt zu halten, der Kutscher hob seinen Dreizack, als sei er ein Zepter, und der alte Orlovic und der alte Gorian waren auf einen Wink von Direktor Kukulic aufgestanden.
Immer neue Menschen strömten mit und hinter dem Zug auf den Platz. Alle Handwerker aus den benachbarten Gassen klapperten mit ihren Holzschuhen über das Pflaster. Die Gäste aus dem Hotel »Adria«, das Volk, das am Quai gewesen war, alles rannte den Musikanten und den Mädchen nach. Vor dem bischöflichen Palast drängten sich sogar einige Priester und Novizen und dazwischen stießen die Kinder von Senj durch die Reihen, um auch etwas von der Narretei zu sehen.
Der Glatzköpfige, dem der Schweiß in Strömen über das Gesicht

rann, hob die Hand und der Zug teilte sich. Die Mädchen mussten sich wie eine Ehrenwache vor die Tribüne stellen. Die Musikanten trennte er, die einen beorderte er rechts, die anderen links neben den Wagen. Nun kamen auf sein Kommando die Matrosen an den Trog und versuchten ihn zu heben.
»Da ist er drin!«, schrien die Kinder, die den Ring der Erwachsenen durchbrochen hatten.
»Ja, in dem Kübel.«
»Gott, muss der schwer sein«, sagte Pacic, der sah, wie die Matrosen stöhnten.
Endlich hatten sie ihn auf den Schultern und trugen ihn langsam auf die Tribüne zu.
Die Erwachsenen drängten den Kindern nach. Auch sie waren neugierig geworden. Begovic und Dordevic mussten immer wieder ihre Knüppel schwingen, damit wenigstens so viel Platz frei blieb, dass die Matrosen den Kübel niederstellen konnten.
Nun schoben sich die Menschen heran und bildeten mit den Gendarmen einen Halbkreis um die Tribüne.
Der alte Gorian und der alte Orlovic in ihren bunten Gewändern waren dem Trog nachgegangen. Jetzt bückten sie sich, um die dicken Seile zu lösen.
Das erste war schon aufgeknüpft. Das zweite band Vater Gorian gerade auseinander. Der alte Orlovic hob den Deckel.
»Langsam«, warnte ihn der alte Gorian, »sonst springt er uns womöglich heraus.«
Der Glatzköpfige rief »Zurück!« und wollte die Menschen noch weiter zurückdrängen, aber obgleich ihn die Matrosen und die beiden Gendarmen unterstützten, die Neugierde der Menge war auf den Höhepunkt gestiegen, sie wichen keinen Schritt, im Gegenteil, sie stießen noch stärker gegen die Matrosen vor.
»Er hebt sich«, sagte der alte Orlovic und tatsächlich, der schwere Deckel hob sich.
»Tusch!«, schrie der Glatzköpfige den Musikanten zu. Sie bliesen die Backen auf, im gleichen Moment sprang der Deckel ganz auf.
Wie hoch die Menschen jetzt auch ihre Köpfe reckten, sie sahen nichts weiter, als dass die beiden Alten recht erstaunte Gesichter machten und dem Glatzköpfigen, der sich gleichermaßen über den Trog bog, beinahe die Augen aus dem Kopf sprangen.

Auch der Bürgermeister bekam große, zornige Augen und Direktor Frages und die anderen Honoratioren machten womöglich noch verblüfftere und verwundertere Gesichter. Nur die beiden Alten fanden langsam ihre Ruhe wieder. Ja, Vater Gorian blinzelte sogar leicht und der alte Orlovic unterdrückte ein Lachen.
Was da unter ihnen im Kübel lag, war alles andere, nur nicht der große, gefährliche und noch am Morgen quicklebendige Tunfisch. Es war irgendeine Tierleiche. Sie streiften ihre Gewänder hoch, fassten in den Bottich hinein und zogen sie heraus, erst kam der Kopf, darauf der Leib, dann die Beine und zuletzt der buschige, nasse Schwanz.
»Ein Hund«, sagte der alte Gorian leise, der Vater Orlovic das Tier abgenommen hatte, und breitete es vor dem Bürgermeister aus.
»Ein Hund!«, schrie auch schon ein Kind laut, das dem alten Gorian am nächsten stand.
Auch auf der Tribüne flüsterten sie: »Ein Hund.« Brozovic zischte es und sein fuchsiges, böses Gesicht wurde noch spitzer. Karaman knurrte und wurde rot wie ein Krebs.
Obwohl die Musik noch immer spielte, pflanzte sich der Ruf über den Platz fort.
»Ein Hund«, echote der dicke Curcin und er wusste noch nicht, ob er über diesen Frevel lachen oder weinen sollte.
»Ein Hund«, sagten die Holzarbeiter hinter ihm. »Sie haben dem Bürgermeister einen Hund geschenkt.«
»Ein toter Köter!«, kicherten die Mädchen und alles drängte wieder stärker gegen die Matrosen und die Gendarmen, denn jeder wollte das Tier sehen.
»Haha!« Einige lachten auf. »Haha!« Die Kinder trugen das Lachen fort, die Mädchen verstärkten es mit ihrem Kichern, Curcin und Pacic fielen mit ihren Bässen ein, der alte Jossip meckerte wie eine Ziege, der alte Tomislav, der Schmied, trompetete sein Lachen wie eine Posaune heraus, von ihm sprang es auf die Holzarbeiter über, die Bauern nahmen es auf und nun schepperte und donnerte es über den ganzen Platz. »Ein Hund!«, schrien die Leute immer wieder. »Ein Hund! Sie haben unserem Bürgermeister einen toten Hund geschenkt!«
Der Glatzköpfige war durch das Lachen totenbleich geworden und der alte Neptun mit seinem Dreizack musste ihn stützen. Auch

Direktor Frages sah beinahe so weiß wie sein Anzug aus. Aber das schlimmste Gesicht machte der Bürgermeister. Seine großen Augen blitzten wie Funken unter den Brillengläsern, sein Gesicht war noch länger und kalkiger geworden, er knirschte mit den Zähnen und sein spitzer Bart tanzte, als wäre er lebendig geworden, auf und ab. Er schien es noch immer nicht recht zu glauben, dass man ihm einen so bösen Streich gespielt hatte, und er trat ein paar Schritte auf den Kübel zu.
Der alte Gorian hob die Leiche höher. »Es ist wirklich ein Hund.«
Unterdessen schrie die Menge lauter und lauter. Jetzt wussten es schon die Hintersten und nun sprang es auch zu den Fenstern hinauf und hinüber zu dem bischöflichen Palais und das Rufen und Lachen pflanzten sich derart fort, dass es sogar die Musik übertönte.
Dem Bürgermeister nahm das den letzten Rest seiner Ruhe.
»Aufhören!«, schrie er zu den Musikanten hinüber.
»Ja, aus!«, echote der Glatzköpfige, der sich etwas erholt hatte.
Doktor Ivekovic kommandierte weiter: »Begovic!«
Begovic sprang vor: »Ja, Herr Bürgermeister!«
»Du nimmst fünf Matrosen und drängst die Leute nach dem Quai hinunter.«
»Zu Befehl!« Begovic salutierte mit seinem dicken Knüppel und schlug schon auf die Leute ein.
»Dordevic!« Auch Dordevic sprang vor.
»Du nimmst den Rest der Matrosen und treibst die übrigen Leute in die Allee hinein. In fünf Minuten muss der Platz leer sein.«
»Zu Befehl!« Auch Dordevic entfernte sich.
Die Leute wichen langsam zurück, aber noch immer klang ihr Lachen, Johlen und Pfeifen über den Platz.
Der Bürgermeister wandte sich inzwischen an Gorian und Orlovic. Er zitterte wie Espenlaub, so aufgeregt war er.
»Wer war das?«, keuchte er und blitzte die beiden Alten an.
»Ja«, echote der Glatzköpfige, »wer war das? Sicher niemand anders als Ihr.«
Die beiden Alten zuckten die Achseln. »Nein«, brummte der alte Gorian, »der Streich ist leider nicht von uns.«
Der Platz war leer und die Matrosen und Gendarmen kamen zurück. Der Bürgermeister fuhr auch die Matrosen an. »Ihr oder einer von den beiden Alten habt es getan. Kein anderer kann es gewesen sein.«

Die Matrosen beteuerten gleichfalls ihre Unschuld.
»Vielleicht weiß ich's«, sagte der Gelbkopf.
»Du?« Der Bürgermeister und Kukulic fuhren auf ihn zu.
»Ich glaube, ›sie‹ könnten es gewesen sein.«
»Wer? Wer? Sprecht doch endlich!«
»Die Kinder, die beim alten Gorian sind.«
»Welche? Welche?«
»Die rote Zora und Branko Babitsch, die die Polizei seit beinahe einer Woche sucht.«
»Die!« Der Spitzbart des Bürgermeisters tanzte wieder bedenklich auf und ab.
Der Gelbkopf nickte eifrig. »Branko war heute Morgen bei uns und wollte eine Schaufel haben. Ich habe ihn gefragt, wozu, denn ich dachte, der alte Gorian wolle sein Geld damit vergraben, der Junge antwortete aber: ›Nein, wir begraben nur einen Hund.‹«
»Und Ihr meint, das ist er?« Doktor Ivekovic zeigte auf die Leiche, die wieder im Kübel lag.
»Bestimmt«, nickte der Gelbkopf weiter.
»Es ist mein Leo«, sagte da der reiche Karaman, der sich den Hund auch angesehen hatte. »Ich habe ihn vor zwei Tagen erschossen.«
»Wie kommen die Kinder aber gerade zu dem Hund?«, mischte sich Direktor Frages ein.
»Ich habe ihn erschossen, weil er sich mit diesem Pack eingelassen hat, und einen Hund, der es mit Spitzbuben hält, kann der alte Karaman nicht brauchen.«
»Die rote Zora und ihre Bande«, ächzte der Bürgermeister. Er schien nachzudenken.
»Natürlich«, sagte er dann. »Sie müssen es gewesen sein. Sie wollten sich wegen des Strafbefehls und wegen der Verfolgung rächen. Jetzt«, sein Gesicht zog sich wütend zusammen, er ballte die Fäuste und sein Bärtchen tanzte wieder, »jetzt sollen sie mich kennenlernen! Jetzt ist es mit ihnen vorbei. Begovic! Dordevic!«
Er rief die Gendarmen nochmals heran. Die beiden rannten herbei. Der Bürgermeister ging noch eine Weile aufgeregt vor ihnen hin und her, dann sagte er schnell: »Es bestehen genügend Beweise, dass auch diese Schandtat von der Bande der roten Zora verübt worden ist. Ihr gebt morgen ein Plakat heraus, dass wir die Belohnung von hundert auf zweihundert Dinar hinaufsetzen. Auch jeder, der weiß, wo sich

die Kinder aufhalten, soll sich melden. Dann werde ich in die Kreisstadt telefonieren, es sollen noch zwei Gendarmen kommen. Wir werden jeden Schlupfwinkel in der Stadt und in der Umgebung untersuchen, und wenn wir die Kerle bis übermorgen Abend nicht haben, will ich nicht mehr Bürgermeister von Senj heißen. Wenn wir sie aber haben«, fuhr er lauter fort, »dann werden sie eingelocht, alle miteinander, und sie sollen es büßen, und wenn ich sie selber ins Gefängnis oder ins Zuchthaus bringen muss.«
Doktor Ivekovic sagte das alles sehr schnell; sein Bart hüpfte dabei immer wütender auf und ab, der Schweiß lief ihm von der Stirn und auch seine Brille tanzte. Jetzt drehte er sich rasch um, sagte noch kurz: »Guten Abend, meine Herren«, und stürmte über den leeren Platz in sein Haus.
Brozovic sah ihm nach. »Der arme Mann.«
Auch Karaman, der immer noch mit großen Augen auf seinen Hund starrte, bedauerte ihn. Direktor Frages musste den Glatzköpfigen trösten, der noch wie erschlagen war. »Kommen Sie, Kukulic«, sagte er. »Trinken wir einen, da vergessen wir die verdammte Hundegeschichte am schnellsten.«
Aber so schnell konnten sie es nicht vergessen. Ganz Senj lachte noch darüber und die Menge, die man vom Markt abgedrängt hatte, zog nun durch die Gassen und pfiff und sang, johlte und lachte weiter. Ja, wenn sich Begovic und Dordevic auch viel Mühe gaben, jeden, der lachte oder pfiff, mit ihren Knüppeln zu verprügeln, eine Stunde später hatte der bucklige Schuster schon ein Lied auf die Geschichte gemacht und alle Leute sangen es.
Der alte Gorian, Vater Orlovic, Curcin und Pacic hatten sich gerade mit dem alten Jossip und dem dicken Schmied bei Marculin zu einem Roten niedergesetzt, da zogen die Seeleute, die Holzarbeiter, die Tabakarbeiterinnen und eine ganze Schar Kinder singend am Hotel »Adria« vorbei. Der Schuster sang die einzelnen Verse immer vor:

»Poseidon kam in unsre Stadt
mit einem großen Wagen
und einem Bottich zentnerschwer,
zehn konnten ihn kaum tragen.

Er wollte Stadt und Bürgerschaft,
damit wir an ihn denken,
und auch dem hohen Magistrat
den schweren Bottich schenken.

Man riet auf einen großen Fisch
und schloss schon viele Wetten,
die Kühnsten auch auf pures Gold
und lange Perlenketten.

Der Bürgermeister hat den Gott
mit seinem Rat empfangen,
mit Musik und mit Jüngferchen,
die alle lieblich sangen.

Da öffnet man das große Fass.
Tusch! Die Trompeten blasen.
Doch Groß und Klein, sie schnüffeln nur
und schließen ihre Nasen.

Erst kommt ein Kopf, darauf ein Schwanz
und alles kugelrund,
und plötzlich sagt ein kleines Kind:
›Es ist ein toter Hund!‹

Der Bürgermeister ist schockiert,
der Magistrat voll Schrecken
und nur das arme Volk, das lacht,
als sie den Hund entdecken.

Poseidon habe schönen Dank.
Wir haben es vernommen,
die stolze Stadt am schönen Meer
ist auf den Hund gekommen.«

Alles bog sich vor Lachen, und als die Sänger und Sängerinnen nach einer halben Stunde vorbeizogen, sangen die Gäste schon mit:

»Die stolze Stadt am schönen Meer
ist auf den Hund gekommen.«

»Ein Hoch auf den Dichter«, sagte Curcin und reichte dem buckligen Schuster sein Glas.
Der alte Orlovic aber flüsterte Vater Gorian zu: »Nun sind wir doch noch gerächt worden.«
Der alte Gorian nickte zurück: »Ja, das haben die Kinder gut gemacht. Besser, als wenn ich meine Rede gehalten hätte.«
Der dicke Wirt, der auch mit seinem Glas an ihrem Tisch hockte, war etwas bedenklicher. »Ist das nicht zu viel des Guten?«, meinte er, als sich das Volk wieder singend in Bewegung setzte.
Der alte Jossip schüttelte sein greises Haupt. »Lasst sie nur, Marculin. Lasst sie nur. Volkes Stimme ist Gottes Stimme und es ist schon recht, wenn die oben einmal hören, wie Gott und das Volk über sie denken.«

23

Branko kommt zum zweiten Mal beinahe ins Gefängnis

Die Kinder hielten sich während des Festes in Toreinfahrten, kleinen Gassen und Kellerlöchern versteckt.
Als die Festlichkeit auf ihrem Höhepunkt war, die Matrosen den schweren Kübel zur Tribüne schleppten, die Musik ihren Tusch blies, wagten sie sich sogar aus ihren Verstecken heraus und mischten sich unter die Menge.
Branko und Nicola standen in allernächster Nähe des geschmückten Wagens.
Der kleine Nicola zitterte vor Aufregung und Freude: »Gleich werden sie es merken.«
Auch Branko schaute mit großen Augen auf den Bürgermeister, die Tribüne und die beiden alten Fischer.
Da entdeckte Branko noch jemanden. Neben Doktor Ivekovic stand nicht nur sein Sohn, sondern auch Zlata.
Die junge Dame war also nicht krank oder verreist, wie Branko gedacht hatte, und während sich alle Augen gespannt auf den Kübel richteten und der alte Gorian gerade »Ein Hund« sagte und alle »Ein Hund! Ein Hund?« wiederholten, sah Branko nur das Mädchen.
Die Buben sahen und hörten auch, wie der Bürgermeister und der Glatzköpfige die beiden Alten anschrien, die Gendarmen und die Matrosen auf die lachende, johlende und pfeifende Menge hetzten und wie die Leute in die nächsten Gassen und Straßen flohen.
Branko und Nicola wurden dabei zu Boden geworfen. Branko konnte gleich wieder aufspringen und an Ringelnatz vorbei ins Hotel »Zagreb« flüchten. Nicola war weniger glücklich, er rettete sich aber unter einen der vielen Tische, die vor dem Hotel standen, und war so gleichfalls vor den Gendarmen und den Matrosen in Sicherheit.
Nicola hörte von seinem Versteck aus, wie der Bürgermeister die beiden Alten andonnerte, wie die Gendarmen und die Matrosen neue Befehle bekamen und mit den Gymnasiasten davonrannten.
War man hinter ihren Streich gekommen? Hatte sie jemand verra-

ten? Nicola vernahm jedenfalls, dass die Gymnasiasten immerzu von ihnen sprachen.
Er wartete noch, bis die Menge in der Richtung nach dem Quai verschwand, dann verschwand er.
Das Wichtigste für ihn war, die anderen zu finden und sie zu warnen. Es war nicht so leicht. Duro und Zora zogen mit den Tabakarbeiterinnen und einigen Holzarbeitern durch die Straßen und schrien und pfiffen, auch Pavle vergnügte sich auf diese Weise und es dauerte eine gute Stunde, bis Nicola alle zusammenhatte. Er berichtete ihnen: »Der Bürgermeister ist wütend auf uns, und die Gendarmen und die Gymnasiasten sind wieder hinter uns her.«
»Aber wer soll es ihnen erzählt haben?«, fragte Duro.
»Ja, wer?«, fragte auch Pavle.
»Vielleicht haben sie nur einen Verdacht«, sagte Nicola.
»Wir müssen vor allem Branko warnen«, meinte Zora, die jetzt erst merkte, dass Branko noch nicht da war.
Aber wo steckte Branko? Die Jungen hatten ihn seit dem Fest nicht mehr gesehen.
»Ich weiß nur«, sagte Nicola, »dass er vor den Gendarmen ins Hotel ›Zagreb‹ geflüchtet ist.«
»Ins Hotel ›Zagreb‹?«, wiederholte Zora.
Nicola nickte: »Ringelnatz hat ihn hineingelassen.«
»Da wird er sicher noch bei Ringelnatz sein«, sagte das Mädchen. »Schleicht euch in die Bucht zu Vater Gorian und versteckt euch in der Höhle. Ich werde im Hotel ›Zagreb‹ nachsehen.«
Sie nickte den anderen zu und machte sich auf den Weg zum Hotel.
Branko war wirklich zuerst nur an Ringelnatz vorbei ins Hotel geflüchtet. Nun stand er im Hof und horchte auf das Geschrei der Menge.
Nach einer Weile wurde es stiller und er wollte wieder hinausgehen, da sah er, dass Zlata über den Platz kam und auf ihr Haus zuging.
Wie sah das Mädchen aber aus! Ihr Gesicht war weiß und verzerrt, ihre Augen gerötet und ihre Hände zu Fäusten geballt, als wolle sie im nächsten Augenblick auf jemanden losschlagen.
Sie lief an dem Jungen vorbei, der hinter dem Tor stand, riss die Tür zur Bürgermeisterei auf und knallte sie wieder zu.
Branko schlich auf den Hof zurück. Vielleicht ging sie in den Pavillon, dann konnte er sie sprechen und fragen, was sie hatte.

Er musste aber lange warten, bis sie aus dem Haus kam und in ihren Pavillon stürmte.
Sie sah ganz verzweifelt aus und jagte, wie von Hunden gehetzt, an ihm vorbei.
Branko folgte ihr leise.
Zlata hatte die Tür zum Pavillon aufgerissen, war hineingestürzt, und nun sah und hörte Branko nichts mehr von ihr.
Er schlich ans Fenster. Im Zwielicht sah er, dass das Mädchen auf einem Stuhl saß; ihre Hände lagen vor dem Gesicht und sie schluchzte.
Branko schlich vorsichtig zur Tür und trat ein. »Zlata«, flüsterte er. Das Mädchen fuhr herum und die beiden blickten sich in die Augen. Branko erschrak. Das war nicht mehr die Zlata, die er kannte, auch nicht mehr das Mädchen, das eben noch verzweifelt geweint und geschluchzt hatte, das war eine andere. Eine Zlata, die wüten, schreien, schlagen konnte, und sie starrte ihm mit einem solchen Hass ins Gesicht, dass Branko am liebsten geflüchtet oder in der Erde versunken wäre.
»Du!«, zischte sie mit hasserfüllter Stimme. »Du, ausgerechnet du!«
»Ja, ich«, stotterte er.
»Was willst du hier?«
»Ich wollte Sie wieder sehen.«
»Mich!« Sie lachte gellend auf. »Mich, nachdem ihr meinen Vater vor der ganzen Stadt lächerlich gemacht habt! Mich, nachdem ich mich nach all der Schande, die ihr unserem Haus zugefügt habt, nicht mehr auf der Straße sehen lassen kann!«
»Wir?«, begann Branko wieder.
»Willst du es etwa leugnen?«
Branko war ganz verwirrt. »Was sollen wir denn gemacht haben?«
Zlata trat einen Schritt auf ihn zu. »Habt ihr den Hund in den Trog gelegt oder nicht?«
Unterdessen war Zora am Hotel »Zagreb« angekommen. Ringelnatz stand wie immer auf seinem Posten und sah nach rechts und links.
»Habt Ihr Branko gesehen?«, fragte das Mädchen.
Ringelnatz nahm seine Pfeife aus dem Mund. »Vor ungefähr einer Stunde ist er hier hineingeflitzt.«
»Und noch nicht wieder herausgekommen?«, fragte Zora weiter.
»Ich glaube nicht. Aber du kannst ja selber nachsehen.«

»Wo denn?«
»Bei seiner Freundin von nebenan. Wenn er nicht wieder herausgekommen ist, ist er sicher in ihrem Pavillon.«
Zora runzelte die Stirn. »Bei Zlata?«
»Ja«, meinte Ringelnatz, »sie will ihn doch die Geige spielen lehren. Branko hat es mir wenigstens erzählt.«
Zora stockte einen Augenblick das Herz. Es war diesmal keine Eifersucht, die sich in ihr regte, auch keine Wut gegen dieses Mädchen. Nein, sie war nur verzweifelt und wütend auf Branko.
Gestern hatten sie geschworen zusammenzuhalten, nichts über ihre Gemeinschaft zu setzen und einander gelobt, stets treu und immer gute Uskoken zu bleiben, und heute ging Branko von neuem zu diesem Mädchen. Sie wollte es einfach nicht glauben.
»Wo ist denn der Pavillon?«, fragte sie.
Ringelnatz zeigte nach hinten. »Wenn du in den Hof gehst, kannst du in Doktor Ivekovics Garten sehen, und wenn du über den Zaun springst, bist du schon darin. Der Pavillon ist an der Mauer.« Zora dankte Ringelnatz und schlüpfte an ihm vorbei.
Da war der Hof, dort drüben war der Garten und am Ende des Gartens das rundliche, kleine Haus war sicher der Pavillon.
In den hohen Fenstern spiegelten sich noch zwei Sonnenstrahlen. Das Mädchen erblickte auch zwei Schatten, aber sie musste erst über die Mauer klettern, wenn sie sehen wollte, ob es Branko und Zlata waren.
Sie waren es.
Branko stand klein und verängstigt in der Nähe der Tür. Das Fräulein stand groß und wütend vor ihm und drohte ihm mit den Fäusten.
Zora schlich noch näher.
Das große Mädchen stampfte auf, schrie Branko an, schalt ihn, beschimpfte ihn, und Branko sah verstört und ängstlich aus.
Jetzt hörte Zora auch, was sie sagte.
»Ich will nur noch einmal von dir hören«, rief Zlata und blitzte Branko an, »habt ihr den Hund in den Trog gelegt oder nicht?«
»Den Hund …«, stotterte Branko.
»Sag Ja oder Nein. Nichts weiter.«
Branko richtete sich auf. Sein Gesicht wurde fester. »Ja«, sagte er dann, »ja.«
Zora hielt den Atem an. Sie hörte nicht mehr, was Zlata darauf ant-

wortete. Sie hörte nur dieses »Ja«. Ihr schwindelte. Die Beine versagten ihr, der ganze Körper.
Branko war nicht nur zu diesem Mädchen gegangen. Er hatte sich auch verraten. Nein, nicht nur sich, alle, die Bande, seine Uskoken. Er brach seinen Schwur und die Treue und zerbrach damit alles, was zwischen ihm und ihr war.
Zora empfand diesen Verrat so heftig, dass sie sich halten musste, erst an der Mauer, dann an einem Baum, aber sobald sie etwas Kraft hatte, sprang sie wieder auf, jagte durch den Garten, kletterte über die Mauer und rannte davon.
Ihr Herz schlug wie eine Trommel. Tränen stürzten aus ihren Augen. Ihre Hände krallten sich ineinander. Oh, dieser Branko – sie hatte ihn gerngehabt, ihn geliebt wie einen Bruder. Ja, vielleicht noch mehr. Sie hatte ihn allen vorgezogen, sie war auch bereit gewesen, ihm alles Vergangene zu verzeihen. Seine Liebe zu diesem Mädchen. Dass er diese Liebe über die Bande und ihre Gemeinschaft stellte. Aber dass er jetzt hinging und alle verriet wie der schlimmste Verräter, das konnte sie ihm nie verzeihen.
Sie lief immer schneller, sie stürmte immer verzweifelter durch die Straßen.
Das Mädchen sah auch nicht mehr, wohin sie rannte. Sie erkannte keinen Menschen, hörte nicht, dass die Menge das »Hundelied« noch lauter sang und weiter vom Quai zum Markt und wieder vom Markt zum Quai zog, sie hörte und sah überhaupt nichts mehr, sie rannte nur.
Da sprang jemand auf sie zu. »Die rote Zora!«, schrie eine spitze, hohe Stimme und eine Hand krallte sich in ihre Schulter.
Sie schüttelte die Hand ab und rannte weiter. Der Rufer ließ aber nicht von ihr. »Die rote Zora! Die rote Zora!« Er schrie lauter und lauter und versuchte das Mädchen wieder zu fassen. Dabei sah sie sein Gesicht. Es war das spitze Mausegesicht des kleinen Brozovic. Sie stieß den Jungen in die Seite und riss sich das zweite Mal los. Brozovic hatte aber erreicht, was er wollte. Schon schrien zwei hinter dem Mädchen her, ein dritter, der dicke Müllersjunge, der kleine Skalec und ein anderer Gymnasiast.
Ein paar Minuten später versperrte ihr auch schon jemand von vorn den Weg. Es war der junge Karaman.
Er legte seine Hände um sie. »Habe ich dich endlich, du Feuerteu-

fel!«, triumphierte er und sein pickliges Gesicht wurde rot vor Freude.
Zora setzte sich noch einmal zur Wehr. Sie fuhr dem Jungen ins Gesicht, kratzte ihn, stieß ihn gegen die Brust, aber da fielen bereits die anderen über sie her.
Ein Matrose hieb sie auseinander. »Lasst ihr das Mädchen gleich los, ihr Lausebande!«, schrie er.
»Es ist die Liebste von Branko Babitsch, den die Polizei sucht!«, japste der kleine Brozovic und stieß sein Fuchsgesicht vor.
»Lasst uns das Mädchen!«, bat auch der kleine Skalec. »Sie gehört zur Bande, die dem Bürgermeister den Hund in den Bottich gelegt hat.«
»Ach, ist es eine von denen!«, lachte der Matrose, der noch immer nicht wusste, ob er dem Mädchen helfen oder sie wenigstens wieder laufenlassen sollte.
»Ja!«, schrie der dicke Müllersbursche. »Und wir wollen sie auf die Wache bringen.«
Inzwischen hatte sich Zora wieder gefasst. Ihr war jetzt alles gleich. Wenn Branko sie verraten hatte, was blieb ihr und den anderen noch übrig, als sich in ihr Geschick zu fügen. Sie wollte sich aber wenigstens noch an ihm rächen. Wie er sie, so wollte sie ihn verraten. Begovic sollte erfahren, wo er war, und die Gendarmen sollten auch wissen, dass er mit Zlata unter einer Decke steckte.
»Ich will ja selber auf die Wache«, sagte das Mädchen deshalb und riss sich wieder von den Jungen los.
»Du!«, schrien die Gymnasiasten und starrten sie erstaunt an. »Ich, und wenn ihr mir nicht glaubt, könnt ihr mitgehen.«
»Das tun wir sowieso«, meinte der junge Karaman und wischte sich das Blut aus dem Gesicht.
»Ja, komm!«, kommandierte auch Brozovic und stieß ihr die Faust in den Rücken.
Zora ging schon. Sie ging wie durch einen Nebel, eine Wand, eine Mauer. Wo wollte sie hin? Auf die Polizeiwache. Was wollte sie dort? Branko verraten. War sie verstört? War sie von allen guten Geistern verlassen? War sie verrückt geworden?
Der Zug hatte sich in der Zwischenzeit vergrößert. Zu dem jungen Karaman, dem dicken Müllerssohn, diesem winzigen Brozovic und dem krummbeinigen Skalec waren noch der junge Marculin, Smol-

jan und ein halbes Dutzend andere Gymnasiasten gekommen. Die Knaben brüllten laut und waren noch ausgelassener als vorher. »Wir haben die rote Zora!«, schrien sie. »Wir haben die größte Diebin von Senj! Wir bringen sie auf die Wache! Sie kommt ins Gefängnis! Der Magistrat soll sie hängen!«
Durch das Geschrei und Gejohle der Gymnasiasten schlossen sich noch mehr Leute dem Zug an, und als sie vor der Polizeiwache ankamen, waren sie schon ein halbes Hundert.
Dordevic stand unter dem roten Licht.
»Wen bringt ihr denn da?«, fragte er und schob seinen Kopf vor.
»Die rote Zora!«, schrien die Knaben wieder.
»Was!« Dordevic rieb sich die Hände.
»Ich habe sie gefangen!«, schrie Brozovic.
»Du!« Karaman stieß ihn in die Seite. »Ich!«
»Nein. Ich! Ich! Ich!« Alle schrien durcheinander.
Zora machte sich wieder frei. »Sie lügen. Ich bin freiwillig gekommen.«
Dordevic war noch erstaunter. »Du kommst freiwillig?«
Zora nickte tapfer. »Ich habe Euch etwas zu erzählen.«
»Gut.« Dordevic machte die Tür auf. »Komm herein.« Als aber auch die Gymnasiasten nachdrängen wollten, sagte er: »Halt. Ihr bleibt draußen. Euch kann ich nicht in meiner Amtsstube brauchen.«
»Lasst sie aber nicht wieder ausreißen!«, riefen Brozovic und der junge Karaman.
»Ihr müsst nur vor dieser Tür bleiben«, beruhigte sie Dordevic. »Alle anderen Türen in diesem Haus gehen ins Gefängnis.«
Er schob Zora in seine Amtsstube, dann stellte er sich hinter das kleine Pult, nahm sich erst eine Prise, schnupfte, sah dabei unaufhörlich auf das schlanke Mädchen mit den roten Haaren, darauf sagte er: »Nun, beginne.«
Während dieser ganzen Zeit standen sich Branko und Zlata weiter gegenüber.
»Ihr wart es also«, antwortete Zlata auf Brankos tapferes Ja und ihre Augen glühten in die seinen, als wolle sie ihn verbrennen.
»Wir wollten aber nichts weiter als den alten Gorian rächen«, fuhr Branko fort.
»Das wolltet ihr?«
»Die Gesellschaft hat ihm keine Fische abgenommen«, berichtete der

Junge schneller. »Dann verbot ihm die Stadt sogar, seine Fische zu verkaufen. Nun wollte die Gesellschaft für all diese Schlechtigkeit dem Magistrat und dem Bürgermeister noch den größten Fisch schenken und Sie wissen ja, der alte Gorian ist unser Freund.«
»Ich weiß nur«, schrie Zlata, »dass der Bürgermeister mein Vater ist, dass nun die ganze Stadt über ihn lacht, der Schuster bereits ein Hundelied gedichtet hat, das sie überall singen, und die Schande, die damit über unser Haus und unsere Familie gekommen ist, ist noch gar nicht abzusehen.«
Branko begriff jetzt die Wut und die Verzweiflung des Mädchens, obwohl er noch nicht fassen konnte, dass sie ein Unrecht begangen haben sollten. »Ich werde ...«, fing er an.
»Nichts wirst du mehr tun«, fuhr ihm Zlata über den Mund. »Gar nichts. Auch deine Bande wird nichts mehr tun, sondern ich werde etwas tun und weißt du, was ich tue?« Sie trat wieder unmittelbar auf Branko zu, sodass er erschrocken einen Schritt zurückwich.
»Ich gehe sofort auf die Polizeiwache und benachrichtige Begovic oder Dordevic, dass du hier bist, und damit du mir inzwischen nicht davonläufst, sperre ich dich ein.« Branko wollte noch etwas antworten, aber Zlata war schon zur Tür gegangen. Die Tür wurde aufgerissen, wieder zugeschlagen, Branko hörte das Schloss knacken, und als er auf die Tür zusprang, war sie tatsächlich verschlossen und er gefangen.
Er drückte einen Augenblick verzweifelt auf die Klinke, aber das Schloss saß fest, dann drehte er sich um und blickte nach den Fenstern. Zlata presste aber gerade feste Eisengitter, die außerdem noch durch Draht verstärkt waren, vor die Scheiben, riegelte sie zu, sodass er auch hier nicht mehr hinauskonnte. Er trat zurück.
Nun war er das zweite Mal gefangen und ausgerechnet von Zlata und bald würde er wahrscheinlich das dritte Mal eingesperrt werden und sicher für sehr, sehr lange.
Eigentlich war ihm recht geschehen. Zora hatte ihn vor dem Mädchen gewarnt. Der alte Gorian hatte ihn gewarnt. Die ganze Bande war gegen die Freundschaft mit Zlata gewesen, aber seine Sehnsucht war größer und größer geworden und nun saß er wie ein Gimpel in der Falle.
Branko konnte Zlata nicht einmal böse sein. Sie musste tun, was sie getan hatte. Er fand aber auch noch immer keine Schuld bei sich. Es

war ihre Pflicht gewesen, den alten Gorian, dem Unrecht über Unrecht geschehen war, zu rächen, und der Bürgermeister sowie der Magistrat verdienten den toten Hund, auch wenn der Bürgermeister Zlatas Vater war.

Jetzt war sie sicher bereits aus dem Haus. In diesem Augenblick jagte das große Mädchen bei Curcin um die Ecke. Nun stürzte sie an der Kneipe des alten Pletnic vorbei. In diesem Moment kreuzte sie den Platz an der Kirche des heiligen Franziskus und schon waren es nur noch wenige Schritte bis zur Polizeiwache.

Ob der dicke, versoffene Begovic da war oder der junge, lustige Dordevic? Dordevic wäre ihr lieber gewesen.

Dieser, das dichte Haar nach hinten gestrichen, den kleinen Schnauzbart leicht nach oben gedreht, stand noch immer hinter seinem Pult.

»Nun, beginne«, sagte er zum zweiten Mal.

»Ich ...« Zora stockte schon. Was wollte sie Dordevic eigentlich erzählen? Ach ja, wo Branko war, dass er bei Zlata steckte, dass er dieses Mädchen liebte, dass er ...

»Weiter, weiter«, ermunterte sie Dordevic und trommelte mit seinen großen Fingern auf dem Pult.

»Ich weiß, wo Branko ist!« Zora schoss es beinahe heraus.

»Aha«, machte Dordevic. »Euer Anführer.«

»Das ist er nicht«, schrie Zora auf. »Im Gegenteil. Er ist ein Verräter!«

»Hm.« Dordevic trommelte schneller, dann sah er sie an. »Vorläufig scheinst nur du einer zu sein.«

»Ich?« Zora kam ins Stottern. Dabei hatte Dordevic recht, aber bevor sie weitersprechen konnte, drang wieder der Lärm der Gymnasiasten zu ihnen. Plötzlich wurde das große Tor aufgerissen. Zora und Dordevic dachten schon, die Gymnasiasten wollten aufs Neue herein.

Es war aber Zlata, die ins Zimmer stürzte. Erhitzt vom schnellen Laufen, schwer atmend, sah sie sich eilig um. Das barfüßige Mädchen beachtete sie gar nicht, sie sah nur Dordevic.

»Ich muss Sie sofort sprechen, Dordevic«, sprudelte sie heraus.

Dordevic, der sie kannte, kam eilig hinter seinem Pult hervor. »Bitte, Fräulein Zlata.«

Zlata atmete noch heftiger. »Wo sind wir hier ungestört?«

Dordevic öffnete eine Tür. »Hier.« Er komplimentierte sie hinein.

Zora war in ihrer Ecke beinahe erstarrt. Dieses schöne Mädchen war Zlata. Zora hatte sie nur einmal flüchtig bei jener Prügelei am Turm gesehen und vorhin durchs Fenster. Zlata sah ja wie eine richtige junge Dame aus und es war lächerlich von ihr, auf sie eifersüchtig zu sein. Aber was wollte sie hier, und warum war sie so aufgeregt und eilig, aufgeregter noch als vor einigen Minuten im Pavillon? Zora schlich zur Tür und horchte.

»Sie wissen sicher bereits«, sagte Zlata so laut, dass es Zora hören konnte, »dass mein Vater durch den jungen Orlovic erfuhr, dass die Bande der Uskoken den Hund in den Kübel gesteckt hat?«

»Ich weiß es«, antwortete Dordevic.

»Sie wissen sicher auch, dass mein Vater deswegen die Belohnung, die auf die Bande gesetzt ist, verdoppelt hat?«

Dordevic bejahte wieder: »Auf zweihundert Dinar. Ich wollte gerade die Mitteilung aushängen.«

»Sie können sich die zweihundert Dinar verdienen, Dordevic.«

»Ich, Fräulein Zlata?«

»Ja. Ich habe den Haupttäter in unserem Pavillon eingesperrt.«

»Den Branko?«

»Ja.«

»In Ihrem Pavillon?«

»Ja.«

Es entstand eine kleine Pause.

»Ich weiß nicht, wie ich Ihnen das erklären soll«, fuhr das Mädchen etwas verlegen fort. »Ich kannte diesen Jungen. Ich hatte sogar meine Freude an ihm. Er ist ein begabter Junge und ich wollte ihn Geige spielen lehren. Nun hörte ich durch den jungen Fischer, dass er der Anstifter der Hundegeschichte ist. Sie können sich meine Aufregung und meinen Schmerz vorstellen. Er besaß zudem noch die Frechheit, sofort nach dem Skandal zu mir zu kommen. Ich habe ihm auf den Kopf zugesagt, dass er der Täter sei. Er wollte erst leugnen, hat aber dann gestanden. Ich habe ihn in unserm Pavillon eingesperrt. Sie brauchen den Pavillon nur aufzuschließen und ihn festzunehmen.«

Zora lauschte atemlos. Nicht Branko, sondern einer der Zwillinge hatte sie verraten und Branko hatte die Tat nur eingestanden.

Das Mädchen war wie erlöst. Alles, was sie in der letzten Stunde über Branko gedacht hatte, war damit wie ausgelöscht. Sie wusste nur, Branko war in höchster Gefahr, ein Uskoke schwebte in höchster Ge-

fahr und sie hatte die Pflicht, ihn zu retten. Aber wie? Sie war ja selber in dieser kleinen, muffigen Amtsstube eine halbe Gefangene.
Drinnen hörte sie, dass Dordevic telefonierte. Er gab Zlatas Meldung an Begovic und zwei andere Gendarmen weiter, dann hängte er sich wohl seine Revolvertasche um und jetzt kam er auf die Tür zu. Im nächsten Augenblick musste er wieder in der Amtsstube sein.
Das Mädchen sah sich verzweifelt um. Auf die Straße stürzen und sich durch die Gymnasiasten schlagen war unmöglich. Durch ein Fenster konnte sie auch nicht, aber dort hinten war ja noch eine Tür. Dordevic trat gerade aus der einen Tür herein, da schoss sie durch die andere hinaus.
Sie führte in einen schmalen, langen Korridor. In großen Sätzen sprang Zora weiter. Der Korridor machte einen Bogen. Zwei Meter dahinter stieß sie auf ein festes Tor mit einer runden Öffnung. Sie starrte hindurch. Der Korridor setzte sich hinter der Pforte fort. Nach den vielen Türen zu schließen, die alle nach einer Seite gingen, war es das Gefängnis.
Dort konnte sie nicht hinein. Direkt vor ihr war noch eine kleine Tür. Mehr ein Schlupf. Er war mit schweren Eisen verriegelt. Das Mädchen versuchte die Riegel zurückzustoßen. Die Riegel waren eingerostet. Sie versuchte es wieder und wieder. Endlich – sie hatte schon den Mut verloren – wichen sie zurück.
Nun drückte sie die Tür auf. Sie führte in den kleinen Hof, von dem aus sie vor einigen Wochen Branko befreit hatte. Sie jauchzte beinahe. Jetzt musste sie nur versuchen, schneller als Dordevic zum Pavillon zu kommen, dann konnte sie Branko noch retten.
Sie stürmte davon, setzte wie ein Hund über Mauern und Büsche, kletterte wie eine Katze über Zäune und Staketen, schoss wie eine Ratte durch Keller und Abfalllöcher und es dauerte kaum ein paar Minuten, da war sie am Hotel »Zagreb«.
Waren die Verfolger auch schon da? Sie schaute um die Ecke. Nein! Aber sie hörte Lärm und Geschrei. Gleich mussten sie auftauchen. Es kam jetzt noch einmal darauf an, wer schneller war. Mit einem Satz sprang sie in den Hof des Hotels hinein und gleich danach in den Garten.
Branko war noch immer ein Gefangener. Er ging im kleinen Pavillon auf und ab und dachte weiter dauernd an Zlata.
Jetzt hatte das Mädchen den Gendarmen sicher schon erzählt, dass

sie ihn gefangen hielt. Einer von den beiden oder beide schnallten bereits die Revolvertaschen um, nahmen ihre Knüppel, setzten die Mützen auf und kamen mit dem Mädchen zurück.
Er glaubte die Gendarmen zu sehen. Begovic öffnete im Laufen die Jacke. Sein Gesicht wurde erst rot und dann dunkel wie eine Herzkirsche. Der Schweiß lief ihm über die Backen. Der dicke Gummiknüppel baumelte hin und her. Er keuchte und schnaufte und riss sich die Jacke noch weiter auf.
Dordevic ging langsamer, vermutlich lief er neben Zlata her, zwirbelte sein Bärtchen und ließ sich die ganze Geschichte noch einmal erzählen.
Jetzt waren sie sicher schon vorn am Haus, jetzt kamen sie durch den Flur in den Garten, jetzt jagten sie den Garten herauf zu dem Pavillon, jetzt …
Der Schlüssel drehte sich im Schloss, Branko atmete schwer, da waren sie also.
Der Schlüssel drehte sich, aber nicht hart und knarrend, sondern vorsichtig und leise. Die Klinke ging herunter, sie wurde aber nicht hastig und mit Wucht nach unten gedrückt, sondern bedächtig und leicht. Eine Hand erschien zwischen Tür und Pfosten, es waren aber nicht die Wurstfinger von Begovic und auch nicht die Hand von Dordevic, sondern eine feingliedrige Hand. Darauf wurde ein Kopf sichtbar, aber es war weder der dicke, aufgedunsene Kopf Begovics noch der schmale, immer etwas nach Pomade riechende von Dordevic. Es war auch nicht der Kopf Zlatas.
»Zora!«, rief Branko und er wusste nicht, ob er vor Freude lachen oder weinen sollte.
»Ja«, sagte das rothaarige Mädchen, »aber mach schnell, gleich sind die Gendarmen und die Gymnasiasten im Garten.«
Branko hörte sie schon. Im Haus krachten Tor und Türen. Mit einem Sprung war er neben Zora, mit einem zweiten war er im Garten, mit einem dritten über der Mauer und sie verschwanden im dunklen Hof des Hotels »Zagreb«.
Die Kinder wollten schnell durch den Torbogen auf die Straße, aber da sahen sie, dass sich die Verfolger nicht nur vor dem Haus des Bürgermeisters drängten, sondern auch vor dem breiten Torbogen des Hotels. Es waren nicht nur die Gendarmen und Gymnasiasten; Tabakarbeiterinnen und Matrosen waren hinzugekommen, Hand-

werker und Holzarbeiter. Auch der alte Karaman war dabei, ebenso der Förster, der dicke Müller, der Glatzköpfige und Doktor Frages. Sie hatten alle im Hotel »Nehaj« gesessen und sich den Gendarmen angeschlossen. Da kamen auch Doktor Skalec und der Bürgermeister, ja es schien, als ob sich alle Feinde der Kinder versammelt hätten.

Zora sah Branko an. »Was machen wir?«

Branko überlegte einen Augenblick.

»Ich weiß ein Versteck, komm.« Er fasste Zora bei der Hand und führte sie leise wieder in den Hof zurück.

Zlata und die beiden Gendarmen waren die Ersten, die durch das Haus in den Garten drangen.

Zlata zeigte auf den Pavillon. »Dadrin ist er.«

»Wir wollen nur hoffen, dass er wirklich noch drin ist«, keuchte Begovic und schwang seinen Knüppel.

Die drei kamen beim Pavillon an.

»Gott!«, schrie das Mädchen. »Er steht ja offen!«

»Da haben wir's«, knurrte Begovic und wischte sich den Schweiß von der Stirn, »wieder entwischt.«

Dordevic stieß die Tür auf. »Seht doch erst einmal hinein.«

Der Pavillon war aber leer, und wo die Gendarmen auch hinsahen, unter den Tisch, unter die Stühle, unter das Sofa, Branko war und blieb verschwunden.

»Pfff!« Begovic warf sich erschöpft in einen Stuhl und keuchte. Auch Dordevic setzte sich.

Da stürmten der Glatzköpfige und Doktor Ivekovic herein: »Habt ihr ihn?«

Die beiden Gendarmen sprangen auf. »Er ist wieder davon.«

»Ich hatte ihn eingeschlossen«, stammelte Zlata. »Jemand muss die Tür geöffnet haben.«

»Aber wie ist denn dieser Jemand hineingekommen? Er kann doch nicht durch unser Haus marschiert sein?« Der Bürgermeister und auch die Gendarmen sahen sich um.

Begovic zeigte auf die Mauer. »Hier kann jedes Kind herüber.«

Dordevic bestätigte es. »Ja, dieser Jemand ist aus dem Hotel ›Zagreb‹ gekommen.«

»Vielleicht sind die beiden noch dort«, sagte der Bürgermeister. »Fragt überall, ob man zwei Buben gesehen hat.«

Begovic und Dordevic sprangen über die Mauer und stürmten über den Hof auf die Straße.
Vor der Schmiede saß der alte Tomislav und strählte sich seinen Bart.
»He!«, knurrten ihn die Gendarmen an, »habt Ihr zwei Buben aus dem Tor kommen sehen?« Sie zeigten auf die hohe Toreinfahrt.
»Heraus nicht«, sagte der Schmied und blinzelte sie an. »Außerdem waren es ein Junge und ein Mädchen.«
»Ja«, sagte Begovic, »ein Bub und ein Mädchen können es auch gewesen sein. Aber wieso nicht heraus?«
»Sie sind nur hineingegangen.«
»Ein großer Junge?«
»Sagen wir mal mittel. Ich glaube, ich kenne ihn sogar. Es war der Sohn Milans und der schönen Anka.«
»Und hatte das Mädchen rote Haare?«
»Wie Feuer, so rot«, bestätigte Tomislav.
»Und sie sind nicht wieder herausgekommen?«
»So wahr ich hier sitze. Sie müssten denn geflogen sein.«
Begovic schwang seinen Knüppel und bekam glänzende Augen. »Dann sind sie noch darin.«
Der Bürgermeister und der Glatzköpfige kamen über die Straße. »Was habt ihr erfahren?«, fragte der Bürgermeister.
Begovic lächelte schlau. »Die Kinder sind hineingegangen, aber nicht wieder heraus.«
»Pff«, pfiff Doktor Ivekovic laut. »Dann wollen wir gründlicher suchen.«
»Ich glaube, am besten ist es«, sagte Direktor Frages, der als Dritter aus dem Tor gekommen war, »wir umstellen erst einmal Ihr Haus und das Hotel ›Zagreb‹.«
Begovic kratzte sich. »Da müssen wir schon das ganze Viertel umstellen.«
Direktor Frages sah auf die Gymnasiasten. »Genügend Leute haben wir ja. Macht ihr mit?«
»Natürlich!«, schrien die Knaben.
Der Bürgermeister und der junge, weißgekleidete Mann verteilten sie. An jede Ecke kamen zwei und zwei andere patrouillierten zwischen den Posten hin und her.
»Wir anderen gehen jetzt langsam durch die Bürgermeisterei«, kom-

mandierte Doktor Ivekovic weiter, »und wenn sie wirklich noch nicht heraus sind, werden wir sie schon finden.«
Branko und Zora waren aber weder im Keller noch in den Wohnstuben des Hauses noch auf dem Boden zu entdecken.
»Jetzt«, sagte Doktor Ivekovic, »müssen wir noch im Hotel ›Zagreb‹ nachsehen.«
»Ob es uns die Wirtin erlaubt?«, meinte der Glatzköpfige.
»Das wird sie schon«, sagte Direktor Frages. »Gehen wir.«
Ringelnatz sah sie kommen. Er ahnte, was sie wollten, und schob sich hinter die Kellertür.
Die Gendarmen polterten zuerst herein. »Habt Ihr einen jungen Strolch und ein rothaariges Mädchen gesehen?«, fragten sie die beiden Mägde, die hinter dem Schanktisch standen.
Die Mägde schüttelten den Kopf.
Die Wirtsfrau hatte auch niemanden gesehen. Auch keiner der Gäste.
Inzwischen war der Bürgermeister in die Schankstube getreten.
»Frau Wirtin«, sagte er, »wir müssen Ihr Haus durchsuchen.«
»Mein Haus?«, fragte die Frau erstaunt. »Warum?«
Doktor Ivekovic und der Glatzkopf erklärten es ihr.
»Gut«, meinte sie, »durchsuchen Sie es. Ich gebe Ihnen den Ringelnatz mit«, und sie rief nach ihm.
Ringelnatz blieb nichts anderes übrig, er musste kommen.
»Führe die Herren durchs Haus«, sagte sie. »Sie suchen zwei junge Spitzbuben, die sich bei uns versteckt haben sollen.«
Ringelnatz nahm seine Pfeife aus dem Mund. »Das mache ich nicht. Ich bin Hausdiener und kein Detektiv.«
»Wenn ich Ihnen fünf Dinar gebe?« Doktor Ivekovic zog sie bereits aus der Tasche.
»Nicht für zehn. Nicht für hundert. Die Polizei soll ihre Spitzbuben allein suchen. Ich bleibe, was ich bin.«
»Lassen Sie ihn«, sagte die Wirtsfrau. »Ich gehe selber mit.«
Sie begannen auch hier im Keller.
Ringelnatz stieg inzwischen in sein Zimmer hinauf, um sich Tabak zu holen. Seine Pfeife war ausgegangen.
Er stieß die Tür auf. Da sah er Branko und Zora auf seinem Bett sitzen.
Seine Augen wurden groß wie Froschaugen. »Das kann ja gut werden.«

»Ich wusste keinen anderen Ausweg, Ringelnatz«, stotterte Branko. »Da sind wir hier heraufgeflüchtet.«
Ringelnatz antwortete nichts, er stopfte nur umständlich seine Pfeife.
»Suchen sie uns denn noch immer?«, fragte Zora, die das Schweigen bedrückte.
Ringelnatz war endlich mit seiner Pfeife fertig. »Im ganzen Haus und in fünf Minuten sind sie sicher hier, dann kommt nicht nur ihr, sondern auch ich ins Gefängnis.«
»Kann man nirgends mehr hinaus?«, fragte Zora weiter.
Ringelnatz zog an seiner großen Nase. »Selbst nicht, wenn ihr euch in Mäuse verwandelt. Sie haben das ganze Viertel umstellt.«
»Verdammt«, stöhnte Branko, aber Zora ließ den Mut nicht sinken. »Vielleicht gibt es doch einen Weg.«
Die Kinder traten vorsichtig an das kleine Fenster.
»Sieh nur«, Branko zeigte hinab, »sie stehen überall.«
»Ihr könnt nicht einmal über die Zäune, ohne dass sie euch sehen«, meinte Ringelnatz.
Die Gendarmen waren im Keller fertiggeworden und stiegen in die Küche und in die großen Gasträume hinauf. Auf der Treppe stießen sie auf Curcin, der mit seinem Brot ins Hotel kam.
»Wen sucht ihr denn hier?«, fragte der Bäcker.
Begovic sah Curcin von der Seite an. »Die Kerle, die dem Bürgermeister den Hund in den Trog getan haben.«
»Haha!« Curcin lachte sein dröhnendes Lachen. »Ihr solltet lieber danach forschen, warum der Hund in den Trog gekommen ist.«
Begovic starrte den Bäcker an, aber er antwortete nicht.
Die Kinder hatten den Bäcker auch gehört.
»Das ist Curcin«, sagte Branko.
Ringelnatz nickte. »Er bringt immer um diese Zeit das Brot ins Haus.«
Auf einmal kam Ringelnatz ein Gedanke. »Ist Curcin nicht euer Freund?«
Die Kinder sagten: »Ja.«
Ringelnatz strahlte. »Wenn euch einer noch helfen kann, so kann es Curcin.« Er ging zur Tür. »Ich will ihn holen.«
Einen Augenblick später klapperten Curcins Holzschuhe zu ihnen herauf. Ringelnatz schob den Bäcker in die Kammer. »Da sind die Attentäter.«

Curcin schaute die Kinder an. »Welche Attentäter?«
»Die sie unten suchen.«
»Das seid ihr gewesen?« Curcin schüttelte sich plötzlich vor Lachen. »Dafür backe ich euch morgen einen Extrawecken.«
»Vorläufig werden sie morgen wohl bei Wasser und Brot sitzen, wenn wir ihnen nicht hinaushelfen«, meinte Ringelnatz skeptisch.
»Hinaus?« Curcin kratzte sich den Kopf. »Ach, Ihr meint, an diesem stinkenden Begovic vorbei.«
»Und an Doktor Ivekovic und den Gymnasiasten.«
Curcin kratzte sich wieder, dann sah er auf seinen Korb. »Einen kann ich mitnehmen.«
Den Kindern war der Blick nicht entgangen. Ihre Gesichter leuchteten auf. »Könnt Ihr das wirklich?«
Curcin wurde lebhafter. »Aber nur einen.«
»Ihr nehmt das Mädchen«, bestimmte Branko.
»Nein, Branko«, sagte Zora.
»Ich gehe nicht vor dir.« Branko stampfte auf.
»Du gehst.«
»Wenn ihr euch nicht einigen könnt«, sagte Curcin, »ich nehme das Mädchen«, und bevor sich Zora wehren konnte, packte er sie und steckte sie in den Korb. Darauf deckte er noch ein Tuch darüber und hob den Korb hoch.
»Nein!« Zora schoss noch einmal aus dem hohen Korb heraus.
»Sei jetzt still«, knurrte der Bäcker bös. »Ich habe die Tür schon geöffnet und sie können dich hören.« Zora schwieg und der Bäcker ging mit schweren Schritten die Treppe wieder hinunter. Die Gendarmen waren bereits im ersten Stock.
Curcin blieb stehen. »Habt Ihr sie schon?«, fragte er Begovic.
»Noch nicht, aber wir werden sie schon noch finden.« Begovic stürmte an ihm vorbei.
»Such nur auch unter deiner Kappe«, äffte Curcin noch hinter ihm her, »vielleicht sitzen sie da.«
Curcin kam mit seinem Korb auch unbeschadet am Bürgermeister und am Glatzköpfigen vorbei, die noch immer vor dem Hotel standen, und nun musste er nur noch an den Gymnasiasten vorüber. Ringelnatz und Branko beobachteten ihn.
»Ob er gut vorbeikommt?«, meinte Branko.
Da klapperte er schon an ihnen vorüber und bog in die Hauptstraße ein.

Branko atmete auf. Einer war gerettet.
»Nun wollen wir dich noch aus dem Haus bringen«, sagte Ringelnatz.
Branko schnellte herum: »Wie denn?«
»Das wirst du gleich sehen.«
Ringelnatz schleppte aus einer der benachbarten Bodenkammern einen großen Koffer herbei und öffnete ihn.
»Kriech da hinein.«
»In diese Kiste?«
»Jaja. Mach schnell. Begovic ist schon in der zweiten Etage.«
Branko kroch hinein. Ringelnatz klappte sie zu und machte noch zwei breite Riemen darum, dann hob er sich den schweren Kasten auf den Rücken.
Begovic und Dordevic durchschnüffelten noch immer die Zimmer in der zweiten Etage. Ringelnatz kümmerte sich aber nicht um sie, er schleppte seine Kiste auf den Hof und lud sie auf einen Karren.
Auf einmal stand die Wirtin neben ihm. »Wo wollt Ihr mit dem Koffer hin?«, fragte sie.
Ringelnatz stopfte erst wieder eine Weile an seiner Pfeife. »Er gehört dem Engländer im ersten Stock. Er will sich einen neuen Riemen darummachen lassen. Ich bringe ihn zu Pacic.«
»Bleibt aber nicht zu lange«, sagte die Frau. »Ich brauche Euch heute Abend noch.«
Ringelnatz' Pfeife brannte endlich. »Nicht länger, als es dauert.« Er legte sich das Zugseil um die Schulter und rumpelte mit dem Karren aus dem Hof. Er kam auch ohne Schwierigkeiten am Bürgermeister und am Glatzköpfigen vorbei. Nur der reiche Karaman sah ihn einen Augenblick neugierig, ja beinahe misstrauisch aus seinen kleinen Augen an.
Ringelnatz blieb stehen. »Was gibt's?«
»Man wird Euch doch noch ansehen dürfen«, sagte der Bauer.
»Ach so.« Ringelnatz zog wieder an. »Ich dachte, Ihr wolltet mir einen Dinar geben.«
»Bin ich Euch etwa einen schuldig?«, brauste Karaman auf.
»Nein, aber man erzählt allgemein, Ihr wäret in der letzten Zeit so freigebig geworden.« Ringelnatz lächelte. »Und heute, wo aus lebendigen Fischen tote Hunde werden, ist ja alles möglich.«
Karaman wurde puterrot. »Dieses Pack wird immer frecher!«, brüllte

er laut, aber da ratterten Ringelnatz und sein Wagen schon um die nächste Ecke.
Hinter dem Quai hielt er an, schloss die Kiste auf und sagte: »So, nun lauf heim.«
Branko schüttelte dem Nussknacker beide Hände. »Vielen, vielen Dank. Das werde ich Euch nie vergessen.«
Ringelnatz wehrte verlegen ab. »Vergesst lieber nicht, dem alten Gorian zu sagen, er soll euch nach diesem Streich in ein Fass stecken und da, wo das Meer am tiefsten ist, eine Weile versenken. Denn nach allem, was ich heute gehört habe, sucht morgen die halbe Stadt nach euch, und der Bürgermeister wird nicht eher Ruhe geben, bis er euch hat.«
»Ich werde es ihm ausrichten, Ringelnatz.«
Ringelnatz nahm seine Leine über die Schulter. »Vergiss es wirklich nicht«, betonte er noch einmal, dann ratterte sein Karren in die Stadt zurück.
Branko war noch nicht hundert Schritte gegangen, da trat Zora aus einem Busch.
Die Kinder fielen einander vor Freude um den Hals.
Zora machte sich langsam wieder frei. »Ich wusste, dass du kommst«, sagte sie.
»Woher?«
»Curcin hat mich in seinen Laden gebracht und ich war kaum aus dem Korb heraus, da sah ich Ringelnatz mit seinem Karren die Straße hinunterfahren. Ich wusste gleich, dass du in dem Koffer bist, bin durch den Kamin gekrochen und habe hier auf dich gewartet.«
»Ich habe dir noch gar nicht gedankt«, sagte Branko mit Wärme.
»Wofür?«
»Dass du mich heute zum zweiten Mal gerettet hast.«
»Du musst mir nicht danken«, antwortete Zora ernst. »Ich wollte dich eigentlich gar nicht retten. Ich wollte dich sogar verraten.«
»Du?« Branko blickte sie verwundert an.
Zora nickte. »Ich war heute schon einmal vor dem Pavillon. Da hörte ich, wie du diesem Mädchen sagtest: ›Ja, wir waren es.‹ Da bin ich fortgelaufen und dachte, jetzt ist alles aus, Branko hat uns verraten, und dann wollte ich hingehen und wollte auch dich an Begovic oder Dordevic verraten und sagen, dass du im Pavillon bist.«

»Zlata wusste es doch schon vom Gelbkopf, dass wir die Täter waren.«
»Aber ich wusste das nicht, und auf einmal war ich in den Händen der Gymnasiasten und einen Augenblick später war ich auf der Polizeiwache und Dordevic fragte mich aus und ich hatte schon gesagt: ›Ich weiß, wo Branko ist‹, da trat Zlata ein und sagte es.«
»Dann bist du zurückgekommen?«
»Ja, über die Zäune«, sagte Zora und begann plötzlich zu schluchzen.
Branko fasste sie wieder um die Schulter. »Nun ist ja alles gut. Wir sind gerettet und ich bin dir doppelt dankbar.«
»Du bist mir nicht böse deswegen?«
Branko lachte. »Nein. Wir wollen aber darüber schweigen und auch den anderen nichts erzählen.«
»Gut.« Zora trocknete ihre Tränen. »Das wollen wir. Aber komm, jetzt müssen wir weiter.«
Nicola, Pavle und Duro waren noch auf, auch der alte Gorian und Vater Orlovic saßen am Steintisch. Sie hatten alle ängstlich auf Branko und Zora gewartet.
»Da seid ihr ja endlich«, begrüßte sie der alte Gorian. »Wir glaubten schon, die Gendarmen hätten euch festgenommen.«
»Um ein Haar, aber Ringelnatz und Curcin haben uns gerettet«, und die beiden erzählten die ganze Geschichte.
Alle lachten und freuten sich, besonders über Curcin.
»Wisst ihr übrigens schon«, sagte der Alte noch, »dass der Bürgermeister die Belohnung auf eure Köpfe erhöht hat?«
»Auf zweihundert Dinar«, nickte Branko.
»Was wollt ihr nun machen?«
»Ringelnatz lässt Euch sagen, Ihr sollt uns in ein Fass stecken und für eine Weile ins Meer versenken.«
Der Alte lachte. »Das wäre das Beste. Aber warten wir ab. Vielleicht sieht morgen die Welt schon wieder freundlicher aus.«

24

Der hohe Magistrat hat eine Sitzung

Der alte Gorian erwartete, dass die Gendarmen am nächsten Morgen die Kinder in seinem Haus suchen würden. Er steckte sie deswegen beim ersten Morgengrauen in die kleine Höhle und sagte ihnen, sie sollten sich still verhalten.
Die Gendarmen kamen aber weder am Morgen noch im Laufe des Vormittags. Erst gegen elf Uhr kam der alte Jossip angekeucht, der außer Mesner der Kirche zum heiligen Franziskus auch Magistratsbote war. Er lüftete mit einem verlegenen Grinsen seine Amtsmütze und brachte einen Brief darunter hervor.
Vater Gorian sah sich den Brief an. »An den Fischer A. Gorian« stand darauf. Er brach das Kuvert auf und hielt das Schreiben an seine Augen. »Sie sind für heute Punkt drei Uhr in das Rathaus vorgeladen. Für den Magistrat, der Bürgermeister: Doktor Ivekovic.«
Der alte Gorian sah noch einmal auf den Brief, strich sich dann mehrere Male über das Gesicht und bemerkte nachdenklich: »Versuchen sie es jetzt so?«
Der alte Jossip tippte ihn an: »Handelt es sich um die rote Zora und um Branko?«
Vater Gorian nickte.
»Dann behaltet nur den Kopf oben. Die halbe Stadt steht hinter ihnen.«
»Den behalte ich schon oben«, meinte der alte Gorian, »aber wenn ich nur wüsste, was aus ihnen werden soll.«
»Kommt Zeit, kommt Rat«, tröstete der alte Jossip, dann humpelte er wieder davon.
Vater Gorian aber ging zu seiner Ziege. Er setzte sich neben sie und blickte sie an.
»Hm«, machte er erst nur und ließ das große Tier näher kommen. Andja schob wie immer ihren Kopf in seinen Schoß und schielte zu ihm herauf.
»Sie haben mich aufs Rathaus geladen, Andja«, begann der Alte nach einer Weile.

Die Ziege tat, als wüsste sie es schon, und schob ihren Kopf näher an den seinen heran.
»Heißt das, dass ich gehen soll?« Gorian packte Andja bei den Hörnern und zog sie zu sich herauf.
Das kluge Tier meckerte leise.
»Ich soll also. Vielleicht hast du recht. Der alte Jossip will ja auch, dass ich gehe. Zwei so alten Freunden soll man folgen.«
Er schob das Tier wieder zurück, brachte ihm noch Wasser, ein paar Büschel Heu, gab ihm einen leichten Klaps und ging zurück ins Haus.
Er begann eine lange Wäsche. Wenn sie ihn durchaus im Rathaus haben wollten, wollte er sich wenigstens schönmachen. Er wusch sich den Kopf und kämmte sein dichtes, weißes Haar. Er wusch sich den Hals, die Arme, die Hände, sogar die Füße steckte er in die dicke Seifenlauge.
Darauf suchte er sich ein weißes, besticktes Hemd aus einer Schublade, zog seine beste Hose an, sie hatte breite rote Streifen, auch seine Sonntagskappe setzte er auf und nun war er fertig. Bevor er das Zimmer verließ, betrachtete er sich noch einmal in einem Spiegelscherben. Er war zufrieden. »Es wird schon gehen«, murmelte er und strich sich über seinen rundlichen Bart.
Der Alte war bereits an der Tür, da fiel ihm ein, dass er den Kindern noch Bescheid sagen musste. Er machte einen Kahn los und ruderte vor ihr Versteck. »Hallo!«, rief er. Zoras Kopf tauchte auf.
»Ich muss aufs Rathaus, bleibt in eurem Loch, bis ich zurückkomme. Ich rufe euch dann!«
Zora winkte, dann verschwand sie wieder.
In der Stadt ging alles seinen alten, geregelten Gang. Die Geschichte mit dem Fest und dem Hund schien schon begraben und vergessen zu sein.
Am Quai kam das Schiff von Krk an. Die Hausdiener stürmten an die Landebrücke, die man auf den Quai geschoben hatte; auch Ringelnatz war dabei.
Zwei Matrosen rollten von einem andern Schiff Fässer ans Land, Säcke wurden abgeladen, große Kisten mit Obst schwebten, von einem kleinen Kran gehoben, herunter, die ersten Reisenden betraten den Quai und dazwischen trieben sich Hunde und ein gutes Dutzend Kinder herum.

Gegenüber auf dem kleinen Markt waren, wie immer um diese Zeit, einige Stände. Stjepan war mit seinen Eseln da. Die Frau von Radic mit Bergen von Makrelen und Anschovis. Ein paar Bauern priesen ihre Gemüse an, ein kleiner Händler verkaufte Tücher, Mützen und Strümpfe und auch die alte Marija streckte ihr dickes, bärtiges Gesicht neugierig aus ihrer Zuckerbude heraus, als der alte Gorian in seinem Sonntagsstaat vorbeiging.
Käufer waren auch verschiedene da. Die Frau von Curcin schleppte ihren dicken Leib von Bude zu Bude. Die Köchin des Bürgermeisters erhandelte ein Kilo Makrelen, der bucklige Schuster schnupperte wie ein Hund um einen Gemüsestand herum, Susics Kaftan schleifte über das Pflaster und der dicke Doktor Skalec – seine weiße Weste leuchtete wie ein Schild – stob wie ein Wirbelwind zur alten Marija hinüber, um sich wie jeden Morgen eine Tüte Kandis zu kaufen.
Der alte Gorian grüßte den einen und dankte dem anderen für seinen Gruß. Mit dem Schuster machte er sogar einen Schwatz und von einem der Bauern ließ er sich einige Pfirsiche geben, dann bog er hinauf zum Rathaus.
Das langgestreckte, äußerlich wenig schöne Gebäude bestand aus einem älteren, versteckteren und einem neueren Bau. Unten waren die Anmeldung, die Steuerkassen, die Registratur und noch einige andere zivile Büros untergebracht, oben, im alten Teil, die Bürgermeisterei und der Sitzungssaal.
Vater Gorian stieg langsam die Treppe hinauf, fragte einen Ratsdiener, wo er sich zu melden habe, und der Diener zeigte auf eine große Tür.
Der Alte putzte sorgfältig die Schuhe ab, obwohl er das unten schon getan hatte, er nahm auch die Kappe vom Kopf, dann hob er den schweren Klopfer, der an der Tür hing, ließ ihn zweimal nach unten fallen und trat ein.
Der Raum, in den er trat, war fast ein Saal. Es herrschte eine eigenartige, vielfarbig schimmernde Dämmerung darin, denn das Licht kam nicht durch helle Fensterscheiben, sondern durch hunderte von kleinen, runden, roten, gelben, blauen, grünen und orangefarbigen Butzenscheiben. Die Wände wuchsen steil in die Höhe und waren mit schwärzlichem Holz beschlagen, was die Dämmerung noch verstärkte.

Es dauerte eine Weile, bis sich der Alte in dem Halbdunkel zurechtfand. Das Nächste, was er entdeckte, war ein großer Leuchter, der, in der Form eines gewaltigen Vollschiffes mit geblähten Segeln, über einem schweren, eichenen Tisch hing. Um diese feierliche Tafel standen dreizehn Stühle. Dem Alten wurde vor so viel Feierlichkeit und Ernst zuerst etwas seltsam, aber als er sah, dass die Stühle besetzt waren, und er langsam auch die Gesichter wahrnahm und erkannte, wurde ihm leichter, ja sogar vergnügt zumute. In dem größten Stuhl, der mit einer hohen Lehne die ganze Hinterseite des Tisches umrahmte, saß wie auf einem Thron, schmal, dünn und blass, der Bürgermeister. Neben ihm leuchtete, klein und halb verdeckt, die Glatze von Direktor Kukulic. Diesem gegenüber, gewaltig, aufgedunsen, die Fäuste wie Schmiedehämmer vor sich auf dem Tisch, der reiche Karaman. Dann kam das runde, freundliche Gesicht von Doktor Skalec, der eifrig seinen Kandis kaute, und das feierliche, schöne Gesicht von Hochwürden Lasinovic. Gegenüber traf er den fuchsigen und feindlichen Blick Brozovics, gleich daneben blinzelte ihn aber der dicke, gutmütige Curcin an. Ferner waren noch da Danicic, der Müller, der Apotheker, Direktor Frages in seinem weißen Anzug, der hart, ja böse aussehende Förster Smoljan, Pletnic mit seinen Zahnstummeln und endlich fiel ihm noch das gutmütige Gesicht Marculins, des Wirtes vom Hotel »Adria«, auf.
Der alte Gorian strich sich verlegen über den Bart. Da war ja der ganze Magistrat versammelt.
Die Männer hatten alle leise miteinander gesprochen, jetzt schlug Doktor Ivekovic mit einem Hammer auf den Tisch und sagte zu Gorian gewandt: »Wir haben nur noch auf Sie gewartet, Gorian, setzen Sie sich dort unten an den Tisch.«
Der alte Gorian ging auf den angewiesenen Platz zu. Ein winziger Stuhl stand an dieser Seite des Tisches, der sich unter all den Riesen wie ein Zwerg ausnahm. Der Alte zog ihn näher, prüfte erst, ob es wirklich ein Stuhl war, dann setzte er sich.
Der Bürgermeister richtete sich auf und fuhr fort:
»Wir sind heute zusammengekommen, um eine Sache zu regeln, welche die ganze Stadt angeht. Ich will keine langen Worte machen. Sie wissen alle, dass uns gestern die Fischeinkaufsgesellschaft, die unter unserer behördlichen Kontrolle steht, feierlich auf dem Markt einen großen Tunfisch überreichen wollte. Anstelle des Fisches lag

aber ein toter Hund im Trog. Der gesamte Magistrat ist der Meinung, dass die Sache streng geahndet werden muss, und der Magistrat und ich werden auch nicht ruhen, bis die Täter hinter Schloss und Riegel sitzen.«
Er machte eine Pause, wahrscheinlich um seinen Worten den nötigen Nachdruck zu verleihen, dann sagte er lauter: »Wir kennen die Täter bereits. Wir wissen auch, wo sie sich aufhalten.« Er riss sein Gesicht plötzlich scharf herum und sah auf den alten Gorian. »Bei Ihnen, Gorian, und wir haben Sie deswegen geladen, um Sie zu fragen, ob Sie bereit und gewillt sind, uns die ›Bande‹, denn um eine solche handelt es sich, auszuliefern. Sollten Sie dazu nicht bereit sein, so müssen wir Sie als Mitschuldigen betrachten, Sie hierbehalten, bis auch das letzte Glied dieser Bande gefangen ist, und dann würde natürlich nicht nur der Bande, sondern auch Ihnen, Gorian, der Prozess gemacht.«
Der Bürgermeister schwieg und lehnte sich wie nach einer schweren Anstrengung tief in seinem Stuhl zurück. Die anderen nickten ihm beifällig zu und blickten dann auf den alten Gorian und warteten auf seine Antwort.
Gorian war einen Augenblick recht betreten.
Da war er in seiner Dummheit direkt in eine Falle gegangen und saß nun darin wie die Maus vor der Speckschwarte und konnte nicht heraus.
»Hm«, begann er nach einer Weile, sich direkt an den Bürgermeister wendend, »das habt Ihr tatsächlich fein gemacht, aber wenn ich auch nicht hier wäre«, sprach er weiter, »gehörte ich mit auf die Anklagebank. Denn was die ›Kinder‹, ich sage nicht ›Bande‹, auch getan haben, ich trage eigentlich die Schuld daran und die Kinder begreifen heute noch nicht, dass sie nach Ihrer Ansicht, Herr Bürgermeister, ein großes Verbrechen begangen haben.«
»Wollt Ihr uns nicht erklären, wie Ihr das meint, Vater Gorian?«, sagte statt des Bürgermeisters Hochwürden Lasinovic freundlich.
»Gern.« Der Alte strich sich über den Bart. »Den Kampf zwischen der Gesellschaft und den freien Fischern kennen Sie, meine Herren. Sie wissen wohl auch, dass ich als einer der letzten klein beigegeben habe. Gestern wurde nun unter den Tunfischen in meinem Netz einer der größten Tunfische entdeckt, der jemals in der Adria gefangen wurde. Herr Direktor Kukulic kam auf den Gedanken, den Fisch Doktor Ivekovic zu schenken, also dem, der im Grunde genommen

den Kampf der Gesellschaft gegen uns kleine Fischer am meisten begünstigte.«
»Zum Wohle des Fischfangs und der Stadt«, wandte der Bürgermeister ein und auch Direktor Kukulic konnte sich nicht enthalten, »Jawohl« zu sagen.
»Gut, das glauben Sie. Wir kleinen Fischer glauben das nicht. Mir entfielen deswegen auch in der ersten Erregung über den Vorschlag von Direktor Kukulic die Worte, man sollte dem Bürgermeister und diesem Magistrat lieber einen toten Hund als den größten Tunfisch schenken. Das haben die Kinder gehört, und während wir Alten in der Stadt waren, um das Fest vorzubereiten, haben sie den Fisch ins Wasser gelassen und Karamans Hund, den sie am Tag vorher beigesetzt hatten, wieder ausgegraben und in den Trog gelegt. Die Kinder haben sich sicher nichts Schlimmes dabei gedacht, und wenn, wie Doktor Ivekovic behauptet, ein ›so großes Verbrechen‹ daraus geworden ist, so müssen Sie nicht die Kinder, sondern vor allem mich vor den Richter stellen, denn die Kinder sind unschuldig.«
Der alte Gorian hatte das alles ganz schlicht und einfach vorgetragen und auf Curcin, Hochwürden Lasinovic, Doktor Skalec und Pletnic schien seine Rede auch Eindruck gemacht zu haben; die anderen fuhren aber auf.
»Unschuldig! Die Spitzbuben! Verbrecher! Tagediebe!«
Der Bürgermeister schlug mit dem Hammer auf den Tisch und unterbrach den Lärm. »Ich finde es wirklich merkwürdig, dass Sie es wagen, hier von jungen Strolchen, die nicht nur seit gestern unsere Stadt heimsuchen, sondern sie schon seit Wochen plündern, bestehlen und berauben, von ›Unschuldigen‹ zu sprechen. Ich kann hier nur ›Schuldige‹ sehen.«
»Hm.« Der alte Gorian räusperte sich wieder, aber diesmal schon lauter, und als er antwortete, sprach er noch fester und blickte dabei direkt auf das Gesicht des Bürgermeisters. »Ich gebe Ihnen recht«, meinte er, »dass es hier nicht nur Unschuldige, sondern auch Schuldige gibt. Aber die Schuldigen sind nicht die Kinder. Die Schuldigen sind wir.«
»Wir!« Der gesamte Magistrat schoss plötzlich in die Höhe, als habe der alte Gorian eine Bombe unter den Tisch geworfen. »Wir?«, betonten auch der Pfarrer und Doktor Skalec und sahen den alten Gorian an.

»Wir«, wiederholte der Alte mit Festigkeit. »Mich interessiert nämlich nicht, ob die Kinder stehlen oder nicht, sondern mich interessiert, warum die Kinder stehlen. Ich kenne die meisten nicht erst seit gestern. Ich kenne sie schon lange und kann Ihnen deswegen auch darauf die beste Antwort geben.« Er zog seine Tabaksdose aus der Tasche, nahm eine Prise, dann fuhr er fort:
»Nehmen wir zuerst Branko, den Haupttäter. Die Mehrzahl von Ihnen kennt ihn. Er ist der Sohn von Milan Babitsch, dem Geiger, und von Anka, der Tabakarbeiterin. Es gibt verschiedene von Ihnen, meine Herren, die Milan nicht nur oberflächlich, sondern sogar gut kennen und sich seine Freunde nennen. Ich weiß auch, dass viele von Ihnen stolz auf ihn sind, denn immerhin ist er der beste Geiger an der Adria und unser Bürgermeister hat sich sogar einmal mit ihm fotografieren lassen. Milan, ›unser großer Sohn‹, ist wieder mit seiner Geige unterwegs, seine Frau stirbt in der Zwischenzeit an der Schwindsucht. Es ist eine Schande für uns, dass sich niemand außer der alten Stojana fand, der sie pflegte. Es ist noch eine größere Schande für uns, dass sich die Stadt nicht um die Tote gekümmert hat und arme Tabakarbeiterinnen die Bretter für den Sarg spenden mussten und der ärmste Tischler von Senj ohne Lohn aus den Brettern einen Sarg gemacht hat. Als die arme Frau unter der Erde lag, war sie erst recht tot und begraben für unsere Stadt und es gab auch für Sie im gleichen Augenblick keinen Milan und keinen Branko mehr. Ja, die ›verehrten‹ Bürger dieser Stadt wussten keinen besseren Rat, als den mutterlosen Knaben zur alten Kata, der Hexe, zu schicken, und die hat ihn schon am nächsten Morgen aus ihrer Hütte geworfen mit dem Rat: ›Geh stehlen, wenn du hungrig bist.‹«
Der alte Gorian hatte sich in Wut geredet und sah die Männer böse an. »Was sollte der arme Knabe nun anderes machen?«, sagte er erbittert. »Er musste stehlen gehen.«
»Ich will Sie nicht mit den Schicksalen der anderen Kinder aufhalten«, fuhr er nach längerer Pause fort, »es sind fünf im Ganzen. Das Mädchen hat weder Vater noch Mutter. Dem kleinsten, einem Fischersbuben, ist der Vater, der«, Gorian sah zu dem Direktor Frages hinüber, »bei Ihrer Gesellschaft angestellt war, tödlich verunglückt. Seitdem hat er keinen Menschen mehr, der für ihn sorgt. Den dritten hat der Vater, ein betrunkener Schuster, aus dem Haus gejagt, er sei jetzt alt genug und möge sich gefälligst selber ernäh-

ren, und der vierte ist daheim davongelaufen, weil sein Vater schon seit Monaten keine Arbeit hatte und er sonst vor Hunger gestorben wäre. Aus diesen Gründen sind sie Spitzbuben geworden. Oder meinen Sie, meine Herren, es hat ihnen Freude gemacht, zu stehlen und vom Stehlen zu leben? Branko ist beinahe vor Scham gestorben, als er den ersten Fisch aus der Gosse hob. Die rote Zora hat mir ein Huhn, das sie gestohlen hatten, wieder gebracht, weil sie Gewissensbisse bekam. Nein, ich sage es noch einmal: Wenn es hier Schuldige gibt, dann sind wir es. Wir alle, die wir hier sitzen und uns nicht um sie gekümmert haben!« Der Alte hatte sich in immer größeren Zorn hineingesprochen, sein Gesicht glühte, der runde Bart bebte, seine Hände hoben und senkten sich, aber es hatte auf die Männer gewirkt.

»Bravo!«, rief Curcin als Erster und nickte ihm zu. »Bravo!«, sagte auch Doktor Skalec und vergaß einen Augenblick, an seinem Zucker zu lutschen.

Der greise Priester stand sogar auf, kam auf den alten Gorian zu und legte ihm die Hand auf die Schulter. »Ich danke Ihnen, Vater Gorian«, sagte er. »Ich werde Ihnen das nie vergessen. Sie haben mir ganz aus dem Herzen gesprochen.«

Nun hoben aber auch die anderen ihre Stimmen, erst leise, dann lauter und schließlich drohend.

»So«, sagte der Förster grob, »Spitzbuben sind bei uns plötzlich arme Waisenkinder, Verbrecher ehrliche Menschen und ehrliche Menschen Spitzbuben. Es wäre zum Lachen, wenn es nicht zum Weinen wäre.«

»Ich möchte nur wissen, was diese Spitzbuben Ihnen, Herr Förster, gestohlen haben?«, fragte Gorian.

»Die ganze Stadt weiß es. Ein Rehkitz, zwei Füchse, zwei Dutzend Vögel, zwei Eichhörnchen. Genügt Euch das?«

»Soviel ich weiß, hat man sie nicht Ihnen, sondern Ihrem Sohn gestohlen, und auch nicht gestohlen, sondern einfach freigelassen, und wenn Sie Ihren Sohn fragen, wird er Ihnen auch sagen, warum.«

»Weil sie einem rotzigen Bauernjungen ein paar Pfirsiche nahmen.«

»Ja«, knurrte der alte Gorian böse, »deswegen haben sie die Tiere eines rotzigen Försterssohnes laufenlassen.«

Der Förster sprang auf, sein Gesicht lief beinahe blau an, so wütend war er.

»Wollt Ihr mich beleidigen?«
Der alte Gorian blieb ruhig. Er wandte sich an die Übrigen. »Habe ich Herrn Smoljan beleidigt?«
Curcin und Pletnic lächelten, die anderen machten verlegene Gesichter.
Der Förster kam einen Schritt auf den alten Gorian zu. »Ihr nehmt das zurück.«
»Was?«
»Den rotzigen Förstersohn.«
»Nur wenn Ihr ›den rotzigen Bauernbuben‹ zurücknehmt. Hier auf Erden sind noch immer alle Buben gleich.«
»Ich pfeife auf Eure Belehrung!« Der schöne Smoljan platzte beinahe vor Wut.
»Dann stopft Euch die Ohren zu. Mir genügt es, wenn sie die anderen Herren hören.«
»Alter!« Der Förster stand unmittelbar vor Vater Gorian, seine Hände bebten und er hob sie hoch.
Der Alte erhob sich gleichfalls, und so neben Smoljan, die breiten Schultern, die schweren Arme, das volle, kräftige Gesicht, sahen sie ungefähr ebenbürtig aus.
»Herr Förster«, sagte der alte Gorian, »ich bin weder einer Eurer Holzknechte noch ein Wilderer noch ein Holzdieb, sondern ein freier Bewohner von Senj. Mir imponiert Ihr nicht mit Euerm Geschrei. Ich lasse mich nicht dadurch einschüchtern, und wenn ich Euch einen guten Rat geben kann, setzt Euch lieber wieder, sonst«, er hob seine Hand, »setze ich Euch auf Euren Stuhl.«
»Ich mache, was ich will!«, schrie der Förster. »Und lasse mir von keinem Spitzbubenvater Vorschriften machen.«
»Das wollte ich auch nicht.« Der alte Gorian lächelte. »Ich habe Euch das nur als guten Rat gegeben.«
»Ich pfeife darauf«, wollte der Förster wieder sagen, da rief Doktor Ivekovic: »Ruhe!« Er erhob sich gleich darauf und trennte die beiden Streitenden. »Wir sind hier doch nicht in einem Wirtshaus«, fügte er hinzu.
»Das meine ich auch.« Der alte Gorian setzte sich und auch der Förster wurde an seinen Platz zurückgebracht.
»Was habt Ihr zu der Sache zu sagen?«, wandte sich nun der Bürgermeister an Brozovic.

Der kleine Kaufmann spitzte sein fuchsiges Gesicht und richtete seinen Blick auf den alten Gorian.
»Ein Spitzbube bleibt bei mir ein Spitzbube«, erklärte er, »ob er nun aus Freude oder aus Hunger stiehlt. Nach meiner Meinung gehört er ins Gefängnis.«
»Ist das Euer Ernst, Brozovic?«, mischte sich der alte Gorian wieder ein.
»Mein voller Ernst.«
»Nun«, antwortete der Alte ruhig, »dann würde ich an Eurer Stelle zuerst Euren Sohn hineinstecken.«
»Meinen Sohn! Soll ich Euch verklagen?« Der spitze Kopf wurde noch spitzer.
»Ich weiß nur, dass er hinter Euern Kisten ein ganzes Diebslager hat. Ich weiß auch, dass er für eine Briefmarke eine Schachtel Ölsardinen, gegen zwei Marken einen Block Schokolade und gegen drei Euern halben Laden tauscht, und wenn Ihr es nicht glaubt, müsst Ihr die Kisten nur auseinanderschieben und dahintersehen.«
»Ich? Mein Sohn?«, stammelte Brozovic und sprang auf. »Ich will gleich einmal nachsehen; aber wenn es nicht stimmt, Gorian, dann sollt Ihr mich kennenlernen. Dann bringe ich Euch vors Gericht, dann ...«
Er war schon bei der Tür und wollte hinaus.
»Halt!« Doktor Ivekovic hielt ihn auf. »Ihr müsst schon noch warten, bis wir hier fertig sind«, und er drückte den zappligen Brozovic wieder in seinen Sessel.
Nun war der dicke Marculin an der Reihe.
»Was denkt Ihr über die Sache?«, fragte der Bürgermeister.
Marculin faltete seine schwammigen Hände über dem Bauch. »Was meine Gäste denken.«
»Und was denken Eure Gäste?«
»Jeder das Seine.«
Der Bürgermeister lachte kurz auf. »Ihr könnt aber doch nicht wie alle denken?«
»Es kommt schon etwas Gemeinsames dabei heraus.«
»Und das wäre?«
»Dasselbe, was der alte Gorian gesagt hat. Wir sind wahrscheinlich alle genauso schuld, wenn nicht noch schuldiger an der Sache als die kleine Bande.«

»Dabei haben sie Euren Sohn ins Wasser geworfen!«, schrie der Müller.
»Oh.« Marculin hob seine Hand und winkte ab. »Er pfeift schon wieder.«
»Ihr wollt es so hingehen lassen, dass ein paar Straßenjungen Euren Sohn beinahe ertränkt haben?«, fragte der Förster.
»Er wird schon wissen, warum.« Marculin war nicht aus der Ruhe zu bringen. »Es kann ihm auch gar nichts schaden, wenn er merkt, dass die Kinder der reichen Leute mit den Kindern der armen Leute nicht alles tun können, was sie wollen. Schließlich studiert er davon, dass mir die armen Leute ihr Geld bringen.«
»Das ist Euer letztes Wort in der Sache, Marculin?«, fragte Doktor Ivekovic ernst.
»Für heute wenigstens, Herr Bürgermeister. Für heute«, und er wischte sich den Schweiß vom Gesicht.
»Nun, und was sagen Sie, Karaman?«
Der große Bauer legte seine schweren Hände wieder auf den Tisch.
»Ich sage das, was ich vom ersten Tage an gesagt habe. Branko Babitsch ist ein Spitzbube. Die rote Zora noch ein größerer und die anderen drei sind nicht viel besser. Deswegen gehören sie hinter Schloss und Riegel und wegen der Sache mit meinem Hund möchte ich sie am liebsten eigenhändig dahinterstecken.«
Der alte Gorian blinzelte den reichen Karaman an. »Sprecht nicht so leichtfertig von Spitzbuben, Bauer. Es gehen viele Geschichten in der Stadt um, dass sie immer nur die Kleinen hängen und die Großen laufenlassen.«
»Wollt Ihr mich beleidigen?« Karamans Fäuste ballten sich zusammen.
»Ich? Nein. Aber es gibt noch ein anderes Sprichwort. ›Wem das Hemd passt, der zieht es sich an.‹«
»Ihr solltet bei Euren Sprichwörtern lieber daran denken, dass ›Wer Übles verbreitet, selber von Übel ist‹.«
»Ich habe noch nichts verbreitet, Bauer, und ich wünsche Euch nichts weiter, als dass Euer Gewissen so rein ist wie das meine. Was meint Ihr übrigens wegen des Hundes?«
»Die Tagediebe müssen mir das Tier ersetzen.«
»Weil es Euch davongelaufen ist?«
»Weil sie mir den Hund weggelockt haben.«

»Ich glaube, er ist mehr freiwillig gegangen und das kann ich Euch versichern, wenn ich beim reichen Karaman wäre, würde ich auch davonlaufen.«
»Wollt Ihr mir auch sagen, warum?«
»Weil man von Euch erzählt: Beim reichen Karaman leben die Kälber fetter als die Knechte.«
»Haha!« Karaman lachte laut und seine schweren Fäuste legten sich wieder auseinander. »Sagt man das? Dann wird es stimmen. Ich halte die Kälber eben zum Mästen und die Knechte zum Arbeiten und ich habe noch nie gehört, dass ein fetter Knecht besser die Sense schwingt als ein magerer.«
Der Bürgermeister war schon bei Curcin.
Der dicke Bäcker blies sich auf wie ein Frosch, bevor er antwortete. »Ich bin«, sagte er dann, »wie der alte Gorian dafür, die Kinder laufenzulassen. Ich kenne sie schon viel länger als Sie alle und weiß, dass es wirklich keine Spitzbuben sind.«
»Ihr kennt sie? Woher? Seit wann?« Alle fragten durcheinander. Curcin lächelte verlegen. »Ich habe ihnen jeden Morgen meine alten Semmeln auf die Seite gestellt und sie haben sie sich geholt.«
»Die Kuchen auch?«, fragte Brozovic spitz.
»Die Kuchen auch, wenn es welche gab und wenn sie meine Frau nicht dir zugesteckt hat.«
»Ich habe sie immer bezahlt.«
»Ich weiß es.« Curcin lachte trocken. »Mit Schnaps. Ich bin aber der Meinung, es sei nötiger, Kinder zu füttern als Schweine.«
»Ho, ho!«, krähte der Glatzköpfige laut. »Ein guter Schweinebraten ist nicht zu verachten.«
»Ich verachte ihn auch nicht. Mir schmeckt er aber besser, wenn ich gewiss bin, dass nicht neben mir ein halbes Dutzend Kinder deswegen verhungern.«
»Da habt Ihr allerdings recht«, gab der Glatzköpfige zu.
Pletnic rutschte eine Weile verlegen auf seinem Stuhl hin und her, bevor er etwas sagte. Doktor Ivekovic war einer seiner Stammgäste. Auch der Förster und der Müller kamen oft zu ihm.
»Ich weiß nur«, stotterte er dann, »dass dieser Branko Babitsch, solange seine Mutter lebte, ein braver Junge war; was später aus ihm geworden ist, weiß ich nicht.«
»Ich würde gar nicht so viel darüber nachdenken, Pletnic«, fuhr ihn

der alte Gorian an, »denn wenn Ihr ihn nicht gleich nach dem Tod seiner Mutter auf die Straße gesetzt hättet, säßen wir wahrscheinlich nicht hier zu Gericht über ihn.«
»Ich –«, stammelte Pletnic erschrocken. »Wer sagt das?«
»Es spricht sich manches herum in der Stadt, mein Lieber. Vor allem solche Sachen.«
»Will Hochwürden noch seine Meinung sagen?«, unterbrach Doktor Ivekovic den Disput.
»Natürlich. Natürlich.« Hochwürden Lasinovic erhob sich. »Ich meine wie unser Freund, Vater Gorian, wenn es hier Schuldige gibt, so sind wir es. Ich schlage deshalb vor, dass, wenn wir hier fertig zu Gericht gesessen haben – nicht über die Buben, sondern über uns –, wir noch eine Viertelstunde darüber sprechen sollten, wie wir unsere Schuld wiedergutmachen können.«
»Und ich! Und ich!«, schrie da der dicke Müller. »Haben Sie, Hochwürden, haben Sie alle vergessen, dass mir diese Lausejungen meinen Fischteich geöffnet haben und dass mir meine Schleien, Hechte und Karpfen verlorengegangen sind?«
Alle schrien wieder durcheinander. »Natürlich«, sagte Karaman.
»Ist das auch unsere Schuld?«, zischte Brozovic.
»Man sollte sie mit Ruten dafür peitschen, das Gezücht!«, krächzte der Förster zum Bürgermeister.
»Ja«, antwortete der und wandte sich wieder direkt an den alten Gorian, »ich bin gespannt, Alter, wie Ihr das entschuldigt?«
»Das ist wirklich eine schlimme Sache«, meinte der alte Gorian, »aber«, er bog seinen Kopf zum dicken Müller, »Ihr wisst genauso gut wie ich, dass die Kinder nicht Eure Fische auslassen, sondern Euern Sohn fangen wollten, und wenn sie geahnt hätten, wie viel Dukaten dabei ins Meer schwimmen würden, hätten sie Eure Schleuse bestimmt nicht aufgemacht.«
»Wer ersetzt mir aber den Schaden? Es sind beinahe dreitausend Dinar, die ins Meer geschwommen sind.«
»Zweitausendfünfhundert, habt Ihr gestern im Hotel ›Zagreb‹ gesagt«, berichtigte Vater Gorian, »und diese zweitausendfünfhundert, dafür bürge ich mit meinem Kopf, werden Euch die Kinder bis auf den letzten Dinar zurückzahlen.«
»Die Kinder!« Der dicke Müller blähte sich auf. »Wohl am Sankt-Nimmerleins-Tag oder acht Tage später.«

Alle lachten. Der alte Gorian blieb ernst. »Nein, noch morgen, Müller.«
»Morgen?« Der Müller horchte auf und bekam Glotzaugen.
Der alte Gorian nickte.
»Wo nehmen die Kinder das Geld her?«, fragten Brozovic und Karaman lauernd.
»Nirgends. Sie haben es.«
»Wohl gestohlen!«, krähte Karaman.
»Nein, Bauer. Sie haben es verdient.«
»Wollt Ihr uns nicht auch sagen, wo?«, schaltete sich der Bürgermeister wieder ein.
Der alte Gorian nahm eine Prise. »Bei mir.«
»Bei Euch!«, schrien alle auf.
»Ja«, lächelte der alte Gorian. »Als die ersten Fischschwärme kamen, waren die meisten Fischer von der Gesellschaft schon fest verpflichtet, und da ich niemanden anderen wusste, habe ich nach den Kindern geschickt und sie sind gekommen.«
»Ha!«, lachten Brozovic und der dicke Müller, »und sie haben wirklich gearbeitet?«
Der alte Gorian wurde ärgerlich.
»Ihr seid immer noch der falschen Meinung, dass es diesen Kindern Spaß macht zu stehlen, um ihren Hunger zu stillen. Sie sind mit Freude gekommen, als ich sie um ihre Hilfe bat, und mit genauso viel Freude haben sie gearbeitet. Fragt nur den alten Orlovic«, fuhr er fort, als er die erstaunten, ungläubigen Gesichter der Männer sah, »früh waren sie die Ersten, abends waren sie die Letzten und wir hätten bestimmt nicht die Hälfte der Fische gefangen, wenn uns die Kinder nicht bei Tag und Nacht geholfen hätten.«
»Ich möchte aber doch noch wissen, wie sie dabei zweitausendfünfhundert Dinar verdient haben«, fragte Karaman und schob seinen aufgedunsenen Kopf wieder vor.
»Wie sie das gemacht haben? Ganz einfach. Sie waren ja nicht bei Euch, sondern bei einem ehrlichen Fischer im Dienst. Wisst Ihr, wie es bei einem ehrlichen Fischer an der Adria seit ewigen Zeiten zugeht? Erst zieht der Fischer, wenn ihm das Netz gehört, seinen Netzanteil ab, dann wird alles zwischen ihm und seinen Helfern geteilt. Zwei Kinder zählen wie ein Erwachsener und nun könnt Ihr ja Direktor Kukulic fragen«, er zeigte auf den Glatzköpfigen, »was er

uns bezahlt hat. Rechnet dazu, was wir noch nebenbei verkauft haben, und Ihr kommt ungefähr auf das Doppelte von dem, was die Kinder an Danicic zahlen müssen.«
»Seid Ihr damit einverstanden?«, wandte sich Doktor Skalec, der der Nächste war, an den Müller.
»Natürlich«, beeilte sich der Müller zu antworten.
»Dann haben wir's ja.« Doktor Skalec rieb sich strahlend die Hände. »Lassen wir die Kinder also laufen und, was die Sache mit dem Hund betrifft«, er drehte sich zu Doktor Ivekovic, »die Stadt hat ihren Spaß gehabt und sie wird ihn wieder vergessen.«
»Dass sie über mich gelacht und gesungen haben, nennt Ihr einen Spaß!«, rief der Bürgermeister empört.
»Über mich haben sie auch gelacht und gesungen.«
»Und was habt Ihr dazu gesagt?«
Doktor Skalec lutschte eifrig an seinem Kandis. »Erst war ich genauso wütend wie Sie und habe geschimpft und getobt, dann habe ich mitgelacht.«
»Ich glaube auch«, sagte Direktor Frages, der bisher geschwiegen hatte, »es ist das Beste, wir lachen mit und lassen die Spitzbuben laufen.«
Da erhob sich der Bürgermeister. »Ich bin entschieden dagegen. Zudem müssen wir noch abstimmen, und selbst wenn die Abstimmung negativ ausfällt, so wird mit der Bande noch heute Schluss gemacht. Die Uskoken hören auf, in unserer Stadt und unserem Land zu spuken, und wenn ich sie eigenhändig ins Loch sperren muss.«
»Ja, stimmen wir ab«, riefen der Müller, Karaman und der Förster.
Doktor Ivekovic klopfte mit seinem Hammer auf den Tisch. »Wer ist dafür, dass wir der Bande den Prozess machen?«
Karaman, Smoljan, der Müller, der Apotheker, Brozovic und der Glatzköpfige hoben die Hand.
»Wer ist dagegen?« Der Pfarrer, Curcin, Doktor Skalec, Marculin, Pletnic und Direktor Frages waren dagegen.
»Sechs gegen sechs.« Doktor Ivekovic schimpfte ärgerlich auf. »Und Ihre Stimme!«, rief da Karaman.
»Ja«, sagte Doktor Ivekovic erfreut, »sie fehlt ja noch.« Da fasste ihn jemand an der Schulter. Er drehte sich um. Es war Zlata, die hinter ihm stand.
Das große Mädchen war schon einige Male in der Tür erschienen. Nun hatte sie sich ein Herz gefasst und war näher gekommen.

»Was willst du?«, fragte Doktor Ivekovic.
»Ich muss dich einen Augenblick sprechen, Vater«, flüsterte sie.
»Ich habe jetzt keine Zeit.«
»Du musst Zeit haben!«, flüsterte sie dringlicher.
Sie sahen sich einen Augenblick an.
»Gut«, brummte er, dann wandte er sich an die Männer. »Einen Moment, bitte.«
Er war kaum in sein Arbeitszimmer getreten, da legte ihm Zlata beide Arme um den Hals. »Ich muss dich um etwas bitten.« Doktor Ivekovic war noch immer ärgerlich. »Du, Zlata, und gerade jetzt?«
»Gerade jetzt. Ich habe alles gehört. Du willst die Kinder einsperren lassen. Bitte, tu es nicht.«
»Natürlich lasse ich sie einsperren. Meinst du, ich vergesse so schnell, dass die Stadt über mich gelacht hat?«
»Es ist da noch eine Geschichte, Vater, die viel schlimmer ist als die Hundegeschichte.«
Doktor Ivekovic hob den Kopf. »Was für eine?«
»Die mit den Gespenstern.«
Doktor Ivekovic fasste sich am Bart. »Waren sie das vielleicht auch?«
Das Mädchen nickte. »Sie haben Kürbisse ausgehöhlt und ihre Hemden darübergesteckt, und wenn die Stadt das erfährt, lacht sie noch mehr.«
»Woher weißt du das?«
»Branko hat es mir erzählt.«
»Weiß es sonst noch jemand?«
»Nein. Er hat mir versprochen, dass sie es niemandem verraten. Aber wenn ihr sie festnehmt und einsperrt, werden sie es sicher weitererzählen.«
Doktor Ivekovic ging einen Augenblick unschlüssig hin und her.
»Meinetwegen«, knurrte er. »Ich will mich der Stimme enthalten. Aber ich habe vorhin schon gesagt, mit den Uskoken ist es vorbei, und dabei bleibe ich.« Er ging in den Saal zurück.
Im Saal hatten sich inzwischen der Pfarrer, Curcin, Direktor Frages und der alte Gorian zusammengesetzt.
»Eines Ihrer Patenkinder hat also seinen Vater bei uns verloren?«, sagte Direktor Frages zum alten Gorian.
Der alte Gorian nickte: »Der kleine Nicola.«

»Hätte er vielleicht Lust, Fischer zu werden?«
»Er ist schon einer«, meinte der Alte.
»Schön. Sagt ihm, er soll sich morgen in unserem Büro melden. Die ›Minerva‹ fährt zum Fang in die Gewässer von Korfu und der Kapitän kann einen guten Schiffsjungen gebrauchen.«
»Ich wüsste einen Platz auf dem Land«, meinte Hochwürden. »Ein Bauer Polacék war gestern bei mir. Er hat keine Kinder und braucht notwendig einen Burschen bei der Arbeit. Der Bursche könnte immer bei ihm bleiben.«
»Polacék, habt Ihr gesagt, Hochwürden? Von der Höhe?«
»Ja, er wohnt hinter den Vratnicer Bergen.«
»Den kennen die Kinder sogar. Da geht sicher gern eines von ihnen hin.«
»Ich nehme einen zum Brotaustragen, der später bei mir das Bäckerhandwerk erlernen kann«, meinte Curcin. »Dem Gesellen und mir wächst die Arbeit sowieso über den Kopf.«
»Das wären schon drei.« Hochwürden schmunzelte und rieb sich vergnügt die Hände. »Passt auf, bis Doktor Ivekovic zurück ist, haben wir alle fünf untergebracht.«
»Sie sind es«, sagte der alte Gorian, »denn zwei von ihnen wollte ich haben.«
Da kam Doktor Ivekovic. Er setzte sich wieder an seinen Platz, schien nachzudenken und sah still vor sich hin.
»Wir haben die Kinder bereits untergebracht«, sagte Hochwürden feierlich.
Karaman drehte sich unwillig um. »Aber wir warten ja noch auf Doktor Ivekovics Stimme.«
»Ich werde mich der Stimme enthalten«, sagte da der große Mann seltsam tonlos. »Die Abstimmung bleibt also sechs zu sechs, aber«, er wandte sich an den Pfarrer und den alten Gorian, »ich betone nochmals, was Sie auch tun, merken Sie sich das, mit der Bande der Uskoken ist es ab heute vorbei, auch mit ihrem Versteck im Turm und mit ihren Streichen. Sagen Sie mir bis zum Abend, wo Sie die Kinder unterbringen können, und wenn ich daraus die Gewissheit erhalte, dass es mit der Bande der Uskoken wirklich zu Ende ist, werde ich gleichfalls für sie stimmen.«
Er erhob sich und damit war die Sitzung aufgehoben.
Auch die anderen erhoben sich. Karaman und Direktor Frages gingen

dem Bürgermeister nach, der Rest der Männer strebte dem Ausgang zu.
»Was machen wir nun?«, fragte der alte Gorian den Pfarrer.
»Was wir besprochen haben. Sie teilen den Kindern mit, dass wir sie bei freundlichen Menschen unterbringen, und ihr könnt versichert sein, Doktor Ivekovic ist einverstanden.«
»Woher wissen Sie das?«
Der Pfarrer lächelte. »Ich kenne Doktor Ivekovic seit vierzig Jahren und ich sehe es seinem Gesicht an, dass er bereits auf unserer Seite ist.«
Der alte Gorian blieb misstrauisch, aber er ging doch etwas beruhigter die Treppe hinunter. Vor dem Tor wurde er noch einmal aufgehalten. Das junge Mädchen, das mit dem Bürgermeister gesprochen hatte, stand vor ihm.
»Ihr seid Vater Gorian?«, fragte sie.
»Der bin ich«, nickte der Alte.
»Ich bin Zlata«, sagte sie. »Zlata Ivekovic. Ich wollte Ihnen schnell noch etwas mitteilen. Sagen Sie Branko, dass ich ihm nicht mehr böse bin. Sagen Sie ihm auch, ich bereue es bereits, dass ich ihn verraten habe. Sagen Sie ihm außerdem, dass ich meinem Vater eben die Geschichte von den Gespenstern erzählt habe und dass ich ihn nur um eines bitte, er und die ganze Bande sollen das wie ein ewiges Geheimnis für sich behalten. Das wird sie weiterhin vor dem Zorn meines Vaters schützen.«
Der alte Gorian schmunzelte. »Deswegen war er plötzlich so milde?«
Zlata nickte. »Deswegen. Er fürchtet nichts mehr, als dass auch dies noch bekannt wird, und wenn es bekannt wird, ist es für immer mit der Bande aus.«
»Ich werde es ihnen sagen«, versicherte der alte Gorian, »oder besser, ich werde es ihnen nicht sagen, denn ich glaube, die Kinder haben die Geschichte schon vergessen.«
»Macht das, wie Ihr wollt, Vater Gorian, und grüßt den Jungen noch. Ich werde ihn wohl nie mehr sehen.«
»Wollt Ihr fort?«
»Ich gehe nach Italien. Ich will Sängerin werden.«
»Viel Glück.« Vater Gorian gab ihr die Hand.
Zlata drückte sie und einen Augenblick später war sie verschwunden.

25

Die Uskoken sind tot. Es leben die Uskoken!

Es war ein schöner, stiller Abend, als der alte Gorian wieder nach seiner Bucht zurückwanderte.

Die Bora war gegen vier aufgekommen, aber sie flaute gegen sechs wieder ab. Jetzt lag die Sonne über dem Meer und dem Land. Von den Inseln wehte ein salziger, herber Wind und von den Bergen duftete es warm und würzig herab. Es roch nach Salbei und Thymian, nach Rosmarin und Lavendel.

Vater Gorian ging langsam. Nun hatte er alles hinter sich bis auf das Schwerste. Er musste noch den Kindern erzählen, was man im Rathaus über sie beschlossen hatte.

Die Bande saß um den Steintisch unter dem Feigenbaum. Allen Warnungen zum Trotz hatten sie es nicht mehr in der dumpfen Höhle ausgehalten. Der Hunger war dazugekommen und die Sorge um den Alten. So lange war er noch nie in der Stadt geblieben. Da trat er durch das Gartentor.

Die Kinder stürmten ihm entgegen.

Zora fiel ihm um den Hals. »Wir dachten schon, sie hätten Euch anstatt uns eingesperrt.«

»Beinahe hätten sie das auch, Mädchen. Beinahe.« Er strich Zora über das rote, feurige Haar. »Aber dann hatten sie ein Einsehen und ließen mich wieder frei.«

»Was hat man beschlossen?«, fragte Branko.

»Das erzähle ich euch später. Vorläufig bin ich hungrig und wir wollen essen.«

Die Kinder hatten bereits vorgesorgt. Eine dicke Mehlsuppe kochte auf dem Herd. Pavle schleppte den Kessel heraus. Duro brachte Teller und Löffel, Branko noch Brot und Käse, Nicola eine große Flasche Wein.

Der Alte schmunzelte. »Das lasse ich mir gefallen. So gut habe ich es noch nie gehabt.«

Zora teilte die Suppe aus. Jeder bekam einen großen Teller und dann löffelten sie sie.

Sie blickten dabei immer auf den Alten. Vater Gorian sah in seiner Festtagstracht so feierlich aus. Er erschien ihnen auch sonst feierlicher und ernster und allen war beklommen zumute.
Der Alte spürte es. »Esst!«, munterte er sie auf. »Zu dem, was ich euch zu erzählen habe, ist es besser, ihr habt einen vollen Magen.«
Die Kinder steckten die Löffel in ihre Suppe, aber es schmeckte ihnen doch nicht besser.
Endlich war der Alte fertig, strich sich über den Bart und sah auf. Die Kinder räumten ab, derweil setzte sich der Alte auf die kleine Mauer am Wasser.
Hier hatten sie schon oft gesessen, wenn Vater Gorian ihnen oder sie dem Alten etwas erzählten, und sie setzten sich neben ihn und ließen die Beine ins Wasser baumeln. Vater Gorian begann:
»Es war eine böse Geschichte. Der Bürgermeister hatte mich euretwegen ins Rathaus vor den ganzen Magistrat geladen. Er wollte euch persönlich fangen und einsperren, Karaman euch verprügeln, der Förster euch für eure Schandtaten das Fell über die Ohren ziehen, der Müller euch durch seine Mühlsteine mahlen und Brozovic euch öffentlich auspeitschen lassen.«
»Und Ihr?«, fragte Nicola spitzbübisch.
Der Alte blieb ernst. »Ich habe zwei Stunden gesprochen, länger als jemals in meinem Leben, und Hochwürden Lasinovic hat mir versichert, er hätte nicht besser sprechen können.«
Zora sah ihn an. »Hat es etwas genützt, Vater Gorian?«
Der Alte nickte. »Aus dem Gefängnis habe ich euch herausgeredet, auch verprügelt oder gemahlen werdet ihr nicht, aber mit der Burg Nehajgrad ist es vorbei, auch mit der Höhle unten am Wasser«, er sah sie alle miteinander an, »und auch mit den Uskoken.«
»Nie!«, rief Zora und sprang auf.
»Setz dich, Mädchen.« Der Alte zog sie wieder auf den Stein. »Ihr habt wirklich viel verbrochen, und wenn wir alles zusammenzählen, gehört ihr tatsächlich ins Gefängnis. Aber ihr habt das meiste ja nicht aus Bosheit getan und das will man euch anrechnen.«
»Wir wollen uns überhaupt nichts anrechnen lassen«, knurrte Zora böse, »wir wollen Uskoken bleiben.«
»Wenn ihr Uskoken bleiben wollt«, meinte der Alte ernst, »so nimmt man zuerst mich fest, dann besetzt man den Turm, holt euch aus eurer Höhle und ihr kommt gleichfalls ins Gefängnis.«

»Wir können ja fliehen«, meinte Pavle.
»In die Felsenlöcher, in die die Uskoken schon oft geflohen sind«, sagte Nicola.
»Das könnt ihr«, nickte der Alte. »Damit rettet ihr euch aber nicht. Morgen gehen die Gendarmen hinauf und vertreiben euch auch dort, dann könnt ihr noch weiter fliehen, aber der Arm der Polizei ist lang und wovon wollt ihr leben?«
»Wovon wir bis jetzt gelebt haben«, antwortete Zora trotzig.
»Ich weiß, vom Curcin und vom Diebstahl. Aber Curcin darf euch nichts mehr geben und von jetzt an passen nicht nur die Gendarmen und die Gymnasiasten, sondern die halbe Stadt auf euch auf.«
»Wir haben aber noch unser Geld«, blinzelte Nicola und klapperte damit.
»Ein gut Teil davon müsst ihr leider dem Müller geben.«
»Nie!«, sagte Duro. »Nie!«
»Ich habe dafür gebürgt, sonst wärt ihr doch ins Gefängnis gekommen.«
»Was sollen wir dann aber machen?«, meinte Branko kläglich.
»Ihr müsst euer Brot auf ehrliche Weise verdienen.«
»Auf ehrliche Weise«, bockte Pavle, »das haben wir immer.«
Der Alte lächelte. »Das glauben die anderen aber nicht.«
»Ich will nie etwas anderes als ein Uskoke sein«, sagte Zora schroff.
Der alte Gorian zog sie wieder heran und legte den Arm um sie. »Ich glaube es dir, Mädchen. Die Zeit der Uskoken ist aber vorbei. Sieh, auch bei den alten Uskoken war sie einmal vorüber. Als Venedig und die Türkei Frieden gemacht und sich die großen Wegelagerer geeinigt hatten, dass es besser sei, die Kleinen als sich untereinander zu bekriegen, da mussten die Uskoken ihre Burg verlassen, die Mauern von Senj schleifen, ihre Schiffe versenken und ihre Seeräuberei aufgeben und Handwerker oder Bauern werden. Seht, jetzt ist es wieder so. Die Zeit, wo ihr in eurem Turm leben konntet, wo ihr wegnahmt, wo Überfluss herrschte, wo ihr eure Streiche machen konntet, wo ihr Strolche, Vagabunden, Spitzbuben und Uskoken wart, ist zu Ende. Der Bürgermeister will es, der Magistrat will es, der Pfarrer will es, alle wollen es und der alte Gorian will es auch.«
»Vor einigen Tagen habt Ihr noch gesagt, man soll für seine Freiheit bis zum Tod kämpfen!«, antwortete das Mädchen noch schroffer.
Vater Gorian nickte. »Das habe ich gesagt und ich habe dafür ge-

kämpft, aber nur so lange, wie der Kampf von Nutzen war. Ihr wisst selber, ich habe später meinen Frieden mit der Gesellschaft geschlossen und klein beigegeben.«
»Oder die Gesellschaft«, wandte Branko ein.
»Sagen wir, wir haben uns geeinigt und jeder hat einen Teil seiner Rechte verkauft. Etwas anderes sollt ihr auch nicht machen. Nach den Gesetzen gehört ihr ins Gefängnis, und glaubt mir, ihr seid heute ganz nahe daran vorbeigegangen. Sechs im Magistrat waren dafür und sechs dagegen. Nach den Abmachungen mit dem Bürgermeister kommt ihr aber nur nicht hinein, wenn ihr euch bis heute Abend verpflichtet, eure Bande aufzulösen, um brave Kinder und später einmal gute Bürger der Stadt zu werden.«
»Das eben wollen wir nicht«, riefen jetzt auch Nicola, Pavle, Duro und Branko.
»Sagt das nicht so laut«, warnte sie der Alte.
Er wandte sich an Nicola.
»Was machst du lieber: Willst du dich weiter vor jedem Menschen verstecken, nachts in einer Höhle, einer Hecke oder in euerm Turm wohnen, von Abfällen, Diebstählen und von altbackenen Semmeln des dicken Curcin leben oder fährst du lieber auf einem Schiff auf dem Meer, lässt dir den Wind um beide Ohren wehen, setzt Segel auf, wirfst Netze ins Meer und wirst ein braver, tapferer Fischer?«
»Oh«, Nicola wurde rot vor Begeisterung, »ein Fischer bin ich genauso gern wie ein Uskoke.«
»Siehst du. Der Direktor Frages, der junge Mann in dem weißen Anzug, möchte, dass du so schnell wie möglich zu ihm kommst, bei ihm anheuerst und mit der ›Minerva‹ nach Korfu fährst. Sie brauchen noch einen jungen, tüchtigen Burschen, um dort Makrelen zu fangen.«
Nicola klatschte vor Freude in die Hände. »Mit dem weißen Mann auf der ›Minerva‹, dem großen Segelschiff, nach Korfu? Natürlich, natürlich fahre ich mit!«
»Dich«, der alte Gorian drehte sich zu Duro, »will Polacék haben. Weißt du, der Bauer, bei dem ihr vor einigen Tagen wart. Er hat vorgestern bei dem Pfarrer nach euch gefragt. Er möchte gern einen Jungen aus der Stadt in sein Haus aufnehmen, weil er selber keine Kinder hat, aber eine Hilfe braucht, und einer von euch namens Duro hätte sich am besten bewährt. Morgen oder übermorgen kommt er wieder und du kannst mitgehen.«

Duro sah den alten Gorian freudig an. »Ja, Bauer werden ist mein Traum und zum alten Polacék und seinen Kühen und Schweinen gehe ich gern. Er war so gut zu uns und vor allem seine Frau. Ich glaube, ich werde es da auch weiter gut haben.«
»Den Pavle«, in Vater Gorians Gesicht kam ein leichtes Lächeln, »möchte Curcin haben. Es hat nur eine Schwierigkeit. Curcin sagt: ›Ich brauche einen großen, starken Kerl, der einen Mehlsack auf die Schulter nehmen und einen Brotteig richtig durchkneten kann, und der Pavle ist sicher zu schwach dazu.‹«
»Was!« Pavle brauste auf. »Ich hebe einen Mehlsack mit einer Hand, und wenn Curcin glaubt, ich kann seinen Teig nicht kneten, dann täuscht er sich.« Er streifte seine Ärmel hoch. »Ich bin so stark, dass ich das sicher bald besser kann als er selber.«
»Ich habe ihm schon von deinen Kräften erzählt«, beruhigte ihn Vater Gorian, »aber er wollte es mir nicht glauben. Du gehst am besten einmal zu ihm und zeigst ihm, wie stark du bist.«
»Einmal«, brauste Pavle wieder auf, »heute soll er es noch erfahren, dass er in ganz Senj keinen stärkeren Burschen findet als mich.«
Der Alte sah nun Branko und Zora an.
Branko hatte das ganze Gespräch zuerst mit Erstaunen und später mit einem leichten Lächeln verfolgt, während Zora, je eifriger der Alte sprach und je freudiger die Jungen auf seine Vorschläge eingingen, immer trotziger und verschlossener wurde.
»Nun?«, fragte Branko. »Was habt Ihr mit uns vor?«
»Ja«, sagte Zora zornig, »an wen wollt Ihr uns verkaufen?«
Vater Gorian sah auf einmal recht alt und müde aus. »An niemanden. Ich wollte euch im Gegenteil bitten, ob ihr nicht beide bei mir bleiben wollt. Ich bin siebenundsiebzig Jahre alt und habe außer meiner Ziege niemanden auf der Welt und ich könnte schon zwei solche Helfer wie euch im Haus und beim Fischfang gebrauchen.«
»Gern, Vater Gorian, gern.« Branko hatte nicht einmal im Traum an so eine Lösung gedacht. Er sprang auf und warf beide Arme um den Hals des Alten.
Der sah weiter auf Zora. »Du auch?«
Zoras Zorn war verschwunden. Sie lächelte. »Ich wüsste nicht, wo ich lieber bliebe.«
Die Kinder waren nun einige Minuten ganz ausgelassen. Ja, was da mit ihnen geschehen sollte, hatten sie nie zu hoffen gewagt.

Im Gegenteil, die halbe Nacht waren Gendarmen, Gefängnisse, das Arbeitshaus durch ihre Träume gespenstert und nun blieben sie nicht nur frei, sondern sie konnten alles tun, was sie sich schon seit Jahr und Tag gewünscht hatten.
Nicola sah sich schon als Matrose. Pavle wollte der beste Bäcker, aber daneben der stärkste Mann von Senj werden. Duro wollte ein paar Ziegen, Karnickel und vor allen Dingen ein Fohlen halten.
Branko träumte von seiner Geige und Zora wollte dem Alten kochen und fischen helfen.
»Ich weiß nur nicht«, sagte da auf einmal Nicola und in seinem Gesicht erschien wieder ein spitzbübisches Lächeln, »warum Vater Gorian von uns verlangt, dass wir keine Uskoken mehr sein dürfen. Ich kann doch ein guter Matrose und zugleich ein guter Uskoke sein.«
»Ja«, meinte auch Duro, »und ich kann ein guter Bauer werden und doch ein guter Uskoke bleiben.«
Pavle brummte. »Curcin wird es sicher auch gleich sein, ob ich seinen Teig als Pavle oder als Uskoke knete.«
»Ich glaube auch«, lachte Branko, »es ist einerlei, ob der neue Branko oder der alte das Geigen lernt.«
Zora jauchzte: »Natürlich, Nicola hat recht und Gorians Haus wird unsere Uskokenburg, und wenn Nicola von seiner ersten Reise kommt, feiern wir ein großes Fest.«
»Ich bringe jedem etwas mit«, sagte Nicola bestimmt.
»Ich kann sicher auch jede Woche einmal mit meinem Bauer nach Senj kommen und euch besuchen«, meinte Duro.
»Und ich bringe euch sowieso jede Woche zwei- oder dreimal das Brot«, nickte Pavle.
Zora sah den alten Gorian an. »Sagt, wie ist das?«
Der alte Gorian kratzte sich, strich sich über das Gesicht und schmunzelte: »Ihr Racker. Natürlich können gute Handwerker, Bauern und Fischer auch gute Uskoken sein. Natürlich könnt ihr aus meinem alten Haus und meinem Stall eine neue Burg Nehajgrad machen, es ist ja nun schon seit beinahe drei Wochen eine Uskokenburg. Ihr könnt euch gern und gut auch weiter Uskoken nennen. Die alten Uskoken haben sich sicher noch viele, viele Jahre, nachdem sie schon längst über das ganze Land zogen und Jäger, Fischer, Bauern, Stadtschreiber, Handwerker oder Taugenichtse geworden waren, Uskoken genannt, vielleicht noch ihre Kinder und Kindeskinder, und

dann hat man ihre alten Erzählungen gesammelt, hat Lieder von ihnen gesungen, bis sie in euch wiederauferstanden sind. Aber«, er dämpfte seine Stimme, »wir wollen das für uns behalten. Es soll unser Geheimnis bleiben, dass trotz des bürgermeisterlichen und magistratlichen Verbotes die Uskoken nicht gestorben sind, sondern weiterleben. Niemand darf es wissen, außer mir und euch kein Mensch.«
»Auch Zlata nicht«, sagte Zora und blickte Branko an.
»Nein, auch Zlata nicht«, sagte der alte Gorian, »aber sag nicht zu viel Böses über das Mädchen.«
»Sie hat Branko verraten!«, begehrte Zora auf.
Vater Gorian sah sie an. »Ich weiß es, aber wenn ihr heute nicht ins Gefängnis kommt und in Freiheit bleibt, so habt ihr das Zlata zu verdanken.«
»Wieso?«, fragten Zora und Branko zur gleichen Zeit.
»Vom Magistrat waren sechs für eure Freilassung und sechs dagegen. Der Bürgermeister hatte die letzte und wichtigste Stimme, da hat ihn Zlata gebeten, nicht gegen euch zu stimmen.«
Die Kinder blickten sich an.
»Sie lässt dir übrigens sagen«, fuhr der Alte zu Branko fort, »sie bereue, was sie gestern im ersten Zorn getan habe. Du möchtest ihr nicht böse sein. Du sollst dir weiter Mühe geben, ein guter Geiger zu werden wie dein Vater, und sie lässt dir noch Lebewohl wünschen.«
»Geht sie fort?«, fragte Branko mehr erstaunt als erschrocken.
»Nach Italien. Sie will Sängerin werden.«
Zora, der schon wieder eine zornige Falte auf der Stirn saß, atmete auf. Branko aber nahm seine Mundharmonika aus der Tasche. Erst blies er ein paar leise, wehmütige Töne hinein, als nähme er von Zlata Abschied, dann wurden die Töne laut und hell und zuletzt spielte er das Uskokenlied. Die Kinder fielen jauchzend ein:

»Oh, das Meer ist so schön.
Oh, das Meer ist so blau.
Uskoken, seid immer bereit.
Wenn ein Windstoß sich regt,
wenn die Ebbe vergeht
und ein Aar hoch über uns schreit.
Dann zu Schiff, dann zu Schiff

und die Segel gerafft
und wir stoßen voll Freude von Land.
Kommt ein Türke daher,
schickt Venezia ein Schiff,
wir nehmen das Schwert in die Hand.«

Es war inzwischen dunkel geworden. Auch das Meer wurde dunkel und schwarz, nur ein paar kleine, weiße Schaumkronen leuchteten noch über dem Wasser. Einen Augenblick später stieg groß und rund der Mond über der Burg Nehajgrad auf.
»Seht«, sagte der Alte, »der kommt auch immer wieder.«
»Wie wir«, meinte Branko.
»Ja«, rief Zora. »Die Uskoken sind tot. Es leben die Uskoken!«

Die rote Zora – Der Film

Schon 1979 gab es eine 13-teilige Fernsehserie des berühmten Kinderbuchklassikers von Kurt Held. »Die rote Zora und ihre Bande« war damals eine deutsch-schweizerisch-jugoslawische Koproduktion. Regisseur und Mitautor war Fritz Umgelter. Der sozialkritische Roman aus dem Jahre 1941 gehört zu den bekanntesten Jugendbüchern des 20. Jahrhunderts. Ende September 2006 fiel dann die erste Klappe für den Kinofilm »Die rote Zora«. Die Neuverfilmung hält sich eng an die Romanvorlage und die Dreharbeiten unter der Führung des Regisseurs Peter Kahane fanden ausnahmslos an historischen Originalschauplätzen in Montenegro statt.

Was haben die Darstellerinnen und Darsteller von Zora, Branko, dem Fischer Gorian und dem Bösewicht Karaman und der Regisseur des Films bei den Dreharbeiten erlebt und wie finden sie die Geschichte von der »Roten Zora«?

Linn Reusse, Jakob Knoblauch, Ben Becker und Mario Adorf erzählen von ihren Eindrücken und Erlebnissen.

Peter Kahane, Regisseur, zu dem Roman:

»An dem Roman hat mir besonders gefallen, dass er eine sehr soziale Geschichte erzählt. Kinder, die verstoßen wurden und nun am Rande der Gesellschaft leben. Das Thema der Geschichte hat sich leider immer noch nicht überlebt ...«

»... es ist eine sehr lebhaft geschriebene Geschichte. Der Autor hat nicht einfach ein soziales Programm abgespult, gut gemeint und langweilig. Nein, er hat starke Charaktere entwickelt, die in sich widersprüchlich sind. Sie machen Fehler, streiten sich. Das ist alles sehr lebendig und war für mich eine wunderbare Vorlage für die Verfilmung ...«

»... Von der spannenden und abwechslungsreichen Handlung des Romans konnten wir leider nur einen Teil in den Film mit einbringen. Das liegt in der Natur der Sache: Ein Film ist nun mal nur 90 Minuten lang. Aber wir haben versucht, die Auswahl so zu treffen, das sie dem Sinn des Romans entspricht ...«

Ben Becker, Karaman, zu seiner Rolle als Bösewicht:

»Ich bin der Karaman und diese Stadt gehört nicht dem Bürgermeister, sondern eigentlich mir. Früher oder später werde ich sie mir einverleiben. Für streunende und verwahrloste Kinder habe ich nichts übrig. Ich hasse die Bande der Roten Zora und werde sie alle samt zum Teufel schicken. Und ich liebe Fisch!«

Im Film gibt es eine Szene, in der Karaman mit Fisch beworfen wird.

»Ja, ich durfte mir den Fisch, den ich ins Gesicht bekommen sollte, sogar aussuchen ... Ich habe einen Tintenfisch gewählt.«

Mario Adorf, Gorian, über die Botschaft, die in der Geschichte steckt:

»... Die Kinder werden in der Gesellschaft erst wahrgenommen, wenn sie auffällig werden, also aus der Not heraus kleine Diebstähle begehen. Sie sind keine Verbrecher, werden von der Gesellschaft aber gerne so gesehen. Man will sie loswerden, verfolgt sie und sperrt sie ein. Und der Fischer Gorian fordert: »Wir müssen die Kinder integrieren. Das sind zum großen Teil Waisenkinder. Wir müssen ihnen die Möglichkeit geben, ein würdiges Leben führen zu können ...«

Linn Reusse, Zora, über die Romanfigur und ihre Erlebnisse bei den Filmaufnahmen:

»Zwischen mir und Zora gibt es Ähnlichkeiten, z.B. vom Charakter her. Sie ist ein selbstbewusstes Mädchen und kommt gut mit Jungs aus. Einfach so vom Typ her, ist sie mir sehr ähnlich.«

»An Zora finde ich klasse, dass sie ihr Leben selbst in die Hand nimmt. Anstatt nach dem Tod ihrer Mutter zu trauern, hat sie anderen Jungs geholfen, mit einer ähnlichen Situation klarzukommen. Und hat eine ganze Bande auf die Beine gestellt. Das ist total toll.«

»Es gibt eine lustige Szene, da versucht Zora sich schön zu machen. Sie kauft sich ein hübsches Kleid und eine schöne Kette, neue Schuhe und steckt sich die Haare hoch. Sie ist begeistert und läuft dann zu Branco. Aber Branco sieht das gar nicht, er hat nur Augen für Zlata. Da ist Zora total traurig. Sie gibt Branco immer wieder Zeichen, dass sie ihn mag. Branco merkt das aber nicht.«

Jakob Knoblauch, Branko, über seine erste Filmrolle und die Vorbereitung darauf:

»Ich wurde in der Schule von einem Mädchen angesprochen, ob ich vielleicht in einem Film mitspielen möchte. Klar, wer will nicht gerne in einem Film mitspielen, hab ich da gesagt. Und ich bin dann zu ihr nach Hause gegangen und hab so eine Art Casting gemacht ... Nach ein paar Castings wurde ich dann genommen.«

»Branko ist ein ganz lieber Junge, er ist gut erzogen und er will eigentlich nichts Böses, er ist offen ...«

»... Ich hab das Drehbuch gelesen und den Roman ein bisschen gelesen. Ich brauchte mich da gar nicht so sehr einarbeiten, da ich Branko, glaube ich, sehr ähnlich bin.«

»Eine Woche vor den Dreharbeiten haben wir uns alle kennen gelernt. Das war ganz gut, weil es da noch relativ ruhig war und keine Kameras da waren. Da sind wir so zu einer eigenen Bande zusammengewachsen.«

»Meine Lieblingsszene ist die, in der Zora mir die Geige schenkt.«